D1090331

Une autre femme

ANNE TYLER

Une autre femme

Roman

Traduit de l'anglais
par Sabine Porte

ÉDITION DU CLUB QUÉBEC LOISIRS INC.

Titre original: Leader of Years

Traduit de l'américain par Sabine Porte
Dépôt légal — Bibliothèque nationale du Québec, 1996
ISBN 2-89430-211-8
(publié précédemment sous ISBN 2-7021-2545-X)

Imprimé au Canada

UNE HABITANTE DE BALTIMORE DISPARAÎT AU COURS DE VACANCES EN FAMILLE

La police fédérale du Delaware a annoncé en début de matinée que Cordelia Grinstead, âgée de 40 ans, épouse d'un médecin de Roland Park, a disparu alors qu'elle se trouvait en vacances avec sa famille à Bethany Beach.

Mrs. Grinstead a été vue pour la dernière fois lundi dernier, aux alentours de midi. Elle marchait en direction du sud sur la plage de sable qui s'étend de Bethany à Sea Colony.

Son mari, le Dr Samuel Grinstead, 55 ans, et ses trois enfants, Susan, 21 ans, Ramsay, 19 ans et Carroll, 15 ans, qui l'ont vue partir, n'ont pas remarqué la présence d'individus louches dans les parages. Pour autant qu'ils s'en souviennent, la disparue se serait simplement éloignée d'un pas tranquille. Ce n'est qu'en fin d'après-midi qu'on s'est aperçu de son absence.

Menue, les cheveux blonds ou châtain clair bouclés, Mrs. Grinstead mesure un mètre cinquante-huit ou soixante-cinq tout au plus et pèse entre quarante et cinquante kilos. Elle a les yeux bleus ou gris, peut-être verts, et un léger coup de soleil sur le nez accentue ses taches de rousseur.

Elle porterait un grand fourre-tout de paille orné d'un ruban rose, mais les avis de sa famille divergent quant à sa tenue. Selon son mari, elle serait probablement rose ou bleue, avec des dentelles ou des volants, « style poupée ».

Les autorités écartent l'hypothèse d'une noyade dans la mesure où Mrs. Grinstead évitait autant que possible de se baigner et professait une aversion manifeste pour l'eau. Sa sœur, Eliza Felson, 52 ans, a déclaré à ce propos aux journalistes qu'il se pouvait que la disparue « ait été un chat dans sa dernière réincarnation ».

Toute personne susceptible de fournir des renseignements à son sujet est priée de contacter d'urgence la police fédérale du Delaware.

1

TOUT AVAIT COMMENCÉ un samedi matin du mois de mai, par une de ces belles journées printanières qui sentent bon le linge propre.

Delia était allée faire les courses hebdomadaires au supermarché et elle se trouvait au rayon des primeurs, où elle choisissait une botte de céleri d'une main languide. Les étals de fruits et légumes la rendaient toujours songeuse. Pourquoi n'appelle-t-on pas le céleri « plante mille-raies » ? s'interrogeait-elle. Ce serait bien plus pittoresque. Quant aux têtes d'ail, il fallait les rebaptiser porte-monnaie, tant leur forme lui rappelait ces bourses pleines d'écus d'or des contes populaires.

Sur sa droite, un client triait des oignons nouveaux. À cette heure matinale, le supermarché était quasiment désert. Cependant, l'homme semblait se rapprocher furtivement d'elle. À une ou deux reprises, la manche de sa chemise était venue effleurer celle de sa robe. Sans compter qu'il se contentait de fourrager dans les oignons. Il saisissait une botte ficelée par un élastique, puis il la lâchait pour en prendre une autre. Il avait de longs doigts agiles d'une finesse quasi arachnéenne. Ses manchettes étaient en oxford jaune.

« Savez-vous si c'est bien ce que l'on appelle des oignons blancs ? lui demanda-t-il.

— Parfois, oui », répondit Delia. Elle attrapa la première botte de céleri à portée de main et se dirigea vers les sachets en plastique.

« Ce ne serait pas plutôt des échalotes ?

— Non, ce sont des oignons blancs », lui assura-t-elle.

Bien que ce fût parfaitement inutile, il lui maintint le rouleau de sacs qui était suspendu en hauteur, tandis qu'elle en détachait un. (Il avait facilement une tête de plus qu'elle.) Elle laissa tomber le céleri dedans et s'apprêtait à prendre un lien pour le fermer lorsqu'il lui en tendit un. « Et les échalotes, ça ressemble à quoi ? » insista-t-il.

Elle aurait craint qu'il n'essaie de la draguer si elle ne s'était rendu compte en se retournant qu'il devait avoir une bonne dizaine d'années de moins qu'elle et qu'il était de surcroît très beau garçon. Il avait des cheveux lisses blond foncé et des yeux bleus laiteux qui lui donnaient l'air paisible et rêveur. Il la regardait en souriant et la serrait d'un peu trop près pour un étranger.

« Euh..., fit-elle, troublée.

— Les échalotes, lui rappela-t-il.

— Les échalotes sont plus grosses », lui répondit-elle. Elle mit le céleri dans son Caddie. « Elles sont juste au-dessus du persil, je crois », lança-t-elle par-dessus son épaule, avant de s'apercevoir qu'il était toujours à ses côtés et que, le pas réglé sur le sien, il l'accompagnait, elle et son Caddie, vers le rayon des agrumes. Il portait un blue-jean très délavé et des mocassins souples parfaitement silencieux dans le vacarme des haut-parleurs qui braillaient *King of the Road.*

« Il me faut aussi des citrons », reprit-il.

Elle le lorgna une nouvelle fois.

« Écoutez », déclara-t-il brusquement. Il baissa la voix. « Est-ce que je peux vous demander de me rendre un grand service ?

— Euh...

— Mon ex-femme est un peu plus loin, là-bas, du côté des pommes de terre. Enfin ex, c'est beaucoup dire. Nous sommes séparés, disons, et son petit ami est avec elle. Pourriez-vous faire semblant d'être avec moi ? Juste le temps que je réussisse à m'éclipser d'ici ?

— Mais bien sûr. »

Et aussitôt, elle replongea avec délices dans l'atmosphère d'intrigues et de stratagèmes romanesques chère à ses années de lycée. Elle plissa les yeux, releva le menton et lança : « Elle va voir ce qu'elle va voir ! » Elle passa toutes voiles dehors devant les fruits et, négociant un virage à cent quatre-vingts degrés, s'engouffra dans l'allée des pommes de terre. « Laquelle est-ce ? » murmura-t-elle entre ses dents à la manière d'un ventriloque.

« Le tee-shirt ocre », chuchota-t-il. Puis il la fit sursauter en partant d'un soudain éclat de rire. « Ah ! ah ! lança-t-il d'un ton un peu forcé. Quelle perspicacité ! »

Mais ledit « tee-shirt ocre » ne correspondait en rien à la réalité. La femme qui se retourna au son de sa voix était vêtue d'une tunique de soie sauvage écrue et d'un pantalon noir également en soie aux jambes aussi fines que des crayons. Ses cheveux noir de jais à la coupe asymétrique encadraient un visage d'un ovale parfait. « Tiens, Adrian », dit-elle. Son compagnon, un homme on ne peut plus quelconque, se retourna également, une pomme de terre à la main. Brun, trapu, la peau aussi rêche que du stuc et les sourcils qui se rejoignaient au milieu. Il ne lui arrivait pas à la cheville. Mais qui pouvait arriver à la cheville d'une femme pareille ?

« Oh, Rosemary, je ne t'avais pas vue, fit ledit Adrian. Alors n'oublie pas », ajouta-t-il à l'adresse de Delia, sans ralentir le pas. D'une main, il fit pivoter son Caddie dans la troisième allée. « Tu m'as promis de me faire ton fabuleux blanc-manger ce soir.

— Ah oui, mon... blanc-manger », répéta Delia d'une voix faible. Quelle que soit la nature exacte du blanc-manger, son nom semblait résumer à lui seul comment elle se sentait en cet instant précis : pâle, moche, maigre, avec ses taches de rousseur, ses bouclettes châtains et sa robe rose à col rond tout en volants.

Ils avaient dépassé le rayon des produits laitiers et des jus de fruits, où Delia pensait prendre quelques articles, mais elle n'en souffla mot, car Adrian ne cessait de parler : « Ton blanc-manger et puis ton... ah oui, ton gigot aux petits légumes et... bla bla bla... »

Cette façon qu'il avait de laisser mourir sa voix lui rappelait la fin des chansons populaires, quand le chanteur s'éloigne distraitement du micro. « Est-ce qu'elle nous regarde ? murmura-t-il. Vérifiez. Le plus discrètement possible. »

Delia jeta un œil par-dessus son épaule en faisant mine de tomber en arrêt devant un étalage de plats cuisinés à base de riz. La femme lui tournait le dos, ainsi que son petit ami, mais leur attitude avait quelque chose d'emprunté. Il était anormal d'être à ce point fasciné par des pommes de terre nouvelles.

« Disons qu'elle nous regarde en pensée », chuchota-t-elle. En se retournant, elle vit son Caddie se remplir en un clin d'œil de pâtes. Spaghettis aux œufs, rotini, linguine — Adrian jetait les paquets au hasard. « Excusez-moi..., dit-elle.

— Oh, pardon. » Il fourra les mains dans ses poches et s'éloigna à grandes enjambées. Delia lui emboîta le pas en poussant son Caddie très lentement, au cas où il déciderait que leurs chemins devaient se séparer. Mais, au bout de l'allée, il s'abîma dans la contemplation d'une rangée de boîtes de raviolis et attendit qu'elle l'ait rejoint. « Son petit ami s'appelle Skipper. C'est son comptable.

— Son comptable ! » s'exclama Delia. Cela ne collait pas avec l'image du personnage.

« Il est venu à la maison une bonne demi-douzaine de fois. Il s'installait au beau milieu du salon pour éplucher ses impôts. Rosemary dirige une société de restauration à domicile. "Coupables délices." Ça me fait bien rire. "Péchés mignons pour toutes les occasions." Avant que j'aie eu le temps de dire ouf, elle avait déjà emménagé chez lui. À l'en croire, elle avait seulement besoin de se retrouver toute seule quelques semaines, mais quand elle m'a appelé pour me l'annoncer, je l'entendais derrière elle qui lui soufflait ce qu'il fallait dire.

— Comme je vous plains », soupira Delia.

Une femme avec un bébé dans son Caddie glissa la main entre eux pour attraper une boîte de macaronis au fromage. Delia s'effaça pour la laisser passer.

« Si ce n'est pas trop vous demander, reprit Adrian lorsqu'elle se fut éloignée, je vais rester avec vous le temps que vous finissiez vos achats. Ça ferait louche si je partais comme ça, tout seul. J'espère que cela ne vous dérange pas. »

La déranger ? Il y avait des années qu'il ne lui était rien arrivé d'aussi passionnant. « Pas le moins du monde », lui assura-t-elle. Elle engagea son Caddie dans l'allée nº 4, Adrian toujours à ses côtés.

« Au fait, je me présente, Adrian Bly-Brice. Il vaudrait sans doute mieux que je sache également comment vous vous appelez.

— Delia Grinstead, lui répondit-elle en prenant un flacon de menthe séchée au rayon des épices.

— Je crois bien que je n'avais jamais rencontré de Delia auparavant.

— En fait, mon vrai nom, c'est Cordelia. C'est mon père qui a tenu à m'appeler ainsi.

— Et êtes-vous sa Cordelia ?

— Comment cela ?

— La Cordelia du *Roi Lear*.

— Je ne sais pas. Il est mort.

— Oh, je suis navré.

— Il est mort cet hiver. »

C'était ridicule, mais ses yeux s'embuèrent. Décidément, cette conversation prenait un drôle de tour. Elle redressa les épaules et contourna un couple de retraités qui discutaient des mérites comparés de différents substituts de sel. « De toute façon, reprit-elle, on m'a tout de suite surnommée Delia. Comme dans la chanson.

— Quelle chanson ?

— Celle... mais si, vous savez, celle où Delia s'en est allée, amis, buvons un verre... Mon père me la chantait le soir pour m'endormir.

— Je ne l'ai jamais entendue », dit Adrian.

Et dans sa tête, la voix bourrue de son père marmonnant *Delia s'en est allée* vint rivaliser avec *By the Time I get to Phoenix* que diffusaient à présent les haut-parleurs. « Enfin ! » lança-t-elle d'un ton plus enjoué.

Ils s'engagèrent dans l'allée suivante : à droite les céréales, à gauche le pop-corn et les bonbons. Delia avait besoin de corn flakes, mais cela faisait tellement famille qu'elle se ravisa. (Quels ingrédients fallait-il pour confectionner un blanc-manger ?) Adrian contemplait d'un œil languide des paquets de caramels et de bonbons au rhum. Il avait le teint légèrement ambré de certains blonds et la peau d'une texture quasi transparente. Il devait pouvoir se contenter de deux ou trois rasages par semaine.

« Moi, je porte le prénom d'un de mes oncles, dit-il. Et riche, avec ça, l'oncle Adrian Brice. Mais tout cela pour rien, je le crains. Il a été fou furieux d'apprendre que j'avais changé de nom quand je me suis marié.

— Vous avez changé de nom en vous mariant ?

— On m'appelait Adrian Brice Junior mais, lorsque j'ai épousé Rosemary Bly, nous avons tous deux pris le nom de Bly-Brice.

— Ah, c'est en deux mots.

— Croyez-moi, l'idée était d'elle. »

Comme en écho à ces paroles, Rosemary surgit à l'autre bout de l'allée. Elle jeta quelque chose dans le cabas de plastique rouge suspendu au bras de Skipper. Les femmes du style de Rosemary ne se servent jamais d'un Caddie pour faire leurs courses.

« Mais si on va au cinéma, on rate le concert, lança Adrian de but en blanc. Et tu sais à quel point j'ai envie d'aller à ce concert.

— J'avais complètement oublié, répondit Delia. Le concert ! Au programme, il y a... »

Mais elle fut incapable de se souvenir du moindre compositeur. (Et qui sait, peut-être avait-il à l'esprit un concert d'une tout autre sorte — un concert de rock, par exemple. C'était encore de son âge.) À mesure qu'ils approchaient, Rosemary observait Adrian et Delia sans sourciller. Delia fut la première à baisser les yeux. « Nous n'avons qu'à aller au cinéma demain », poursuivait Adrian. Il braqua le Caddie légèrement vers la gauche. Subitement, Delia se sentit cruellement chétive — non pas gracile et menue, mais courtaude, humble, insignifiante. Elle n'arrivait pas même à l'épaule d'Adrian. Elle accéléra le pas, impatiente de laisser derrière elle cette image d'elle-même. « Il y a bien des séances l'après-midi, le dimanche, non ?

— Mais bien sûr, fit-elle d'un ton légèrement forcé. Nous pouvons aller à celle de deux heures, juste après le brunch au champagne. »

Elle parcourut au galop l'allée suivante. Adrian dut allonger le pas pour rester à sa hauteur. Ils faillirent heurter de plein fouet un homme dont le Caddie débordait d'énormes paquets de Pampers.

Dans l'allée n° 7, ils sillonnèrent à toute vitesse le rayon des produits de luxe — pâte d'anchois, huîtres fumées — et parvinrent aux aliments pour bébé où Delia, reprenant ses esprits, se rappela soudain qu'il lui fallait de la purée d'épinards. Elle ralentit pour scruter la rangée de petits pots. « Pas ça », siffla Adrian. Ils repartirent au pas de charge, laissant derrière eux l'allée n° 7 pour virer sur les chapeaux de roues dans la 8. « Désolé, s'excusa-t-il. Je me suis dit que si Rosemary vous voyait acheter des petits pots... »

Si elle la voyait acheter des petits pots, elle verrait en Delia une simple femme au foyer avec un enfant en bas âge qui l'attendait chez elle. L'ironie voulait que le temps des tout-petits ne fût qu'un lointain souvenir pour Delia et il était somme toute relativement flatteur d'être ainsi soupçonnée d'avoir un enfant si jeune. Si elle avait besoin d'épinards, c'était pour sa soupe de petits pois à la menthe. Mais elle préféra s'abstenir de lui fournir des explications et opta pour du bouillon de poule. « Oh, s'écria Adrian en lui passant sous le nez, du consommé ! Justement, je comptais en prendre. »

Il en balança une boîte dans son Caddie — une marque de luxe avec une étiquette blanche brillante. Puis il alla vaguer plus loin, les mains enfoncées bien à plat dans ses poches revolver. Soudain, il lui rappela son premier amoureux en titre — son seul amoureux, à vrai dire, abstraction faite de son mari. Will Britt avait ce même côté anguleux, qui tour à tour lui paraissait gracieux ou gauche. Et il avait cette même façon de rejeter les coudes en arrière, comme deux ailes effilées toutes bosselées. Et puis, il avait les oreilles légèrement décollées. Elle fut soulagée de constater qu'Adrian aussi avait les oreilles décollées. Les hommes trop beaux ne lui inspiraient pas confiance.

Au bout de l'allée, ils regardèrent à droite et à gauche. Impossible cette fois de dire de quel côté Rosemary était susceptible de surgir, avec son cabas plein d'insouciance et de décontraction. Mais la voie était libre et Delia hasarda son Caddie en direction de la papeterie. « Comment ça, s'étonna Adrian, vous avez encore des choses à acheter ? »

Eh oui. Elle en était à peine à la moitié de sa liste. Mais elle comprenait son point de vue. Plus ils s'attardaient, plus ils couraient le risque d'une nouvelle confrontation. « On y va », lança-t-elle. Elle se dirigea vers la caisse la plus proche, mais Adrian harponna le Caddie par la grille et le tira vers la caisse express. « Un, deux, trois..., fit-elle en comptant ses achats à voix haute. On ne peut pas passer ici, j'ai seize, dix-sept... »

Il poussa le chariot vers la caisse réservée aux clients qui ont un maximum de quinze articles et se plaça juste derrière une vieille dame qui n'avait acheté qu'un sac de croquettes pour chien. Il entreprit d'amonceler les paquets de pâtes sur le comptoir. Bon, tant pis. Delia fourragea dans son sac à la recherche de son chéquier. Pendant ce temps, la vieille dame déposait une à une des piécettes dans la paume de la caissière. Elle lui tendit un *cent*, puis repartit en quête et en dénicha un autre. Le troisième s'ornait d'une petite peluche que la vieille dame ôta laborieusement. Adrian poussa un soupir exaspéré. « J'ai oublié les boîtes pour chats », déclara Delia. Elle n'espérait pas le moins du monde qu'il se portât volontaire pour retourner en chercher ; elle pensait seulement calmer un tant soit peu son agitation en alimentant la conversation. « En voyant les croquettes pour chien, je me suis souvenue qu'il n'y en avait quasiment plus à la maison, ajouta-t-elle. Tant pis, j'enverrai Ramsay en acheter plus tard. »

La vieille dame s'était mise en chasse d'un quatrième *cent*. Elle était certaine, assurait-elle, d'en avoir un autre quelque part.

« Ramsay ! » répéta Adrian à part lui. De nouveau, il soupira — ou plutôt non, cette fois, il riait. « Je parie que vous habitez à Roland Park.

— En effet, oui.

— J'en étais sûr ! Tous les gens de Roland Park sont affublés d'un patronyme en guise de prénom.

— Et alors ? rétorqua-t-elle, piquée au vif. Quel mal y a-t-il à cela ?

— Oh, rien.

— Ce n'est même pas vrai, je connais plein de gens qui...

— Ne le prenez pas mal ! J'ai habité à Roland Park, moi aussi. Je ne dois qu'au hasard de ne pas avoir reçu le doux prénom de... je ne sais pas, moi, Bennington ou McKinney ; McKinney est le nom de jeune fille de ma mère. Je parie que la mère de votre mari... et si le blanc-manger ne nous dit rien ce soir, on pourra toujours le garder pour demain. »

L'espace d'une seconde, elle fut complètement désarçonnée, puis elle comprit que Rosemary devait à nouveau être à portée de voix. En effet, un cabas plein surgit sur le comptoir derrière ses provisions. La vieille dame avait fini par s'en aller en chancelant sous le fardeau des croquettes pour chien et la caissière leur demandait : « Sacs en plastique ou en papier ?

— En plastique, s'il vous plaît », dit Adrian.

Delia ouvrit la bouche pour protester (elle avait une préférence pour les sacs en papier), mais elle ne voulut pas contredire Adrian devant sa femme.

Adrian lança : « Delia, je ne crois pas que tu connaisses ma... »

Delia se retourna et déjà elle plaquait un sourire agréablement surpris sur son visage.

« Ma... enfin, Rosemary, poursuivit Adrian, et son... enfin, Skipper. Je vous présente Delia Grinstead. »

Rosemary n'esquissa pas l'ombre d'un sourire, aussi Delia se sentit-elle ridicule, mais Skipper la salua aimablement d'un signe de tête. Il garda les bras croisés sur son torse — des bras courts, musclés, velus, qui saillaient des manches de son polo. « De la famille du Dr Grinstead ?

— Oui ! C'est mon... c'était mon... c'est mon mari », balbutia-t-elle. Comment justifier l'existence d'un mari en de telles circonstances ?

Mais Skipper parut prendre la chose avec une parfaite équanimité. « Le Dr Grinstead est le généraliste de ma mère. Il la suit depuis toujours. N'est-ce pas ? ajouta-t-il en se tournant vers Delia.

— En effet, oui », acquiesça-t-elle, sans en avoir la moindre idée. Pendant ce temps, Rosemary continuait à l'étudier froidement. Elle inclinait la tête selon un angle bien précis, accentuant encore l'asymétrie de sa coiffure qui plongeait en piqué vers son menton. Certes, ce n'était en rien l'affaire de Delia, mais, en son for intérieur, elle se disait qu'Adrian méritait une femme plus aimable. Skipper aussi, d'ailleurs. Elle regrettait de ne pas avoir mis des talons hauts, ce matin-là, et une robe plus habillée.

« Le Dr Grinstead est quasiment l'un des derniers médecins de Baltimore à accepter de faire des visites, poursuivait Skipper.

— Enfin, uniquement en cas de nécessité absolue », précisa Delia. Pur réflexe : elle s'efforçait toujours de protéger son mari de ses patients. Derrière elle résonnait le bip-bip du scanner qui enregistrait ses achats.

La musique s'était tue depuis quelques minutes déjà lorsque Delia s'en aperçut et la rumeur des clients éparpillés dans le magasin prit soudain les accents menaçants de chuchotements étouffés.

« Ça fait trente-trois quarante », annonça la caissière.

En se retournant pour remplir le chèque, Delia vit qu'Adrian tendait des billets. « Mais... », s'exclama-t-elle, s'apprêtant à protester. Sur ces entrefaites, elle se rendit compte que Rosemary avait l'oreille aux aguets.

Adrian lui adressa son plus beau sourire et ramassa sa monnaie. « Ravi de vous avoir rencontrés », lança-t-il à l'adresse des deux autres. Et il prit le chemin de la sortie en poussant le Caddie, laissant Delia à la traîne.

Il pleuvait par intermittence depuis des jours, mais ce matin-là le beau temps était revenu, donnant au parking un aspect rincé de frais, propre et velouté sous un film de soleil citronné. Adrian stoppa le Caddie sur le trottoir et prit deux des sacs de courses en laissant le troisième pour Delia. Se posa alors la question de la voiture qu'ils allaient prendre. Il se dirigeait déjà vers la sienne qui était manifestement garée du côté du pressing, lorsqu'elle l'arrêta. « Attendez, je suis juste ici.

— Mais, s'ils nous voient ? On ne peut pas repartir à deux voitures.

— J'ai ma vie et il est temps que j'y retourne », rétorqua-t-elle. Toute cette affaire était allée bien assez loin, songeait-elle soudain. Elle n'avait ni ses épinards en pot ni ses corn flakes, entre autres innombrables articles, et ce, à cause d'un parfait étranger. D'un geste brusque, elle ouvrit le coffre de sa Plymouth.

« Bon, d'accord, soupira Adrian. Voilà ce qu'on va faire. On va charger les courses le plus lentement possible et, le temps qu'on ait fini, ils seront partis. Ils n'ont pas grand-chose à passer en caisse : deux steaks, deux pommes de terre, une laitue, une boîte de bonbons à la menthe. Ce sera vite fait. »

Delia fut stupéfaite de ses facultés d'observation. Elle le regarda ranger les sacs dans le coffre avant de passer une bonne demi-minute à redisposer un petit paquet. De l'orzo — une variété de pâtes on ne peut plus curieuses, minuscules, qu'elle avait souvent remarquée sur les rayons sans jamais en avoir acheté. Les petits grains ressemblaient tellement à du riz qu'à tout prendre, elle préférait ce dernier qui devait offrir davantage de qualités nutritives. Elle lui tendit le troisième sac, qu'il plaça précautionneusement entre les deux premiers. « Est-ce qu'ils sont sortis ? s'enquit-il.

— Non, toujours pas, lui répondit-elle en glissant un œil en direction du magasin. Écoutez, je vous dois de l'argent.

— C'est moi qui paie.

— Non, vraiment, je tiens à vous rembourser. Le seul problème, c'est que j'avais l'intention de faire un chèque. Je n'ai pas de liquide. Est-ce que vous accepteriez un chèque ? Je peux vous montrer mon permis de conduire. »

Il se mit à rire.

« Je ne plaisante pas. Si cela ne vous dérange pas d'accepter un... »

Sur ce, elle aperçut Rosemary et Skipper qui émergeaient du supermarché. Skipper serrait contre lui un unique sac en papier kraft. Rosemary, quant à elle, ne portait rien, abstraction faite d'un petit sac à main de la taille d'un sandwich suspendu au bout d'une chaîne dorée étincelante.

« C'est eux ? demanda Adrian.

— C'est eux. »

Il plongea le nez dans le coffre et se remit à ranger les courses. « Prévenez-moi dès qu'ils seront partis. »

Le couple traversa le parking pour rejoindre un coupé sport rouge. Rosemary avait la taille de Skipper, voire quelques centimètres de plus, et la démarche mollement indifférente d'un mannequin qui défile. Si elle avait percuté un mur, ses hanches l'auraient touché en premier.

« Est-ce qu'ils regardent dans notre direction ? s'inquiéta Adrian.

— Je ne crois pas qu'ils nous voient. »

Skipper ouvrit la portière côté passager et Rosemary se plia à l'intérieur de la voiture. Il lui tendit le sac de provisions, referma, fit le tour du coupé à grandes enjambées, se glissa au volant et attendit d'avoir démarré pour claquer sa portière. Dans un bref vrombissement hargneux, la petite voiture vira sur les chapeaux de roues et s'éloigna.

« Ils sont partis », annonça Delia.

Adrian referma le coffre. Il semblait vieilli. Delia remarqua pour la première fois de fines ridules au coin de sa bouche.

« Enfin », soupira-t-il tristement.

Bien qu'il fût grossier de reparler d'argent en cet instant, elle ne pouvait guère faire autrement : « Au sujet du chèque...

— Je vous en prie. Je vous dois beaucoup. Je vous dois bien davantage. Merci de votre soutien.

— Ce n'est rien. Je regrette que vous n'ayez pas trouvé... comment dire, quelqu'un de plus approprié.

— Comment cela ?

— Quelqu'un... mais si, vous savez, une femme aussi séduisante que la vôtre.

— Mais qu'est-ce que vous me chantez là ? Vous êtes très mignonne ! Vous avez un si joli petit minois, on dirait une fleur. »

Elle sentit le rouge lui monter aux joues. Il devait penser qu'elle cherchait à être flattée. « Quoi qu'il en soit, je suis ravie d'avoir pu vous aider », lui dit-elle. Elle s'éloigna à reculons et ouvrit sa portière. « Allez, au revoir !

— Au revoir. Et merci encore. »

Tel un hôte sur son perron, il attendit qu'elle ait manœuvré pour sortir de sa place de parking. Évidemment, elle s'y prit très mal, car elle se savait observée. Elle braqua son volant trop brutalement et la courroie de sa direction assistée émit un grincement embarrassant. Mais elle parvint finalement à dégager la voiture et s'éloigna. Dans son rétroviseur s'encadrait la silhouette d'Adrian qui levait la main en signe d'adieu. Il ne la baissa qu'en la voyant obliquer vers le sud au feu.

Elle était à mi-chemin de chez elle lorsqu'une pensée subite lui traversa l'esprit : elle aurait dû lui rendre les articles qu'il avait choisis. Toutes ces pâtes, et ces petits grains d'orzo..., et le consommé, elle l'avait oublié ! Du consommé madrilène. Elle ne savait même pas le goût que cela pouvait avoir. La voilà qui partait avec des biens qui ne lui appartenaient pas, et elle était honteuse d'éprouver un tel sentiment de satisfaction, de chance, de richesse.

2

LE DÉSAVANTAGE des sacs en plastique, c'est que leurs poignées sont si commodes que l'on a tendance à trop en porter d'un coup. Delia avait oublié ce détail. Il lui revint en mémoire lorsque, à mi-chemin de la pelouse de l'entrée, elle commença à avoir des crampes dans les doigts. Elle n'avait pas pu garer la voiture à l'arrière de la maison, car l'allée était bloquée par un break. Une pancarte rouillée clouée au plus gros chêne du jardin demandait aux patients de parquer leur véhicule dans la rue, mais la plupart d'entre eux n'en tenaient pas compte.

Elle contourna la véranda et se fraya un chemin dans le labyrinthe de buissons de forsythias fanés qui flanquaient la maison. C'était une demeure spacieuse mais vétuste, aux bardeaux marron veinés de salpêtre, dont les persiennes s'étaient édentées au fil des années, à mesure qu'elles perdaient leurs lames. Delia y avait toujours vécu. Tout comme son père, d'ailleurs. Sa mère, tout droit venue de la côte Est, avait succombé à une insuffisance rénale alors que Delia était trop petite pour s'en souvenir, la laissant aux soins de son père et de ses deux sœurs aînées. Delia avait joué à la marelle sur le parquet du vestibule tandis que son père recevait ses patients dans la véranda fermée qui donnait sur la cuisine, puis elle avait épousé l'assistant du médecin sous les branches tentaculaires du lustre de cuivre qui aujourd'hui encore lui faisait irrésistiblement penser à un faucheux. Au lendemain de son mariage, elle n'avait toujours pas déménagé, se contentant d'installer son mari dans ses meubles d'adolescente, et après la naissance des enfants, il n'était pas rare de voir un patient s'aventurer hors de la salle d'attente en criant : « Delia ? Où es-tu, mon petit ? J'avais juste envie de voir comment allaient tes adorables trésors. »

Perché sur le perron de derrière, le chat l'accueillit avec un miaulement de reproche. Son pelage gris à poils ras était aplati çà et là par des gouttes d'eau. « Je te l'avais bien dit, non ? le houspilla Delia en le faisant rentrer. Je t'avais bien dit que l'herbe serait encore mouillée. » Il lui avait suffi de traverser la pelouse pour que ses chaussures soient détrempées et que ses fines semelles glacées semblent changées en papier mâché. Elle les enleva avant de pénétrer dans la cuisine. « Tiens, coucou ! » lança-t-elle à son fils. Affalé en pyjama sur la table de la cuisine, il se beurrait une tartine. Elle posa ses sacs sur le plan de travail et ajouta : « Je ne m'attendais pas à te trouver debout à une heure aussi matinale.

— On m'a pas laissé le choix », ronchonna-t-il.

C'était le petit dernier et, de tous ses enfants, celui qui lui ressemblait le plus (avec ses cheveux châtain clair à l'aspect filasse, son visage au teint pâle parsemé de taches de rousseur et ses yeux cernés d'ombres mauves). C'est du moins ce qu'elle avait toujours pensé. Mais le mois dernier, il avait fêté ses quinze ans et soudain elle découvrait ce qui chez lui tenait davantage de Sam. Il avait grandi à vue d'œil et dépassait à présent le mètre quatre-vingts, son petit menton pointu était devenu carré, ses mains s'étaient musclées et dégageaient désormais une déconcertante impression de compétence. Même sa manière de tenir le couteau à beurre suggérait une autorité nouvelle.

Sa voix également était celle de Sam, grave et cependant veloutée, échappant au concert de couacs et de coassements qu'avait connu son frère.

« J'espère que tu as acheté des corn flakes, dit-il.

— C'est-à-dire que non, je...

— Maman !

— Mais attends un peu que je t'explique. Tu ne devineras jamais ce qui m'est arrivé. Une aventure incroyable. J'étais au rayon primeurs, plongée dans mes pensées...

— Y a rien à se mettre sous la dent dans cette baraque.

— Tu m'avoueras que d'habitude, tu te passes de petit déjeuner le samedi. »

Il lui lança un regard mauvais. « C'est à Ramsay qu'il faut dire ça.

— Ramsay ?

— C'est lui qui m'a réveillé. Il a déboulé en titubant dans la chambre en plein jour, après avoir passé la nuit dehors avec sa petite copine. J'ai pas réussi à me rendormir. »

Delia se désintéressa de la question pour se pencher sur ses achats (elle savait parfaitement où il voulait en venir) et se mit à fourrager dans les sacs, comme si elle espérait en voir surgir les corn flakes. « Mais, attends que je te raconte ce qui m'est arrivé, lança-t-elle par-dessus son épaule. D'un coup, voilà que je trouve un homme à côté de moi... S'il était beau ? On aurait dit mon premier amoureux, Will Britt. Je ne crois pas t'avoir jamais parlé de Will...

— Dis, maman, quand est-ce que je pourrai m'installer de l'autre côté du couloir ?

— Oh, Carroll...

— Autour de moi, je suis le seul à faire chambre commune avec son frère.

— Franchement. Il y a des millions de gens en ce bas monde qui sont obligés de faire chambre commune avec des familles entières.

— Peut-être, mais pas avec un frère qui est en fac et qui passe son temps à picoler. Pas quand il y a une autre chambre, parfaitement libre, pile de l'autre côté du couloir. »

Delia posa la boîte d'orzo et le regarda droit dans les yeux. Il avait grand besoin d'une coupe de cheveux, mais le moment n'était guère propice pour lui en faire la remarque. « Carroll, je suis désolée, mais je ne suis pas encore prête.

— Tante Eliza est bien prête, elle ! Pourquoi pas toi ? Elle aussi, c'était la fille de papi, et pourtant pour elle, c'est évident que je dois avoir sa chambre. Elle ne voit pas ce qui peut m'en empêcher.

— Oh, regarde-moi ça ! lança Delia d'un ton enjoué. Quelle idée d'aller gâcher une journée pareille en se disputant ! Où est ton père ? Il est en consultation ? »

Carroll ne répondit pas. Il avait laissé tomber sa tartine dans son assiette et se balançait sur sa chaise d'un air de défi, contribuant sans nul doute à défoncer davantage encore le linoléum. Delia soupira.

« Écoute, mon chéri, je sais ce que tu ressens. Et bientôt, tu auras cette chambre, c'est promis. Mais pas pour l'instant ! Pas encore ! Elle est encore imprégnée de l'odeur de sa pipe.

— Ça n'y paraîtra plus une fois que je m'y serai installé.
— Mais c'est bien ce que je crains.
— S'il n'y a que ça, je peux me mettre à fumer. »
Elle balaya la suggestion du rire qui se devait. « Alors, ton père est en consultation ?
— Non.
— Où est-il ?
— Il est allé courir.
— Quoi ? »
Carroll reprit sa tartine et entreprit de la mastiquer bruyamment.
« Il est allé faire quoi ?
— Courir, maman.
— Lui as-tu au moins proposé de l'accompagner ?
— Mais, bon sang, il est seulement allé faire un petit tour sur la piste Gilman.
— Je vous ai demandé, les enfants, je vous ai supplié de ne pas le laisser partir tout seul. Imagine un peu qu'il lui arrive quoi que soit et qu'il n'y ait personne pour venir à son secours.
— Sur la piste Gilman, il y a pas de risques.
— Et puis, de toute façon, il ne devrait pas courir. Il ferait mieux de marcher.
— Ça lui fait du bien. Écoute. Il ne s'en fait pas, lui. Et son médecin non plus. Alors, qu'est-ce qui va pas, maman ? »
Pour répondre à cette simple question, Delia n'avait que l'embarras du choix. Elle se contenta de presser la main sur son front.
Des sujets de plainte, elle n'en manquait pas. Tout ce qu'elle avait oublié de mentionner au jeune homme du supermarché : elle avait quarante ans, elle était triste, fatiguée, angoissée, et son dernier brunch au champagne remontait à des décennies. Son mari, quant à lui, avait une bonne quinzaine d'années de plus qu'elle et, quelques mois auparavant, en février, il avait été pris de violentes douleurs dans la région du cœur. Angine de poitrine, avaient-ils décrété aux urgences. Depuis, elle vivait dans la terreur dès qu'il mettait le pied dehors sans être accompagné, elle redoutait de le voir prendre le volant, inventait mille excuses pour ne pas faire l'amour avec lui de peur que son cœur n'y résiste pas et, tandis qu'il dormait à ses côtés, elle passait ses nuits à contracter tous ses muscles à chacune des interminables apnées qui ponctuaient sa lente respiration.

Et non seulement ses enfants n'en étaient plus au stade des tout-petits, ils étaient gigantesques. C'étaient de grands escogriffes balourds, tapageurs, pleins d'arrogance et de sans-gêne : Susie, future licenciée de l'université de Goucher, était dévorée par un enthousiasme déconcertant pour divers sports de plein air ; Ramsay, étudiant de première année à Hopkins, était sur le point de se faire recaler grâce à la mère célibataire de vingt-huit ans qu'il s'était trouvée en guise de petite amie. (Et Susie comme Ramsay étaient mortifiés au dernier degré que l'état des finances familiales les forçât à vivre sous le toit parental.) Et voilà que son petit dernier, l'adorable Carroll, si tendre et si charmeur, avait été détrôné par cet adolescent insolent qui se dérobait aux câlins de sa mère, critiquait sa façon de s'habiller et roulait des yeux écœurés dès qu'elle ouvrait la bouche.

Comme en cet instant, précisément, où bien décidée à tout reprendre à zéro, elle afficha un masque guilleret pour demander : « Y a-t-il eu des appels pendant que j'étais sortie ? » et s'entendit rétorquer : « Pourquoi je répondrais quand ça sonne chez les grands », sans même que la question fût suivie d'un point d'interrogation.

Parce que les grands achètent le céleri pour la soupe de petits pois à la menthe que tu aimes tant, aurait-elle pu lui répondre, mais des années de pratique des adolescents l'avaient convaincue des mérites du pacifisme et elle se contenta de sortir à pas feutrés de la cuisine, chaussée de ses seuls bas, pour traverser le vestibule et aller dans le bureau où Sam avait installé le répondeur.

La pièce avait été baptisée bureau et, de fait, ses murs étaient tapissés d'étagères de livres jusqu'au plafond, mais à présent elle tenait essentiellement lieu de salle de télévision. Les rideaux de velours étaient tirés en permanence, recréant l'ambiance rouge sombre empoussiérée des cinémas d'autrefois. La table basse était jonchée de canettes de soda, de sacs de bretzels vides et de monceaux de cassettes vidéo louées. Elle y trouva Susie, vautrée sur le canapé, en train de regarder les dessins animés du samedi matin en compagnie de son petit ami, Driscoll Avery. Ces deux-là sortaient ensemble depuis si longtemps qu'on les aurait crus frère et sœur, avec leur teint lisse légèrement hâlé, leur massive silhouette dépourvue de taille et leur informe survêtement identique. Driscoll cligna tout juste les yeux lorsque Delia fit son entrée. C'eût été trop demander à Susie, qui se contenta de changer de chaîne avec la télécommande.

« Bonjour, vous deux, lança Delia. Des appels ? »

Susie haussa les épaules et passa encore sur une autre chaîne. Driscoll émit un bâillement sonore. Du coup, Delia ne prit pas la peine de s'excuser lorsqu'elle passa devant eux pour s'approcher du répondeur. Elle appuya sur la touche Messages, mais rien ne se produisit. Les engins électroniques la prenaient toujours en traître. « Comment est-ce que je... ? » commença-t-elle. Mais à l'instant même, une voix d'homme éraillée emplit la pièce : « Dr Grinstead, pouvez-vous me rappeler le plus tôt possible ? C'est Grayson Knowles, j'ai parlé au pharmacien de ces cachets, mais il m'a demandé si... »

Quelle que fût la requête du pharmacien, elle fut couverte par la musique de Bugs Bunny. Susie avait dû augmenter le volume du son. *Bip*, fit la machine, et ce fut au tour de la sœur de Delia : « Dee, c'est Eliza. J'ai besoin d'une adresse. Peux-tu me rappeler à mon travail ? »

« Que fait-elle à son travail un samedi ? » demanda Delia. Mais elle n'obtint aucune réponse.

Bip. « C'est Margery Allingham... », annonça sans ambages une voix de femme.

« Oh non », soupira Susie à l'adresse de Driscoll.

« ... Marshall et moi, nous nous demandions si cela vous dirait de venir tous dîner dimanche soir. À la bonne franquette ! Juste entre nous ! Et surtout, dites bien à Miss Susie qu'elle peut amener son charmant Driscoll. Sept heures, ça vous va ? »

Bip bip bip bip bip. Fin.

« On y est déjà allés la semaine dernière, protesta Susie en s'avachissant davantage encore sur le canapé. Ne compte pas sur nous.

— Je ne sais pas, moi, intervint Driscoll. Ce cocktail de crabe qu'elle nous a servi la dernière fois, c'était vachement bon.

— On n'y va pas. Alors, inutile d'y penser.

— Elle se sent seule, c'est tout, dit Delia. Avec sa hanche, elle se retrouve coincée chez elle, incapable de circuler... »

Un coup retentit au-dessus de leurs têtes.

« Qu'est-ce que c'est ? » s'inquiéta-t-elle.

D'autres coups. Des coups frappés sur du métal. *Cling !*

Cling ! à intervalles réguliers. À croire qu'ils étaient intentionnels.

« Le plombier ? hasarda Driscoll.

— Le plombier, quel plombier ?

— Le plombier qui est là-haut dans la salle de bains.

— Mais je n'ai jamais appelé le plombier.

— Si c'est pas vous, c'est peut-être le Dr Grinstead ? »

Delia jeta un regard à sa fille. Susie la lorgna d'un œil narquois.

« Je ne sais pas ce qui lui prend, soupira Delia. Il ré... comment dit-on déjà, il régénère, ressuscite... » Ni l'un ni l'autre ne l'écoutait, elle en était parfaitement consciente, aussi sortit-elle de la pièce en poursuivant son monologue à voix haute : « Rénove... voilà, c'est ça, il rénove la maison à n'en plus finir. Si c'est pour cette histoire de plafond, franchement, il aurait mieux valu... »

Elle grimpa l'escalier, croisant à mi-chemin le chat qui déboulait les marches fort peu élégamment. Vernon haïssait le moindre tapage. « Il y a quelqu'un ? » lança Delia. Elle passa la tête dans l'embrasure de la porte de la salle de bains qui donnait sur le couloir. Accroupi à côté de l'antique baignoire, un homme en bleu de travail avec un catogan inspectait les canalisations. « Bonjour », lui dit-elle.

Il se démancha le cou pour la regarder. « Salut.

— Quel est le problème, à votre avis ?

— Difficile à dire, pour le moment », répondit-il. Il retourna à ses canalisations.

Elle attendit quelques secondes, au cas où il aurait ajouté quelque chose, mais il appartenait manifestement à cette catégorie d'ouvriers qui estiment que seuls les maris sont dignes de leur conversation.

Une fois dans sa chambre, elle s'assit sur le lit du côté de Sam, décrocha le téléphone et composa le numéro professionnel d'Eliza. « Bibliothèque Pratt, annonça une voix de femme.

— Pourrais-je parler à Eliza Felson, je vous prie ?

— Un instant, s'il vous plaît. »

Delia adossa l'oreiller contre la tête de lit et lança les pieds sur le couvre-lit à volants roses. Le plombier était à présent dans la salle de bains qui séparait sa chambre de celle de son père. Elle ne le voyait pas, mais elle l'entendait frapper des coups ici et là. Quel renseignement pouvait-on espérer tirer en cognant ainsi sur des tuyaux ?

« Je suis désolée, reprit son interlocutrice, mais nous ne trouvons pas Miss Felson. Êtes-vous sûre qu'elle travaille aujourd'hui ?

— Certaine. C'est elle-même qui m'a dit de la rappeler à la bibliothèque et elle n'est pas chez elle.

— Je suis désolée.

— En tout cas, merci. »

Elle raccrocha. Le plombier sifflotait *My Darling Clementine.* Delia faisait le numéro de Mrs. Allingham, lorsqu'il entra d'un pas nonchalant elle resserra pudiquement sa jupe sur ses genoux. Il s'accroupit devant la minuscule trappe qui donnait sur les canalisations dissimulées dans le mur. *« Thou art lost and gone forever »*, sifflotait-il : Delia rajoutait les paroles en pensée. Un petit coup sec sur le bouton en bois qui ouvrait la trappe : il lui resta entre les doigts. Elle aurait pu le prévenir. Elle le regarda non sans satisfaction marmonner un juron entre ses dents tout en prenant une paire de pinces accrochée à sa ceinture.

Sept sonneries. Huit. Elle ne se découragea pas. Mrs. Allingham boitait et mettait un temps fou à aller jusqu'au téléphone.

Neuf sonneries. « Allô ?

— Mrs. Allingham ? C'est Delia.

— Delia, mon petit ! Comment allez-vous ?

— Bien, et vous-même ?

— Pour le mieux. Nous profitons de ce beau temps printanier ! J'avais quasiment oublié que le soleil existait, jusqu'à aujourd'hui.

— Moi aussi », répondit Delia. Soudain, elle fut submergée par une vague de nostalgie. Le gazouillis légèrement éraillé de Mrs. Allingham lui rappelait toutes ces femmes qui jadis vivaient dans cette rue où elle avait passé son enfance. « Mrs. Allingham, nous serions ravis de venir dîner demain, mais je crains que les enfants ne puissent pas nous accompagner.

— Oh !

— Ils sont très occupés en ce moment. Vous savez ce que c'est.

— Oui, bien sûr, acquiesça Mrs. Allingham d'une voix faible.

— Une autre fois, peut-être ! Ils sont toujours ravis de vous voir.
— Nous aussi, vraiment.
— À demain sept heures, donc, s'empressa de conclure Delia, car non seulement elle entendait Sam en bas, mais elle avait des millions de choses à faire. Au revoir. »
Le plombier avait réussi à entrouvrir la trappe et scrutait les entrailles du mur. Elle se garda bien de lui demander ce qu'il y avait découvert.
Dans la cuisine, Sam s'appuyait sur le plan de travail pour ôter ses tennis crottées. Il disait à Carroll : « Quand tu tombes sur des écorces de cèdre, tu te croirais sur un toboggan...
— Sam, comment as-tu pu partir comme ça, tout seul ? protesta Delia. Tu savais bien que je me ferais du souci !
— Bonjour, Dee. »
Son tee-shirt était visiblement inondé de sueur, son visage osseux luisait et ses lunettes étaient embuées. Ses cheveux — de cette teinte indéfinissable, mi-blond, mi-gris, imperceptiblement décolorés au fil des années — dessinaient une couronne d'épis trempés plaqués sur son front. « Mais regarde-toi un peu. Tu es en nage. Tu es allé courir tout seul et tu t'es dépensé comme un forcené, alors que le médecin t'a répété des dizaines de fois...
— À qui est la voiture garée dans l'allée ?
— La voiture ?
— Le break dans l'allée.
— Ce n'est pas à un patient ? Non, il faut croire que non.
— Au plombier, lança Carroll de derrière son verre de jus d'orange.
— Ah, parfait, dit Sam. Le plombier est venu. »
Il posa ses tennis sur le paillasson et s'apprêta à sortir de la cuisine, en se réjouissant sans doute à la perspective d'une de ces discussions d'homme à homme où il n'est question que de valves, de soudures et de joints d'étanchéité. « Sam, attends, fit Delia, en proie à un vague sentiment de culpabilité. Tant que j'y pense... »
Il se retourna, déjà sur ses gardes.
« Mr. Knowles a téléphoné — c'est au sujet de ses cachets.
— Je croyais que c'était une affaire réglée.
— Et puis aussi... Mrs. Allingham. Elle voulait savoir si nous pouvions venir... »

Il grommela. « Non. Nous ne pouvons pas.
— Mais tu ne m'as même pas laissée finir ! Un petit dîner léger, dimanche. Je lui ai dit...
— Moi, en tout cas, j'y vais pas, annonça Carroll.
— Je l'ai déjà prévenue. Je lui ai dit que vous, les enfants, vous étiez pris. Mais toi et moi, Sam, juste pour...
— Impossible, dit Sam d'un ton neutre.
— Mais j'ai déjà accepté. »
Il s'apprêtait à tourner les talons, mais il se ravisa pour lui faire face.
« Je sais bien que j'aurais dû te consulter d'abord, mais je ne sais pas pourquoi, ça ne m'est pas venu à l'idée et j'ai accepté.
— Eh bien, il ne te reste plus qu'à la rappeler pour décommander.
— Mais, Sam ! »
Il sortit.
Elle posa les yeux sur Carroll. « Comment peut-il être aussi odieux ? » demanda-t-elle, mais Carroll se contenta de hausser un sourcil de cet air distingué qu'il affichait depuis peu et qu'elle soupçonnait d'être le fruit d'un long entraînement devant le miroir.
Parfois, elle avait l'impression d'être un minuscule moustique qui zonzonnait aux oreilles de toute sa famille.
Le linoléum était froid et collant sous ses pieds et elle serait bien allée chercher ses pantoufles au premier si Sam et le plombier ne s'y étaient pas trouvés. Du coup, elle se replongea dans ses sacs de courses et en extirpa une nouvelle cargaison de paquets de pâtes. Elle pouvait toujours dire à Mrs. Allingham que Sam était tombé subitement malade. Mais le risque était trop grand, lorsqu'on habitait le même quartier, d'être surpris devant chez soi, l'œil vif et le teint rose, en train de récupérer son quotidien matinal ou Dieu sait quoi. Elle poussa un soupir et referma une porte de placard. « Quand est-ce que tout a basculé ? demanda-t-elle à Carroll.
— Hein ?
— Avant, tout était tout beau tout mignon et soudain tout est bête et méchant, que s'est-il passé ? »
Apparemment, il n'avait aucun avis sur la question.
La sœur de Delia apparut dans l'embrasure de la porte en roulant ses manches de chemise. « Bonjour à tous ! claironna-t-elle.

— Eliza ? »

Certains jours, Eliza avait des allures de gnome. C'était le cas ce matin-là. Elle avait revêtu sa tenue de jardinage — un casque colonial qui ne parvenait pas à dissimuler totalement sa frange de cheveux lisses coupés au carré, une chemise kaki, un bermuda bistre taillé dans un pantalon et des derbys marron de collégien à semelle très épaisse qui étaient censés la grandir. (C'était la plus petite des sœurs Felson.) Ses lunettes à monture d'écaille lui mangeaient son petit visage ingrat au teint olivâtre. « Je me suis dit que j'allais replanter ces herbes avant que le sol soit complètement sec, annonça-t-elle.

— Mais je te croyais à ton travail.

— À mon travail ? On est samedi.

— Tu m'as bien appelée de ton travail, non ? »

Eliza se tourna vers Carroll. De nouveau, il haussa un sourcil.

« Tu as laissé un message sur le répondeur, insista Delia, pour me demander une adresse.

— C'était il y a une dizaine de jours, au moins. J'avais besoin de l'adresse de Jenny Coop, tu te souviens ?

— En ce cas, comment se fait-il que je l'ai trouvé à l'instant même ?

— Maman, soupira Carroll, tu as dû écouter de vieux messages.

— Mais comment est-ce possible ?

— Tu n'avais pas mis le répondeur, du coup, quand tu as appuyé sur la touche Messages....

— Oh, ce n'est pas vrai... Mrs. Allingham !

— Y a-t-il du café ? demanda Eliza.

— Pas que je sache. Ce n'est pas vrai... »

Elle se dirigea vers le téléphone mural et composa le numéro de Mrs. Allingham. « J'étais bien au chaud au fond de mon lit, expliquait Eliza à Carroll, à me dire : *Fabuleux, on est samedi, je peux faire la grasse matinée jusqu'à midi...* et qui je vois se faufiler à quatre pattes par cette petite trappe au fond de mon placard ? Encore un des satanés ouvriers de ton père. »

« Mrs. Allingham ? dit Delia. C'est encore moi. J'ai l'impression d'être une vraie gourde. J'ai apparemment confondu les messages. C'est la semaine dernière que vous nous aviez invités, nous sommes bel et bien venus, et d'ailleurs, nous avons passé une excellente soirée ; vous ai-je envoyé un mot de remerciements ? Je comptais le faire. Mais cette semaine, nous ne pouvons pas. C'est-à-dire, je viens de m'apercevoir que vous ne nous aviez pas invités...

— Mais Delia, mon petit, nous serions ravis de vous avoir à dîner cette semaine ! C'est toujours un plaisir de vous voir, et puis, j'ai déjà envoyé Malcolm chez le traiteur avec une liste de courses.

— Oh, je suis vraiment navrée », s'excusa Delia, mais, sur ces entrefaites, le moulin à café se mit en branle dans un fracas assourdissant et elle hurla dans l'appareil : « Enfin ! Il faut absolument que vous veniez dîner à la maison, très bientôt ! Au revoir ! »

Elle raccrocha et fusilla Eliza du regard.

« Si seulement le café avait le goût de son arôme », observa Eliza d'un ton serein, lorsque le moulin s'arrêta.

Sam descendait l'escalier en compagnie de l'ouvrier. Delia entendait le plombier étirer ses voyelles à n'en plus finir à la manière de l'East Baltimore. Il s'était lancé dans une véritable envolée lyrique sur les propriétés de l'eau : « C'est une substance incroyable. Ça fuit à un bout et après ça vous parcourt huit mètres le long d'une canalisation, par en dessous, et puis ça commence à goutter à l'autre bout, à l'endroit où on s'y attend le moins. Ça guette, ça prend son temps, ça vous déniche un petit coin auquel on n'aurait jamais pensé. »

Delia posa les mains sur les hanches et attendit. À l'instant où ils franchissaient le seuil, elle lança : « J'espère au moins que tu es content, Sam Grinstead.

— Hmm ?

— J'ai rappelé cette pauvre Mrs. Allingham pour décommander le dîner.

— Parfait, répondit Sam d'un air absent.

— Je n'ai pas tenu parole. J'ai manqué à notre devoir. Je l'ai sans doute offensée à vie... »

Mais Sam n'écoutait pas. Il suivait du regard l'index du plombier qui désignait une ligne de plâtre cloqué. Eliza, quant à elle, était occupée à mesurer le café, tant et si bien que le seul à lui prêter quelque attention était Carroll. Il lui jeta un regard de pur mépris.

Delia retourna humblement à ses achats. Au fond d'un sac, elle repêcha le céleri vert pâle avec ses reflets nacrés et ses nervures parfaites. Elle le contempla longuement d'un œil pensif. « Quelle perspicacité ! » résonna une fois encore la voix d'Adrian. Et elle étreignit ces mots. Elle les serra sur son cœur tout en se retournant pour adresser à son fils un sourire béat.

3

« QUELLE PERSPICACITÉ ! » lui avait-il dit, « Vous êtes très mignonne ! », et puis encore : « Vous avez un si joli petit minois, on dirait une fleur. » Entendait-il par là que son visage ressemblait à une fleur et qu'incidemment il était petit ? Ou avait-il seulement voulu souligner sa petitesse ? Elle préférait la première interprétation, bien que la seconde fût sans doute plus vraisemblable.

Sans compter qu'il avait fait l'éloge de son fabuleux blanc-manger. Certes, ledit blanc-manger n'avait aucune existence tangible, mais elle n'en éprouvait pas moins une pointe de fierté en se rappelant combien il l'avait trouvé fabuleux.

Une fois seule, elle étudia sa figure devant la glace. Peut-être ressemblait-elle à une fleur, en effet. S'il songeait à ces fleurs qui paraissent mouchetées. Elle aurait tant voulu avoir l'air plus théâtral, plus mystérieux — plus adulte, en fait. Elle avait toujours trouvé injuste de voir le pourtour de ses yeux se creuser de pattes d'oie, sans jamais perdre pour autant l'ingénuité du visage triangulaire aux traits bien nets de son enfance. Mais, à l'évidence, cela avait eu le don de séduire Adrian.

À moins que ce n'ait été que pure gentillesse de sa part.

Elle chercha son nom dans l'annuaire, mais son numéro devait être sur liste rouge. Elle resta à l'affût, espérant l'apercevoir au détour d'une rue ou d'un magasin. À deux reprises, au cours des trois jours qui suivirent, elle retourna au supermarché, vêtue à chaque fois de sa robe à empiècement smocké qui lui faisait une poitrine un peu plus avantageuse. Mais Adrian demeurait invisible.

Et quand bien même il aurait resurgi, qu'aurait-elle fait ?

Non qu'elle fût tombée amoureuse de lui ou quoi que ce soit de cet ordre. Elle ne savait même pas à quel genre d'homme elle avait affaire. Et elle n'avait nullement envie de « se lancer dans une aventure » (ainsi qu'elle se formulait la chose). Depuis qu'elle avait dix-sept ans, toute sa vie était centrée sur Sam Grinstead. Du jour où elle l'avait rencontré, elle n'avait jamais regardé un autre homme. Et même dans ses rêveries les plus folles, elle n'était pas du genre à être infidèle. Mais, à chaque fois qu'elle s'imaginait tomber sur Adrian, elle prenait soudain conscience de la légèreté naturelle de sa démarche, de sa vivacité, du galbe de son corps au creux des plis de sa robe. Jamais, autant qu'elle se souvienne, elle ne s'était ainsi perçue de l'extérieur, de loin.

Chez elle, quatre ouvriers installaient la climatisation — encore un des travaux de rénovation de Sam. Ils taillaient à même les murs et les parquets, faisaient vrombir de gigantesques machines, charriaient dans la maison d'énormes ballots d'une espèce de barbe à papa grisâtre. Lorsqu'elle était au lit, la nuit, elle pouvait contempler à loisir la charpente à nu du grenier grâce à la nouvelle trouée rectangulaire ménagée dans le plafond. Elle s'imaginait la proie de chauves-souris et d'hirondelles de cheminée fondant sur elle pendant son sommeil. Elle croyait entendre la maison gémir de désespoir — cette maison si modeste et si chaste, si peu préparée au changement.

Sam, quant à lui, exultait. Il parvenait à peine à trouver un créneau pour recevoir ses patients entre deux visites d'ouvriers. Son cabinet était un véritable ballet d'électriciens, de plâtriers et de peintres venus lui soumettre leurs devis pour les diverses améliorations qu'il projetait. Un menuisier était passé le voir au sujet des volets, puis un homme muni d'une bombe destinée à vaincre le salpêtre qui rongeait les bardeaux. Sam habitait cette maison depuis vingt-deux ans ; se pouvait-il que depuis tout ce temps il ait à ce point détesté le cadre dans lequel il vivait ?

Il avait pénétré pour la première fois dans la salle d'attente de son père par un beau matin de juillet, un lundi, quelque trois semaines après qu'elle eut passé son baccalauréat. Delia se tenait à sa place habituelle, derrière le bureau, bien qu'elle ne fût pas censée s'y trouver à cette heure-là (elle travaillait surtout l'après-midi), car elle mourait d'impatience de le rencontrer. Ses sœurs et elle n'avaient plus que son nom à la bouche depuis que le Dr Felson leur avait annoncé qu'il l'avait embauché. Était-il marié ? avaient-elles demandé, et quel âge avait-il ? Et puis, à quoi ressemblait-il ? (Non, il n'était pas marié, avait répondu leur père, il devait avoir dans les trente-deux, trente-trois ans, et il n'était pas mal.) Pas mal ? Enfin, normal. Parfait, avait conclu le médecin, non sans agacement, car à ses yeux l'essentiel était que son nouvel assistant puisse le soulager quelque peu de son fardeau — assurer à sa place les visites à domicile et les consultations du matin.) Aussi Delia, ce jour d'été, s'était-elle levée de bonne heure pour enfiler sa plus jolie robe, celle au décolleté en cœur. Puis elle s'était installée au bureau épinette, où elle s'était ostensiblement mise à retranscrire les notes de son père. Et à neuf heures pile, le jeune Dr Grinstead avait franchi le seuil de la porte d'entrée, une blouse blanche amidonnée pliée sur son bras. Le soleil illuminait ses austères lunettes à monture claire de reflets éclatants, lustrait ses cheveux blond cendré, et Delia se souvenait encore de l'élan de pur désir qui s'était emparé d'elle, lui remuant les entrailles comme si elle s'était penchée au bord d'un précipice.

Sam ne gardait aucun souvenir de cette rencontre. Il prétendait l'avoir vue pour la première fois lorsqu'il était venu dîner. Certes, le dîner avait bel et bien eu lieu, le soir même. Eliza avait préparé un rôti et Linda, un gâteau (toutes deux montrant ainsi leurs talents de parfaite ménagère), tandis que Delia, la petite dernière qui avait encore deux mois à attendre avant de fêter son dix-huitième anniversaire et n'était pas même censée être dans la course, se prélassait dans le bureau en face de Sam et de son père en sirotant un sherry, privilège jusque-là réservé aux adultes. Le sherry au goût de raisin liquéfié avait directement abreuvé la racine de ce désir puissant qui d'instant en instant plongeait de plus en plus profond en elle. Mais Sam lui assurait que lorsqu'il était entré, elles étaient toutes trois assises sur le canapé. À l'instar des trois filles du roi dans un conte de fées, disait-il, elles étaient alignées par rang d'âge, en commençant par l'aînée à gauche, et, tel l'honnête fils de bûcheron, il avait choisi la plus jeune et la plus jolie, la petite timide tout à droite, qui pensait n'avoir aucune chance.

Oh, il pouvait bien croire ce qu'il voulait. La fin avait bel et bien été digne d'un conte de fées.

Mais la vie, elle, se poursuit au-delà de la fin, et voilà qu'ils se retrouvaient avec des ouvriers démolissant le grenier, le chat caché sous le lit et Delia plongée dans un roman à l'eau de rose sur la causeuse de la salle d'attente de Sam, unique refuge de la maison, déjà équipé de la climatisation. Elle était allongée, la tête appuyée sur un bras de la causeuse et ses pieds chaussés de pantoufles en peluche rose reposant sur l'autre. Au-dessus d'elle trônait une lithographie de Norman Rockwell. Elle avait appartenu à son père et représentait le bon vieux docteur en train d'ausculter au stéthoscope la poupée d'une petite fille. De l'autre côté de la mince cloison qui n'arrivait pas tout à fait jusqu'au plafond, Sam expliquait à Mrs. Harper d'où venaient ses problèmes de coude : ses articulations s'usaient avec le temps. Un silence stupéfait s'ensuivit ; la scie électrique elle-même en resta muette. « Oh, non ! souffla Mrs. Harper. Mon Dieu ! Seigneur tout-puissant ! C'est un tel choc ! »

Un choc ? Mrs. Harper avait quatre-vingt-douze ans. Qu'espérait-elle ? lui aurait demandé Delia. Mais Sam répondit d'une voix douce : « Enfin, oui, je suppose que... », puis il ajouta quelque chose que Delia ne put saisir car la scie s'était remise en marche, comme soudain rappelée à son devoir.

Elle tourna la page. L'héroïne parcourait le vaste domaine du héros, s'émerveillant de la magnificence de ses terres et de l'élégance de ses « agencements » dont la nature exacte demeurait obscure. Les héros de ces romans étaient pour la plupart richissimes, avait remarqué Delia. Pour les femmes, cela n'avait pas grande importance ; elles étaient indifféremment riches ou pauvres, mais les hommes étaient dûment pourvus de châteaux et d'une légion de serviteurs tout dévoués. Les femmes qu'ils épousaient étaient à jamais libérées des rouages grinçants de la vie quotidienne — caves inondées, fours défectueux et autres clefs de voiture envolées. Un univers merveilleux.

« Delia, mon petit ! » s'écria Mrs. Harper en sortant du cabinet à pas chancelants. C'était un véritable squelette d'une élégance irréprochable, bardé de soie de pied en cap qui tendait vers Delia des mains suppliantes aux allures de pattes griffues. « Votre mari m'annonce que mes articulations ne sont plus que d'infâmes rogatons.

— Allons, allons, protesta Sam derrière elle. Ce n'est pas tout à fait ce que j'ai dit, Mrs. Harper. »

Se sentant prise en faute, Delia se redressa et lissa sa jupe. Elle prit conscience des oreilles de lapin qui ornaient ses pantoufles et de la vamp qui paradait sur la couverture de son livre. « Je suis désolée, Mrs. Harper, dit-elle. Voulez-vous que je vous fixe un autre rendez-vous ?

— Non, votre mari prétend que je dois aller consulter un spécialiste. Un homme que je ne connais ni d'Ève ni d'Adam !

— Peux-tu lui donner l'adresse de Peterson, s'il te plaît », lui demanda Sam.

Elle se leva et alla au bureau en traînant les pieds avec ses pantoufles. (Mrs. Harper était chaussée d'escarpins pointus à talons aiguilles, plantés en équerre sur le tapis afin de mettre en valeur la finesse de ses chevilles.) Delia passa en revue les cartes du Rolodex classées par spécialités : allergie, arthrite... Désormais, le cabinet faisait principalement office de centre d'orientation. Autrefois, son père se chargeait des accouchements et allait jusqu'à effectuer de temps à autre certains petits actes chirurgicaux, mais aujourd'hui, l'essentiel de l'activité du cabinet se résumait l'été aux piqûres d'abeille, et l'hiver aux vaccins anti-grippe ; quant aux accouchements, ses patientes à vrai dire n'étaient plus guère en âge de procréer. La majeure partie de sa clientèle lui avait été léguée par le père de Delia. (Pour ne pas dire, plaisantait Sam, par son grand-père, qui avait ouvert le cabinet en 1902 à l'époque où Roland Park était encore à la campagne et où tout le monde trouvait normal qu'un médecin exerce à son domicile.)

Elle recopia le numéro du Dr Peterson sur un bristol et le donna à Mrs. Harper, qui l'examina d'un œil soupçonneux avant de le fourrer dans son sac. « J'ose espérer que ce monsieur n'est plus un gamin, lança-t-elle.

— Il a trente ans bien sonnés, lui assura Sam.

— Trente ans ! Il est plus jeune que mon petit-fils ! Oh, je vous en prie, ne pourrais-je pas plutôt continuer à venir vous voir ? » Puis, sans attendre la réponse qu'elle connaissait déjà, elle se tourna vers Delia et ajouta : « Votre mari est un saint. J'espère que vous vous en rendez compte.

— Oh, oui.

— Appréciez-le à sa juste valeur, croyez-moi.

— Oui, Mrs. Harper. »

Delia suivit du regard Sam qui raccompagnait Mrs. Harper, puis elle se laissa retomber sur la causeuse et reprit son roman. « Beatrice, vous m'êtes plus chère que la vie », déclarait le héros d'une voix rauque empreinte de désespoir — exaltée, selon les termes de l'auteur, *d'une voix exaltée qui fit courir un frisson le long de sa fine échine moulée dans un déshabillé de satin ivoire.*

Au lieu d'essayer de tomber sur Adrian, peut-être devait-elle se contenter d'attendre qu'il retrouve sa trace. Qui sait, il se pouvait qu'en cet instant même il rêvât à l'image qu'elle avait laissée gravée dans sa mémoire en arpentant les rues à sa recherche. À moins qu'il n'eût trouvé son adresse, puisqu'il connaissait son nom de famille, et qu'à cette minute précise il fût garé au bas de la rue, dans l'espoir de l'entrevoir.

Elle prit l'habitude de sortir dans le jardin plusieurs fois par jour. Elle inventait n'importe quelle excuse pour s'installer sur la balancelle de la véranda. Bien qu'insensible aux charmes de la vie au grand air en général et du jardinage en particulier, il lui arrivait de poser une demi-heure en gants de chevreau au beau milieu des plantes médicinales d'Eliza. Et il avait suffi qu'un beau jour, en répondant au téléphone, elle tombât sur un mystérieux correspondant muet dont elle n'avait entendu que le souffle pour qu'à chaque sonnerie elle s'écrie, telle une adolescente : « Je prends ! Je prends ! » Lorsqu'il n'y avait pas d'appel, elle faisait des pactes avec le destin : *Je n'y penserai pas et puis le téléphone sonnera. Je sortirai de la pièce ; je ferai semblant d'être très occupée et le téléphone sonnera, c'est sûr.*

Un dimanche où ils se rendaient chez la mère de Sam, elle embarqua toute sa petite famille dans la voiture en prenant soin de se déplacer avec une grâce fluide et sensuelle, telle une actrice ou une danseuse consciente à chaque seconde d'être observée. Mais si d'aventure elle avait été épiée par un observateur, songez un peu au spectacle qui se serait offert à lui : le chaos de la vie familiale de Delia. Ramsay, trapu, le visage fermé, maussade, donnant un coup de pied écœuré dans un pneu, Carroll et Susie se chamaillant pour être assis près de la vitre, Sam s'installant au volant et remontant ses lunettes sur le nez, vêtu d'une chemise de jersey inhabituelle qui lui faisait le bras maigrichon et l'allure tatillonne. Et, au bout de la route, la Mama de Fer (comme l'avait surnommée Delia) — la robuste Eleanor Grinstead au physique ingrat, qui réparait le toit de sa maison, tondait sa pelouse et avait élevé son fils seule, à la force du poignet, dans ce pavillon immaculé de Calvert

Street, où elle devait déjà les attendre, les lèvres pincées, curieuse d'apprendre la dernière ânerie que sa bru avait imaginée.

Non, décidément, aucun d'entre eux ne saurait soutenir le regard bleu céleste d'Adrian Bly-Brice.

Le plus âgé des ouvriers chargés d'installer la climatisation, le dénommé Lysander, demanda ce que faisaient ces espèces de bottes de foin suspendues dans les combles : « Ce sont les herbes de ma sœur », expliqua Delia. Elle espérait ainsi clore la discussion, mais Eliza, qui se trouvait précisément à ses côtés dans la cuisine, occupée à éplucher des haricots verts, précisa : « Oui, je les fais brûler dans des petits pots dans toute la maison.

— Vous y mettez le feu ? s'étonna Lysander.

— Elles ont chacune leur vertu spécifique, expliqua-t-elle. Il y en a une qui évite de faire des cauchemars, une autre qui facilite la concentration, une autre encore qui purifie l'atmosphère après des querelles. »

Lysander haussa des sourcils grisonnants aux allures de brosse à dents.

« Enfin, bref, s'empressa d'enchaîner Delia, pensez-vous avoir bientôt fini ?

— Où ça ? Ici ? Oh là non », soupira-t-il. Il s'avança d'un pas lourd vers l'évier. Il était venu remplir sa Thermos et faisait couler l'eau du robinet en attendant qu'elle refroidisse. « On en a encore au moins pour plusieurs jours.

— Plusieurs jours ! » s'écria Delia. Elle s'éclaircit la gorge. « Et pour le bruit, vous en avez encore pour longtemps ? Même le chat a des migraines.

— Et comment vous savez ça, vous ?

— Oh, Delia sait lire dans les pensées des chats, expliqua Eliza. Elle nous a tous appris l'étiquette féline : le ton à employer pour leur parler, la manière dont il faut plisser les yeux lorsqu'on s'adresse à eux, et puis...

— Eliza, j'ai besoin de ces haricots verts », l'interrompit Delia.

Trop tard : Lysander ricanait tout en plaçant sa Thermos sous le robinet. « Les chiens, tant que vous voulez. Mais les chats, c'est bien trop sournois pour moi.

— Oh, mais j'aime bien les chiens aussi, protesta Delia. (En réalité, ils lui faisaient un peu peur.) C'est seulement qu'ils sont si... brusques. Vous voyez ce que je veux dire ?

— Franchement..., soupira Lysander d'un ton réprobateur. Je peux vous chiper quelques glaçons ?

— Allez-y. »

Il ne bougea pas d'un pouce, manifestement désemparé, la main cramponnée au col de sa Thermos. Elle mit quelques instants à comprendre qu'il attendait qu'elle aille lui en chercher. Il appartenait sans doute à cette catégorie d'hommes qui ne savent pas où leur femme range les petites cuillères. Elle s'essuya les mains sur son tablier et sortit le bac à glaçons du freezer.

« Sur le dernier chantier qu'on a fait, une histoire de pompe à changer, le voisin, il avait un de ces chiens d'attaque. Un chien dressé à attaquer, quoi. La dame chez qui on travaillait, elle nous avait bien dit de nous méfier de lui. »

Il serrait sa Thermos d'une poigne ferme tandis que Delia essayait d'y introduire un glaçon. Mais impossible de l'y faire entrer. Elle le frappa du plat de la main (Lysander ne broncha même pas) et poussa un glapissement lorsqu'elle le vit voler dans les airs avant d'atterrir à l'autre bout de la cuisine. Lysander le contempla d'un œil affligé.

« Attendez un peu que je lui règle son compte, à cette crapule », lança Delia en lui arrachant la Thermos des mains pour la poser violemment dans l'évier. Elle fit couler de l'eau sur un autre glaçon, lui assena un grand coup et parvint à ses fins. « Ah, ah ! » s'écria-t-elle triomphalement et elle s'attaqua à un troisième glaçon.

Lysander reprit le fil de son récit : « Alors comme ça, un jour, on était en train de décharger un camion quand on voit le chien d'attaque qui faisait le tour de la maison. Un vieux chien énorme, avec les poils hérissés autour du cou comme un loup, et puis un de ces grondements rauques qui montait du fond de la gorge. Seigneur, j'ai bien cru que mon dernier jour était arrivé. Mais tout à coup, la dame chez qui on travaillait, elle sort de la maison, à croire qu'elle attendait que ça. "Viens par ici", qu'elle fait au chien, et puis elle le prend par le collier, calme et tout, comme si de rien n'était. Elle l'emmène dans le jardin d'à côté et voilà-t-y pas qu'elle lance : "Mr. Machin, si vous ne venez pas immédiatement chercher votre chien, je le tue." Et tout ça sur le même ton, la voix toujours aussi claire, tranquille. Sacrée bonne femme, vous pouvez me croire. »

Pourquoi avait-il éprouvé le besoin de lui raconter cette anecdote ? Était-ce pour mieux mettre en évidence ses propres défauts ? Elle expédia le troisième glaçon avec autant de délicatesse que possible. Étrangement, elle s'imaginait que la dame en question ressemblait à Rosemary Bly-Brice. Peut-être même était-ce Rosemary Bly-Brice. Elle arborait une expression de détachement empreinte de tolérance, se courbait gracieusement et glissait un doigt sous le collier à pointes du chien. Delia ressentit pour elle un élan subit d'admiration, comme si la fascination qu'elle éprouvait pour Adrian s'étendait soudain à sa femme.

Elle ferma le robinet, s'empara de la Thermos et l'offrit à Lysander. « Mais regardez-moi ce travail », protesta-t-il. L'eau gouttait abondamment du fond de la Thermos. « Vous me l'avez cassée. »

Delia ne prit pas la peine de s'excuser. Elle restait la main tendue, espérant qu'il prenne la Thermos et s'en aille. Au supermarché, se rappela-t-elle subitement, elle avait mentionné le nom de Ramsay et Adrian avait dû penser qu'elle parlait de son mari. Guère étonnant qu'il ne soit pas encore venu ! Il avait dû chercher à Ramsay Grinstead, qui n'était pas dans l'annuaire. Tôt ou tard, il comprendrait son erreur. Elle esquissa un sourire à cette pensée, en continuant à présenter la Thermos, jusqu'à ce qu'Eliza se lève pour aller chercher une serpillière.

Le téléphone sonna en pleine nuit et Delia se réveilla en sursaut. Avant même d'avoir complètement ouvert les yeux, elle passa en revue les divers endroits où pouvaient se trouver ses enfants. Ils étaient tous trois en sûreté, bien au chaud dans leur lit, conclut-elle. Cependant, son cœur continuait à battre la chamade.

« Allô ? fit Sam... Oui, en personne... Oh, Mr. Maxwell. »

Delia poussa un soupir et se retourna. Mr. Maxwell avait épousé la Reine douairière de l'Hypocondrie en personne.

« Et depuis combien de temps présente-t-elle ces symptômes ? demanda Sam... Je vois. Ma foi, ça ne m'a pas l'air bien grave... Oui, certes, cela doit être assez déplaisant, mais je doute que... »

Un murmure inaudible s'échappa du combiné.

« Mais bien sûr, acquiesça Sam. Je comprends. Très bien, Mr. Maxwell, si vous pensez que c'est sérieux, je vais passer voir.

— Oh, Sam ! » souffla Delia en se redressant sur son séant.

Il ne lui prêta pas la moindre attention. « À tout de suite », lança-t-il.

Dès qu'il eut raccroché, Delia protesta : « Sam Grinstead, tu es vraiment trop poire. Tu sais parfaitement que ce n'est rien. Il n'a qu'à l'emmener aux urgences, si elle est si malade que ça.

— Écoute, ils ne conduisent plus ni l'un ni l'autre », répondit Sam d'une voix douce. D'un bond, il fut sur pied et attrapa son pantalon, soigneusement plié sur le dossier du rocking-chair. Comme à son habitude, il avait enfilé avant de se coucher les sous-vêtements du lendemain et quant aux vêtements, il les avait disposés à portée de main. Delia pressa une paume sur son cœur. Son rythme s'apaisait à peine. Était-ce ce genre de sensation que Sam avait éprouvé lorsqu'il avait été pris de ses douleurs de poitrine ? Sans cesse, elle tentait d'imaginer ce qu'il avait ressenti. Elle le voyait au volant de sa voiture qui se rendait en fredonnant à un rendez-vous, et soudain, remarquant ses symptômes, il obliquait vers l'hôpital du Sinaï sans se départir de son sang-froid (c'est du moins ce qu'elle imaginait) et procédait à sa propre admission, priant une infirmière de téléphoner à sa femme pour lui annoncer la nouvelle avec ménagement. (« Votre mari vous fait dire qu'il rentrera un peu plus tard que prévu. ») Et pendant ce temps-là, elle lisait *L'Amant de Lucinda* au coin du feu, sans l'ombre d'une appréhension !

Elle alluma la lampe et sortit du lit. Le réveil indiquait deux heures et quart. Aveuglé par la lumière, Sam attrapa ses lunettes et les chaussa pour la dévisager. « Où vas-tu comme ça ? » lui demanda-t-il. Les lunettes précisaient ses traits, gommaient la zone floue qui encerclait ses yeux. À croire qu'elles corrigeaient la vision de Delia et non la sienne.

Elle passa sa robe d'intérieur au-dessus de sa chemise de nuit et remonta la fermeture Éclair avant de répondre. « Je t'accompagne.

— Pardon ?
— On prend ma voiture, je t'y conduis.
— Et pourquoi ferais-tu une chose pareille ?
— Parce que j'en ai envie, un point c'est tout. » Elle sangla sa ceinture en espérant que sa robe d'intérieur puisse passer pour une tenue de ville. En enfilant ses chaussures plates, elle sentit son regard peser sur elle, mais elle se contenta de lui lancer : « On y va ? », et elle attrapa ses clefs sur la commode.

« Delia, douterais-tu que je sois encore capable de conduire ma propre voiture ?
— Pas du tout ! Quelle idée ! Mais je suis réveillée, alors autant venir avec toi. Et puis, c'est une si belle nuit de printemps. »

Il n'eut pas l'air convaincu, mais, lorsqu'elle le précéda dans l'escalier, il cessa de discuter.

Ce n'était nullement une belle nuit de printemps. Il faisait frais et le vent s'était levé. Dès qu'il sortirent par l'arrière de la maison, elle regretta de ne pas avoir pris de chandail. D'impressionnants nuages lumineux filaient dans un ciel d'encre. Mais elle rejoignit sa voiture sans se presser, en résistant à l'envie de rentrer les épaules pour lutter contre le froid. Les réverbères étaient si puissants qu'elle voyait son ombre s'étirer comme ces personnages en forme de bâtons que dessinent les enfants.

« Ça me rappelle papa », dit-elle. Elle dut hausser la voix, car Sam était allé chercher sa sacoche noire dans la Buick. Elle espérait qu'il ne percevrait pas le tremblement de sa voix. « Quand je pense à toutes ces visites que nous avons faites, lui et moi, juste tous les deux ! C'est comme au bon vieux temps. »

Elle se glissa derrière le volant et se pencha pour ouvrir la portière côté passager. À l'intérieur de la voiture, l'air semblait réfrigéré, tout comme l'odeur qui y régnait, une odeur d'humidité, de renfermé.

« Bien sûr, papa ne me laissait jamais conduire », poursuivit-elle, une fois que Sam fut monté. Puis, de crainte qu'il ne revienne sur sa décision, elle ajouta avec un rire léger : « Tu connaissais ses préjugés ! Les femmes au volant... » Elle démarra et alluma ses phares, illuminant les doubles battants de la porte du garage et le filet de basket en piteux état qui était accroché en hauteur. « Mais à chaque fois que je n'étais pas encore couchée, il me proposait de l'accompagner. Combien de nuits l'ai-je ainsi suivi ! Eliza s'en fichait et Linda, oh, tu sais, elle était sans cesse en bisbille avec lui, mais moi, j'étais toujours prête à y aller. J'adorais ça. »

Évidemment, Sam connaissait tout cela par cœur. Il se contenta de poser sa sacoche entre ses pieds, tandis qu'elle faisait marche arrière dans l'allée.

Une fois sur Roland Avenue, elle reprit : « Maintenant que les enfants sont grands, je devrais t'accompagner plus souvent. Tu ne crois pas ? » Elle se rendait compte qu'elle jacassait comme une pipelette, elle poursuivit néanmoins : « Ce serait drôle ! Et puis, ce n'est pas tous les soirs, ni toutes les semaines.

— Delia, je te jure que je suis encore capable de faire une visite de temps à autre sans avoir besoin d'une baby-sitter, protesta Sam.

— Une baby-sitter !

— Je suis fort comme un bœuf. Arrête de te faire du mauvais sang.

— Je ne me fais pas de mauvais sang ! Je me disais seulement que ce serait romantique, comme une petite sortie en tête à tête. » La vérité était loin d'être aussi simple, mais elle se mit à y croire. Aussi se sentit-elle quelque peu blessée. Sam se contenta de se carrer dans son siège en regardant par la vitre.

Il n'y avait presque pas de circulation à cette heure-là et l'avenue n'était qu'un long ruban désert qui luisait faiblement sous les réverbères, comme tamisé d'un voile de mousseline jaune. Les arbres dont les jeunes feuilles étaient éclairées par en dessous semblaient renversés, tête en bas. Çà et là, Delia levait un regard nostalgique vers une fenêtre d'étage à la lueur intimiste.

Elle se gara devant la maison des Maxwell et éteignit les phares, mais elle laissa le moteur tourner et le chauffage en marche. « Tu n'entres pas ? s'étonna Sam.

— Je t'attends dans la voiture.

— Mais tu vas geler !

— Je ne veux pas qu'on me voie habillée comme ça.

— Allez, viens, Dee, les Maxwell se fichent bien de la manière dont tu es habillée. »

Sans doute avait-il raison, d'autant que le chauffage ne faisait pas encore sentir ses effets. Elle ôta les clefs du contact et se glissa hors de la voiture pour lui emboîter le pas et remonter l'allée qui menait à la grande demeure à colonnades où les Maxwell, mari et femme, devaient s'entrechoquer comme des dés dans un gobelet. Toutes les fenêtres étaient illuminées et la porte d'entrée, grande ouverte. Mr. Maxwell attendait à l'intérieur, silhouette massive et voûtée qui s'acharnait avec maladresse sur le loquet de la porte moustiquaire tandis qu'ils traversaient la véranda.

« Dr Grinstead ! s'exclama-t-il. C'est si gentil à vous d'être venu. Et vous êtes là aussi, Delia. Bonsoir, mon petit. »

Il était vêtu d'un pantalon maculé de taches de gras ceinturé au-dessous des aisselles et d'un cardigan gris élimé par-dessus un tee-shirt. (Dire qu'il était si chic, autrefois.) Sans même marquer un temps d'arrêt, il tourna les talons pour conduire Sam vers l'escalier recouvert d'un tapis. « Cela me fend le cœur de la voir dans cet état, soupira-t-il en commençant à grimper les marches. J'aimerais souffrir à sa place, si je le pouvais. »

Du vestibule, Delia les suivit du regard et, lorsqu'ils furent hors de vue, elle s'installa dans un des antiques fauteuils qui flanquaient une haute commode. Elle s'assit avec précaution, car, pour autant qu'elle le sache, ces fauteuils n'étaient là que pour la beauté du décor.

Au-dessus de sa tête, les voix murmuraient — celle de Mrs. Maxwell, plaintive et ténue, celle de Sam, pareille à un grondement assourdi. Le tic-tac de l'horloge en face d'elle était si lent qu'elle avait l'impression qu'à chaque mouvement de balancier il allait s'arrêter. À défaut d'avoir de quoi s'occuper, elle déploya son trousseau de clefs en éventail sur ses genoux et y remit de l'ordre.

Combien d'heures avait-elle ainsi passées à attendre dans son enfance, juchée sur une chaise ou sur la dernière marche d'un escalier, grattant les piqûres d'insectes qui parsemaient ses genoux nus ou feuilletant un magazine qu'un adulte lui avait lancé avant de conduire son père à l'étage ? Et au-dessus de sa tête, toujours ce même murmure, ces mots qu'elle ne parvenait jamais vraiment à distinguer. Lorsque son père parlait, le silence se faisait autour de lui et elle se sentait fière et flattée de cette admiration que les gens lui portaient.

L'escalier craqua et elle leva les yeux. C'était Mr. Maxwell qui redescendait tout seul. « Le docteur est en train de l'examiner », expliqua-t-il. Il progressait marche à marche en se cramponnant à la rampe et, quand il fut dans le vestibule, il s'assit en haletant dans l'autre fauteuil. Ils étaient séparés par la commode, aussi n'apercevait-elle que ses jambes de pantalon étendues et ses mules de cuir qui laissaient apparaître des chaussettes marron aux talons élimés. « D'après lui, ce n'est qu'une petite indigestion, mais, comme je lui disais, à notre âge... on n'est jamais trop prudents.

— Je suis sûre qu'elle va vite se remettre.

— Heureusement qu'il y a le Dr Grinstead. La plupart des jeunes médecins ne se dérangeraient pas comme lui.

— Aucun, ne put-elle s'empêcher de rectifier.

— Oh, certains, sans doute.

— Aucun, croyez-moi. »

Mr. Maxwell se pencha pour la regarder. Elle vit sa figure couperosée au teint rubicond qui la lorgnait de l'autre côté de la commode.

« Sam est trop bon, cela le perdra, déclara-t-elle. Savez-vous qu'il fait de l'angine de poitrine ? De l'angine de poitrine, à cinquante-cinq ans ! Quel avenir cela lui réserve-t-il ? Si cela ne dépendait que de moi, il serait au lit à l'heure qu'il est.

— Heureusement, cela ne dépend pas de vous », grommela-t-il. Sur ce, il se radossa et s'ensuivit un silence ponctué d'un ronchonnement incompréhensible : Mrs. Maxwell semblait manifester sa désapprobation avec vigueur.

« La toute première visite du Dr Grinstead a été pour nous, il vous l'a raconté ? demanda-t-il. Parfaitement, sa toute première visite. Votre père nous avait dit : "Je crois que ce garçon vous plaira." Je dois avouer que nous n'étions pas bien tranquilles, après avoir eu si longtemps toute confiance en votre père. »

La voix de Sam était plus animée. Il devait boucler sa visite.

« Ce jour-là, poursuivit Mr. Maxwell d'un ton rêveur, je lui avais demandé, au Dr Grinstead : "Alors, jeune homme ?" Il avait débuté depuis quelques jours à peine. "Alors, je lui dis, laquelle des filles Felson comptez-vous épouser ?" C'était bien vu, hein ? »

Delia eut un rire poli et réarrangea ses clefs.

« "Oh, il m'a dit, je guigne la plus jeune. L'aînée est trop petite et la cadette trop boulotte, mais la plus jeune, elle est parfaite." Alors, vous voyez ? J'étais au courant avant vous.

— Sans doute, oui », acquiesça Delia.

Sur ces entrefaites, Sam redescendit l'escalier, accompagné du cliquetis des instruments qui bringuebalaient joyeusement dans sa sacoche. Mr. Maxwell se leva aussitôt, mais Delia resta assise, les yeux rivés sur ses clefs. Elles lui apparaissaient avec une troublante netteté : ternes, disparates, gravées de noms de marques aussi brefs et saccadés que des mots étrangers.

« C'est précisément ce que... », disait Sam, et puis : « Rien, sinon un peu de... », et : « J'ai laissé des médicaments sur la... » Enfin, il serra la main de Mr. Maxwell. « Dee ? » lui lança-t-il. Elle se leva sans dire mot et franchit la porte que Mr. Maxwell lui tenait ouverte.

Dehors, la rosée avait blanchi la pelouse et l'air semblait également voilé de blanc, comme si l'aube était proche. Delia grimpa en voiture et démarra avant même que Sam ne se soit complètement installé. « Il faut les comprendre, dit-il en refermant sa portière. À vieillir ainsi tout seuls, ils doivent se tracasser au moindre symptôme. »

Delia conduisit en silence, concentrée sur la route, en dépassant légèrement la vitesse autorisée. Ils étaient presque arrivés lorsqu'elle se décida à parler : « Mr. Maxwell m'a dit que c'est chez eux que tu as fait ta toute première visite.

— Ah oui ?

— Tu n'avais débuté que depuis deux jours.

— J'avais oublié.

— Il m'a raconté qu'il t'avait demandé laquelle des filles Felson tu comptais épouser et que tu lui avais répondu, la plus jeune.

— Hmm », fit Sam en ouvrant sa sacoche. Il jeta un coup d'œil à son contenu. « Tu me feras penser demain à reprendre du...

— L'aînée est trop petite et la cadette est trop boulotte, mais la plus jeune est parfaite. »

Sam se mit à rire.

« C'est vrai que tu as dit ça ?

— Mais, ma douce, comment veux-tu que je m'en souvienne, après toutes ces années ? »

Elle se gara dans l'allée et coupa le contact. Sam ouvrit la portière mais, en s'apercevant qu'elle ne bougeait pas, il tourna les yeux vers elle. Le petit plafonnier projetait sur son visage des ombres taillées au couteau.

« C'est vrai, reprit-elle. Je reconnais bien là le côté conte de fées.

— Alors, peut-être bien. Mais bon sang, Dee, je n'ai pas pesé chacun de mes mots. Il est bien possible que j'aie dit "trop petite" et "trop boulotte", mais ce que j'avais sans doute en tête, c'était "trop originale" et "trop francophile".

— Là n'est pas la question.

— Linda avait passé la moitié de la soirée à parler français, tu te souviens ? Et quand ton père lui avait demandé de parler anglais, elle conservait encore un accent.

— Tu ne sais même pas ce qui me choque, dans cette histoire.

— Non, je l'avoue. »

Elle descendit de voiture et rejoignit le perron à l'arrière de la maison. Sam alla remettre sa sacoche dans la Buick. Elle entendit le coffre claquer.

« Et Eliza ! reprit-il en lui emboîtant le pas. Elle n'avait pas arrêté de me demander ce que je pensais de l'homéopathie.

— Avant même d'arriver ici, tu t'étais mis en tête d'épouser une des filles Felson », l'accusa Delia.

Elle avait déverrouillé la porte mais, au lieu d'entrer, elle fit volte-face pour le dévisager. Le front plissé, il la regardait du haut de son mètre quatre-vingts.

« Je suppose que cela m'avait tout naturellement traversé l'esprit. Je venais de finir mes études. J'étais en âge de me marier, pour ainsi dire. J'étais parvenu à ce stade de la vie où l'on se marie.

— Mais alors, pourquoi ne pas avoir choisi une infirmière ou une camarade de fac, ou encore une fille de l'entourage de ta mère ?

— Ma mère ? » répéta-t-il. Il cligna des yeux.

« Tu guignais le cabinet de papa, voilà pourquoi. Tu t'étais dit, je vais épouser une des filles Felson et hériter de sa clientèle et de sa vieille maison, si charmante et si confortable.

— Mais, chérie, il est possible que cela m'ait effleuré. C'est même probable. Mais je n'aurais jamais épousé une femme dont je n'étais pas amoureux. C'est ce que tu crois ? Tu crois que je ne me suis pas marié par amour ?

— Je ne sais plus que croire. »

Sur ce, elle fit volte-face et redescendit les marches du perron.

« Dee ? »

Elle passa devant sa voiture sans ralentir le pas. La plupart des femmes auraient pris le volant, mais elle préférait marcher. Ses semelles crissaient sur l'allée d'asphalte à une cadence martiale qui lui rappelait une chanson dont le nom lui échappait. Si une part d'elle-même restait à l'affût (elle avait le sentiment de tendre l'oreille en arrière comme un chat), une autre était soulagée de s'être débarrassée de Sam et satisfaite de se voir confirmée dans l'opinion qu'elle avait de lui. *Voyez-vous ça, il ne daigne même pas venir me chercher.* Elle déboucha dans la rue, tourna à droite et continua à marcher. À mesure que défilaient les réverbères, son ombre aux contours fragiles apparaissait devant elle avant de reculer et de basculer en arrière. Elle ne sentait plus le froid. La colère qui l'animait semblait la réchauffer.

À présent, elle comprenait pourquoi Sam ne gardait aucun souvenir de leur première rencontre. Il s'était préparé à ce qu'on lui présente les filles Felson comme un coffret cadeau, voilà pourquoi. Il n'était pas prévu au programme de faire la connaissance d'un spécimen isolé avant l'heure venue. Ce qui en revanche était prévu, c'était le dîner le soir même en compagnie de trois demoiselles à marier dûment alignées, une, deux et trois, sur le canapé du salon. Soudain, elle revit la scène. Elle resurgit sous ses yeux, intacte : les coussins de peluche rouge qui grattaient, la texture de son verre de sherry givré semblable à une étoffe, et la rondeur gigotante, irritante, de sa sœur à ses côtés.

Sur une branche, au-dessus de sa tête, l'oiseau moqueur du quartier, cet imbécile, s'amusait à imiter une sirène d'alarme. « Dzoing ! Dzoing ! Dzoing ! » chantait-il de sa voix la plus lyrique, jusqu'à ce qu'une vague de musique rock venue du sud le réduisît au silence : une bande d'adolescents, manifestement — une voiture pleine. Delia entendit l'écho de leurs cris de joie et de leurs huées se rapprocher lentement. Elle songea alors que même Roland Park n'était pas un quartier complètement sûr à cette heure-ci de la nuit. D'autant que sa robe d'intérieur ne tromperait personne. En bref, elle se baladait dehors en chemise de nuit. Elle bifurqua brusquement à droite et s'engagea dans une ruelle plus sombre pour raser une haie de buis dont l'ombre avala la sienne.

Sam devait être retourné se coucher, après avoir soigneusement drapé son pantalon sur le dossier du rocking-chair. Quant aux enfants, ils ne savaient même pas qu'elle était sortie. Avec le chaos et le décalage de leurs horaires, ils pouvaient mettre des jours à s'apercevoir qu'elle avait disparu. Quelle existence était donc la sienne si les messages de la semaine précédente pouvaient si aisément passer pour ceux de la semaine en cours ?

Elle accéléra le pas et la musique s'évanouit derrière elle. Elle déboucha sur Bouton Road, tourna à gauche et, dans la fraction de seconde qui suivit, heurta quelqu'un de plein fouet. Elle vint s'aplatir sur une surface osseuse tout en hauteur, tapissée de chaude flanelle. « Oh ! » s'écria-t-elle en reculant brusquement, le cœur battant, tandis qu'un chien, un de ces chiens de chasse hirsutes, déboulait comme par miracle et aboyait à ses genoux.

« Butch ! Assis ! ordonna l'homme. Ça va ? demanda-t-il à Delia.

— Adrian ? » souffla-t-elle.

Dans la pénombre, il était uniformément gris, mais elle reconnaissait son visage étroit aux pommettes saillantes. Sa bouche était plus large et plus charnue, plus sculpturale que dans son souvenir, et elle s'étonna d'avoir pu oublier un détail aussi essentiel. « Adrian, c'est moi, Delia. » Le chien ne cessait d'aboyer. « Delia Grinstead. Du supermarché.

— Delia ! s'exclama Adrian. Ma bouée de sauvetage ! » Il éclata de rire et le chien se tut. « Que faites-vous ici ?

— C'est juste que... », balbutia-t-elle. Puis elle se mit également à rire et, considérant sa robe d'intérieur, elle la lissa du plat de la main. » Je ne pouvais pas dormir », expliqua-t-elle.

Elle fut soulagée de constater qu'il n'était guère plus chic. Il portait une espèce de peignoir sombre sur un pyjama clair et des tennis aux lacets défaits, sans chaussettes. « Vous habitez dans le coin ? s'enquit-elle.

— Juste ici », dit-il en indiquant un écran de buissons. De l'autre côté, Delia apercevait une lumière dans une véranda et un bout de planche blanc. « Je me suis levé pour sortir Butch. C'est sa nouvelle lubie, il me réveille au beau milieu de la nuit en prétendant qu'il a besoin de sortir. »

En entendant son nom, Butch s'assit sur son arrière-train et leva les yeux vers elle, la gueule grande ouverte. Delia se pencha pour lui flatter le museau d'une main timide. Le souffle du chien lui réchauffa les doigts d'une tiède moiteur. « L'autre jour, je suis partie avec vos achats, dit-elle en s'adressant ostensiblement au chien. Je m'en suis beaucoup voulu.

— De quels achats parlez-vous ?

— L'orzo, et puis les rotini... » Elle se redressa et soutint son regard. « Je pensais essayer de retrouver votre adresse pour vous les rapporter.

— Oh, vous savez... De l'orzo, dites-vous ? Ne vous en faites pas. Je vous suis tellement reconnaissant de m'être ainsi venue en aide. Vous avez dû me trouver un peu bizarre, non ?

— Mais non, pas du tout ! Je me suis beaucoup amusée.

— Il y a des fois, comme ça, où on a envie, disons, de sauvegarder les apparences.

— C'est bien vrai ça. Je devrais monter une société. Apparences SARL.

— Locations de Partenaires, suggéra Adrian. Imposteurs à Emporter.

— Avec des blondes pour faire office de femmes en second et des stars du football pour accompagner à leur soirée de fac des filles plaquées.

— Et des beautés tout de noir vêtues pour pleurer à des funérailles, renchérit Adrian.

— Mais pourquoi cela n'existe-t-il pas ? Il n'y a rien de pire que cette... comment dire ? cette fureur, cette fureur altière que l'on éprouve lorsqu'on a été blessé, insulté ou sous-estimé. »

Elle s'interrompit. Adrian la dévisageait avec une telle intensité qu'elle se demanda soudain si elle n'avait pas des bigoudis sur la tête. Elle allait porter la main à ses cheveux lorsqu'elle se rappela subitement qu'elle n'en mettait plus depuis l'époque du lycée. « Mon Dieu, il est temps que je rentre.

— Attendez, voulez-vous... est-ce que je peux vous offrir un café ?

— Un café ?

— Ou un thé ? Un chocolat ? Quelque chose à boire ?

— Oh... un chocolat, peut-être. Un chocolat me tenterait bien. C'est-à-dire que la caféine, à cette heure-ci... Mais vous êtes sûr que cela ne vous dérange pas ?

— Pas le moins du monde. Venez. »

Il lui montra le chemin en la faisant passer par une brèche ménagée dans le buisson épineux. Une allée dallée de pierre serpentait jusqu'à la maison, un de ces cottages victoriens ornés de dentelles que les jeunes couples actuels trouvaient si charmants. La porte d'entrée était vitrée de petits losanges couleur de dragée à travers lesquels on ne voyait rien. Delia éprouva subitement un sentiment de malaise. Elle ne savait rien de cet homme ! Et personne n'avait la moindre idée de l'endroit où elle se trouvait.

« Quand je suis réveillé à cette heure-ci, je suis réveillé une fois pour toutes, disait Adrian, du coup, je me prépare un...

— Votre véranda est charmante ! s'exclama Delia. Nous pourrions prendre notre chocolat ici.

— Ici ? »

Il s'arrêta en haut des marches. En réalité, la véranda offrait un spectacle parfaitement déprimant. Le plancher était peint en gris et les meubles en vert criard. « Vous ne craignez pas d'avoir froid ? s'inquiéta-t-il.

— Pas du tout. » Toutefois, à présent qu'elle était immobile, le froid se faisait de nouveau sentir. Elle enfonça les poings dans ses poches.

Il la contempla quelques instants du haut des marches. « Ah, je vois », dit-il. Et les coins de sa bouche se relevèrent en signe d'amusement.

« Mais si vous avez froid..., balbutia-t-elle en rougissant.

— Je comprends. On n'est jamais trop prudent.

— Oh, ce n'est pas ce que vous croyez ! Mon Dieu non !

— Je ne vous blâme pas le moins du monde. Nous allons prendre notre chocolat ici.

— Franchement, dit-elle, pourquoi ne pas rentrer ?

— Non, attendez-moi ici. Je vous l'apporte.

— Je vous en prie, insista-t-elle. Laissez-moi entrer. »

Et, voyant que cette discussion risquait de se prolonger indéfiniment, elle sortit une main de sa poche pour la poser sur son poignet. « J'en ai envie », déclara-t-elle.

Elle avait envie de rentrer à l'intérieur. C'était là tout ce qu'elle avait sincèrement voulu dire. Mais, en s'entendant prononcer ces paroles, elle comprit soudain qu'elles pouvaient être interprétées autrement et lâcha son poignet en reculant. « Quoique, à vrai dire..., bredouilla-t-elle. Oui, la véranda, pourquoi ne pas prendre notre chocolat dans la... » Elle tâtonna dans son dos pour chercher une chaise et s'assit. L'espace d'un instant, le siège glacé dépourvu de coussin lui coupa le souffle, comme si elle venait d'apprendre une nouvelle stupéfiante ou d'entrevoir une possibilité qui ne lui avait jamais effleuré l'esprit.

4

« JE LUI AI BIEN DIT, à Eliza, quand elle est venue nous chercher à l'aéroport, déclara Linda. Je lui ai dit : "Voilà au moins une bonne chose : maintenant que papa n'est plus là, je ne vais plus être forcée de dormir dans la même chambre que toi." Vu comme elle ronfle.

— Oui, mais..., commença Delia

— "Et puis les jumelles ne seront pas obligées d'atterrir chez Susie", je lui ai dit. J'ai pensé que je pouvais les mettre toutes les deux avec moi dans le grand lit de papa. Sur ce, j'arrive à la maison et devine quoi...

— J'avais d'abord prévu de vous installer ici, expliqua Delia, mais j'ai trouvé cela si... quand je suis venue faire le lit, comment dire, j'ai trouvé cela si...

— Qu'à cela ne tienne, je ferai le lit moi-même. Une chose est sûre : il est hors de question que je dorme avec Eliza alors qu'il y a une chambre de libre. »

Elles se tenaient toutes deux dans l'embrasure de la porte de la chambre de leur père, contemplant le spectacle déchirant de l'ordre qui y régnait, l'atmosphère de pénombre chargée de particules de poussière en suspens, le tomber étrangement irréprochable du couvre-lit sur le matelas. Linda n'avait pas changé de tenue en arrivant et conservait cette aura de compétence et de détermination que les voyages confèrent à certaines personnes. Elle inspectait la pièce sans un soupçon d'émotion, pour autant que Delia pouvait en juger. « Le moins que l'on puisse dire, c'est que pour tout chambouler dans le reste de la maison, tu n'as pas perdu de temps. Entre les bouches d'air conditionné, les pépiniéristes qui arrachent les buissons et je ne sais quoi encore, on ne sait plus où donner de la tête.

— C'est-à-dire que...

— Je suppose que Sam Grinstead n'attendait que cela, l'interrompit Linda. Il a enfin réussi à mettre le grappin sur la maison. »

Delia ne protesta pas. Linda lui jeta un regard perplexe puis s'approcha de la commode de leur père. Elle se pencha vers le miroir qui la surmontait et se passa les doigts dans ses cheveux châtains coupés au carré. Puis elle se débarrassa de la pochette qu'elle portait en bandoulière — encore une de ces manies européennes qu'elle affectionnait. On ne l'aurait jamais prise pour une Américaine. (Qui eût cru qu'elle vivait dans le Michigan, après avoir divorcé du professeur de littérature française qui, contrairement à ses espérances, ne l'avait pas emmenée vivre dans son Paris natal ? En guise de maquillage, elle se contentait d'un nuage de poudre blanche sur son visage plein au teint velouté avec, sur les lèvres, un cœur pâteux rouge garance, et, bien que ses vêtements n'eussent rien d'exceptionnel, elle les portait avec autorité — ainsi, ce jour-là, un tailleur marine et, choix audacieux, des escarpins marron à petits talons tout à fait démodés. « Mais que faisons-nous plantées là ? Dieu sait ce que Marie-Claire et Thérèse peuvent bien fabriquer », lança-t-elle. Lorsqu'elle passa en trombe sous le nez de Delia pour gagner l'escalier, une odeur d'avion flotta dans son sillage.

Dans la cuisine, elles trouvèrent Eliza occupée à préparer de la limonade pour les jumelles. À la rentrée, les fillettes auraient neuf ans. C'étaient de jeunes pousses aux bras et aux jambes interminables, et, si elles étaient coiffées tout comme leur mère d'un casque de cheveux châtains, elles ressemblaient trait pour trait au professeur. Elles avaient les yeux quasiment noirs, baissés d'un air lugubre, et la bouche couleur prune. À présent, elles s'aidaient mutuellement à grimper sur une rangée de placards vitrés, la première tirant la seconde vers elle, une fois parvenue sur le plan de travail. Pour faciliter leurs mouvements, elles avaient rentré dans leur culotte leur robe vieillotte d'écolière européenne, ce qui leur faisait la jambe plus longue encore.

« Dès que votre cousine Susie sera rentrée, elle vous emmènera à la piscine », disait Eliza. Debout près de l'égouttoir, elle pressait des citrons. « Elle m'a promis de le faire dès son retour, mais elle doit être quelque part avec son petit ami. »

La mention du petit ami les divertit l'espace d'une seconde.

« Driscoll ? demanda Marie-Claire en marquant un arrêt dans son escalade. Susie sort encore avec Driscoll ?

— Mais oui.

— Est-ce qu'ils vont danser ensemble ? Est-ce qu'ils s'embrassent le soir avant d'aller se coucher ?

— Ça, je n'en sais trop rien », répliqua Eliza d'une voix revêche en sortant un pichet d'un placard.

Les jumelles avaient atteint leur objectif : un pot de bonbons à la menthe qui trônait sur l'étagère supérieure. Thérèse le déplaça petit à petit en passant la main par la porte entrouverte. (Des jumelles, Thérèse était celle aux traits irréguliers, dont le visage moins équilibré, moins symétrique lui donnait l'air légèrement anxieux. C'était le cas chez tous les jumeaux.) L'espace d'un instant, le pot parut suspendu en équilibre, mais il parvint intact entre les mains tendues de Marie-Claire. « Et Ramsay et Carroll, est-ce qu'ils ont aussi des amoureuses ?

— Ramsay, oui, j'ai le regret de le dire.

— Et pourquoi tu regrettes ? » demanda Thérèse, et Marie-Claire ajouta : « Qu'est-ce qu'elle a qui va pas ? » — à voir les deux fillettes ainsi à l'affût du moindre scandale, Delia éclata de rire. Thérèse fit volte-face et lui lança : « Et toi, tante Delia, toi aussi tu regrettes ? Est-ce qu'elle est interdite de séjour ici ? Est-ce qu'elle vient à la mer avec nous ?

— Non, elle ne vient pas, répliqua Delia, en se contentant de répondre à la question la plus facile. Ce sont des vacances en famille. »

Ils partaient le lendemain de bonne heure passer une semaine au bord de la mer. C'était devenu une tradition. Chaque année, à la mi-juin, dès que les classes étaient finies, Linda arrivait du Michigan et ils mettaient tous le cap sur une villa qu'ils louaient sur la côte du Delaware. Déjà, dans la véranda, s'entassaient les canots pneumatiques et les raquettes de badminton. Le congélateur débordait de petits plats mijotés et les patients de Sam se bousculaient dans sa salle d'attente pour des consultations de dernière minute, dans l'espoir d'éviter tout contact avec son remplaçant.

« Delia, peux-tu me passer le sucre, s'il te plaît ? », demanda Eliza. Elle remplissait le pichet d'eau. « Les filles, j'aimerais que vous me sortiez quatre grands verres du placard qui est juste à votre droite. »

Tout en mesurant le sucre, Delia jeta un coup d'œil furtif à la pendule murale qui était juste en face d'elle. Quatre heures moins dix. Elle regarda les jumelles et s'éclaircit la gorge. « Si Susie n'est pas rentrée quand vous aurez fini votre limonade, je pourrai vous emmener à la piscine.

— Toi ? » s'écria Linda, et les jumelles ajoutèrent en chœur : « Mais tu détestes nager !

— Oh, je ne me baignerai pas. Je me contenterai de vous y déposer et Susie pourra venir vous rechercher plus tard. »

Eliza mit des glaçons dans les verres en les faisant tinter. Linda s'assit en bout de table et les fillettes exigèrent les deux chaises placées de chaque côté de leur mère. Quand Delia plaça le pichet de limonade devant elles, Marie-Claire s'écria : « Beurk ! C'est plein de fils !

— C'est bon pour la santé, décréta Linda en commençant à verser.

— Et puis il y a des grandes algues, aussi !

— Ça ne peut pas te faire de mal.

— C'est ce qu'elle dit, glissa Thérèse à Marie-Claire d'un ton sinistre. Ça va prendre racine dans notre ventre et du coup on aura des citronniers qui nous sortiront par les oreilles.

— Franchement, Thérèse », protesta Linda.

Faisant mine de l'ignorer, les jumelles échangèrent un regard entendu de part et d'autre de la table. Finalement, Marie-Claire décréta : « Je crois qu'en fait, on n'a pas soif.

— On va mettre nos maillots de bain », ajouta Thérèse.

Elles reculèrent leurs chaises et se ruèrent hors de la cuisine.

« Oh, qu'ai-je fait au bon Dieu..., soupira Linda. Désolée, Liz.

— Ce n'est pas grave », fit Eliza avec raideur.

Parfois, l'espace d'un instant, Delia se rendait compte qu'Eliza était ce que l'on appelait autrefois une vieille demoiselle. Elle avait l'air si perdue dans sa tenue de week-end excentrique, composée d'un ensemble safari assorti de chaussures à grosses semelles. La tête basse, elle prit une chaise, les traits masqués par un rideau de cheveux noirs taillés à la va-vite, et s'assit en croisant ses petites mains d'un air décidé sur la table.

« Eh bien moi, j'ai soif », lança Delia. Elle s'attabla avec ses sœurs et prit un verre. Soudain, elle entendit un bruit sourd qui provenait de l'entrée — sans nul doute la valise des jumelles qu'elles hissaient au premier. À en juger d'après les craquements qu'elle percevait au-dessus de sa tête, elles avaient l'intention de partager la chambre de Susie.

À la fenêtre grande ouverte surgit la trogne barbue d'un ouvrier. Il lorgna les trois femmes, cligna des yeux et disparut. Delia et Linda l'aperçurent, mais pas Eliza, qui avait le dos tourné. « Mais qu'est-ce qu'il veut ?

— Qui donc ? s'étonna Eliza.

— L'ouvrier, expliqua Delia.

— Non, pas l'ouvrier. Je parlais de Sam. Pourquoi fait-il arracher tous les buissons ?

— Oh, d'après lui, ils sont vieux et ils poussent dans tous les sens.

— Il ne peut pas se contenter de les tailler ? Et la climatisation, quelle idée ! Cela ne va pas avec le style de la maison.

— Je pense que dès les premières chaleurs, ce sera appréciable, observa Eliza. Sers-toi de limonade, Linda. »

Linda prit un verre, mais elle ne but pas. « Je serais curieuse de savoir d'où lui vient l'argent, déclara-t-elle d'un air entendu. Sans compter que cette maison est à nos trois noms, et pas au sien. C'est à nous que papa l'a léguée. »

Delia jeta un coup d'œil par la fenêtre. (Elle soupçonnait l'ouvrier de s'être tapi au pied du mur, passionné par la vie privée des autres, à l'instar, semble-t-il, de tous ses collègues.) « Mon Dieu ! s'exclama-t-elle. Nous ferions mieux d'aller à la piscine. Quelqu'un a besoin que je prenne quelque chose au passage chez Eddie's ?

— Chez Eddie's ? s'étonna Eliza.

— Je m'arrêterai peut-être au retour, histoire d'acheter quelques fruits.

— Delia, aurais-tu oublié que la mère de Sam vient dîner ? Et tu ne t'es pas encore occupée des comptes de l'assurance maladie ? Il vaut mieux que j'emmène les jumelles à ta place. Après, je ferai un saut chez Eddie's.

— Non, je t'en prie, protesta Delia. Tu sais, j'ai tout le temps. Et puis je préfère choisir les fruits moi-même, parce que je ne suis pas sûre de ce que... »

Elle fournissait trop d'explications — erreur à éviter à tout prix. Linda ne s'aperçut de rien, mais Delia sentit peser sur elle le regard attentif d'Eliza, qui lui donnait parfois le sentiment de lire dans ses pensées. « Bon, lança Delia, à tout l'heure. » Sur ce, elle se leva. Déjà, elle entendait les jumelles dévaler bruyamment l'escalier. « Passe-moi mon sac, veux-tu ? » Sans la quitter des yeux, Eliza attrapa le sac de sa sœur qui était sur le plan de travail et le lui tendit.

Dans l'entrée, les jumelles se disputaient une paire de lunettes de piscine qu'elles avaient dû extirper de l'attirail de plage. Elles avaient revêtu d'étroits maillots de bain tricotés que seule leur couleur distinguait — l'un était bleu, l'autre, rouge — et leurs longs pieds pâles et calleux étaient chaussés de tongs bleues et rouges. Ni l'une ni l'autre n'avaient pris de serviette, mais Delia s'abstint de le leur rappeler. « Allons-y, leur dit-elle. Je suis garée devant. »

Linda s'écria de la cuisine : « Les filles, vous obéissez au maître nageur, promis ? »

Delia leur emboîta le pas dans la véranda en évitant de justesse le pied d'un parasol. Au bas des marches, un jeune homme avec un bandana rouge attaquait à la hache les racines d'un buisson d'azalées. Il se redressa, s'essuya la figure de l'avant-bras et leur adressa un grand sourire. « Si seulement je pouvais aller nager, soupira-t-il.

— Vous n'avez qu'à venir avec nous », lui suggéra Thérèse, ce à quoi Marie-Claire rétorqua : « Patate, tu vois bien qu'il a pas son maillot de bain sur lui. » Laissant Delia en arrière, elles gambadèrent dans l'allée en chantant une rengaine qu'elle avait apprise dans son enfance :

Eh oui, c'est la vie.
Mais c'est quoi la vie ?
Quinze cents *la copie.*
Mais j'en ai que six.
Eh oui, c'est la vie.
Mais c'est quoi la vie ?
Quinze cents...

Le temps était idéal, ensoleillé sans être étouffant, mais la voiture de Delia, restée garée le long du trottoir, avait accumulé de la chaleur toute la journée. Les deux fillettes glapirent en se glissant sur la banquette arrière. « Dis, tu peux mettre la clim ? demandèrent-elles en chœur.

— Il n'y en a pas.

— Y a pas la clim ?

— Vous n'avez qu'à ouvrir vos vitres », leur dit-elle en leur montrant l'exemple. Elle démarra et engagea la voiture dans la rue. Le volant était brûlant sous ses doigts.

Il était aisé de deviner que c'était le week-end à la masse de coureurs qui étaient de sortie. Sans compter les gens qui jardinaient, tondaient leur gazon ou taillaient leur haie, saturant l'air d'un nuage de poussière verte qui faisait éternuer Thérèse (l'allergique des deux). Au croisement de Wyndhurst Street, le feu passa à l'orange, mais Delia ne s'arrêta pas. Elle avait l'impression que le temps lui filait entre les doigts. Elle dévala la longue pente en dépassant d'une bonne quinzaine de kilomètres heure la limite autorisée, bifurqua sur les chapeaux de roues sur Lawndale Street et se gara sur la première place venue. Les jumelles étaient également pressées ; elles se ruèrent vers le portail, la laissant loin derrière, et, avant même qu'elle n'ait payé leurs tickets d'entrée, elles s'étaient déjà volatilisées parmi la foule des nageurs.

Au volant, tandis qu'elle remontait la rue, Delia ne cessait d'ôter des petites peluches de son chemisier tout en soufflant sur les frisures humides collées sur son front. Si seulement elle pouvait passer chez elle se rafraîchir un peu ! Mais elle ne parviendrait jamais à échapper une seconde fois à ses sœurs. Elle bifurqua plein sud, sans même jeter un regard vers le nord, du côté de chez Eddie's. Elle franchit un couloir de frondaisons merveilleusement frais et, lorsqu'elle arriva dans Bouton Road, elle se gara sous un érable. Avant de descendre de voiture, elle se tamponna le visage avec un mouchoir. Puis elle traversa le jardin d'Adrian, grimpa les marches du perron et sonna à la porte.

Le chien la connaissait désormais et il se contenta de se lever du paillasson pour flairer sa jupe. « Salut, Butch. » Elle tapota son museau d'une main maladroite tout en reculant légèrement. La porte d'entrée s'ouvrit et Adrian s'exclama : « Enfin !

— Je suis désolée, s'excusa-t-elle en entrant. Je ne pouvais décemment pas partir avant que Linda soit arrivée et, évidemment, son avion avait du retard. Et puis il fallait que je m'assure qu'elle et les enfants étaient... »

Elle parlait trop, c'était plus fort qu'elle. Les cinq premières minutes étaient toujours si étranges. Adrian lui ôta son sac des mains pour le poser sur une chaise et elle se tut. Puis il se pencha vers elle pour l'embrasser. Elle devait être toute salée. Il y avait longtemps qu'ils ne s'étaient pas embrassés — ou du moins pas de cette manière, pas avec un tel sérieux. Ils avaient commencé par une simple petite bise sur la joue, aussi légère qu'un souffle, faisant mine de n'être que des amis, et puis au fil des jours, leurs corps, par fragments, s'étaient livrés au jeu — leurs lèvres, leurs bouches ouvertes, leurs bras qui s'enlaçaient, jusqu'à ce que leur étreinte se resserrât et que Delia se dégageât avec un petit rire en soupirant : « Enfin... », avant de rajuster ses vêtements.

« Enfin... Alors, dis-moi, as-tu beaucoup travaillé ? » lui demanda-t-elle ce jour-là. Il la regardait, un sourire aux lèvres. Il était vêtu d'un pantalon kaki et d'une chemise de chambray bleu délavé assortie à ses yeux. Au cours de ces dernières semaines ensoleillées, ses cheveux avaient pris des reflets dorés qui semblaient chatoyer dans la pénombre du couloir — détail qui lui fit brusquement tourner les talons pour changer de pièce, comme si elle avait à faire.

À chaque fois qu'elle venait chez lui, elle avait l'impression que sa maison n'était habitée que de temps à autre, ce qui était d'autant plus étrange que, trois mois à peine auparavant, sa femme y vivait encore. Comment expliquer ce sentiment d'indifférence, d'abandon de longue date, qui la saisissait d'emblée ? Le spectacle qu'offrait le salon, depuis l'entrée, ne lui donnait jamais envie d'y pénétrer. Les murs y étaient nus, abstraction faite d'une unique nature morte, au demeurant tout à fait quelconque, et il était meublé non d'un canapé, mais de trois fauteuils qui semblaient se tourner le dos d'un air offusqué. Sur les tables, il n'y avait que le strict nécessaire — une lampe, un téléphone. Nul bibelot susceptible d'en gommer l'apparence glacée.

« J'ai fini d'imprimer le texte d'Adwater, expliquait Adrian. J'aimerais bien que tu y jettes un coup d'œil, histoire de me dire ce que tu en penses. »

Il la précéda dans l'étroit escalier pour la conduire de l'autre côté du couloir dans une pièce que l'on avait dû jadis appeler le jardin d'hiver ou le solarium. Il en avait fait son bureau. Sur trois de ses murs couraient des fenêtres encrassées, aux rebords encombrés de tas de paperasses. Le quatrième était occupé par un bureau encastré sur lequel trônaient divers équipements informatiques. C'est là qu'Adrian éditait son bulletin. Des abonnés répartis dans trente-quatre États lui envoyaient régulièrement de l'argent pour *Le temps presse*, un trimestriel consacré au voyage dans le temps. Le bulletin s'ornait d'une couverture brillante bleu ciel et d'un logo représentant une pendule de cheminée en bois placée au centre d'une roue à rayons.

Chaque numéro se composait d'un mélange de textes de science-fiction et de documents, ainsi que de critiques de romans ou de films sur des machines à remonter le temps, avec, ici et là, un dessin ou une blague. À vrai dire, il était difficile de dire si le bulletin n'était qu'un vaste canular ou un projet sérieux. À lire le courrier des lecteurs, Delia était souvent amenée à se poser la question. Nombreux, parmi les abonnés, étaient ceux qui semblaient y croire en toute honnêteté. Certains allaient même jusqu'à évoquer des expériences personnelles. Et elle croyait déceler une note quasi anthropologique dans l'article qu'Adrian venait de lui passer — un essai d'un certain Charles L. Adwater, docteur ès sciences. Ce dernier suggérait que ce qu'il était convenu d'appeler « charisme » n'était en réalité que l'énergie et la grâce supérieures que l'on trouve chez ces visiteurs du futur qui séjournent dans le présent. *Imaginez*, écrivait le Dr Adwater, *comment il nous serait facile, à vous et à moi, de naviguer dans les années quarante qui nous apparaissent aujourd'hui comme une période empreinte d'une certaine naïveté, sur laquelle les citoyens de notre décennie pourraient espérer avoir une influence considérable et ce, au prix d'efforts relativement minimes.*

« Les années quarante qui nous apparaissent aujourd'hui comme une période, ou qui nous apparaît comme une période, lui demanda Adrian. Ça peut se discuter. »

Delia s'abstint de répondre. Elle lisait l'article en arpentant la pièce et se mordillait la lèvre inférieure en déchiffrant le feuillet dont l'impression brouillon était aussi mouchetée et clairsemée qu'une vieille égratignure de ronces. « Oh, bien... », fit-elle mine d'hésiter, et elle simula une soudaine distraction pour sortir dans le couloir en tournant la page d'un doigt vif.

Adrian lui emboîta le pas. « À mon avis, le style du Dr Adwater est pour le moins indigeste, mais je ne peux pas lui suggérer trop de corrections, car c'est une des sommités en ce domaine. »

Comment pouvait-on devenir une sommité du voyage dans le temps ? Delia fut intriguée. Mais cela ne dura pas. Son incursion dans le bureau d'Adrian n'était qu'une ruse, lui-même devait s'en douter. L'essentiel, c'était d'être en haut, de parcourir le premier étage, celui des chambres, et de glisser un œil dans chaque embrasure de porte. Adrian dormait dans un sinistre dressing-room ; il s'y était installé après le départ de Rosemary, si bien qu'elle n'eut pas le moindre scrupule à flâner à loisir du côté de la chambre principale tout en passant à la page 3. Elle s'approcha d'une commode placée sous une fenêtre — dans le seul but d'avoir davantage de lumière pour lire, pouvait-elle toujours alléguer. Derrière elle, Adrian releva le col de son chemisier. Ses doigts faisaient comme un chuchotement. « Pourquoi portes-tu toujours un collier ?

— Hmm ? fit-elle d'une petite voix en passant à une nouvelle page, le regard aveugle.

— Je ne t'ai jamais vue sans un rang de perles, un camée ou, comme aujourd'hui, ce pendentif en cœur. Toujours une mignonne petite babiole au cou et ces cols ronds innocents.

— C'est par habitude », se contenta-t-elle de répondre, mais son esprit était en effervescence. Estimait-il qu'elle avait une allure ridicule qui ne seyait guère à son âge ?

Son âge, il ne le lui avait jamais demandé. Certes, elle ne lui aurait pas menti, mais elle n'éprouvait pas le besoin d'aller d'elle-même lui dire la vérité. Lorsqu'il lui avait annoncé qu'il avait trente-deux ans, elle s'était exclamée : « Trente-deux ans ! Tu pourrais être mon fils ! » — exagération délibérée destinée à le faire rire. Elle s'était même abstenue de mentionner l'âge de ses enfants et il ne lui avait pas posé de questions à ce sujet, car, comme la plupart des gens qui n'ont pas d'enfant, il ignorait apparemment la place considérable qu'ils occupent dans une existence.

En outre, l'image qu'il se faisait de son mari était légèrement déformée. À certaines de ses remarques, elle avait deviné qu'il imaginait Sam sous les traits d'un sportif bâti comme une armoire à glace (au simple prétexte qu'il faisait du jogging) et peut-être bien, qui sait, doté d'une nature jalouse. Delia ne l'avait pas contredit.

Il lui suffirait un beau jour de les présenter l'un à l'autre — d'inviter Adrian à dîner, par exemple, en qualité de voisin célibataire par la force des choses et contraint de préparer ses repas — pour que la situation perde son potentiel de drame. Sam ferait allusion à « ton copain Bly-Brice » de ce ton sardonique qu'il affectionnait ; les enfants rouleraient les yeux au plafond lorsqu'elle passerait trop de temps au téléphone avec lui. Mais Delia s'était abstenue de prendre la moindre initative qui pût favoriser cette rencontre. Elle n'avait pas même prononcé son nom devant un seul membre de sa famille. Et lorsque les mains d'Adrian délaissèrent son col pour la saisir par les épaules et l'attirer à lui, elle ne lui opposa pas la moindre résistance. Elle inclina la tête pour la poser sur sa poitrine. « Tu es si petite », lui dit-il. Elle entendit le grondement de sa voix vibrer dans sa cage thoracique. « Tu es si petite, si menue, si délicate. »

Sous-entendu, pensa-t-elle, comparée à sa femme. À cette idée, elle se redressa et se détourna de lui en remettant de l'ordre dans les feuillets d'un geste vif. Elle fit le tour du lit (le lit de Rosemary recouvert d'un édredon de satin vert passablement élimé) et s'approcha du placard. « Je me demande si tu peux réellement gagner ta vie ainsi ? lança-t-elle. Les revues de ce genre sont plutôt spécialisées, non ?

— Oh, je ne réussis même pas à équilibrer mes comptes, déclara Adrian avec désinvolture. Il va sans doute falloir que je mette bientôt la clef sous le paillasson. Histoire de passer à autre chose. Mais j'ai l'habitude. Avant ça, je publiais un bulletin pour les marchands de hot-dogs spécialisés dans les matchs de baseball. »

Le placard était occupé par les vêtements de Rosemary — hauts, robes et pantalons, suivant une progression savante du plus court au plus long. En plus, ils étaient soigneusement espacés et non tassés comme dans l'armoire de Delia. À en croire Adrian, Rosemary était partie en abandonnant toutes ses affaires. Elle n'avait emporté que la combinaison de soie noire qu'elle avait sur elle ce jour-là et une petite pochette serrée sous le bras. Pourquoi cette idée exerçait-elle une pareille fascination sur Delia ? Ce n'était pas la première fois qu'elle restait ainsi hypnotisée devant le placard de Rosemary.

« Et avant ça, poursuivit Adrian, je m'occupais d'un trimestriel pour les fans de M*A*S*H. » De nouveau, il était derrière elle. Du bout du doigt, il lui caressa le coude.

« De quoi as-tu vécu tout ce temps ?

— Oh bien, Rosemary avait fait un petit héritage. »

Elle referma la porte du placard. « Et tu le savais avant de l'épouser ?

— Pourquoi me poses-tu cette question ?

— Depuis quelque temps, je me demande si Sam m'a épousée pour le cabinet de mon père. »

Elle aurait mieux fait de se taire. Adrian risquait de la toiser en se disant : *C'est vrai, elle est assez quelconque et puis elle a les coudes râpeux.*

Mais, le sourire aux lèvres, il lui déclara : « À sa place, je t'aurais épousée pour tes taches de rousseur. »

Elle s'approcha du côté du lit qui avait dû être celui de Rosemary. Elle le devinait à la présence d'un flacon de parfum en verre soufflé placé près de la lampe. Elle posa l'article du Dr Adwater sur la table de chevet, puis, le plus naturellement du monde, elle continua ses investigations en ouvrant le petit tiroir du dessous, comme si elle suivait une procédure bien précise. Elle plongea le regard dans un amas de ciseaux de manucure, de limes et de vernis à ongles.

Ce prénom de Rosemary lui allait si bien ! Le romarin était une herbe sophistiquée à la saveur piquante, quasi chimique. Il suffisait d'en mettre juste un peu trop dans un plat pour pouvoir jurer qu'il était à base d'un quelconque dérivé de pétrole. Le romarin n'avait rien de simple, rien de doux, rien de fade. Rien qui évoquât les taches de rousseur.

Adrian s'approcha derrière elle. Il la fit pivoter face à lui et l'enlaça. Cette fois, au lieu de fuir, elle posa les mains sur sa taille et se haussa sur la pointe des pieds pour aller à la rencontre de ses baisers. Il lui embrassa la bouche, puis les paupières, puis les lèvres encore et lui murmura : « Viens avec moi, Delia, viens t'allonger. »

C'est alors que le téléphone sonna.

Il sembla ne pas l'entendre. Il semblait ne jamais l'entendre. Et jamais il ne répondait. Il lui assurait que c'était sa belle-mère qui le préférait à sa propre fille et s'efforçait à tout prix de ressouder le ménage. « Comment sais-tu que ce n'est pas Rosemary ? » s'était un jour étonnée Delia, ce à quoi il avait répondu en haussant les épaules : « Elle n'a pas une passion pour le téléphone. » Cette fois-ci, il resta impassible, sans même se raidir. Delia s'en serait aperçue. Il déposa un baiser sur sa nuque et elle sentit soudain la pression du lit au creux de ses genoux. Mais le téléphone continuait à sonner. Dix sonneries, onze. Elle devait inconsciemment les compter. Cette soudaine évidence l'aida en un sens à se dégager de son étreinte, bien qu'elle eût l'impression de perdre pied. « Ah, là, là », soupira-t-elle, hors d'haleine, en se démenant pour bien arrimer son chemisier dans la ceinture de sa jupe. « Il faut vraiment que je... est-ce que j'ai laissé mon sac en bas ? »

Lui aussi était à bout de souffle. Il ne répondit pas.

« Ah oui ! s'écria-t-elle. Je me souviens ! Sur la chaise. Il faut que je me dépêche. La mère de Sam vient dîner. »

Elle dévalait déjà l'escalier. Le téléphone du salon en était à sa quatorzième sonnerie. Quinzième. Elle déboula dans le vestibule de l'entrée, saisit son sac au passage et se retourna à la porte. « Tu sais que nous partons demain pour...

— Tu ne restes jamais, protesta-t-il. Tu es à peine arrivée que tu files déjà.

— Eh bien, je...

— De quoi as-tu peur ? »

J'ai peur de me déshabiller devant un jeune homme de trente-deux ans, pensa-t-elle. Mais elle ne dit rien. Elle lui lança un sourire trompeur. « On se verra sans doute à mon retour.

— Ne pourrais-tu pas te libérer plus longtemps ? Toute une nuit ? Ne peux-tu pas leur dire que tu es chez une amie ?

— Je n'ai pas d'amie. »

C'était vrai, d'ailleurs, maintenant qu'elle y pensait. Lorsqu'elle avait épousé Sam, elle était soudain passée à une autre génération en abandonnant derrière elle tout le monde, toutes ses anciennes camarades de classe. « Quoique, il y a bien Bootsy Fisher, reprit-elle. (Que Sam surnommait Bootsy Fâcheuse : subitement, cela lui revenait à l'esprit.) Nous emmenions nos enfants à tour de rôle à l'école.

— Tu ne peux pas dire que tu es chez elle ?

— Oh non, je ne vois pas comment je... »

Puis, à sa moue radoucie, elle devina qu'il s'apprêtait de nouveau à l'embrasser et, sur un adieu désinvolte de la main, elle se rua dehors en manquant de trébucher sur Butch qui était couché sur le paillasson.

C'était drôle, songea-t-elle en s'installant au volant, comme son passé de lycéenne lui revenait souvent à la mémoire ces derniers temps. Sans doute était-ce cette impression d'avoir la tête qui tournait, d'être en nage, le cheveu ébouriffé, lorsqu'elle rentrait précipitamment chez elle après ses rendez-vous secrets ; ses joues empourprées qui la trahissaient, sa bouche fatiguée, amollie, quand elle risquait un coup d'œil dans le rétroviseur.

Elle profita d'un stop pour vérifier que son chemisier était bien boutonné et recentra son pendentif. Elle entendit une fois encore la voix d'Adrian qui lui demandait : « Pourquoi portes-tu toujours un collier ? », et puis : « Viens avec moi, Delia, viens t'allonger », et, comme au temps du lycée, elle se sentit davantage bouleversée au souvenir de ces paroles qu'à l'instant même où elles avaient été prononcées. Si elle n'avait été déjà assise, ses jambes se seraient dérobées sous elle.

Peut-être pourrait-elle en effet raconter qu'elle allait chez Bootsy. Pas toute la nuit, évidemment, mais le temps d'une soirée. Personne chez elle ne prendrait la peine de vérifier ses dires.

Elle se gara dans l'allée, où ne restait plus que la voiture de Sam. Un filet de fumée montait du jardin à l'arrière de la maison. Il devait être en train d'allumer le barbecue pour le dîner.

Elle suivit la fumée à la trace, jusqu'au petit rectangle de dallage au pied des fenêtres du cabinet. Il était bel et bien là, les lunettes remontées sur le front, surveillant le thermostat du barbecue. Il était encore en chemise, cravate et pantalon de costume. Seule manquait la blouse blanche. Il avait l'air si solennel que Delia fut saisie d'une angoisse subite. Se pouvait-il qu'il sache tout ? Mais lorsqu'il se redressa, rabaissant ses lunettes, il lui dit simplement : « Hello, Dee. Où étais-tu ?

— Oh, je... j'étais allée faire quelques courses. »

Elle était éberluée qu'il ne s'étonne pas le moins du monde de la voir pourtant revenir les mains vides. Il se contenta d'acquiescer d'un signe de tête en tapotant le thermostat du bout de l'index.

En grimpant le perron qui conduisait à la cuisine, elle eut l'impression d'émerger d'une profonde rêverie. Elle passa sous le nez d'Eliza et s'en alla déambuler du côté de l'entrée. « Est-ce que tu comptes faire griller les légumes ou préfères-tu les mettre au four ? » demanda sa sœur dans son dos.

Il n'y aurait pas assez de place sur le barbecue pour les légumes. Il faudrait donc les mettre au four et c'est ce qu'elle avait l'intention de répondre, mais elle oublia en chemin, perdit les mots et se contenta de divaguer dans le bureau. Dieu merci, il était vide. Elle n'avait pas la patience d'attendre d'être en haut pour téléphoner. Elle décrocha, composa le numéro d'Adrian, laissa sonner deux fois, puis raccrocha — afin de l'avertir que ce n'était pas sa belle-mère. Elle refit le numéro et il répondit avant même la fin de la première sonnerie. « C'est toi ? » souffla-t-il. Sa voix trahissait un sentiment d'urgence, d'intensité. Elle se laissa tomber sur un escabeau et étreignit plus encore le combiné.

« Oui, murmura-t-elle.

— Reviens, Delia.

— Si seulement je pouvais.

— Reviens passer la nuit avec moi.

— J'aimerais bien, j'aimerais tant », soupira-t-elle.

La mère de Sam lança : « Delia ? »

Elle raccrocha violemment et, d'un bond, se leva. « Eleanor ! » s'écria-t-elle. Elle enfouit ses mains dans les plis de sa jupe pour dissimuler leur tremblement. « J'étais juste en train de... de...

— Désolée de faire irruption ainsi, Delia, mais personne n'a répondu lorsque j'ai sonné à la porte. » Elle s'approcha pour déposer un baiser en l'air, derrière l'oreille de Delia. Elle sentait le savon. C'était une femme qui dédaignait les parfums et les fanfreluches et qui, pour l'heure, était commodément vêtue d'une robe-chemisier infroissable assortie de Nike. Son visage avenant était couronné de cheveux blancs coupés au bol. « Je ne voulais pas interrompre votre conversation.

— Oh, j'allais justement raccrocher.

— Il semblerait que quelqu'un ait laissé divers articles dans la véranda.

— Des articles ? »

Devant les yeux de Delia, passa la vision fugitive de l'article du Dr Adwater sur le charisme.

« Des raquettes de badminton, des canots, et que sais-je encore, éparpillés dans tous les sens au risque de faire trébucher quelqu'un. »

Eleanor appartenait à cette catégorie d'invités qui estiment qu'il est de leur devoir de sonner l'alarme à la moindre anomalie dans la maison. Y avait-il longtemps que la chasse d'eau faisait un bruit pareil ? Savaient-ils qu'une branche était sur le point de tomber ? Delia ripostait systématiquement en faisant mine d'être elle-même une invitée.

« Non, pas possible ! lança-t-elle. Je vous emmène voir Sam. Il s'occupe du barbecue.

— Allons bon, moi qui croyais que ce serait un petit dîner sans façons », protesta Eleanor. En guise de sac à main, elle arborait une de ces bananes accrochées à la ceinture, en nylon fluorescent couleur chartreuse, qu'elle portait en avant comme un ventre postiche de femme enceinte, ce qui lui cambrait légèrement le dos, alors que d'ordinaire elle se tenait parfaitement droite.

« Ce n'est que du poulet grillé, dit Delia en traversant le couloir. Rien de bien compliqué.

— Du potage en conserve aurait amplement suffi », déclara Eleanor. Elle avisa un trognon de pomme brunissant trônant sur le pilastre de la rampe d'escalier. « D'autant que vous devez avoir mille choses à faire avant votre départ. »

Était-ce là un reproche ? Chaque année, Sam suggérait d'inviter Eleanor au bord de la mer, et chaque année, Delia le convainquait de n'en rien faire, ce qui expliquait la raison d'être de ce dîner conciliatoire la veille de leur départ. Non que Delia eût sa belle-mère en horreur : elle était convaincue que c'était une femme admirable, et elle savait qu'elle n'aurait jamais su faire face de la sorte en de pareilles circonstances — veuve de bonne heure, elle avait été forcée d'accepter un poste de secrétaire pour gagner sa vie et nourrir son jeune fils. (D'autant qu'à en croire Sam, son père ne lui avait pas été d'un grand secours, étant d'un caractère faible et inconsistant, passablement incompétent.) Mais en sa présence, Delia avait l'impression de ne pas être à la hauteur. Elle se sentait frivole, dépensière, mal organisée. Leurs vacances étaient le seul moment de l'année où elle pouvait espérer se défaire de ce sentiment. En outre, elle n'imaginait pas la Mama de Fer en train de se prélasser sur une serviette de plage.

« Linda est-elle arrivée ? lança Eleanor en entrant dans la cuisine. Les jumelles sont-elles toujours aussi immenses ? Mais où sont-elles donc ? »

Ce fut Eliza, debout près de l'évier, qui se chargea de lui répondre : « Les jumelles sont à la piscine. Linda vient de partir avec Susie pour aller les chercher. Comment allez-vous, Eleanor ?

— Oh, le mieux du monde. Mais ce sont des asperges que je vois là ? Delia, ma parole, savez-vous combien coûtent les asperges ?

— J'en ai trouvé en promotion, mentit-elle. Je vais les passer au four, une nouvelle recette toute simple. Sans façons, ajouta-t-elle malicieusement.

— Si vous n'avez pas trouvé plus simple que des asperges et du pigeonneau rôti !
— Du poulet.
— Une vieille carotte fripée aurait largement fait mon affaire. »
Eleanor gagna la porte de derrière avec sur les talons Delia qui la suivait humblement.
Dans le jardin, Sam tripatouillait les boutons du barbecue. « La température m'a l'air parfaite, lança-t-il. Bonjour, maman. Ravi de te voir.
— Qu'est-il arrivé aux massifs, mon garçon ? demanda Eleanor en regardant autour d'elle.
— Nous les faisons arracher, répondit-il. Nous allons les remplacer par des nouvelles plantations.
— Mais cela doit coûter une fortune ! Seigneur, ne pouvais-tu donc pas te contenter de ce que tu avais ?
— Nous voulons tout refaire à neuf. (*Nous ?* s'étonna Delia.) Nous n'avons plus envie de nous contenter de ce que nous avons. Dee, je suis prêt à commencer le barbecue. »
Delia revenait vers la maison lorsqu'elle entendit Eleanor déclarer : « Je ne sais pas, mon garçon, mais s'il y a au menu des asperges et du faisan grillé, le régime de la maison est bien trop riche à mon goût.
— Du poulet ! » lança Delia par-dessus son épaule.
Eliza avait dû également entendre, car lorsqu'elle ouvrit la porte moustiquaire, Delia la surprit, un sourire aux lèvres. « Apporte-le à Sam, veux-tu ? lui demanda Delia. Je ne peux pas supporter ça une minute de plus.
— Allons, tu prends trop à cœur tout ce qu'elle dit », fit sa sœur en se dirigeant vers le réfrigérateur. Aux yeux d'Eliza, Eleanor était passablement inoffensive et somme toute assez drôle. Mais Eliza n'était pas sa bru. Eleanor n'était pas érigée jour après jour devant elle en parangon des vertus de l'épargne, avec sa caisse à outils professionnelle, son livre de comptes à douze colonnes et ses sachets plastique à sandwich qu'elle réutilisait trois fois de suite, après les avoir lavés et séchés.
Sam avait-il déjà songé que son propre père et sa femme pussent être des âmes sœurs ?
Elle sortit les couverts, dix de chaque, et alla dans la salle à manger. Les bruits du jardin y étaient étouffés et elle put à loisir rêver à Adrian. Elle circulait autour de la table, distri-

buant couteaux et fourchettes en se souvenant du bruissement des doigts du jeune homme sur son col, de son souffle tiède lorsqu'il l'avait embrassée. Mais elle s'aperçut qu'elle n'éprouvait plus rien au souvenir de ce baiser. L'interruption d'Eleanor avait dû chasser toute sensation en elle, comme autrefois lorsque, au beau milieu de ses ébats amoureux avec Sam, le téléphone sonnait et qu'elle avait l'impression d'avoir perdu sa place et de ne plus pouvoir la retrouver.

Elle retourna à la cuisine et tomba sur Eliza qui contemplait le placard à verres d'un air perplexe. « Que boit-on ? demanda-t-elle. Du thé glacé ou du vin ?

— Du vin », s'empressa de répondre Delia.

S'élevant du jardin, la voix d'Eleanor leur parvint, majestueuse et péremptoire : « As-tu idée du prix actuel des asperges ?

— Relativement élevé, répondit Sam d'un ton équanime.

— Astronomique, rectifia Eleanor. Mais voilà, qu'y a-t-il au menu ce soir ? Des asperges et du paon grillé. »

Eliza fut la seule à rire.

Le dîner fut retardé sous divers prétextes. Tout d'abord, Linda et Susie mirent un temps fou à ramener les jumelles de la piscine, puis Ramsay ne réapparut qu'à sept heures, alors qu'il avait promis d'être de retour sur le coup de six heures. Il arriva avec sa petite amie accompagnée de sa fille de six ans, une gamine blême et silencieuse. Les jumelles étaient aux anges, cela va de soi, mais Delia était furieuse. Elle avait clairement fait savoir que c'était une soirée strictement familiale. Cependant, elle n'avait pas le cœur d'humilier Ramsay en public. Bouillonnant intérieurement, elle ajouta deux couverts dépareillés avant de convier tout le monde à passer à table.

Velma, ladite petite amie, était un minuscule bout de femme aux allures de lutin, coiffée d'un casque de cheveux lustrés, dont la silhouette mutine était, ce jour-là, mise en valeur par un coquet short blanc. Delia voyait bien le charme qu'on pouvait lui trouver, enfin, plus ou moins. Tout d'abord, sitôt entrée dans la salle à manger, elle se dirigea droit vers les couverts orphelins, comme si elle avait l'habitude de n'exister qu'en marge des événements. Et puis, elle était d'une vitalité si inexhaustible qu'en sa présence Carroll — Carroll, l'ours —

s'anima, tandis que Sam insistait pour lui donner le plus gros morceau de poulet. (« Il faut me mettre un peu de chair sur ces os », déclara-t-il, genre de remarques auquel il ne les avait guère habitués.) Puis elle s'acheta les bonnes grâces de Linda en s'émerveillant du nom des jumelles. « J'adore tout ce qui est français — il suffit de voir comment j'ai appelé ma fille Rosalie, ajouta-t-elle. Ah, là, là, qu'est-ce que j'aimerais aller en France ! Je ne suis jamais allée qu'à Hagerstown, pour des présentations de coiffure. »

Velma était coiffeuse-esthéticienne dans un salon unisexe et c'est ainsi que Ramsay avait fait sa connaissance. Il était allé se faire couper les cheveux et l'avait d'emblée invitée à venir prendre le thé chez son tuteur. À présent, il était fièrement assis près d'elle, le bras mollement posé sur le dossier de sa chaise, et contemplait le reste de la tablée avec un sourire rayonnant. Bien que petit (il tenait en cela du père de Delia), il prenait aux côtés de Velma une allure imposante et virile.

« Quoique, à l'automne dernier, je suis allée à une conférence sur les couleurs à Pittsburgh, se rappelait Velma. J'ai passé la nuit là-bas en confiant Rosalie à ma mère. »

Rosalie, derrière l'autre assiette dépareillée, leva ses immenses yeux liquides et lança à Velma un regard dans lequel Delia crut lire du désespoir.

« Au salon, on a tous appris à faire les couleurs », poursuivit Velma. Elle n'avait pas trouvé mieux que de s'adresser à Eleanor. Cette dernière l'encourageait en hochant la tête avec son plus beau sourire. « Il y a des gens qui doivent porter des couleurs froides et d'autres, des couleurs chaudes, et il ne faut surtout pas qu'ils passent des unes aux autres, quoique, si vous saviez le nombre de gens qui essaient !

— Et détermine-t-on cela en fonction des différents tempéraments ? s'enquit Eleanor.

— Quoi, m'dame ? »

Sur ce, l'attention d'Eleanor fut détournée par la vision de l'assiette que son fils était en train de lui servir. « Oh, de grâce, Sam ! s'exclama-t-elle. Je ne veux pas une si grosse part !

— Je croyais que tu voulais un blanc.

— Oui, mais juste un petit. Celui-là est bien trop gros pour moi. »

Il planta sa fourchette dans un autre blanc et le brandit. « Et celui-là, il te va ?

— Mais il est énorme !
— Il n'y a rien de plus petit, maman.
— Tu ne pourrais pas le couper en deux ? Je ne réussirai jamais à manger tout cela. »
Il le remit dans le plat et le partagea en deux.
« C'est comme cette dame, reprit Velma, elle est arrivée au salon tout en rose des pieds à la tête, alors moi je lui dis : "Madame, si vous saviez comme vous faites fausse route. Vu votre teint, je lui dis, vous devriez porter que des couleurs froides." Et voilà qu'elle me fait : "Oh, mais c'est précisément pour ça que je ne mets que des couleurs chaudes. Je choisis toujours ce qui est à l'opposé de moi." Franchement, j'en croyais pas mes oreilles.
— Mais, Sam, mon petit, c'est six fois plus d'asperges que je ne pourrai jamais en avaler, protesta Eleanor.
— Il n'y en a que trois, je vois mal par quel miracle je pourrais t'en donner six fois moins.
— Je ne veux qu'une demi-asperge, si ce n'est pas trop te demander.
— Vous, poursuivit Velma à l'adresse d'Eliza, vous seriez saisissante en magenta. Avec vos cheveux noirs charbon, cet ocre ne vous réussit pas du tout.
— De toute façon, j'ai un faible pour l'ocre, trancha Eliza d'un ton péremptoire.
— Mais toi, Susie, je parie que tu t'es déjà fait faire tes couleurs. Pas vrai ? Ce vert d'eau te va à merveille.
— Je n'avais rien d'autre à me mettre, tout le reste était au sale », fit Susie. Mais elle tentait de maîtriser le sourire de satisfaction qui s'esquissait au coin de ses lèvres.
« Je n'habille Rosalie qu'en vert d'eau, ou presque. Dès que je lui mets une autre couleur, ça lui fait une mine de déterrée.
— Sam, je suis désolée de t'embêter, reprit Eleanor, mais je te refais passer mon assiette pour que tu m'enlèves un soupçon de cette salade de pommes de terre et que tu en donnes à quelqu'un d'autre.
— Mais garde-la, maman.
— C'est une bien trop grosse part pour moi, mon petit.
— Eh bien, tu n'as qu'à manger ce que tu peux et laisser le reste.
— Tu sais combien je déteste gâcher la nourriture.

— Dans ce cas, maman, fais un effort et gave-toi jusqu'à la garde, tu veux !

— Miséricorde ! », soupira Eleanor.

Le téléphone sonna.

« Carroll, peux-tu aller répondre, s'il te plaît, demanda Delia. Si c'est un patient, dis-lui que nous sommes à table. »

Non qu'elle espérât une seule seconde qu'un patient pût se laisser dissuader aussi aisément.

Carroll alla dans la cuisine en traînant les pieds, marmonnant quelque chose à propos de la ligne des grands. Delia mordit dans son pilon. Il était resté au chaud dans le four si longtemps qu'il était sec et filandreux.

« C'est pour toi, m'man, lança Carroll en passant la tête par la porte.

— Vois qui c'est et demande si je peux rappeler plus tard.

— Il dit que c'est au sujet d'une machine à remonter le temps.

— Oh ! »

Sam s'étonna : « Une machine à remonter le temps ?

— Je n'en ai que pour une minute, s'excusa Delia en posant sa serviette.

— Quelqu'un cherche à te vendre une machine à remonter le temps ?

— Non, pas que je sache. Oh, et puis, après tout.... » Elle se radossa. « Dis-lui que nous n'avons besoin de rien. »

Carroll retira la tête de l'embrasure de la porte.

Delia eut l'impression que l'unique bouchée de poulet qu'elle avait prise restait coincée en travers de son gosier. Elle saisit la corbeille à pain et la tendit. « Thérèse ? Marie-Claire ? Servez-vous et faites passer, soyez gentilles. »

Quand Carroll revint à table, elle ne lui jeta pas même un coup d'œil. Elle fit circuler le beurre à la suite du pain et lorsque, enfin, elle releva la tête, ce fut pour affronter le regard de sa sœur qui la dévisageait fixement.

C'était Eliza dont il fallait qu'elle se méfie. Elle avait un flair inquiétant parfois.

« Cette vaisselle en porcelaine appartenait à votre arrière-grand-mère, expliquait Linda aux jumelles. Elle s'appelait Cynthia Ramsay. À Baltimore, elle était célèbre pour sa beauté et toute la ville à l'époque s'était demandé ce qui lui avait pris d'aller accepter la main de ce minable nabot d'Isaiah Felson.

Mais voyez-vous, il était médecin et il lui avait promis que si elle l'épousait, elle n'attraperait jamais la tuberculose. Alors, évidemment, elle l'a épousé, elle s'est installée à Roland Park et jusqu'à la fin de ses jours elle a gardé une santé de fer, sans compter qu'elle a donné le jour à deux enfants bien portants, dont l'un était votre grand-père. Vous vous souvenez de votre grand-père ?

— Il nous interdisait de faire du skate dans la maison.

— Tout à fait. Bref, toujours est-il que votre arrière-grand-mère avait fait venir toute sa vaisselle de mariage d'Europe, ces mêmes assiettes dans lesquelles vous mangez ce soir.

— Sauf celle de Rosalie, intervint Marie-Claire.

— L'assiette de Rosalie, elle vient pas de la vaisselle de mariage.

— Non, elle vient du supermarché », répondit Linda en passant le beurrier à Eleanor, sans s'apercevoir que les yeux de Rosalie se liquéfiaient davantage encore.

« Seigneur, non, pas de beurre pour moi », protesta Eleanor.

Pourquoi m'a-t-il donc appelée ? s'interrogea Delia. Cela ne lui ressemblait pas. Il devait avoir quelque chose de crucial à lui dire. Elle aurait dû aller répondre.

Elle saisit le pichet et se leva à l'instant précis où retentissait la sonnette de la porte d'entrée. Elle se figea sur place. La première pensée qui lui vint à l'esprit lui fit battre le cœur à tout rompre. Adrian. Il était venu la chercher. Il refusait de se plier davantage à la voix de la raison. En un éclair, tout un scénario se déroula dans son esprit — la stupéfaction de sa famille, alors qu'elle se laissait entraîner sans offrir de résistance, son périple à travers la nuit (dans une voiture attelée, apparemment) et le bonheur qu'ils allaient vivre dans une chambre blanchie à la chaux, baignée de soleil, quelque part sur une île de la Méditerranée. Sam, pendant ce temps, maugréait : « Je leur ai dit et redit... » Il se leva et se dirigea vers l'entrée à grandes enjambées, manifestement convaincu qu'il ne pouvait s'agir que d'un patient. Après tout, peut-être était-ce le cas. Delia resta plantée au milieu de la pièce, l'oreille aux aguets. Une des jumelles lança : « Et puis Rosalie, elle a une serviette en papier toute moche », et Delia fut prise d'une irrépressible envie d'expédier sa voix d'un coup de batte à l'autre bout de la pièce.

C'était une dame. Une vieille dame geignarde qui grommelait quelque chose d'incompréhensible. Bon. C'était une patiente. Delia fut davantage soulagée qu'elle ne l'aurait cru. « Bon ! lança-t-elle. Je vais à la cuisine. Manque-t-il quelque chose sur la table ? », mais elle n'avait pas même tourné les talons que Sam introduisait la visiteuse dans la pièce.

Soixante-dix ans passés, le visage cireux creusé de rides, surmonté d'un monceau de boucles teintes en noir de jais, bariolé d'un véritable plâtrage de fard à joue et de rouge à lèvres garance, elle s'avançait juchée sur des escarpins à bouts découverts ridiculement étriqués qui dépassaient à peine de l'ourlet de sa robe noire informe. Ses mains boudinées couvertes de bagues agrippaient une aumônière et des pendeloques de diamants se balançaient au bout de ses lobes d'oreille distendus. Delia embrassa le spectacle d'un seul regard tout en relevant au passage la mine abasourdie de Sam derrière l'épaule de la vieille dame.

« Dee ? Cette personne affirme... »

La vieille dame lui lança : « Vous êtes bien Mrs. Delia Grinstead ?

— C'est moi, oui.

— Je vous demande de laisser en paix le mari de ma fille. »

La tablée se figea soudain au garde-à-vous. Delia en prit conscience, bien qu'elle s'efforçât de regarder la vieille dame droit dans les yeux. « Je ne vois absolument pas de quoi vous voulez parler, répliqua-t-elle.

— Vous savez pertinemment de qui je parle ! Mon gendre, Adrian Bly-Brice. À moins que vous n'ayez déjà oublié. Auriez-vous une telle collection d'amants que vous soyez incapable de les distinguer les uns des autres ? »

Quelqu'un se mit à rire sous cape. Ramsay. Delia en fut quelque peu humiliée, mais elle concentra toute son énergie sur l'enjeu du moment. « Madame... hum... je vous assure que... » Sa voix avait pris des accents de petite fille qu'elle trouva détestables.

« C'est un ménage heureux que vous anéantissez », poursuivit la vieille dame. Elle s'était postée à l'autre bout de la table, juste derrière la chaise vide de Sam. Elle fusillait Delia du regard sous un rideau de cils si lourdement chargés de mascara qu'ils jetaient sur son visage deux ombres pareilles à des auvents. « Certes, ils ont des hauts et des bas, comme tous les jeunes couples, mais ils essaient d'arranger les choses, croyez-moi ! Ils se revoient, vous l'a-t-il dit ? Ils sont retournés dîner deux fois au restaurant où ils se sont fiancés. Ils songent même à mettre un bébé en route pour faciliter les choses. Mais moi, à chaque fois que je risque le nez à ma fenêtre, qu'est-ce que je vois ? Votre voiture garée de l'autre côté de la rue. Et vous qui êtes là devant sa porte à le couvrir de baisers et de caresses à n'en plus finir, avant de monter au premier pour le peloter à la fenêtre de sa chambre, histoire que tout le voisinage puisse être au spectacle ! »

La belle-mère d'Adrian habitait donc en face de chez lui ?

Delia se sentait brûlante. Elle devinait autour d'elle les expressions sidérées des convives.

D'un ton posé, Sam lui demanda : « Delia, as-tu quoi que ce soit à voir avec tout ceci ?

— Non, rien ! s'écria-t-elle. Ce sont des mensonges ! Elle me confond avec une autre.

— Et ça, qu'est-ce que c'est, hein ? » vociféra la vieille dame en commençant à triturer son aumônière. La cordelette était maintenue par une sorte de fermoir à glissière qu'elle mit plus d'une minute à ouvrir sous les yeux de la tablée entière qui s'était figée dans un silence absolu. Delia s'aperçut qu'elle retenait son souffle depuis un moment.

Elle était prête à voir le pire surgir de ce sac : quelque chose de torride, d'obscène, de libidineux, quoique, a priori, elle ne voyait guère ce que cela pouvait être. Mais la vieille dame se contenta de brandir une simple photo. « Vous voyez ? Vous voyez ? » cria-t-elle en la faisant lentement pivoter de gauche à droite.

C'était un Polaroïd tellement sous-exposé qu'il se réduisait à un carré d'ombre piquetée. Mais ce ne fut qu'en entendant Ramsay recommencer à pouffer que Delia comprit que le danger était passé.

« Allons, allons, disait Sam, ne vous inquiétez pas, je suis sûr que votre fille est très heureuse en ménage... » Avec une extrême galanterie, il pilotait la vieille dame en direction de la porte. « Puis-je vous raccompagner à votre voiture ?

— Oh... c'est à dire que... oui, peut-être... enfin, oui », balbutia-t-elle. Bien qu'elle se démenât toujours avec son aumônière, elle se laissa guider hors de la pièce. Elle sortit, accrochée au bras protecteur de Sam, d'un air désorienté, comme halluciné, qui emplit Delia d'une soudaine pitié.

« C'était qui ? » demanda Marie-Claire à voix haute et claire.

Ramsay lui rétorqua : « Oh, juste quelqu'un qui venait voir ta tante Delia ; tu sais bien que c'est une vraie vamp », et tout le monde s'agita et se mit à ricaner.

L'espace d'une seconde, Delia fut prise d'une subite envie, certes perverse, elle le savait, de passer aux aveux, histoire de leur donner une leçon. Évidemment, elle n'en fit rien. Elle se contenta de sourire à ses hôtes et se rassit en reposant le pichet à sa gauche. « Qui reveut du poulet ? demanda-t-elle avant de soutenir crânement le regard inquisiteur d'Eliza.

C'était au tour de Susie de faire la vaisselle et Eleanor décréta qu'elle l'aiderait. Il était hors de question, dit-elle, que Delia lève le petit doigt après leur avoir offert un festin aussi extravagant. Aussi Delia fit-elle mine de se retirer de la cuisine à contrecœur et, au lieu de rejoindre les autres dans la véranda, se rua dans sa chambre au premier. Elle referma soigneusement la porte derrière elle et décrocha le téléphone.

Il répondit quasi instantanément. Elle avait pris son courage à deux mains pour affronter la sempiternelle rengaine des deux sonneries, mais aussitôt elle entendit : « Allô ?

— Adrian ?

— Oh, Delia, alors elle est venue ?

— Oui.

— J'ai essayé de te prévenir. J'ai appelé chez toi et bien que ce soit ton mari qui ait répondu, j'ai tout de même demandé à te parler...

— Mon mari a répondu ? Quand cela ?

— Ce n'était pas ton mari ?

— Ah, Carroll. Mon fils. Pendant le dîner, tu veux dire.

— Oui, et j'espérais que tu... C'était ton fils ?

— Oui, le plus jeune. Carroll.

— Mais il avait l'air si vieux.

— Vieux ? Il n'est pas vieux !

— On aurait dit un adulte.

— Eh bien non, ce n'est pas un adulte, répliqua sèchement Delia. Adrian, pourquoi es-tu allé m'embrasser au vu et au su de tout le voisinage alors que ta belle-mère habite en face ?

— Alors comme ça, elle a mis sa menace à exécution ?

— Elle est allée raconter à ma famille que j'avais un “amant”, si c'est ce que tu veux dire.

— Oh non... Et qu'est-ce qu'ils ont dit ?

— Ils ont dû penser qu'elle était complètement folle ou quelque chose de ce genre, mais... Adrian, elle prétend que tu es heureux en ménage.

— Évidemment. C'est ce qu'elle aimerait croire, tu le sais bien.

— Elle prétend que vous vous revoyez, Rosemary et toi, que vous êtes retournés dîner deux fois au restaurant où vous vous êtes fiancés.

— Jusque-là, c'est vrai.

— Ah oui ?

— Juste histoire de reparler de tout ça. Après tout, nous avons beaucoup de choses en commun. Avec tout ce que nous avons vécu ensemble.

— Je vois.

— Mais ce n'est pas ce que tu crois. Nous avons simplement dîné ensemble ! Dîné, un point c'est tout !

— Et vous songez à mettre en route un bébé.

— Elle t'a dit ça ?

— Oui.

— Naturellement, le sujet est venu sur le tapis.

— Naturellement ! s'exclama Delia.

— C'est-à-dire que Rosemary n'est plus toute jeune.

— Non, c'est vrai, elle doit bien avoir trente ans », rétorqua Delia, non sans amertume. Elle entortillait le cordon du téléphone entre ses doigts. La ligne était brouillée par un souffle, comme si elle appelait à l'étranger.

« De toute façon, elle n'est pas du genre maternel, lança Adrian d'une voix enjouée. C'est curieux tout de même de voir comment ce qui t'attire chez quelqu'un peut finir par t'irriter au plus haut point. Quand j'ai rencontré Rosemary, elle était si... si froide, si glaciale, que j'en étais fasciné, mais je me rends compte à présent qu'elle est peut-être trop froide pour être une bonne mère.

— Et moi ?

— Toi ?

— Qu'est-ce qui chez moi t'attire mais t'irrite ?

— Mais rien, Delia. Pourquoi une telle question ?

— Il n'y a rien qui t'attire ?

— Ah oui... si, peut-être... vois-tu, quand je t'ai rencontrée, tu t'es montrée si spontanée, si charmante, si puérile, enfin je veux dire si enfantine. Mais quand est venu ce moment où la plupart des gens, comment dire, passent aux choses plus sérieuses, bon sang, tu étais toujours aussi charmante et gamine. Tu étais là, toute chavirée, répétant que tu devais y aller, à croire que nous étions deux adolescents...

— Je vois.

— Dis-moi, quel âge a ton fils, au juste ?

— L'âge de la retraite », répliqua-t-elle. Mais c'est à elle-même qu'elle faisait allusion.

Elle raccrocha et sortit de la pièce.

Au rez-de-chaussée, elle entendit l'eau qui coulait au robinet de la cuisine, le bruit des assiettes qui s'entrechoquaient et la voix d'Eleanor qui protestait : « Susie, mon petit, tu ne vas tout de même pas jeter ça ! » Delia traversa le vestibule et s'arrêta près de la moustiquaire, le regard perdu sur la véranda. Il n'y avait aucune trace des garçons, pas plus que de Velma ou de Rosalie. Toutefois, Sam et Linda se chamaillaient sur la balancelle. « Certaines de ces azalées ont été plantées par notre grand-père, s'indignait Linda, non que cela te regarde, évidemment », ce à quoi Sam rétorquait : « Pas plus que toi, à moins que tu n'aies l'intention de prendre en charge une partie de l'entretien. » Eliza, qui se balançait dans le rocking-chair en osier s'écria : « Oh, arrêtez un peu, vous deux. » Les jumelles virevoltaient dans l'allée au pied du lampadaire, couvertes de brins d'herbe, sous un tourbillon de phalènes qui voletaient autour de leur tête. Elles étaient dans cet état d'extrême surexcitation qui s'empare des enfants que l'on laisse jouer dehors les soirs d'été, et elles chantaient à toute allure :

Mais c'est quoi la vie ?
Quinze cents *la copie.*
Mais j'en ai que six.
Eh oui, c'est la vie.
Mais c'est quoi la vie ?
Quinze cents *la copie.*
Mais j'en ai que six...

5

LORSQU'ILS ARRIVÈRENT au bord de la mer, il plut à verse toute la soirée, et il s'avéra qu'il y avait une fuite dans le toit de leur villa. La maison n'avait rien de ces villas luxueuses de front de mer que l'on voit dans les stations balnéaires, c'était une petite bâtisse trapue à l'intérieur des terres, juste en bordure de l'A1. Delia imaginait que, la semaine précédente encore, elle abritait un modeste employé de coopérative agricole du Delaware. L'évier de la cuisine était enjuponné de chintz, le sol du salon, couvert d'un linoléum bleu à motif suggérant une moquette à bouclettes et tous les lits sans exception s'affaissaient au milieu et craquaient au moindre mouvement.

Ce n'était pas une raison, décréta Sam, pour supporter de patauger dans une flaque d'eau sur le palier de l'étage. Il téléphona sur-le-champ à l'agence de location en utilisant le numéro d'urgence à appeler en dehors des heures d'ouverture et il exigea que le problème soit réglé dès la première heure le lendemain matin.

« Mais enfin, lui lança Linda, même en vacances, tu ne peux pas te passer de ton équipe d'ouvriers ? »

Eliza, quant à elle, suggéra : « Il suffit d'éponger et de ne plus y penser. Il ne pleuvra plus de tout le séjour, j'en suis sûre, autrement, je fais un procès au bon Dieu. »

Delia s'abstint de tout commentaire. Elle n'en avait pas la force.

Chez eux, à Baltimore, les ouvriers devaient employer la semaine à poncer et vitrifier le parquet, si bien que Delia avait dû emmener le chat. (Il ne supportait pas d'être mis en pension — l'unique fois où ils avaient essayé, il s'était quasiment laissé mourir de faim.) Sam avait eu beau dire que, les animaux étant expressément interdits, ils avaient toutes les chances de se voir expulser, Delia lui avait assuré que c'était impossible. D'ailleurs qui irait deviner que Vernon était là ? Le trajet en voiture l'avait tellement indigné qu'il avait filé se réfugier à l'abri d'un placard de cuisine sitôt arrivé à la villa.

Delia eut la sagesse de le laisser tranquille, mais les jumelles ne voulurent pas en démordre et s'en allèrent après le dîner tournicoter autour du placard avec une assiette pleine de restes, pour le persuader de sortir de sa cachette. « Allez viens, Vernon ! Sois mignon, Vernon. » En guise de réponse, il leur opposa ce silence figé, on ne peut plus décourageant, que semblent irradier les chats lorsqu'ils ont décidé de rester seuls. « Oh, gémit Marie-Claire, qu'est-ce qu'on peut faire ? Il va se laisser mourir de faim !

— Bon débarras, rétorqua Sam. Il n'y a que les animaux vivants qui soient interdits. »

Sam avait été d'une humeur massacrante toute la journée, avait cru remarquer Delia.

Aussi, ce premier soir, les adultes renoncèrent-ils à partir se promener sur la plage ou à aller en ville prendre une glace. Ils s'installèrent dans le salon mal éclairé qui empestait le pétrole pour lire de vieux magazines tout chiffonnés abandonnés par les locataires précédents, en écoutant la pluie tambouriner sur les fenêtres. Les jumelles étaient encore dans la cuisine à asticoter Vernon. Susie et les garçons avaient emprunté la Plymouth pour faire un tour à Ocean City, ce qui donnait des sueurs froides à Delia, qui s'imaginait toujours la station comme une gigantesque arène d'autos tamponneuses livrées aux mains d'étudiants ivres. Elle s'efforça toutefois de se concentrer sur *Terrasses et patios d'Amérique.*

« Si le soleil n'est pas revenu demain, suggéra Linda, nous pourrions aller faire une petite virée du côté de Salisbury. J'aimerais que les jumelles prennent conscience de leurs racines.

— Oh non, Linda, tu ne vas pas recommencer avec ton satané cimetière.

— Bon, très bien, en ce cas prêtez-moi la voiture et je me chargerai de les emmener. C'est déjà ce qui s'est passé l'an dernier.

— Oui, et même qu'elles étaient revenues en bayant aux corneilles et, qui plus est, d'une humeur de chien. Que veux-tu qu'elles aient à faire d'un tas de Carroll et de Weber morts et enterrés ?

— Elles s'étaient amusées comme des petites folles ! Et puis aussi, j'aimerais bien retrouver la maison du grand-oncle Roscoe.

— Eh bien, bonne chasse, c'est tout ce que je peux te dire. À tous les coups, c'est un parking à l'heure qu'il est et, quoi qu'il en soit, maman ne s'est jamais entendue avec l'oncle Roscoe.

— Eliza, pourquoi faut-il que tu passes ton temps à m'humilier ? s'écria Linda. Pourquoi trouves-tu toujours le moyen de ridiculiser et de dénigrer la moindre de mes suggestions ?

— Allons, allons, mesdames », dit Sam d'un air absent en feuilletant *La Pêche au gros*.

Linda s'en prit à lui : « Sam Grinstead, je t'interdis de me parler sur ce ton.

— Pardon, murmura Sam.

— La Voix de la Raison personnifiée.

— Désolé. »

Elle se leva d'un air offusqué et alla voir où en étaient les jumelles. Eliza referma son *Monde du yachting* et contempla la couverture d'un œil morne.

Linda et Eliza en étaient à ce que Delia appelait la « phase du lendemain » — cette période d'exaspération mêlée d'agressivité qui succédait toujours à l'enthousiasme que suscitait l'arrivée de Linda. Un jour, Delia avait demandé à Eliza pourquoi elles n'étaient pas plus proches, Linda et elle. « Oh, tu sais, j'ai constaté que les gens qui ont partagé une enfance malheureuse sont rarement proches », lui avait répondu Eliza. Delia avait été étonnée. Elles avaient eu une enfance malheureuse ? La sienne avait été idyllique. Mais elle n'en avait rien dit.

Linda revint avec les jumelles qui se faisaient encore du mauvais sang pour Vernon et Sam reposa son magazine pour suggérer une partie de rami. « As-tu apporté les cartes à jouer ? » demanda-t-il à Delia.

Elle les avait oubliées. Elle s'en aperçut à l'instant même où il lui posait la question, mais elle fit mine de fouiller de fond en comble le cabas posé sur la table basse. Des puzzles, un Monopoly, un Backgammon émergèrent, mais aucune trace des cartes. « C'est-à-dire que...

— Tant pis, nous ferons une partie de Backgammon. » Sa

voix était lourde d'impatience. Elle aurait préféré qu'il se fâchât.

Au fond du cabas, Delia tomba sur *La Captive du château de Clarion*, le dernier livre qu'elle avait emprunté à la bibliothèque. Elle l'avait commencé la semaine précédente et trouvait qu'il traînait en longueur, mais tout était préférable à des plans de terrasses. Lorsque Sam lui demanda : « Et toi, Delia, est-ce que tu veux jouer ? », elle lui répondit : « Je crois que je vais aller lire au lit.

— À cette heure-ci ? Il n'est même pas neuf heures.

— Oh, je suis fatiguée. » Elle dit bonsoir aux autres et sortit en dissimulant la couverture de son livre, bien que personne n'essayât d'en voir le titre.

À l'étage, un nouveau filet d'eau dessinait des méandres qui serpentaient du tapis de bain détrempé au pied de la cheminée. Elle décida de passer outre et se dirigea vers la chambre qu'elle partageait avec Sam. La pièce exiguë sentait le moisi et son unique fenêtre était dépourvue de rideau. Afin d'éviter les regards indiscrets, elle enfila sa chemise de nuit dans le noir avant d'aller faire sa toilette dans la salle de bains, qui se trouvait de l'autre côté du couloir. De retour dans la chambre, elle alluma la lampe et braqua son blême faisceau jaunâtre sur l'oreiller. Puis elle se glissa sous les couvertures, remua voluptueusement les orteils et ouvrit son livre.

L'héroïne du roman était une femme du nom d'Eleonora, détail qui ne cessait malheureusement de faire surgir Eleanor à l'esprit de Delia. Ses longues tresses noir de jais et son visage « piquant » laissaient place à tout bout de champ à la coupe de cheveux pratique et sans chichis de sa belle-mère et à la mâchoire de la Mama de Fer. Et lorsque Kendall, le héros, l'étreignait sur son cœur, Delia voyait le regard critique d'Eleanor braqué au-delà de sa large épaule. Kendall était le futur beau-frère d'Eleonora, le plus jeune frère de son affable fiancé aristocrate. Il enlevait fougueusement Eleonora, aussitôt après avoir posé les yeux sur elle, en d'autres termes, un quart d'heure avant son mariage. « Je ne vous aimerai jamais ! Jamais ! » s'écriait Eleonora en bourrant son torse de ses petits poings rageurs, mais Kendall lui saisissait les poignets et attendait, confiant et maître de lui, qu'elle voulût bien se calmer.

Delia referma le livre en marquant la page d'un doigt et contempla le couple qui s'embrassait sur la couverture.

Pas une seule fois, depuis leur rencontre, Adrian ne l'avait réellement courtisée. Tout n'avait été qu'une suite de hasards. C'était par pur hasard qu'il lui avait demandé de faire semblant d'être sa petite amie (Qui d'autre aurait pu faire l'affaire ? La jeune maman avec son bébé ? La vieille dame à la caisse ?), et c'était encore un hasard qui les avait réunis quelques jours plus tard. Par ailleurs, le moindre de ses actes prouvait qu'il était encore amoureux de sa femme. Il l'aimait tant qu'il était incapable de l'affronter seul au supermarché et qu'il lui avait fallu changer de chambre après son départ. Mais Delia, comme une jeune bécasse, avait choisi de s'aveugler.

De surcroît, elle avait négligé d'autres indices — des indices révélateurs de sa nature profonde. Ainsi, son comportement lors de leur première rencontre : cette façon qu'il avait eue de bouleverser ses plans, ses allusions condescendantes aux prénoms typiques de Roland Park, le côté mode de ses achats. Certes, il n'était pas bien méchant, mais il ne se souciait guère que de sa petite personne. Et il était un tantinet superficiel.

Dans les romans d'amour, cette prise de conscience aurait suscité en elle un élan de gratitude à l'égard de celui qui était toujours resté dans l'ombre. Mais lorsque, dans la réalité, elle entendit le pas de Sam dans l'escalier, elle ferma les paupières et fit semblant de dormir. Elle le sentit qui se penchait au-dessus d'elle pour lui ôter délicatement le livre des doigts. Puis il éteignit la lumière et ressortit de la pièce.

Le lendemain matin, il avait cessé de pleuvoir et le soleil brillait avec d'autant plus d'éclat que l'atmosphère était rincée de frais. Toute la famille se mit en route pour la plage peu avant midi — les adultes dans la Buick de Sam, les jeunes dans la Plymouth avec Ramsay au volant. Des flaques disséminées sifflèrent sous leurs pneus lorsqu'ils traversèrent l'A1 pour longer les luxueuses villas du bord de mer. Quand la route se finit en cul-de-sac, ils se garèrent, alimentèrent les deux parc-mètres en pièces de monnaie et déchargèrent tout l'attirail d'une journée — les Thermos et les plaids, les serviettes, les glacières, les canots et les sacs de plage. Delia portait une pile de serviettes ainsi que son fourre-tout de paille chargé d'un tel nécessaire d'urgence que les anses creusaient un sillon dans son épaule nue. Elle avait mis son maillot en vichy rose à la jupette bordée d'œillets et chaussé ses espadrilles de toile bleu marine, mais elle n'avait pas jugé bon d'enfiler un peignoir ou un quelconque paréo, car Sam pouvait bien dire ce qu'il voulait, elle avait envie de prendre ne fût-ce qu'un soupçon de couleurs.

« Attention, les filles, lança Linda aux jumelles qui trimbalaient une glacière à deux sur le sentier couvert de planches. Le fond râcle.

— C'est la faute à Thérèse — elle me laisse tout porter !

— C'est pas vrai.

— Si c'est vrai.

— Je vous avais bien dit de prendre quelque chose de plus léger, protesta Linda. Je vous avais proposé les plaids ou les... »

Mais à cet instant, ils parvinrent au sommet de la dune et la vision de la mer s'imposa à eux, justifiant soudain tout le chemin parcouru. Chaque année, c'était à croire que Delia avait tout oublié. Ce vaste champ couleur d'ardoise à perte de vue, ces relents de pourri, de fertile puanteur, cet incessant chuchotement des vagues poursuivant tout ce temps leur éternel va-et-vient, sans jamais se soucier de son absence, elle qui loin de là se tracassait pour des vétilles ! Elle s'arrêta et se reposa les yeux sur les flaques de lumière jaune qui bordaient le rivage. C'est alors que la cargaison de canots pneumatiques dont Carroll était chargé lui heurta le dos. « Bon sang, m'man...

— Oh, excuse-moi. » Elle commença à descendre les marches de bois qui menaient à la plage.

Il y avait des avantages à venir si tôt dans la saison. Certes, l'eau n'avait pas encore eu le temps de se réchauffer, mais il y avait nettement moins de monde sur les plages. Les plaids étaient espacés à une distance civilisée. Seuls quelques rares enfants barbotaient au bord des déferlantes et Delia pouvait aisément dénombrer les têtes qui émergeaient au loin.

Avec Eliza, elles déplièrent un plaid et s'y installèrent, tandis que Sam plantait un piquet de parasol dans le sable. Susie et les garçons allèrent s'établir à six ou sept mètres de là. Ils faisaient bande à part depuis quelques années déjà. Delia avait cessé de s'en offenser, mais elle ne pouvait s'empêcher de le remarquer.

« Bon, maintenant, vous ne bougerez pas d'ici, disait Linda aux jumelles, tant que je ne vous aurai pas couvertes d'écran solaire des pieds à la tête. » Elle les emprisonna l'une après l'autre et tartina de crème leurs bras et leurs jambes squelettiques. Sitôt libérées, elles détalèrent vers le plaid des jeunes.

La radio de Susie passait *Under the Boardwalk*, que Delia avait toujours trouvé d'une tristesse infinie. À vrai dire, la chanson s'élevait également d'autres postes disséminés sur les plaids alentour, si bien que l'océan semblait s'être trouvé une musique de fond mélancolique.

« Je vais faire un peu de jogging, annonça Sam.

— Oh, Sam... Tu es vacances !

— Et alors ? »

Il se débarrassa de son peignoir et ajusta le bracelet de cuir de sa montre, accessoire qui jouait manifestement un rôle essentiel dans sa nouvelle routine sportive — lequel au juste, Delia n'en savait trop rien. Puis il gagna le bord de l'eau en marchant, tourna les talons et s'élança, longue silhouette décharnée en caleçon de bain beige et gigantesques tennis blanches.

« Au moins, ici, les maîtres nageurs savent faire un massage cardiaque », dit Delia à ses sœurs. Elle plia le peignoir de Sam et le rangea dans son fourre-tout.

« Oh, il ne peut rien lui arriver, lui assura Eliza. Les médecins lui ont conseillé de courir.

— Sans en faire trop !

— Moi, je trouve qu'il n'a pas changé, intervint Linda. Si tant est que ce soit une bonne chose. » D'une main, elle s'abritait les yeux pour le suivre du regard. « À le voir, je ne devinerais jamais qu'il a eu une crise cardiaque.

— Ce n'était pas une crise cardiaque ! Mais de l'angine de poitrine.

— Peu importe », fit Linda d'un ton insouciant.

Elle portait un maillot de bain une pièce retenu au centre par un lien noué autour du cou. Il donnait à ses seins l'apparence de deux yeux las retombant de chaque côté. Eliza, qui rejetait souverainement l'idée d'une tenue spécifique pour une seule semaine de baignade par an, était vêtue d'un short en denim et d'un débardeur en jersey qu'elle avait roulé jusqu'au bas de son soutien-gorge.

Delia ôta ses espadrilles et les jeta dans son fourre-tout. Puis elle s'allongea à plat dos et laissa sa peau s'imprégner de la douce chaleur du soleil. Peu à peu, les bruits s'estompèrent et se changèrent en échos qui semblaient résonner dans sa mémoire — les voix des autres estivants étendus au soleil non loin d'elle, les cris stridents, lugubres, des mouettes, la musique qui s'élevait des postes de radio (Paul McCartney, cette fois, qui chantait *Uncle Albert*), et loin, très loin derrière, si bien qu'elle finissait quasiment par ne plus l'entendre, le grondement de l'océan aussi immuable et constant que le souffle de la mer dans une conque.

Elle était venue sur cette même plage avec Sam lors de leur lune de miel. Ils avaient séjourné dans une auberge du centre, désormais disparue, et tous les matins, étendus côte à côte, leurs bras nus duveteux s'effleurant à peine, ils se mettaient dans un tel état qu'ils étaient forcés de se ruer dans leur chambre. Un jour, n'ayant pas même la patience de rejoindre l'auberge, ils avaient préféré plonger à l'eau, au-delà des rouleaux, et Delia se souvenait encore des diverses strates de contraste — le frottement de ses jambes chaudes et osseuses contre les siennes sous l'eau fraîche et soyeuse — et de l'odeur de poisson qui imprégnait son visage lorsqu'il l'embrassait.

Mais l'été suivant, ils avaient eu le bébé avec eux (la petite Susie, deux mois à peine et enquiquinante au possible), puis les garçons avaient suivi et il leur était devenu presque impossible de s'étendre côte à côte sur un plaid et encore moins de s'éclipser discrètement vers l'auberge. Puis Eliza s'était décidée à les accompagner, suivie de Linda et enfin de leur père, incapable se débrouiller seul à la maison. Delia passait ses journées avec de l'eau à mi-chevilles à s'occuper des enfants, veillant à ce qu'ils ne se noient pas, admirant la moindre de leurs prouesses. « Regarde, m'man ! » « Non, moi, regarde ! » En ce temps-là, elle tenait une place essentielle dans leur vie.

Dans le sable, des pieds passèrent dans un bruissement de velours. Elle ouvrit les yeux et se redressa. L'espace d'un instant, elle eut le tournis. « Tu as le visage en feu, lui dit Eliza. Tu ferais mieux de te passer de l'écran solaire. » Elle s'était sagement assise à l'ombre d'un parasol. Linda était plus loin au bord de l'eau, s'apprêtant à recevoir une déferlante, ses bras potelés écartés, ses mains voltigeant en cadence, telles des ailes d'oiseau, tandis que les jumelles avaient délaissé l'autre plaid pour venir remplir des seaux à côté de Delia. Le sable mouillé recouvrait les genoux de Marie-Claire et dessinait deux cercles sur le fond de culotte avachi du maillot de Thérèse.

« Sam est-il revenu ? demanda Delia.

— Pas encore. Ça te dit de te baigner ? »

Elle ne daigna pas répondre. (Comme toute sa famille le savait pertinemment, il fallait que la température soit caniculaire, la mer aussi plate qu'un miroir et qu'aucune méduse n'ait pointé le moindre tentacule de toute la journée pour qu'elle songe à s'aventurer dans l'eau.) Elle attrapa son fourre-tout et piocha en dessous de ses espadrilles puis du peignoir de Sam et enfin de son portefeuille avant de tomber sur *La Captive du château de Clarion*. Eliza soupira en voyant la couverture. « Je te laisse à ta littérature », lança-t-elle. Elle se leva et s'éloigna en époussetant le fond de son short d'une main experte.

« Tante Eliza, est-ce qu'on peut venir avec toi ? s'écria Marie-Claire.

— Attends-nous, tante Eliza ! »

Lorsqu'elles s'élancèrent sur ses talons, les jumelles avaient l'allure aussi vive et le derrière aussi haut que deux petits bernard-l'ermite.

Eleonora s'apercevait peu à peu que Kendall était loin d'être le monstre qu'elle avait imaginé. Il lui apportait ses repas sur un plateau dans la chambre du donjon où il l'avait enfermée à clé en prenant soin de lui signaler qu'il avait tout préparé lui-même. Eleonora faisait mine d'y être parfaitement indifférente, mais sitôt qu'il avait le dos tourné, elle songeait à la vision incongrue de cet être viril et musclé touillant ses ragoûts au fourneau.

« Ouf ! » souffla Sam. Il était de retour. Des gouttes de sueur perlaient sur sa poitrine efflanquée et il avait les traits tirés, cet air exténué, au bord de l'agonie, qui plongeait toujours Delia dans le désarroi lorsqu'il rentrait de son jogging. « Sam, dit-elle en reposant son livre à côté d'elle, mais tu vas te tuer ! Viens t'asseoir pour te reposer.

— Non, il faut que je m'arrête progressivement. » Il entreprit de faire le tour du plaid en marchant, marquant une pause de temps à autre pour se pencher et agripper ses genoux. La sueur dégoulinait sur son front et tombait dans le sable. « Qu'y a-t-il à boire ?

— De la limonade, du Pepsi, du thé glacé...

— Du thé glacé, ça me dirait bien. »

Elle se leva pour remplir un gobelet de carton qu'elle lui tendit. Sa respiration était moins saccadée, c'était toujours cela.

Il vida le gobelet d'un trait et le reposa sur le couvercle de la glacière. « Tu as pris un coup de soleil sur le nez.

— J'aimerais bien bronzer un petit peu.

— Un mélanome, c'est tout ce que tu y gagneras.

— Bon, bon, peut-être qu'après le déjeuner je mettrai... »

Mais il s'était déjà emparé du flacon d'écran solaire de Linda. « Ne bouge pas », dit-il en dévissant le bouchon. Il commença à lui tartiner le visage de crème. Elle avait un parfum de pêche trop mûre, un parfum artificiel qui lui fit plisser le nez. « Tourne-toi, que je t'en mette dans le dos. »

Elle obtempéra docilement. À présent, elle regardait vers l'intérieur des terres, où émergeaient, par-delà la palissade, les toits des villas. À l'horizon, un vol de minuscules oiseaux noirs traversa le ciel en formation triangulaire si parfaite qu'on les eût crus liés par des fils invisibles. Ils changèrent de cap et, sous le soleil, se métamorphosèrent soudain en un voile d'une blancheur argentée, comme brodée de paillettes, puis de nouveau ils virèrent de bord et redevinrent de simples poussières noires. Sam étalait la crème sur les épaules de Delia. Elle sortait tiède du flacon, mais se rafraîchissait au vent en picotant légèrement.

« Delia ?

— Hmm ?

— Cela m'intrigue, cette histoire de la vieille dame qui est venue à la maison samedi soir. »

Elle s'immobilisa sous sa paume mais sentit chacun de ses nerfs vibrer comme une corde pincée.

« Je sais qu'elle était quelque peu... bizarre, dirons-nous. Mais elle possédait une photo et elle avait l'air convaincue qu'il s'agissait bien de toi et de cet Adrian Brise-Bise.

— Bly-Brice », rectifia-t-elle.

C'était à dessein qu'il avait déformé son nom. C'était une de ses manies. Lors de leur mariage, il n'avait cessé d'appeler Missy Pringle, la demoiselle d'honneur, Chichi Mingle. C'était si typique de sa part de faire preuve d'un tel mépris ! De traiter ses amies avec dédain, d'employer à leur égard ce ton de cinglante ironie. L'histoire de son couple défila sous ses yeux : les blessures, les humiliations, toutes ces vieilles rancœurs théoriquement oubliées qui n'attendaient que de tels instants pour être ressuscitées.

« Il s'appelle Adrian — Bly — Brice, martela-t-elle.

— Je vois », dit Sam. Son visage s'était fermé.

« Mais cette femme raconte n'importe quoi. Ce n'est qu'une simple connaissance.

— Je vois. »

Il rangea le flacon de lotion solaire sans mot dire.

« Tu ne me crois pas.

— Je n'ai jamais dit ça.

— Non, mais tu le sous-entends.

— Tu ne peux tout de même pas me reprocher des sous-entendus que tu imagines, protesta Sam. Évidemment, que ce n'est qu'une simple connaissance. Tu n'es pas vraiment du genre à avoir une liaison. Mais, vu de l'extérieur, je me demande ce que les gens vont penser. Tu vois ce que je veux dire ?

— Non, je ne vois pas le moins du monde, marmonna-t-elle entre ses dents. Et je ne m'appelle pas Dee.

— Très bien. Calme-toi un peu, Delia, veux-tu ? »

Sur ce, il aplanit à deux mains l'espace qui les séparait, de ce geste paternaliste qui la rendait folle et tourna les talons pour se diriger vers la mer.

À chaque fois qu'ils se disputaient, il s'éclipsait avant que la question ne soit réglée. Il s'évertuait à la faire sortir de ses gonds, puis se retirait d'un air hautain, histoire de montrer que lui au moins était capable de se conduire en adulte. Un adulte, lui ? Un vieillard, oui... Qui d'autre qu'un vieillard patаugerait ainsi en tennis dans le ressac ? Qui d'autre s'aspergerait aussi minutieusement le torse et les avant-bras avant de plonger ? Et sa montre, bon sang, qui d'autre irait jeter un coup d'œil à sa montre en refaisant surface, sinon un vieillard ? C'était à croire qu'il chronométrait les vagues, en suivant un rituel précis et délicat qu'elle jugeait exaspérant.

Elle attrapa son fourre-tout posé sur le plaid, pivota sur un talon et s'éloigna en foulant le sable d'un pas décidé.

La plage s'était peu à peu remplie d'estivants sans qu'elle y ait pris garde. On ne pouvait plus avancer qu'en zigzaguant entre les parasols, les chaises de toile et les filets des parcs à bébé, aussi changea-t-elle de direction au bout de quelques mètres, pour traverser la plage et longer le bord de l'eau en marchant sur le sable mouillé bien tassé qui lui rafraîchit la plante des pieds.

Cette partie de la plage appartenait aux marcheurs. Ils avançaient pour la plupart deux par deux : jeunes couples, vieux couples, main dans la main le plus souvent ou tout au moins le pas réglé l'un sur l'autre. De temps à autre, des bambins leur coupaient la route. Delia s'imagina une carte de la côte Est, de la Nouvelle-Écosse à la Floride — une bande irrégulière de sable beige parsemée çà et là de minuscules humains bordée du lavis bleu de l'Atlantique piqueté de mouchetures plus éparses encore. Elle-même n'était qu'un point en mouvement qui se dirigeait plein sud. Elle continuerait à marcher ainsi jusqu'à ce qu'elle tombe de l'extrémité du continent. Sam finirait par s'inquiéter de son absence. « Avez-vous vu Delia ? — Non, où peut-elle bien être ? » lui répondraient les autres, mais elle poursuivrait son chemin comme on court entre les gouttes de pluie et ils ne la retrouveraient jamais. Jamais.

Déjà, cependant, elle avait ralenti l'allure. Les premières résidences de Sea Colony se dressaient à l'horizon — l'immonde Sea Colony et ses impassibles gratte-ciel monochromes aux allures de cité d'une lointaine galaxie. Elle aurait certes pu les dépasser, mais elle fut si glacée par ce mystérieux murmure de Guerre des étoiles qu'émettaient en permanence ces tours, qu'elle s'arrêta net. Avant, ce n'était guère qu'un terrain marécageux avec quelques modestes villas dispersées ici et là. Quand elle était petite, elle en aurait mis la main au feu, elle avait joué au cerf-volant avec son père à l'endroit précis où s'élevait à présent ce complexe de pyramides en plastique orange qui projetait son ombre sur un solarium moderniste. L'espace d'un instant, elle sentit les doigts courts de son père se refermer sur les siens agrippés à la corde du cerf-volant. Elle se passa la main sur les yeux. Puis elle rebroussa chemin.

Un maître nageur vautré sur sa chaise surveillait les baigneurs d'un regard impénétrable, masqué par des lunettes noires. Un gamin grassouillet accosta en canot pneumatique dans l'écume, juste aux pieds de Delia. Elle le contourna en regardant droit devant elle, repéra le parasol vert et blanc de sa famille et, juste derrière, ses enfants installés sur l'autre plaid. Ils étaient assis à présent. Un peu plus loin se dressait la silhouette de Sam, de retour de sa baignade, le corps encore luisant. De là où elle se trouvait, elle avait l'impression qu'ils ne s'adressaient pas la parole. Les enfants étaient assis, face à l'horizon, et Sam examinait sa montre.

Brusquement, Delia bifurqua vers l'intérieur des terres.

Tournant le dos à la mer, elle se fraya un passage entre les tunnels, les châteaux de sable et les collections de jouets. Lorsqu'elle eut traversé la passerelle de planches qui menait à la route, elle s'arrêta pour ôter le sable qu'elle avait sur les pieds et repêcha ses espadrilles au fond de son fourre-tout. Ce faisant, elle tomba sur le peignoir de Sam — une boule de popeline bleu marine. Après un instant d'hésitation, elle le secoua et l'enfila. Elle avait pris un tel coup de soleil sur les épaules qu'elle avait l'impression d'irradier de la chaleur.

Si elle avait pensé à demander à Ramsay de lui rendre ses clefs, elle aurait pu prendre la voiture. La perspective de la marche forcée qui l'attendait pour rejoindre la villa ne l'enchantait guère. À vrai dire, elle pouvait toujours retourner les chercher. Mais certains risquaient d'avoir envie de l'accompagner et elle préféra renoncer à cette idée.

Déjà la mer lui semblait loin, dans l'espace comme dans le temps, ce n'était plus qu'un simple murmure sur cette route pavée inondée de soleil, bordée de villas silencieuses, de voitures désertes en train de cuire sous la canicule, de rangées de maillots de bain alignés sur des cordes à linge. Elle coupa à travers un jardin envahi par le sable et contourna un enclos réservé aux poubelles qui empestait le crabe et disparaissait sous un nuage bourdonnant de mouches bleues étincelantes. Elle se retrouva alors devant l'A1. Les voitures filaient à une telle vitesse qu'elle dut attendre plusieurs minutes avant de pouvoir traverser.

Loin de l'autoroute, le bruit de ses pas étouffait tous les autres — ses épaisses semelles de paille tressée claquant en mesure. Était-ce parce qu'elle avait repensé à son père que la cadence lui rappela celle d'une chanson qu'il lui chantait quand elle était petite ? Elle longea majestueusement les vérandas fermées par des moustiquaires au rythme de *Delia s'en est allée* — en se demandant où elle était passée depuis tout ce temps, son amant en avait perdu le sommeil et, nuit après nuit, il entendait au fond de son lit les pieds nus de la petite Delia. Elle aimait particulièrement le dernier vers et ce, depuis toujours. Mais cette autre Delia n'était-elle pas morte ? Si, de toute évidence : dès le début, il était dit que Delia était morte et enterrée. Mais elle préférait croire qu'elle était simplement partie. C'était bien mieux ainsi.

Elle avait la figure poisseuse et les épaules endolories à l'endroit où les anses de son fourre-tout sciaient ses coups de soleil. Elle le changea d'épaule. Quoi qu'il en soit, elle était presque arrivée. Elle se proposait de boire un grand thé glacé sitôt franchi le seuil de la porte, suivi d'un bain frais et d'un petit tête-à-tête avec son chat. Il était temps de convaincre Vernon de risquer le museau de sous le lit où il avait élu domicile au cours de la nuit. À vrai dire, peut-être valait-il mieux qu'elle commence par cela.

Elle sourit à une dame qui sortait une valise de la villa voisine de la leur. « Quel beau temps pour aller à la plage ! s'écria cette dernière. Dommage que je doive partir !

— Magnifique, oui », dit Delia en contournant une camionnette garée dans l'allée pour monter les marches du perron.

À l'intérieur, la pénombre était si dense que l'espace d'un instant elle n'y vit plus rien. Elle hasarda un œil dans la cage d'escalier et lança : « Vernon ?

— Oui ? »

Elle eut le souffle coupé.

« On me demande ? » fit une voix d'homme.

Il descendit pesamment l'escalier. C'était un jeune homme grassouillet muni d'un bloc-notes, en jean et chemise écossaise rouge. Elle fut quelque peu rassurée par sa figure lunaire aux grosses joues rubicondes, son petit nez court et sa bouche mignarde, mais elle eut à peine assez de souffle pour balbutier : « Qui êtes... ?

— Vernon. Je vous ai bien entendue hurler mon nom, pourtant ? Je suis venu pour le toit.

— Oh ! ». Elle fut secouée d'un petit rire nerveux et serra son sac sur sa poitrine. « J'appelais mon chat, c'est tout.

— J'ai pas vu de chat dans les parages. Désolé de vous avoir fait peur.

— Vous ne m'avez pas fait peur ! »

Il la lorgna d'un regard sceptique. Sous le pourtour de l'œil, la transpiration qui luisait sur la fine peau satinée lui donnait un air aussi sérieux que juvénile. « Enfin, dit-il, à tous les coups, je vais devoir changer le collet en zinc qu'est en haut de votre cheminée. Mais je ferai pas ça aujourd'hui ; faut que je me rentre. Si l'agence téléphone, dites-leur que je les rappelle, d'accord ?

— D'accord. »

Il agita aimablement son bloc-notes en signe d'au revoir et

passa devant elle pour gagner la sortie. Sur les marches, il se retourna pour lui demander : « Il vous plaît, mon véhicule ?

— Votre véhicule ?

— C'est quelque chose, pas vrai, hein ? »

C'était le moins que l'on puisse dire. Elle s'étonna d'être passée à côté sans le remarquer. De la taille d'un gigantesque camping-car peint en bronze métallisé et orné sur tout un côté d'un paysage de désert rutilant, il occupait toute l'allée. « Il y a un four à micro-ondes, précisait Vernon. Et puis un petit frigo vachement mignon.

— Vous voulez dire qu'on peut y habiter ?

— Bien sûr, à quoi ça servirait autrement ?

— Je croyais que dans ces camionnettes, il n'y avait que des rangées et des rangées de sièges.

— Vous avez jamais mis les pieds dans un mobile home ? Allez, venez voir, je vais vous montrer.

— Oh, je ne sais pas si...

— Allez ! Vous allez en rester comme deux ronds de flanc.

— Bon, juste un petit coup d'œil », dit-elle, en lui emboîtant le pas, toujours cramponnée à son fourre-tout. Le paysage de désert dissimulait un panneau coulissant. Vernon l'ouvrit et se recula pour lui laisser admirer l'intérieur. Elle y risqua la tête et découvrit des parois tapissées jusqu'à mi-hauteur d'une espèce de peluche dorée, des placards encastrés et, tout au fond, un lit surélevé sur une plate-forme qui abritait des tiroirs de rangements. Face au pare-brise, seuls deux sièges à haut dossier permettaient de penser qu'après tout il s'agissait là d'un moyen de transport.

« Ça alors..., souffla Delia.

— Grimpez. Venez voir mon complexe audio-vidéo intégré.

— Vous avez un complexe audio-vidéo intégré ?

— C'est l'enfance de l'art. » Il monta à bord en faisant osciller le mobile home sous son poids, puis se retourna pour lui offrir une main de la taille d'un gant de base-ball. Elle l'accepta et se hissa à l'intérieur. L'odeur huileuse, enivrante, de la moquette neuve lui rappela les aéroports et les voyages.

« Ta dam ! lança Vernon en ouvrant un placard en grand. Vous voyez, là, sous la télé, y a une fente exprès pour les cassettes vidéo. Magnétoscope intégré. Le soir, j'ai qu'à faire pivoter le tout et je regarde les derniers succès du box-office du fond de mon lit.

— Et vous habitez là à longueur d'année ?

— Presque. Enfin, plus ou moins. C'est-à-dire qu'en ce moment, oui. » Puis il baissa la tête et lui jeta un coup d'œil par en dessous. « Je vais être franc avec vous. Il appartient à mon frère. »

Il semblait persuadé qu'elle serait profondément déçue par cette nouvelle. Il la fixa d'un regard bleu inquiet et attendit sa réaction en respirant à peine. « Ah oui ? dit-elle.

— Vu comment je m'y suis pris, vous avez dû croire qu'il était à moi. Mais mon frère est parti en vacances, il est à la pêche avec sa femme. Il a laissé son mobile home chez m'man à Nanticoke Landing. Il lui a demandé de garder un œil dessus et de surtout laisser personne le conduire. Évidemment, c'est à moi qu'il faisait allusion. Mais il doit rentrer cet après-midi, alors comme ça, hier je me suis dit : "Oh, et puis zut, y a ce mobile home super bien équipé qui a moisi toute la semaine dans le jardin de m'man et j'ai même pas essayé le micro-ondes. Du coup, hier, j'y ai passé la nuit et ce matin je l'ai pris pour aller faire mes devis. M'man, elle dit qu'elle veut rien savoir. Elle veut pas être mêlée à ça. Mais il peut rien me faire, hein ? Qu'est-ce qu'il peut me faire — me traîner en prison ?

— Peut-être bien qu'il ne s'en apercevra même pas, le rassura Delia.

— Oh, pour ça, faites-lui confiance, il s'en apercevra. Ça serait bien son genre d'avoir noté le kilométrage avant de partir, soupira Vernon d'un ton lugubre.

— Vous pouvez toujours lui dire qu'à votre avis, la batterie avait besoin d'être rechargée.

— La batterie. Ouais, c'est ça...

— Et c'est là qu'il habite ? Dans le mobile home, je veux dire ?

— Non.

— À sa place, j'y habiterais », dit Delia. Elle se pencha pour soulever une banquette matelassée. Comme elle s'y attendait, elle abritait un espace de rangement. Elle aperçut des lainages — des couvertures ou des vestes. « J'y vivrais à longueur d'année, déclara-t-elle. Franchement, pourquoi aller s'encombrer d'une vieille maison trop grande avec toutes ces chambres dont on ne sait que faire ?

— Peut-être bien, mais mon frère a trois enfants.

— Vous avez déjà vu ces cafetières électriques qui se mettent sous les placards ?

— Hein ? »

Elle inspectait le coin cuisine, à présent. C'était un modèle de miniaturisation, pourvu d'un évier de la taille d'un saladier et d'un réchaud à deux brûleurs. Un percolateur en métal cabossé était posé sur l'un d'eux. « On trouve des cafetières qui se fixent sous les placards suspendus, expliqua Delia. Pour ne pas perdre d'espace.

— Pas possible.

— En fait, il existe toute une gamme d'électroménager à fixer sous les placards. Des grille-pain, des fours, des ouvre-boîtes... des ouvre-boîtes électriques...

— Je crois bien que mon frère il se sert que des trucs manuels.

— Si c'était à moi, j'installerais tout sous les placards.

— Un ouvre-boîtes, ça prend quasiment pas de place.

— Je ne laisserais rien qui puisse bringuebaler dans tous les sens, poursuivit Delia, rien qui gêne, histoire d'être prête à sauter au volant à tout instant et de pouvoir partir comme ça, voyager avec ma maison sur le dos, comme un escargot. M'arrêter dès que je suis fatiguée. Me garer dans le premier camping qui me plaît.

— Oh, vous savez, les campings ! Les trois quarts du temps, il faut réserver à l'avance.

— Et le lendemain matin, je me dirais : “Bon ! Il est temps d'aller voir ailleurs !”, et je reprendrais la route.

— Sans compter que ça coûte plutôt cher, si c'est un camping à peu près correct, reprit Vernon. Mince alors. C'est l'heure juste ? »

Il regardait la pendule au-dessus de l'évier. Delia fut contente de constater qu'à défaut du reste la pendule était fixée au mur. À ses yeux, il y avait bien trop de bric-à-brac qui traînait dans tous les coins — non seulement le percolateur, mais également des journaux mal repliés, des cassettes vidéo sorties de leur boîte, des vieilles frusques. « Je n'arrive pas à comprendre comment on peut rouler avec tous ces objets qui glissent dans tous les sens. Il doit bien y avoir des choses qui volent quand on tombe sur un ralentisseur ?

— J'ai pas remarqué, répondit Vernon. Mais rappelez-vous

qu'il est pas à moi. D'ailleurs, mon frère doit rentrer d'ici deux heures à peu près, je ferais mieux d'y aller.

— Qu'est-ce que j'aimerais venir avec vous ! soupira Delia.

— Oui, bon. C'est pas tout ça. J'étais ravi de bavarder avec vous...

— Je pourrais peut-être faire un petit bout de chemin avec vous.

— Quand ça... maintenant ?

— Juste pour voir comment il tient la route.

— Il... il tient très bien la route. Mais moi, je vais vers l'intérieur, vous voyez ? Et pas du tout côté plage. Je prends la 380 direction Ashford et je continue encore, bien après Ashford.

— Moi, je m'arrêterai à... Ashford. »

Elle savait bien qu'elle l'inquiétait. Il restait planté devant elle à la fixer, le sourcil chiffonné et la bouche entrouverte, balançant à bout de bras son bloc-notes oublié. Qu'importe : d'un instant à l'autre, elle le tirerait d'embarras. Elle ferait mine de retrouver son bon sens et se mettrait à rire en lui annonçant qu'à la réflexion il lui était absolument impossible d'aller jusqu'à Ashford. Elle avait une famille, après tout, et déjà, ils devaient se demander où elle était passée.

Et pourtant, le mobile home était là, sous ses yeux, ce si beau mobile home complètement avitaillé, parfaitement autonome, dans lequel on pouvait voyager à l'infini sans avoir à s'embarrasser d'autrui. Oh, et si elle lui proposait de l'acheter ? Combien cela pouvait-il coûter ? Ou le voler, même — pousser Vernon par la portière, démarrer au quart de tour et filer plein ouest sur des petites routes perdues où personne ne retrouverait jamais sa trace.

« Enfin, soupira-t-elle à regret. J'ai de la famille.

— De la famille à Ashford ? Oh, alors dans ce cas... »

Elle mit une bonne minute à comprendre. Il se dérida et se pencha devant elle pour refermer la portière, puis il jeta son bloc-notes sur la banquette et lança : « Du moment que vous êtes sûre d'avoir un moyen de locomotion pour le retour... »

Sans dire un mot, Delia passa à l'avant. Elle s'assit sur le siège passager et percha le fourre-tout sur ses genoux. À côté d'elle, Vernon s'installait au volant. Lorsqu'il mit le contact, le mobile home gronda si soudainement qu'elle s'imagina qu'il piaffait d'impatience depuis tout ce temps.

« Vous entendez ça ? » lui demanda Vernon.

Elle acquiesça d'un signe de tête. Sans doute était-ce les vibrations du moteur, songea-t-elle, qui la firent claquer des dents.

Tandis qu'ils roulaient sur l'A1 en direction du Maryland et que défilaient les gigantesques magasins d'articles de plage, les lotissements « victoriens » flambant neufs, puis Fenwick Island et son fouillis de cafés et d'appartements, Delia ne cessait de se répéter qu'elle pourrait encore se débrouiller pour rentrer. Ce serait une longue marche (qui se rallongeait de seconde en seconde). Un point, c'est tout. Et lorsqu'ils abordèrent la clinquante Ocean City aux accents des pianos bastringues, elle se rappela qu'il y avait des bus à Ocean City. Elle pourrait toujours en prendre un qui la conduirait au nord de la ville, puis rentrer à pied. Elle n'avait donc aucune raison de s'inquiéter et elle commença à se détendre. Vernon, quant à lui, conduisait courbé en avant en manœuvrant le volant avec ses avant-bras.

Il appartenait à cette catégorie de conducteurs qui passent leur temps à s'adresser à tous ceux qui croisent leur chemin. « C'est pas pour te presser, p'tit gars », dit-il, lorsqu'une voiture cala devant lui, puis il fit claquer sa langue en voyant quatre adolescents traverser la rue avec leur planche de surf sous le bras. « Alors, les cracks ! » leur lança-t-il. Le plus grand d'entre eux portait un bermuda à rayures toile à matelas identique à celui de Carroll — ces espèces de sacs volumineux à la dernière mode flottant jusqu'à mi-genoux.

Lorsque sa famille s'apercevrait qu'elle était partie, ils en seraient abasourdis. Épatés. Si elle disparaissait un certain temps, ils penseraient qu'elle avait peut-être eu un accident. « À moins qu'elle ne soit partie d'elle-même, qu'en pensez-vous ? » demanderait enfin Sam aux enfants. « L'un d'entre vous lui a-t-il dit quelque chose ? À moins que ce ne soit moi ? Ai-je eu tort de penser qu'elle n'était pas du genre à avoir une liaison ? »

Une impression d'insouciante gaieté l'envahit. Elle se sentait si légère, soudain.

Lorsqu'ils auraient eu tout le loisir de s'inquiéter, elle téléphonerait. Elle trouverait une cabine avant la nuit tombée. « C'est moi, annoncerait-elle. J'étais juste partie faire un petit tour. Est-ce que l'un d'entre vous pourrait venir me chercher ? » Quel mal à cela ?

Si bien que lorsque Vernon bifurqua vers l'A50 et mit le cap sur l'intérieur des terres (il parlait à présent du « différentiel », qu'importe ce que cela pouvait bien être), elle n'avait toujours pas manifesté l'intention de descendre. Le percolateur cliquetait sur le réchaud ; ils franchirent dans un bruit de ferraille un pont qu'elle n'avait jamais vu et débouchèrent sur un paysage pâle, délavé, qui lui était totalement étranger. Elle se contentait de regarder fixement par la vitre.

Ils longèrent des maisons jaunâtres aux cloisons de papier posées au beau milieu de pelouses soigneusement entretenues qui semblaient avoir été taillées à la main, brin par brin. « Là où il s'est planté, c'est quand il a pas pris l'option CB », disait Vernon en faisant manifestement allusion à son frère, mais Delia songeait en cet instant précis au trait droit que dessinaient les lèvres de Sam lorsqu'il était en colère. Elle l'entendait dire aux enfants : « Bien, on va pouvoir enfin faire les choses proprement, maintenant qu'elle est partie. »

« Et puis vous avez vu, y a même pas de stéréo, poursuivait Vernon. Ça, c'est mon frère tout craché ; la musique, c'est pas son truc. Moi, je dis qu'un type qu'aime pas la musique, il lui manque quelque chose. »

Peut-être Eleanor entrerait-elle en scène. (En parlant de faire les choses proprement.) Oh, Eleanor serait on ne peut plus ravie de prendre la relève — de planifier tous les menus un an à l'avance et de mettre au point un de ses budgets à la Mama de Fer.

« Vous devez vous dire que c'est pas bien, reprit Vernon, de critiquer son frère comme ça.

— Mais non, mais non », lui assura Delia.

À présent, surgissaient çà et là, au bout d'interminables allées, de lugubres vieilles fermes entourées de champs, leurs toits hérissés de paratonnerres. Imaginer habiter un endroit pareil ! Ce serait si sain. Delia se voyait nourrir les poules, piocher dans son immense tablier rustique pour éparpiller autour d'elle du maïs, du blé, enfin peu importe. Mais tout d'abord, elle devrait épouser un fermier. Apparemment, il fallait toujours se trouver un homme pour que les choses se mettent en branle.

« Mais, pour être honnête, disait Vernon, lui et moi, on n'a jamais été ce qu'on appelle proches. Il a trois ans de plus que moi, et avec lui, je risque pas de l'oublier. Il nous bassine tout le temps comme quoi il est le chef de famille, alors que sa famille, il se passe des mois sans qu'il la voie. Qui emmène m'man faire les courses ? C'est moi, et qui l'accompagne à droite et à gauche, à ses soirées de bingo, ses petits dîners entre copines et tout le bataclan ? C'est encore moi. »

Pourquoi tout le monde persistait-il à dire que les hommes n'étaient pas bavards ? Pour autant que Delia pouvait en juger, ils jacassaient à n'en plus finir, les ouvriers, en particulier. Et Sam ne faisait pas exception à la règle. Sur le plan de la communication, le moins que l'on puisse dire, c'est qu'il ne souffrait d'aucune inhibition.

Son regard s'attarda au passage sur un parking de caravanes. Chacune était amarrée par des auvents, des marches en parpaing et parfois par une annexe protégée par une moustiquaire. Des ménageries entières de petits animaux de plâtre peuplaient les jardinets.

« Tenez, prenez ces vacances, par exemple ; vous savez qui garde les gamins ? M'man et moi. Enfin, surtout m'man, mais quand je rentre du boulot le soir, elle est tellement vannée que je dois me coltiner tout le reste. Mais faut pas compter sur Vincent pour me dire merci. Que dalle. Et s'il apprend que j'ai pris son mobile home, il me fera la peau. »

Dans son fourre-tout, Delia avait cinq cents dollars en liquide pour les vacances, répartis dans son portefeuille et une petite trousse de maquillage en vinyle censée donner le change. Elle pouvait découcher, si elle tenait réellement à les inquiéter — prendre une chambre dans un motel ou même dans une petite auberge pittoresque. Toutefois, elle n'avait sur elle que son maillot de bain. Seigneur... Son maillot avec sa jupette avachie, ses espadrilles et le peignoir de bain de Sam. Quoique, en le fermant bien... En un sens, il pouvait presque passer pour une robe. Il avait des manches trois quarts et il lui arrivait sous les genoux. Sans compter que dans les parages, les hôtels devaient être habitués à voir débarquer des touristes dans des tenues minimalistes.

Ils étaient aux abords d'une ville. Vernon ralentit à l'approche d'un feu rouge. Il parlait à présent de la femme de son frère, Eunice. « Elle me fait de la peine, si vous voulez savoir. Vous imaginez un peu, se retrouver mariée à un type comme Vincent !

— Où est-ce qu'on est ? demanda Delia.
— Ici ? Ben tiens, à Salisbury. »
Le feu passa au vert et le mobile home s'ébranla. Delia pensait qu'elle pouvait descendre là. Au feu rouge suivant, peut-être. Mais ils ne croisèrent plus que des feux verts. En outre, ils traversaient à présent un quartier résidentiel qui respirait une respectabilité petite-bourgeoise. Puis ils débouchèrent sur des avenues sans charme bordées de commerces sordides, et l'ensemble ne lui parut guère engageant.
« Je suis sûr qu'il la bat, poursuivait Vernon. Ou au moins qu'il la malmène, disons. En tout cas, je sais qu'ils doivent se disputer pas mal, parce que les trois quarts du temps, quand ils viennent à la maison, elle le regarde pas dans les yeux. »
Ils roulaient de nouveau en rase campagne et Delia commençait à craindre d'avoir raté sa dernière chance. C'était un paysage si désert, un paysage désolé, désespérément plat. Elle agrippa la poignée de la portière et contempla un petit champ de terre vierge jonché d'arbres sauvagement arrachés, dont les branches et les racines déchiraient le ciel. Sans crier gare, Vernon freina et bifurqua à gauche sur une petite route pavée. « La 380 », annonça-t-il. Il ne paraissait pas remarquer le cliquetis du percolateur derrière eux. « Mais cette semaine de pêche, c'est censé être leur seconde lune de miel.
— Leur lune de miel ! » s'exclama Delia. Elle contemplait un pâturage où s'entassaient des carcasses de voitures rouillées. Dans le virage suivant, elle aperçut une grange délabrée qui gisait à moitié à terre, sa poutre faîtière complètement pliée, ses planches grises gauchies disparaissant dans les mauvaises herbes qui arrivaient à hauteur de la taille. De minute en minute, songeait-elle, elle s'éloignait de la civilisation.
« Enfin, Eunice a présenté les choses comme ça à m'man. Elle lui a dit qu'ils seraient tout seuls sur le bateau, juste tous les deux. »
Delia songea que le plus solide des ménages aurait du mal à survivre à une semaine de tête à tête sur un bateau de pêche, mais elle se contenta de répondre : « Je leur souhaite bien de la chance.
— C'est bien ce que j'ai dit à m'man », acquiesça Vernon. Il doubla un tracteur antédiluvien dont le chauffeur semblait vêtu d'un cache-poussière. » Je lui ai dit, je leur souhaite bien de la chance, vu le couillon de mari qu'elle a.

— Elle devrait le quitter, suggéra Delia, oubliant que cela ne la regardait en rien. Surtout s'il la bat.

— Oh, je suis quasiment sûr qu'il la bat. »

Était-ce un bâtiment de briques qu'elle apercevait au loin ? Oui, ainsi qu'un bosquet d'arbres sombres qui lui fit l'effet d'une oasis de calme et de fraîcheur, et, au-delà, un clocher blanc étincelant. Elle trouverait bien une chambre, là-bas. Elle attrapa son fourre-tout et tira bien sur le peignoir pour couvrir ses genoux.

« Un jour, Eunice est passée à la maison et elle avait la joue toute boursouflée, reprit Vernon. Et quand m'man lui a demandé ce qu'elle s'était fait, elle a juste dit : “Je suis rentrée dans un mur”, même que si ça avait été moi, j'aurais raconté un truc franchement plus crédible.

— Elle devrait le quitter », répéta Delia. Mais elle avait l'esprit ailleurs. Elle regardait la ville dont ils approchaient. Ils traversaient les faubourgs — des petits pavillons blancs, un restaurant, un groupe d'hommes qui discutaient devant une station-service. « Quand dans un couple on en est au stade de la violence, ça ne sert à rien d'essayer de se réconcilier », ajouta-t-elle.

Ils étaient parvenus devant le bâtiment de briques qui se révéla être un lycée. LYCÉE DOROTHY G. UNDERWOOD. Un peu plus loin, débouchait une rue qui donnait manifestement sur un parc, car Delia apercevait au lointain de la verdure et une statue quelconque. À présent, ils arrivaient à l'église à laquelle appartenait le clocher. Vernon poursuivait : « Je sais pas, peut-être que vous avez raison. Comme je disais l'autre jour à m'man...

— Je pense que je vais descendre ici, annonça Delia.

— Quoi ? » Il ralentit.

« Je pense que je vais descendre ici. »

Il stoppa le mobile home et jeta un coup d'œil à l'église. Deux dames en chapeau de paille désherbaient un carré de géraniums au pied d'un panneau d'affichage. « Mais je croyais que vous alliez à Ashford. On n'est pas à Ashford.

— Oui, mais bon... », dit-elle en mettant son fourre-tout en bandoulière. Elle ouvrit sa portière et lui lança : « Merci pour le brin de conduite.

— J'espère que je n'ai rien dit qui vous a choquée.

— Non ! Vraiment ! Je crois seulement que je...

— C'est à cause d'Eunice ?

— Eunice ?

— Cette histoire de Vincent qui la bat et tout ça ? Je peux arrêter d'en parler si ça vous dérange.

— Non, sincèrement, j'ai été ravie de parler avec vous. »

Elle sauta à terre et referma la portière en lui adressant un sourire radieux. Puis elle s'éloigna d'un pas leste dans la direction d'où ils venaient et, lorsqu'elle parvint à la rue où elle avait entrevu la statue, elle s'y engagea sans même ralentir, comme si elle savait où elle allait.

Dans son dos, elle entendit le mobile home embrayer et redémarrer dans un vrombissement. Puis le silence retomba, de ces silences qui suivent une remarque déplacée. La ville semblait aussi abasourdie que Delia de ce qu'elle venait de faire.

6

QUELS ÉTAIENT ces arbres qui bordaient la rue ? Des hêtres, se dit-elle, à en juger d'après l'immense voûte qu'ils formaient. Mais elle n'avait jamais très bien su identifier les différentes espèces d'arbres.

La ville, en revanche, il lui fut facile de l'identifier. Tout d'abord, elle passa devant une vieille demeure imposante arborant dans une devanture du rez-de-chaussée une pancarte annonçant : MIKE POTTS — L'ASSUREUR LE PLUS AIMABLE DE BAY BOROUGH. Vint ensuite la Bay Borough Federal Savings Bank. Sans compter qu'elle descendait Bay Street, ainsi qu'elle s'en aperçut au premier croisement. Mais s'agissait-il de la baie de Chesapeake ? Elle était pourtant certaine de ne pas être allée aussi loin à l'ouest. Et puis elle n'était pas au bord de la mer. La ville ne sentait que l'asphalte.

L'explication lui fut fournie dans le square. Au milieu de maigres touffes d'herbe tentant de survivre parmi le plantain, sous un bosquet d'arbres, une plaque vissée sur le socle de l'unique statue de bronze proclamait :

> EN CE LIEU, AU MOIS D'AOÛT 1863,
> GEORGE PENDLE BAY,
> SOLDAT DE L'UNION DONT LA COMPAGNIE
> AVAIT ÉTÉ CANTONNÉE POUR LA NUIT, EUT EN RÊVE
> LA VISION D'UN ANGE TOUT-PUISSANT QUI LUI DÉCLARAIT :
> « TU ES ASSIS DANS LE FAUTEUIL DE COIFFEUR DE L'INFINI »,
> CE QU'IL INTERPRÉTA COMME L'ORDRE
> DE SE RETIRER DU COMBAT
> ET DE S'ÉTABLIR ICI POUR FONDER CETTE VILLE.

Delia écarquilla les yeux et recula d'un pas. Mr. Bay, un monsieur au visage joufflu, vêtu d'un costume ample, était en effet assis, mais sur un siège tout ce qu'il y avait d'ordinaire, et non dans un fauteuil de coiffeur, pour autant qu'elle pouvait en juger, tout enjuponné de franges de bronze tortillées. Il était tellement cramponné aux bras du fauteuil qu'il en avait les bouts de doigts écrasés. Manifestement, de son vivant, il se rongeait les ongles. Delia jugea ce détail comique. Elle se mit à pouffer de rire, puis jeta un coup d'œil par-dessus son épaule de crainte d'avoir été entendue. Mais le square était désert, ses quatre bancs inoccupés. Dans la rue qui longeait le parc, des voitures passaient tranquillement, une ou deux à la fois, jamais plus, des gens entraient et ressortaient des petits immeubles en brique et bois, mais personne ne semblait lui prêter la moindre attention.

Subitement, toutefois, elle prit conscience de sa tenue. Ce n'était pas tant le peignoir de plage que le costume de bain qu'elle portait en dessous, mais la sensation du maillot froissé, chiffonné, avachi. Elle aurait tout donné pour des sous-vêtements. Alors, elle traversa le petit square et contempla les vitrines alignées de l'autre côté de la rue.

Manifestement, les temps modernes avaient eu raison de la ville. Des bâtisses qui devaient dater d'un siècle, dont les briques étaient aussi polies que de vieilles gommes à crayon et les planches si patinées qu'elles laissaient apparaître le bois veiné de gris, abritaient désormais le Super-Vidéo Shop, Tricia Coiffure et un Palais du Pot-pourri. Un endroit cependant semblait avoir résisté à tout changement : le bazar à l'angle de la rue, avec son enseigne rouge et or et sa devanture bariolée de drapeaux et de pavillons.

Elle avait pour principe de ne jamais acheter que des sous-vêtements de qualité, quitte à devoir économiser sur tout le reste. Toutefois, il s'agissait là d'un cas de force majeure. Elle traversa la rue et pénétra dans une atmosphère où flottaient des odeurs de caramel, de cosmétiques bon marché et de vieux parquets. Apparemment, le concept de caisse centrale n'était pas encore parvenu dans ces lieux. À chaque comptoir, un employé se tenait devant une caisse enregistreuse. Une jeune vendeuse aux cheveux frisottés encaissait un album de coloriage que lui tendait un enfant, une dame d'un certain âge emballait des plaques à gâteaux que venait d'acheter une femme nettement plus jeune. Curieusement, le rayon lingerie était tenu par un homme, aussi Delia s'empressa-t-elle de faire son choix et lui présenta-t-elle les articles sans lever les yeux. Un soutien-gorge tout simple en nylon blanc, des slips en coton également blancs.

Les slips étaient vendus par lot de trois. D'autres modèles s'achetaient à l'unité, mais sa main était tombée sur le lot. *Si jamais je m'absente plus d'une nuit*, se surprit-elle à penser. Puis, en comptant ses billets, elle se dit : *Mais ils pourront toujours servir à la maison, cela ne veut rien dire.*

À présent, elle avait des sous-vêtements, mais nulle part où les enfiler. Il n'y avait pas trace de toilettes dans le bazar. Elle ressortit en plongeant son paquet dans son fourre-tout et parcourut la rue du regard. Juste à côté, se trouvait le Debbi's - Mode Féminine.

Des mannequins des années quarante aux cheveux peints arboraient des modèles dernier cri — tailleurs épaulés de femme d'affaires, robes de cocktail en triangle inversé. Ce n'était guère le style de Delia, mais elle avait la certitude de trouver des cabines d'essayage à l'intérieur. Elle entra avec désinvolture, affichant un air déterminé, attrapa la première robe sur un cintre et se rua vers la rangée de cabines d'essayage au fond du magasin. « Puis-je vous aider ? » s'enquit une vendeuse. « Oh, merci, je... », balbutia-t-elle en disparaissant derrière un rideau.

Les sous-vêtements lui allaient, Dieu merci. (Elle fit tout son possible pour éviter le froissement du sac.) C'était un véritable soulagement que de se sentir de nouveau « contenue », pour ainsi dire. Elle replia son maillot de bain et le rangea dans son fourre-tout. Puis elle tendit la main vers le peignoir de Sam, mais elle se ravisa. Il ressemblait vraiment trop à un peignoir de plage. Elle jeta un œil à la robe qu'elle avait mise — une robe en jersey gris quelconque. Bien trop longue, estima-t-elle d'emblée. Cependant, elle la fit glisser de son cintre et l'enfila par la tête. Elle fut submergée par l'odeur âcre de tissu neuf. Elle lissa le bas, remonta la fermeture Éclair qui était sur le côté et pivota sur les talons pour affronter son reflet.

Elle s'était figurée qu'elle ressemblerait ainsi à une enfant s'amusant à se déguiser, car l'ourlet lui balayait quasiment les chevilles. Mais ce qu'elle découvrit était on ne peut plus inattendu : une femme grave à l'esprit austère, moulée dans une fine colonne gris perle. Elle aurait pu être bibliothécaire ou une de ces secrétaires de direction qui, dans l'ombre, régentent tout un bureau. « Vous trouverez cela dans le dossier Jones, Mr. Smith », s'imaginait-elle déclarer d'un ton péremptoire. « Et n'oubliez pas qu'aujourd'hui vous déjeunez avec le maire ; vous devrez vous munir des pièces relatives à... »

« Vous avez besoin d'aide ? demanda la vendeuse.

— Non, merci. Tout va bien.

— Voulez-vous essayer autre chose ?

— Non. C'est parfait. »

Elle escamota le peignoir de Sam dans le fourre-tout et émergea de la cabine. « Pourriez-vous ôter l'étiquette, je vous prie ? Je vais la garder sur moi. »

La vendeuse — une blonde outrageusement bronzée vêtue d'un imprimé graphique noir et blanc — lorgna l'ourlet d'un œil dubitatif. « Nous pouvons vous faire les retouches gratuitement. Désirez-vous la raccourcir légèrement ?

— Non, merci », répliqua Delia d'un ton guindé de secrétaire.

La vendeuse rectifia aussitôt le tir sans sourciller : « Je dois dire qu'elle vous va à ravir. »

Delia leva le bras gauche et la vendeuse alla chercher une paire de ciseaux, puis coupa l'étiquette qui se balançait au bout de la fermeture Éclair.

Soixante-dix-neuf quatre-vingt-quinze. Tel était le prix de la robe. Toutefois, Delia paya sans l'ombre d'une hésitation et sortit dignement de la boutique.

Sur sa lancée, elle fut propulsée à quelque distance de là, près du bazar, tout d'abord, puis de l'autre côté d'un carrefour, devant une rangée de petits commerces — un magasin de photocopies, une agence de voyages, un fleuriste. Elle remarqua qu'elle avait changé de démarche et perdu son pas élastique pour adopter un rythme plus égal imposé par sa jupe étroite. *Voici Miss X, la secrétaire, qui se dépêche de regagner son bureau après le déjeuner. Prête à dactylographier ses notes pour le comité de direction.*

Par jeu, elle entreprit de se choisir un bureau, tout comme elle s'amusait à jeter son dévolu sur une maison lorsqu'elle traversait un quartier chic. NICHOLS & TRIMBLE, DENTISTES DE FAMILLE. Mais elle risquait de se retrouver à faire des détartrages ou Dieu sait quoi encore. VISION PLUS, OPTICIEN. Mais les opticiens faisaient-ils appel aux services d'une secrétaire ? EZEKIEL POMFRET, AVOCAT. Ou feu Me Pomfret, à en juger d'après l'aspect désolé du store baissé. En outre, aucune de ces devantures n'arborait de pancarte indiquant CHERCHE SECRÉTAIRE. Mais cela ne changeait rien, dans les faits.

Au carrefour suivant, elle tourna à gauche. Elle passa devant une boutique d'articles pour animaux et un magasin d'antiquités, à en croire l'enseigne tout du moins (la vitrine était encombrée de vaisselle bon marché et de cendriers en plastique vert d'eau en forme de boomerang). Une pharmacie. Deux maisons en bois. Une épicerie familiale. Puis une autre maison en bois, qui avançait tellement sur la rue que sa véranda semblait être un prolongement du trottoir. Sur la façade, une pancarte de carton calée contre la fenêtre poussiéreuse annonçait CHAMBRES À LOUER, le tout encadré de deux parenthèses de rideaux de mousseline avachis.

Chambres à louer.

Ce devait être une « pension de famille ». La formule fit surgir sous ses yeux l'image d'une secrétaire retapant son petit lit blanc de vieille fille, puis celles de pensionnaires traînant leurs pantoufles dans le couloir, et d'une logeuse d'âge canonique toute vêtue de noir mettant le couvert dans la salle à manger pour le petit déjeuner du lendemain. Le temps que Delia traverse la véranda et sonne à la porte, elle s'était déjà tellement familiarisée avec les lieux, que c'est à peine si elle jugea nécessaire de se présenter à la femme qui apparut sur le seuil. « Bonjour ! lança celle-ci. Que puis-je faire pour vous ? »

Elle ne correspondait en rien à la logeuse que Delia avait imaginée. La quarantaine replète, elle était fardée à outrance, une profusion de boucles d'or lui couronnait le crâne et elle arborait une combinaison rose fuchsia. Cependant, tout laissait à penser qu'elle se trouvait bel et bien être la tenancière de la pension, aussi Delia lui répondit-elle : « Je viens me renseigner pour la chambre.

— La chambre ?

— La chambre à louer.

— Ah oui, la chambre. C'est-à-dire que je préférerais la louer à un homme. »

Était-ce même légal à notre époque ? Delia ne sut quoi ajouter.

« Jusqu'en avril dernier, expliqua la logeuse en ouvrant la

porte moustiquaire qui s'affaissait, j'ai toujours eu des hommes. Ça avait toujours été comme ça, me demandez pas pourquoi. Voyez-vous, il n'y a que deux chambres à louer. Du coup, j'avais deux messieurs. Mr. Lamb, qui voyage toute la semaine, et Larry Watts, qui s'était séparé de sa femme. Mais quand Larry est retourné avec elle en avril dernier, eh bien, j'ai reloué sa chambre. Et qu'est-ce que je m'en suis mordu les doigts ! »

Elle tourna les talons, laissant la porte entre les mains de Delia, et grimpa une volée de marches. Delia lui emboîta le pas avec hésitation. La maison lui donnait l'impression d'être à l'abandon depuis des lustres. Des ovales de papier peint plus clair indiquaient l'emplacement des tableaux qui jadis devaient décorer les murs et le parquet du palier révélait le spectre d'un tapis.

« Katie O'Connell, elle s'appelait », poursuivit la logeuse. Le simple fait de monter ces quelques marches lui avait coupé le souffle. Elle tapota à petites claques sa généreuse poitrine fuchsia. « Elle était du Delaware, je crois bien. Elle était venue travailler pour Zeke Pomfret — pauvre Zeke, sa chère vieille Miss Percy venait de lui claquer dans les pattes —, et du coup, il fallait bien qu'elle se loge, et moi évidemment j'ai dit pas de problème, sans me méfier. Pas de problème, je lui ai dit, en pensant que ça reviendrait au même que de louer à un homme. Mais c'était une erreur. "Où est ceci et où est cela, et où sont mes serviettes changées tous les jours et où est ma petite savonnette..." Je ne suis pas un bed & breakfast, attention. J'espère que vous ne me prenez pas pour un bed & breakfast.

— Bien sûr que non, lui dit Delia.

— Je loue seulement des chambres, vous comprenez ? J'ai acheté cette maison il y a trois ans. À rénover, on m'avait dit. Je l'ai achetée juste après avoir passé l'examen d'agent immobilier, je croyais que j'allais la refaire et puis la vendre, mais, vu l'état du marché, je n'ai jamais eu l'argent devant moi, du coup j'habite ici et je loue deux des chambres. Mais il n'y a pas de repas. J'espère que vous ne vous attendez pas que j'assure les repas. Cette Katie, elle n'arrêtait pas de me demander : "Oh, est-ce que je peux mettre ce quart de lait dans votre réfrigérateur" et j'avais à peine le temps de dire ouf qu'elle se faisait à manger dans ma cuisine. Même moi, je ne me prépare jamais rien dans ma cuisine. Je ne fournis que le strict minimum. »

Pour confirmer ses dires, elle ouvrit la première porte juste à droite de l'escalier. Delia pénétra à sa suite dans une longue chambre étroite légèrement mansardée sous la saillie du toit, pourvue d'une fenêtre à chaque extrémité. Au pied de la fenêtre de façade se trouvait un petit lit métallique, et une commode basse d'un brun orangé était adossée à la cloison opposée. Il régnait dans la pièce une odeur de nid de frelons — une odeur âcre, sèche et poussiéreuse, qui pouvait provenir du fragile papier peint ocre, orné de roses pommelées.

« Katie avait mis des rideaux aux fenêtres, commenta la logeuse, mais elle les a repris en partant. Mardi dernier, elle est partie, avec Larry Watts. Apparemment, ils seraient allés à Hawaii.

— Le... même Larry Watts qui s'était séparé de sa femme ? s'étonna Delia, qui n'y comprenait plus rien.

— Oh, je ne savais pas que vous le connaissiez. Oui, une fois que j'ai eu recollé toutes les pièces du puzzle, je me suis rappelé qu'il était bel et bien revenu chercher son imperméable — celui qu'il avait oublié dans le placard d'en bas. Ça doit être comme ça qu'ils se sont rencontrés. Et du jour au lendemain, on a appris qu'il avait quitté sa petite femme pour la seconde fois en deux ans. Sans compter que Zeke Pomfret se retrouve de nouveau forcé de se mettre en chasse d'une nouvelle secrétaire, alors qu'il venait à peine de perdre cette pauvre Miss Percy. »

Elle ouvrit en grand une porte au fond de la pièce, laissant apparaître un placard peu profond. Trois cintres tintèrent faiblement. « La salle de bains est dans le couloir, une vraie baignoire avec une douche, l'informa-t-elle, et vous n'êtes obligée de la partager que le week-end, quand Mr. Lamb rentre de tournée. Moi, j'habite au rez-de-chaussée. Le loyer est de quarante-deux dollars la semaine. Vous la prenez ? »

Quarante-deux dollars. Ce n'était pas même le tarif habituel d'une seule nuit d'hôtel. Sans compter qu'un hôtel n'offrirait pas ce confort idéalement spartiate. « Vous voulez dire que cela ne pose pas de problème que je ne sois pas un homme ? » demanda Delia.

La logeuse haussa les épaules. « Que voulez-vous, personne d'autre n'est venu. »

Delia s'approcha du lit garni de draps blancs et d'une couverture de laine tout aussi blanche qui était pelée à force d'avoir été lavée. Lorsqu'elle tâta le matelas d'une main, il émit la même note métallique que les cintres.

« C'est d'accord, je la prends.

— Parfait. Au fait, je m'appelle Belle Flint.

— Et moi, Delia Grinstead. » Peut-être aurait-elle dû employer un pseudonyme. Mais Belle ne manifesta qu'une rassurante indifférence. Elle faisait bouffer ses cheveux devant le miroir de la commode. « Y a-t-il... un contrat à signer ?

— Un contrat ?

— Je veux dire... »

Il devait être flagrant qu'elle n'avait jamais eu à régler elle-même la question d'un logement. « Enfin... un bail, ou je ne sais pas, moi...

— Quelle idée. Non, il faut seulement payer à l'avance, tous les samedis matin, lui déclara Belle en se regardant les dents dans la glace. Voyons voir. Aujourd'hui, nous sommes lundi. Réglez-moi trente dollars, cela couvrira la semaine. Vous avez l'intention de rester longtemps ?

— Peut-être », répondit Delia d'un ton délibérément vague, et elle entreprit de retourner son fourre-tout sens dessus dessous.

Belle relevait le menton pour inspecter le coussin de chair sur lequel il reposait. Sa figure entière n'était qu'un gros coussin ; elle ressemblait à ces fleurs luxuriantes aux pétales tendres, une pivoine, peut-être, ou un gros iris retombant mollement.

« Tenez, dit Delia, dix, vingt... »

Belle daigna alors se détourner du miroir. Si elle fut étonnée d'être réglée en liquide, elle n'en laissa rien paraître. Elle plia les billets et les plongea dans sa poche de poitrine.

« J'imagine que vous voulez aller chercher vos affaires. Je laisserai la clef sur la commode, au cas où je ne serais pas là quand vous reviendrez. Je fais visiter une maison à quatre heures et demie. Vous n'apportez pas trop de choses, j'espère...

— Non, je...

— Parce que, voyez-vous, il n'y a pas beaucoup de place pour ranger dans la chambre et j'ai horreur que ça déborde de tous les côtés. C'est comme ça que tout a commencé entre Larry Watts et Katie. Son imperméable a débordé dans le placard d'en bas, et du coup, évidemment, il l'a oublié quand il est parti.

— Je n'apporte que très peu de choses. »

Elle attendrait disons, cinq heures, pour revenir. Ainsi, Belle ne s'apercevrait pas qu'en réalité elle n'apportait rien du tout. Il était à présent... Subrepticement, elle glissa un coup d'œil à sa montre. Quatre heures moins le quart. Belle sortit de la chambre en faisant claquer ses sandales à semelles compensées.

« Le rez-de-chaussée, c'est chez moi. C'est la règle, lança-t-elle en s'arrêtant dans le vestibule. Cuisine y compris. Rick Rack, le café d'en face, est relativement correct. Il y a une laverie automatique dans East Street et Mrs. Auburn vient faire les chambres tous les vendredis. La porte d'entrée n'est jamais fermée, mais si vous êtes du genre inquiet, la clef de votre chambre fonctionne. Entendu ?

— Oui, merci.

— Et vous n'êtes pas censée recevoir », ajouta-t-elle. Soudain, elle jaugea Delia du regard. « Des hommes, je veux dire.

— Oh ! Non, bien sûr.

— Votre vie privée ne regarde que vous, mais ces quarante-deux dollars incluent les commodités pour une seule personne. Draps et serviettes pour une seule personne également.

— Je ne vois pas qui je pourrais recevoir, je ne connais personne.

— Vous n'êtes pas du coin, hein ?

— C'est-à-dire que... non.

— Moi non plus. Avant de débarquer ici avec un type un beau matin, je n'avais jamais entendu parler de Bay Borough, déclara Belle d'un ton enjoué. Avec le type, ça n'a pas marché, mais je suis tout de même restée. »

Delia savait bien qu'elle était censée offrir des informations en échange de ces confidences, mais elle se contenta de dire : « Je crois que je vais faire un brin de toilette avant d'aller chercher mes affaires.

— Faites comme chez vous ! » lui lança Belle avec un signe de la main, et elle redescendit l'escalier d'un pas lourd.

Delia attendit poliment une demi-seconde avant d'entrer dans la salle de bains. Elle n'était pas allée aux toilettes depuis dix heures du matin.

Les bords du papier peint de la salle de bains où des hippocampes soufflaient des bulles d'argent se décollaient et la vieille robinetterie était rouillée, mais l'ensemble paraissait d'une propreté impeccable. Delia commença par utiliser les cabinets, puis elle s'aspergea le visage d'eau froide et le laissa sécher à l'air libre. (L'unique serviette devait appartenir à l'autre pensionnaire.) Elle évita de se regarder dans le miroir, préférant se raccrocher à l'image qu'elle avait découverte dans la cabine d'essayage. Elle inspecta toutefois sa robe pour s'assurer que son aspect était irréprochable et son allure, digne d'une secrétaire. Juste avant de sortir, elle ôta son alliance et la fit tomber au fond de son fourre-tout.

Puis elle alla jeter un dernier coup d'œil à sa chambre. Elle n'y entra pas, elle se contenta de rester sur le seuil afin de se l'approprier et, maintenant qu'elle l'avait pour elle, savoura enfin son austérité.

Elle se retrouva dans la rue, ses semelles claquant sur le trottoir, les yeux fixés droit devant elle, comme si elle savait où elle allait. À vrai dire, elle avait bien sa petite idée. Déjà, la bourgade offrait de petits îlots familiers : le distributeur de boissons d'un rouge délavé devant l'épicerie Au Glouton, les faïences ébréchées de la devanture de Bob Antiquaire, les sacs de croquettes pour chiens obèses du Paradis des Animaux. À l'angle de la rue, elle bifurqua à droite et le square enfoui dans la verdure au lointain lui parut aussi confortable, bien connu et vaguement ennuyeux, que si elle avait passé son enfance au pied du fauteuil à franges de Mr. Bay.

Le store d'Ezekiel Pomfret était toujours baissé, mais, lorsque Delia essaya de tourner la poignée de la porte, elle céda. Une volée de marches grimpait devant elle. Juste à sa droite, le dépoli encrassé d'une autre porte proclamait une fois encore le nom d'Ezekiel Pomfret, suivi de SUCCESSIONS — VENTES ET ACHATS DE BIENS — DROIT CIVIL ET PÉNAL. Elle était également ouverte. Elle pénétra dans une pièce lambrissée de noyer, occupée en son centre par un bureau de réception. Elle se réjouit de constater que personne n'était assis derrière. Il n'y avait pas un chat en vue, mais de l'autre côté d'une porte ornée d'un panneau décoratif, s'élevait une voix d'homme. La voix s'interrompait, reprenait, entrecoupée de silences. Manifestement, il était au téléphone.

Elle s'approcha du bureau sur lequel il n'y avait qu'un téléphone et une machine à écrire. Elle souleva un coin de la housse de caoutchouc gris qui protégeait la machine. Manuelle.

Pas même électrique (elle avait craint de tomber sur un ordinateur). Elle donna un léger tour à la chaise pivotante qui se trouvait derrière.

Bonjour, dirait-elle. *Je suis venue vous demander si...*

Non, pas *demander. Demander* était trop hésitant.

Elle porta la main à ses cheveux qui étaient aussi friables au toucher que du sable sec sur la plage. (Non, pas la plage ! Vite, chasser cette pensée !) Elle lissa sa robe sur ses hanches et s'assura que le galon de son fourre-tout — un ruban rose flamboyant du plus parfait ridicule — était caché sous son bras.

Quelle coïncidence, comme un véritable signe du destin, un ordre venu d'en haut, presque, que j'aie appris la mort de cette pauvre Miss Percy au moment même où...

De l'autre côté de la cloison, la voix gagna en énergie et en volume. Mr. Pomfret devait être sur le point de conclure sa conversation.

Comme si un obstacle était brusquement venu interrompre ma chute, comprenez-vous ? Comme si la journée n'avait été qu'une longue descente dans l'abîme et que soudain, le hasard ait voulu que je sois repêchée par un crochet ou retenue par la saillie d'un rocher et que j'atterrisse ici. Alors, voilà, je me demandais si...

Claquement du récepteur sur son socle, grincement de roulettes, pas pesant sur la moquette. La porte lambrissée s'ouvrit en grand et un homme d'âge mûr ventripotent en costume de seersucker l'inspecta des pieds à la tête par-dessus ses verres en demi-lunes. « Je me disais bien que j'avais entendu quelqu'un, dit-il.

— Mr. Pomfret, je suis Delia Grinstead. Je suis venue pour être votre nouvelle secrétaire. »

À quatre heures et quart, elle retourna au bazar faire l'emplette d'une chemise de nuit en coton et de deux paires de collants. À quatre heures vingt-cinq, elle traversait le square pour se rendre chez Bassett & Frères, Chausseur et s'acheter un grand sac de cuir noir. Le sac valait cinquante-sept dollars. En voyant son prix, elle faillit opter pour du vinyle, puis elle décréta que Miss Grinstead ne saurait se satisfaire que de cuir véritable.

Miss Grinstead n'était autre que Delia — la nouvelle Delia. Car c'est ainsi, après avoir grimacé un acide « Mrs. », que

Mr. Pomfret l'avait appelée au cours de l'entretien. Le compromis lui semblait parfait — ce titre de célibataire assorti à son nom d'épouse. La suffisance toute ménagère du « Mrs. » n'était plus guère de circonstance ; cependant, elle ne pouvait décemment pas redevenir la jeune Miss Felson aux fous rires de gamine. En outre, sa carte de Sécurité sociale était au nom de Grinstead. Elle l'avait retirée de son portefeuille pour en lire le numéro à Mr. Pomfret (n'ayant pas eu suffisamment à s'en servir pour le connaître par cœur). Elle lui avait annoncé qu'elle venait de déménager après avoir enterré sa mère. Tout un passé lourd de silence était venu s'insinuer entre eux : la ruche de femmes, le dévouement de nonne de la fille. Elle lui avait déclaré qu'elle avait travaillé toute sa vie dans le cabinet d'un médecin. « Vingt-deux ans, et croyez-moi, c'est à grand regret que j'en suis partie, mais il m'était devenu purement et simplement impossible de rester à Baltimore avec tous les souvenirs que j'y avais. » Elle semblait avoir été contaminée par la façon de parler de Miss Grinstead. Elle n'aurait jamais employé « purement et simplement » dans la conversation courante, quant au terme de « souvenirs », dans un pareil contexte, il avait des accents mièvres qui ne lui ressemblaient guère.

S'il lui avait été demandé de produire des références, elle était prête à annoncer que son employeur était également récemment décédé (décidément, ce jour-là, elle faisait allègrement valser les têtes). Mais Mr. Pomfret ne fit pas allusion à de quelconques références. Son seul souci était de connaître la nature de ses tâches passées. Tapait-elle à la machine, faisait-elle du classement, prenait-elle en sténo ? Bien qu'elle lui répondît avec franchise, elle eut l'impression de mentir. « Je tapais toutes les notes d'honoraires, la correspondance et les rapports du docteur », lui dit-elle. Le visage fatigué de Sam surgit devant ses yeux, ainsi que sa blouse blanche reprisée et sa cravate à imprimé cachemire qu'il avait baptisée sa « cravate paramécie ». Elle se redressa sur sa chaise. « Je classais, je répondais au téléphone et je tenais son carnet de rendez-vous, mais malheureusement, je ne connais pas la sténo.

— Oh, peu importe, soupira Mr. Pomfret. Miss Percy et Miss Machin non plus. J'ai toujours rêvé d'avoir une secrétaire qui sache prendre en sténo, mais il faut croire que cela n'arrivera jamais. »

Il y eut un instant de malaise lorsqu'il lui demanda son

adresse, car elle n'en avait pas la moindre idée. Mais, lorsqu'elle mentionna le nom de Belle Flint, il acquiesça : « Ah oui, dans George Street. » Et, tout en prenant une note, il ajouta : « C'est une sacrée rigolote, Belle. » C'est l'avantage des petites villes, songea Delia. Ou le désavantage. Tout dépend du point de vue où l'on se place.

Il lui annonça qu'elle commencerait le lendemain. Ses horaires étaient de neuf heures à cinq heures. « Le salaire est le minimum syndical, désolé », précisa-t-il en lui coulant un regard subtil pour jauger sa réaction. En outre, elle était également censée faire le café ; il espérait que cela ne lui posait pas de problème.

Bien sûr que non, lui répondit sèchement Delia. Sur ce, elle se leva et clot l'entretien. Mr. Pomfret lui faisait l'effet d'un homme insipide, certes inoffensif, mais sans grand intérêt. Ce qui était parfait. À vrai dire, elle le trouvait même passablement déplaisant. Ce qui était également parfait. Dans le cadre de la nouvelle existence impersonnelle qu'elle était en train de se créer, Mr. Pomfret présentait un profil idéal.

À sa montre, il était cinq heures moins vingt et elle n'avait rien avalé depuis le petit déjeuner. Avant de regagner sa chambre, par conséquent, elle alla au café que lui avait recommandé Belle. En fait, il était non pas en face de chez elle, mais un peu plus loin à l'ouest, à côté d'une quincaillerie. Toutefois, de la devanture, elle apercevait la maison. Aussi s'installa-t-elle à la table qui lui offrait la meilleure vue afin de guetter l'éventuel retour de Belle. Peut-être aurait-elle dû acheter une valise pour pouvoir emménager au vu et au su de sa logeuse. Mais il eût été absurde de dépenser de l'argent pour sauver les apparences. Sur ses cinq cents dollars, il ne lui restait déjà plus que... Elle fit le compte mentalement et tressaillit. Lorsque la serveuse arriva, elle se borna à commander un potage de légumes et un verre de lait.

Rick Rack était le genre d'endroit où elle aurait pu manger du temps du lycée — un simple bistrot avec du linoléum au sol et des carrelages au mur, six ou sept tables et une rangée de tabourets le long d'un comptoir en Formica. Une petite serveuse rousse s'occupait de la salle, tandis qu'un jeune homme d'un noir bleuté et à la musculature impressionnante, le crâne rasé, officiait aux fourneaux. Il faisait griller un croque-monsieur pour le seul autre client du café, un garçon de l'âge de Ramsay. Bien qu'elle eût commencé son potage, l'odeur de fromage cuit lui donna des crampes de faim, mais elle se rappela que la soupe procurait davantage de vitamines pour le même prix et déclina l'offre d'une tarte maison. Elle alla régler à la caisse. Le cuisinier s'essuya les mains sur son tablier pour encaisser le total sans le moindre commentaire. La prochaine fois, elle apporterait quelque chose à lire, se dit-elle. Elle avait éprouvé un certain malaise à grignoter ainsi ses crackers, les yeux rivés sur la vitre.

De retour à la maison, Delia ne vit pas de trace de Belle. Elle ouvrit le loquet de la porte d'entrée et se sentit enveloppée d'un silence absolu. Elle grimpa l'escalier en songeant : *Voici la secrétaire de direction qui rejoint la solitude de sa chambre après avoir dîné en tête à tête avec elle-même.* Ce n'était pas une plainte, cependant. Mais une bravade. Un cri d'exultation.

Lorsqu'elle ouvrit la porte de sa chambre, l'odeur de nid de frelons lui parut plus âcre encore, sous l'effet peut-être de la chaleur de l'après-midi qui avait pénétré sous les combles. Elle posa ses affaires sur la commode et alla ouvrir les deux fenêtres à guillotine. Celle du fond donnait sur une minuscule cour et une allée. De la fenêtre de façade, elle avait vue sur l'avancée de la véranda et les bâtisses situées de l'autre côté de la rue. Delia appuya le front sur la moustiquaire et aperçut le café (B.J. « RICK » RACKLEY, PROP.), la quincaillerie et une maison de bardeaux marron, dont une fenêtre à l'étage laissait apparaître les barreaux d'un berceau ou d'un parc d'enfant. Les seuls bruits qui lui parvenaient étaient apaisants — de temps à autre, la rumeur d'une voiture passant dans la rue ou l'écho de pas sur le trottoir.

Belle avait laissé une vieille clef grêle sur la commode. Delia la mit dans la serrure et verrouilla la porte. Puis elle ôta l'étiquette de son sac à main flambant neuf, y fourra son portefeuille et suspendit sa nouvelle acquisition à un crochet du placard. Elle rangea ses autres achats dans la commode. (Les tiroirs coinçaient et se refermaient de travers ; ils étaient de mauvaise qualité, tout comme l'ensemble de la maison.) Elle accrocha le peignoir de Sam sur un cintre. Quant à son fourre-tout dont le fond était tapissé de crèmes solaires, de maillots de bain, d'élastiques et autres impedimenta, elle le logea tout en haut, sur l'étagère du placard. Puis elle referma la porte de ce dernier, se dirigea vers le lit et s'assit.

Bien.

Elle était installée.

Si elle regardait autour d'elle, elle ne décelait rien qui permît de penser que la chambre était habitée.

Belle ne rentra qu'au crépuscule. Delia entendit une portière de voiture claquer, puis des talons sonores dans la véranda. Mais les deux femmes ne se saluèrent pas. À vrai dire, Delia, qui contemplait le vide depuis un temps infini, se leva aussi silencieusement que possible, alla sur la pointe des pieds prendre quelques affaires dans la commode et prit garde de ne faire craquer aucune lame de parquet lorsqu'elle traversa le couloir pour se rendre dans la salle de bains.

En attendant que l'eau soit chaude au robinet de la douche, elle se brossa les dents, se déshabilla et mit ses sous-vêtements à tremper dans le lavabo. Une seconde serviette ainsi qu'un gant avaient fait leur apparition sur l'autre porte-serviettes. Elle emporta le gant avec elle et se glissa derrière le rideau de douche craquelé par l'âge et légèrement moisi.

La crasse, la sueur et la crème solaire ruisselèrent sur son corps, révélant une couche de peau toute neuve. La plante de ses pieds que la marche avait rendue aussi plate qu'un fer à repasser semblait littéralement boire l'eau. Elle offrit son visage au jet et se mouilla les cheveux. À regret, elle finit par refermer les robinets et sortit de la douche pour s'essuyer. Sa chemise de nuit toute neuve flottait légèrement sur ses épaules brûlées.

Elle préféra de ne pas laisser sa brosse à dents dans le verre prévu à cet effet, mais la remit dans sa trousse de toilette et rapporta le tout dans sa chambre. Elle accrocha ses sous-vêtements essorés sur l'un des cintres du placard. Cela l'obligeait à laisser la porte du placard ouverte toute la nuit — une tache sur la blancheur aseptisée de la chambre. Mieux valait cela, toutefois, que de semer sa lessive dans la salle de bains. Elle approuvait les principes en vigueur chez Belle. Elle n'avait aucunement l'intention de « déborder ».

Elle repoussa les couvertures et s'allongea en ne gardant que le drap. En dépit de la brise qui soufflait de la fenêtre, glaçant sa tête mouillée, elle pouvait aisément se passer de couverture.

Dehors, les enfants jouaient. La nuit n'était pas encore complètement tombée. Elle était étendue sur le dos dans le noir, l'esprit aussi vide que le plafond au-dessus d'elle. Une seule fois, cependant, quelques heures plus tard peut-être, une unique pensée se présenta à elle : *Misère, comment vais-je m'en sortir ?* Mais, dans la seconde qui suivit, elle ferma les paupières et c'est ainsi qu'elle s'endormit.

7

UNE HABITANTE de Baltimore disparaît, lut Delia, et elle eut l'impression de recevoir un coup de poing dans le ventre. *Une habitante de Baltimore disparaît au cours de vacances en famille.*

Elle avait parcouru les journaux de Baltimore tous les jours, matin et soir. Aucun n'avait mentionné quoi que ce soit, ni le mardi, ni le mercredi, ni le jeudi matin. Mais l'édition du jeudi soir qui était arrivée au kiosque près du square, à temps pour sa pause déjeuner, publiait un avis dans la section locale : *La police fédérale du Delaware a annoncé en début de matinée...*

Elle replia le journal de manière à pouvoir lire l'article, tout en jetant un coup d'œil autour d'elle. En face, une femme tendait un à un à son bambin des bouts de pain ou des restes quelconques pour nourrir les pigeons. Sur le banc à sa droite, un vieillard feuilletait un magazine. Ni l'un ni l'autre ne lui prêtaient la moindre attention.

Mrs. Grinstead a été vue pour la dernière fois lundi dernier, aux alentours de midi. Elle marchait en direction du sud sur la plage de sable qui s'étend...

Sans doute la police avait-elle pour principe d'attendre qu'un certain laps de temps se soit écoulé avant de déclarer quiconque disparu. Ce devait être la raison pour laquelle il n'y avait eu aucun avis auparavant. (En épluchant les journaux les jours précédents, elle avait éprouvé un mélange de soulagement et d'humiliation. Personne ne s'était donc aperçu qu'elle était partie ? À moins qu'elle ne fût pas partie ; ces derniers jours s'étaient déroulés à la manière d'un songe. Peut-être poursuivait-elle son existence d'avant comme si de rien n'était, et la Delia de Bay Borough s'était-elle seulement séparée de la Delia d'origine.)

Elle fut blessée de lire la description qu'on donnait d'elle : *les cheveux blonds ou châtain clair bouclés... les yeux bleus ou gris, peut-être verts...* Mais bon sang, personne dans sa famille n'avait-il jamais pris la peine de la regarder ? Et comment Sam avait-il osé ridiculiser ainsi sa manière de s'habiller ? *Style poupée*, franchement ! Elle replia le journal dans un claquement sec puis jeta de nouveau un œil autour d'elle. Le bambin piquait une colère, se livrant à une petite danse trépignante sous prétexte qu'il n'avait plus rien à donner à manger aux pigeons. Le vieillard se léchait un doigt pour tourner une page. Delia avait cela en horreur. Tous les jours, à l'heure du déjeuner, il venait là avec un magazine qu'il parcourait de bout en bout en se léchant le doigt à chaque page. Delia espérait qu'il ne prendrait à personne l'envie de le lire après lui.

À l'instar d'un banlieusard qui se choisit toujours la même place dans le train ou d'un invité qui prend toujours le même fauteuil au salon, Delia, en l'espace de trois jours, était parvenue à s'établir une routine. Petit déjeuner chez Rick Rack en lisant le journal matinal. Déjeuner dans le square — yaourts et fruits frais achetés auparavant à l'épicerie Au Glouton. Puis une course ou deux, histoire d'occuper la pause du déjeuner : mardi, une paire de chaussures noires à talons plats, car ses espadrilles lui faisaient des ampoules aux talons. Mercredi, une lampe de bureau orientable pour lire. Ce jour-là, elle avait l'intention d'aller s'acheter un thermo-plongeur pour pouvoir se préparer une tasse de thé au saut du lit. Mais à présent qu'elle était tombée sur l'avis, elle ne savait plus trop. Elle n'avait qu'une envie : courir se réfugier dans son bureau.

Elle jeta les reliefs de son déjeuner dans une poubelle métallique en enfouissant le journal sous le tout. D'ordinaire, elle le laissait sur un banc à l'intention d'autres lecteurs éventuels, mais ce jour-là, non.

La jeune mère essayait d'enfourner son bambin dans sa poussette, mais ce dernier résistait en arquant le dos. Le vieillard avait fini son magazine et rangeait ses lunettes dans leur étui avec mille précautions. Lorsque Delia passa devant eux, aucun ne lui jeta ne fût-ce qu'un regard. À moins qu'ils ne fissent semblant, y compris le bambin. Peut-être avaient-ils reçu l'ordre de ne pas éveiller ses soupçons. Non. Elle redressa les épaules. Ressaisis-toi. Elle n'avait commis aucun crime. Elle décida de ne rien changer à sa routine et de faire un saut au bazar, comme elle en avait eu l'intention.

C'était drôle de voir comment la vie parvenait à créer des strates d'objets autour de chacun. Déjà, elle avait acquis cette lampe de bureau, car l'ampoule du plafonnier s'était révélée mal conçue pour lire au lit ; elle s'était constitué une réserve de gobelets en carton assortis d'un paquet de sachets de thé qu'elle gardait sur l'étagère du placard, en se contentant pour l'heure de l'eau chaude du robinet de la salle de bains ; en outre, il était clair qu'elle avait besoin d'une seconde robe. La nuit précédente, la plus chaude de ce début d'été, elle s'était dit : *Il faut que je m'achète un ventilateur.* Puis elle s'était reprise : *Arrête, arrête tant qu'il est encore temps.*

Elle entra dans le bazar et hésita. Au rayon des articles ménagers, peut-être ? La vieille dame qui officiait aux plaques à gâteaux et aux casseroles tripotait ses perles d'un air désœuvré. Aussi Delia décida-t-elle de l'aborder : « Auriez-vous un thermo-plongeur ? Vous savez, ces ustensiles que l'on plonge dans une tasse pour faire chauffer l'eau.

— Je vois très bien ce dont vous parlez, lui répondit la vieille dame. Je le vois comme votre nez au milieu de votre figure. Électrique, c'est bien ça ?

— Tout à fait.

— Mon petit-fils en avait emporté un avec lui en pension, mais vous me croirez si vous voulez, il n'a pas lu le mode d'emploi. Il s'est mis en tête de réchauffer un bol de soupe, alors qu'il est bien spécifié qu'on ne peut le mettre que dans l'eau. Si cela a empesté ? À ce qu'il m'a dit, la puanteur était inimaginable ! Mais je n'en ai pas. Essayez peut-être au rayon quincaillerie.

— Merci », répondit sèchement Delia en tournant les talons.

Et de fait, elle trouva bel et bien l'article au rayon quincaillerie, accroché à une grille, parmi les rallonges et les adaptateurs de prise. Elle paya en liquide la somme exacte. Le vendeur — un monsieur grisonnant arborant un nœud papillon — lui fit un clin d'œil en lui tendant son paquet. « Bonne journée, mam'selle », lui lança-t-il. Sans doute se voulait-il flatteur. Delia ne prit pas même la peine de lui sourire.

Elle avait remarqué que Miss Grinstead n'était pas d'une

grande amabilité. Les gens qui s'intégraient à sa routine de tous les jours ne lui apparaissaient qu'en deux dimensions, comme dans ces dessins d'albums pour enfants illustrant les diverses activités du quotidien. Miss Grinstead ignorait ces rapports faciles, prompts à la boutade, auxquels Delia était habituée.

Elle sortit du magasin, traversa Bay Street et passa devant la rangée de petites boutiques. La pendule qui trônait dans la devanture de l'opticien indiquait 13 h 45. Elle avait beau s'évertuer à occuper toute sa pause déjeuner, de une heure à deux, elle n'y était encore jamais parvenue.

Et que ferait-elle, l'hiver venu, lorsqu'il ferait trop froid pour manger dans le square ? Car désormais, elle semblait bel et bien se projeter dans un avenir aussi lointain — Miss Grinstead et son chapelet de jours anonymes, immuables, s'égrenant à l'infini.

Mais à Bay Borough, c'était encore l'été. Elle ne pouvait imaginer la ville en une autre saison.

Elle ouvrit la première porte du cabinet de Mr. Pomfret, puis la porte intérieure en verre dépoli. Il était déjà rentré de déjeuner et, comme à son habitude, il était pendu au téléphone. *Wurlitzer, wurlitzer*, semblait-il marmonner. Delia rangea son sac à main dans le dernier tiroir du bureau, lissa sa jupe et s'installa sur la chaise pivotante. Elle avait laissé dans le chariot une lettre à demi achevée et se remit à taper en veillant à garder le dos bien droit et les mains à l'horizontale, comme on le lui avait appris au lycée.

Les autorités écartent l'hypothèse d'une noyade, avait dit le journal. Pas une seule seconde, ils n'avaient envisagé qu'elle ait pu se noyer. *Dans la mesure où Mrs. Grinstead professait* — comment avaient-ils formulé la chose ? — *professait une aversion manifeste pour l'eau.* Ou une sottise du même acabit. On allait croire qu'elle ne s'était jamais baignée de sa vie. Elle fit claquer le retour de chariot avec plus de violence qu'il n'était nécessaire. Et Eliza qui avait raconté qu'elle avait été chat dans une autre vie ! Les gens allaient penser qu'elles étaient toutes deux folles à lier.

Cette machine à écrire avait un clavier plus récalcitrant que celle du cabinet de Sam. Le premier jour, elle s'était cassé deux ongles. Depuis, elle les avait tous coupés à ras, ce qui avait le mérite de mieux convenir au style de Miss Grinstead. En outre, elle avait ainsi réussi à occuper vingt minutes d'une soirée. Elle réfléchissait beaucoup ces derniers temps aux diverses manières d'occuper ses soirées.

« Parfait, c'est ça, bonne idée ! Il faut qu'on se voie, histoire de régler ça ! » disait Mr. Pomfret d'une voix soudain plus joviale et claironnante. Delia tapa la fin de sa lettre (il insistait pour se faire appeler « Maître » en toutes lettres) et ôta la feuille du chariot. Mr. Pomfret surgit dans l'embrasure de la porte. « Miss Grinstead, quand Mr. Miller arrivera, j'aurai besoin que vous veniez prendre des notes. Nous allons envoyer un... Qu'est-ce que c'est que ça ?

— La lettre adressée à Gerald Elliott, lui rappela Delia.

— Elliott ! Mais notre entrevue remonte à... »

Elle vérifia la date en haut de la lettre. « Mai, dit-elle. Au 14 mai, exactement.

— Zut. »

Il était apparu que la précédente secrétaire avait rangé ses pensums les plus ingrats dans le classeur, sous la rubrique *En cours*. Tous les documents que Mr. Pomfret avait annotés à l'encre rouge s'étaient ainsi volatilisés. (Et ils étaient nombreux, car Katie O'Connell avait une orthographe désastreuse et ne croyait pas aux vertus du paragraphe.) Lorsque Delia lui avait apporté les preuves du forfait, Mr. Pomfret avait viré au cramoisi. À vrai dire, elle était secrètement ravie. Elle y gagnait une telle aura de compétence, un tel air d'efficacité et de responsabilité ! (Elle avait un peu l'impression de jouer aux petites rapporteuses, comme à l'école.) Et puis, retaper toutes ces lettres revenait à suivre une sorte de stage de formation de niveau débutant. Elle regretterait cette tâche lorsqu'elle arriverait à son terme.

« Mr. Miller doit arriver à deux heures et demie », lui annonça Mr. Pomfret. Il signait la lettre, penché au-dessus du bureau. « Je veux que vous notiez mot pour mot tout ce qu'il dira.

— Bien, Mr. Pomfret. »

Il se redressa en revissant le capuchon de son stylo et lui coula soudain un regard perçant par-dessus ses paupières inférieures de lézard. Parfois, Delia craignait de pousser un peu trop loin son numéro de parfaite secrétaire. Elle afficha un sourire hypocrite et reprit la lettre. Sa large signature se déployait au bas de la page, agrémentée de bavures dans les boucles. Il utilisait un de ces stylos allemands qui fuyaient.

« Et nous prendrons du café. Vous devriez le préparer dès maintenant.

— Bien, Mr. Pomfret. Certainement. »

Elle alla chercher la carafe dans le bureau de l'avocat et la remplit au robinet des toilettes. Lorsqu'elle revint, il était installé devant le bahut qui trônait dans son bureau et il tapotait de nouveau sur le clavier de son ordinateur, ses courtes jambes repliées sur le côté. Car il possédait bel et bien un ordinateur. Il l'avait acheté quelque temps auparavant pour aussitôt tomber sous son charme, ce qui pouvait expliquer qu'il n'ait rien remarqué d'étrange aux méthodes de classement de Katie O'Connell. Théoriquement, il était censé percer les mystérieux rouages de la machine avant de les enseigner à Delia, mais, dès la fin de la première matinée, Delia avait compris qu'elle n'avait rien à craindre. L'ordinateur conserverait à jamais cette place temporaire, tandis que Mr. Pomfret continuerait à batailler allègrement sur des questions de « backups » et de « macros. » Pour l'heure, il inventoriait tous les dîners qu'il avait organisés avec sa femme — liste des invités, menu, vins, jusqu'au plan de table — afin de pouvoir en changer les variables à l'infini. Delia toisa l'écran avec mépris et fit un large détour pour rejoindre la cafetière installée à l'autre bout du bahut.

Eau, filtre, café français. C'était une cafetière haut de gamme : elle moulait le café en grains. Sans doute provenait-elle d'un de ces catalogues qui surchargeaient le courrier du cabinet. Dès que Mr. Pomfret repérait un article qui lui plaisait, il priait Delia de passer commande. (« Bien, Mr. Pomfret... ») Elle composait des numéros verts à l'autre bout du pays, pour demander un réveil parlant, un dictionnaire électronique de poche, un coffret à cartes en cuir noir pour boîte à gants. Au spectacle de la rapacité de son patron, de son ventre obèse, Delia se sentait un modèle de vertu et d'élégance. Cela ne la dérangeait pas le moins du monde de passer des commandes. Elle aimait tous les aspects de son travail, et tout particulièrement sa sécheresse. Personne ne venait jamais vous parler de cancers inopérables dans un cabinet d'avocat. Personne ne vous disait ce que l'on ressentait lorsqu'on devenait aveugle. Personne ne prétendait se souvenir de vous lorsque vous étiez petite.

Elle pressa un bouton sur la cafetière qui se mit à moudre le café. « Au secours ! » glapit Mr. Pomfret par-delà le vacarme. Les yeux écarquillés, il fixait son écran d'ordinateur où les lignes de texte tremblotaient. Curieusement, il ne lui était jamais venu à l'esprit que cela arrivait systématiquement lorsque la cafetière moulait les grains. Delia quitta le bureau en refermant la porte discrètement derrière elle.

Elle commença une nouvelle lettre, qui précisait les statuts d'une société de comptabilité (les « statues », avait tapé Katie O'Connell). *Conformément à notre entretien*, tapa-t-elle, et puis *législation fiscale* et encore *en accord avec les sociétaires absents*. Elle sacrifiait la rapidité à l'exactitude, ainsi qu'il seyait à Miss Grinstead, et corrigeait ses rares fautes au Typex, sur l'original comme sur le carbone.

Mr. Miller arriva, un grand et bel homme au teint olivâtre dont le crâne s'ornait d'une étroite couronne de cheveux noirs. Delia lui emboîta le pas dans le bureau de Mr. Pomfret pour servir le café, puis elle se jucha sur une chaise, bloc-notes et stylo en main. Elle avait craint de ne pas écrire suffisamment vite, mais il n'y avait pas grand-chose à noter. Il s'agissait de déterminer à quelle fréquence l'ex-épouse de Mr. Miller verrait son fils. Pour Mr. Miller, la réponse était simple : « Jamais », ce que Mr. Pomfret rectifia en une fois par semaine, plus les vacances en alternance, les horaires devant être précisés à la convenance de son client. Puis la conversation dériva sur les ordinateurs et lorsque, au bout d'un moment, Delia jugea le sujet initial de l'entretien définitivement écarté, elle s'éclaircit la gorge et demanda : « Ce sera tout ?

— Hmm ? fit Mr. Pomfret. Oui, Miss Grinstead. » En sortant, elle l'entendit déclarer à Mr. Miller : « Nous allons régler cela tout de suite. Je vais demander à ma secrétaire d'expédier ce courrier dès cet après-midi. »

Delia s'installa sur sa chaise dactylo, glissa une feuille dans le chariot et commença à taper. On aurait pu mettre un verre en équilibre sur chacune de ses mains.

Le seul autre rendez-vous de l'après-midi était fixé à quatre heures — une dame qui avait hérité de titres boursiers à la mort de sa mère —, mais les services de Delia ne furent pas requis. Elle rédigea des adresses sur une série d'enveloppes et y inséra, après les avoir pliées, les lettres que Mr. Pomfret avait signées. Elle les ferma et y apposa des timbres qu'elle avait au préalable léchés. Elle répondit au téléphone à une certaine Mrs. Darnell qui prit rendez-vous pour le lundi suivant.

Mr. Pomfret passa devant elle en enfournant les bras dans les manches de son veston. « Bonsoir, Miss Grinstead.

— Bonsoir, Mr. Pomfret. »

Elle détacha les carbones et les rangea. Elle remit ce qu'il restait du dossier En cours dans le classeur. Elle répondit à un monsieur déçu d'apprendre que Mr. Pomfret était déjà parti, mais qui l'appellerait chez lui. Elle nettoya la cafetière. À cinq heures précises, elle baissa tous les stores, prit la pile de lettres ainsi que son sac et quitta le cabinet.

Mr. Pomfret lui avait confié la clef et déjà, elle connaissait tous les caprices de la porte en verre dépoli — il fallait exercer une légère poussée pour réussir à la fermer.

Dehors, il y avait encore du soleil et, en sortant du bureau climatisé, l'air paraissait chaud et lourd. Delia flânait en se laissant dépasser par les autres piétons — messieurs en costume d'affaires se ruant chez eux une fois leur journée de travail terminée, femmes se pressant avec des sacs en plastique de supermarché. Elle mit son courrier dans la boîte aux lettres du coin de la rue, puis, au lieu de tourner à gauche, elle poursuivit son chemin vers le nord pour rejoindre la bibliothèque, l'arrêt suivant dans sa routine quotidienne.

La topographie de la ville lui était désormais familière. C'était une grille parfaite, avec au cœur le square mathématiquement centré entre trois rues au nord et trois autres au sud, et deux rues à l'est ainsi qu'à l'ouest. En regardant vers l'ouest à un carrefour, on apercevait des pâturages, parfois même une vache. (Le matin, au réveil, Delia entendait au loin le chant des coqs.) Les trottoirs étaient ravinés, laissant apparaître ici et là quelques touffes d'herbe, et parfois même complètement défoncés, lorsqu'un arbre se dressait sur le chemin. Plus on s'éloignait du square, plus les rues avaient tendance à s'affaisser en plaques d'asphalte craquelées aux bords semés de mauvaises herbes, comme sur des routes de campagne.

Située dans Border Street, à la frontière nord de la ville, la bibliothèque de Bay Borough était coincée entre une église et une station-service. Elle avait toutes les apparences d'une simple villa mais, dès que Delia y pénétrait, elle était impressionnée par son caractère austère et solennel. Au-dessus des quatre tables assorties de chaises en bois, du haut comptoir de la bibliothécaire et des étagères bourrées à craquer de livres d'âge respectable, flottait une odeur de vieille colle et de papier jauni.

Pas la moindre trace de disque compact, de cassette vidéo ou de tourniquet de livres de poche, mais de simples et robustes volumes reliés en bougran, dont la cote avait été manuscrite à l'encre blanche sur le dos. Apparemment, la dernière acquisition devait dater d'une bonne décennie. Il n'y avait pas un seul best-seller en vue, mais une légion de Jane Austen, d'Edith Wharton et de dignes travaux d'historiens et de géographes. Le coin réservé aux enfants jetait des reflets provenant des innombrables couches de scotch qui évitaient que les albums en charpie ne s'effeuillent à tous vents.

Le bâtiment fermait à cinq heures et demie, si bien que la bibliothécaire était affairée à ses derniers classements. Delia pouvait placer le livre de la veille sur le comptoir sans avoir à bavarder et se mettre en chasse d'un autre pour le soir même à l'abri des regards, car, à cette heure-là, toutes les tables étaient inoccupées. Mais que choisir ? Elle regrettait qu'il n'y ait pas le moindre roman à l'eau de rose dans cet endroit. Elle ne parviendrait jamais à finir en une soirée un Dickens ou un Dostoïevski (elle s'obligeait à lire un livre par soir). George Eliot, Faulkner, Fitzgerald...

Elle fixa son choix sur *Gatsby le Magnifique*, dont elle n'avait que de vagues réminiscences remontant au temps de ses cours de littérature au lycée. Elle l'apporta sur le comptoir et la bibliothécaire (une dame d'une cinquantaine d'années à la peau chocolat) interrompit son classement pour s'occuper d'elle. « Ah, Gatsby ! » soupira-t-elle. Delia se contenta d'un murmure d'acquiescement et lui tendit sa carte.

La carte indiquait sa nouvelle adresse : 14, George Street. La ligne réservée au numéro de téléphone était barrée. C'était la première fois de sa vie qu'elle était injoignable au téléphone.

Elle fourra son livre dans son sac à main et, en sortant de la bibliothèque, prit la direction du sud. La Friperie Pince-Maille avait changé sa vitrine. Une robe de jersey bleu marine y était désormais accrochée à côté d'un smoking rose nacré. N'était-ce pas quelque peu mesquin d'aller s'acheter sa robe de rechange dans une boutique de vêtements d'occasion ? Dans une ville de cette taille, nul doute que personne n'ignorait le nom de sa précédente propriétaire.

Mais après tout, qu'est-ce que cela pouvait bien lui faire ? Elle décida de venir essayer la robe le lendemain à l'heure du déjeuner.

En tournant à droite dans George Street, elle croisa la maman et le bambin qui nourrissait les pigeons dans le square. La jeune mère lui sourit et, sans réfléchir, Delia lui rendit son sourire. Toutefois, elle détourna immédiatement les yeux.

L'arrêt suivant était le café Rick Rack. Au passage, elle jeta un coup d'œil à la pension. Elle constata avec plaisir qu'il n'y avait pas de voiture garée devant. Avec un peu chance, Belle passerait toute la soirée dehors. Manifestement, elle menait une existence fort agitée.

Chez Rick Rack flottait une odeur de croquettes de crabe mais, sitôt avalées, celui ou celle qui les avait commandées s'était manifestement envolé. La petite serveuse rousse remplissait les salières. Le cuisinier récurait sa plaque de cuisson. « Tiens, bonjour ! lança-t-il en se retournant à l'entrée de Delia.

— Bonjour », répondit-elle en souriant. (Tant que cela n'allait pas plus loin, elle n'avait rien contre la simple courtoisie.) Elle s'installa à sa table habituelle. Quand la serveuse arriva, elle était déjà plongée dans son livre. « Un verre de lait et une tourte au poulet », se contenta-t-elle d'annoncer avant de poursuivre sa lecture.

La veille au soir, elle avait pris un potage et une tartine de pain complet ; l'avant-veille, de la salade de thon. Elle avait prévu d'alterner les dîners à base de potage et ceux à base de protéines. Des protéines bon marché, cependant. Elle n'était pas en mesure de s'offrir des croquettes de crabe tant qu'elle n'aurait pas touché son premier salaire.

En réglant sa nouvelle paire de chaussures, mardi, elle avait regretté de ne pas pouvoir utiliser la carte de crédit qu'elle avait dans son portefeuille. Si seulement il n'était pas si facile de retrouver la trace d'une carte de crédit ! Puis une curieuse pensée lui avait traversé l'esprit : *La meilleure manière de ne pas laisser de trace serait de mourir.*

Mais il allait de soi que cela n'était pas à prendre au pied de la lettre.

Le volume de la bibliothèque était imprimé en si gros caractères qu'elle craignit d'avoir choisi un livre qui ne lui durerait pas toute la soirée. Elle se força à parcourir les pages plus lentement et, lorsque son dîner fut servi, elle interrompit sa lecture. Elle le garda toutefois ouvert à côté de son assiette, pour parer à toute visite importune.

La serveuse entreprit de disposer les sets de table pour la clientèle du soir. Le cuisinier touillait quelque chose sur le feu. Sa nuque était creusée de deux rides ; son crâne noir et lisse paraissait brodé d'un motif au point de croix. Il avait entièrement préparé la tourte au poulet de ses mains, se disait-elle. La croûte s'émiettait sous sa fourchette. Et la purée de pommes de terre servie en accompagnement semblait avoir été écrasée à la fourchette, car elle n'avait pas cette consistance gluante de la purée broyée au mixeur.

Elle se demanda si sa famille avait pensé à décongeler les plats préparés qu'elle avait emportés.

« Si jamais il vient, disait le cuisinier à la serveuse, il faut que tu te débrouilles pour l'occuper. Parce que c'est pas moi qui vais m'en charger.

— Mais il faut bien que tu sois là, répondit-elle.

— Je dis pas que je serai pas là. Je dis seulement que je l'occuperai pas. »

La serveuse regarda Delia avant qu'elle n'ait eu le temps de détourner les yeux. Elle avait ces petits yeux myosotis fréquents chez les roux et une figure innocente au menton rond. « Papa a l'intention de nous faire une visite, expliqua-t-elle.

— Ah, fit Delia en tendant la main vers son livre.

— Quand on s'est mariés, Rick et moi, il était pas franchement ravi. »

La serveuse et le cuisinier étaient mariés ? Si elle se remettait à lire à présent, ils risquaient de penser qu'elle désapprouvait également un tel mariage. Aussi marqua-t-elle sa page d'un doigt pour déclarer : « Je suis sûre qu'il finira par accepter.

— Oh, il a accepté ! Enfin, c'est ce qu'il prétend. Mais maintenant, à chaque fois que Rick le voit, il peut pas s'empêcher de repenser aux vacheries que papa lui a faites au début.

— Je supporte pas de me retrouver à côté de lui, soupira tristement Rick.

— Sitôt que papa rentre dans une pièce, Rick se ferme comme une huître et ne pipe plus mot.

— Du coup, Teensy sent la tension monter et elle se met à jacasser pour ne rien dire, un vrai moulin à paroles. »

Delia savait ce que c'était. Lorsque sa sœur Linda avait épousé ce Français que son père détestait...

Mais elle ne pouvait pas le leur dire. Elle était seule à cette table, complètement seule, sans même pouvoir s'abriter derrière ce bouclier de la conversation que constituaient père, sœurs, mari et enfants. Elle n'avait pas de passé. Elle prit sa respiration pour parler, mais ne trouva rien à dire. Ce fut Teensy qui finit par rompre le silence : « Enfin, on a quelques jours pour se préparer. » Puis elle alla servir un couple qui venait d'entrer.

Lorsque Delia sortit du café, l'air était plus léger — plus vaporeux, plus transparent — et elle traversa la rue d'une démarche flottante. Derrière la porte d'entrée de la pension, elle trouva un éventail d'enveloppes dispersées sous la fente de la boîte aux lettres, mais elle ne prit pas la peine de les ramasser, ni même de lire le nom des destinataires, sachant qu'aucune ne pouvait lui être destinée.

Une fois en haut, elle se livra au rituel qu'elle observait chaque jour en rentrant : elle rangea ses affaires, se doucha, fit sa lessive. Elle tendait cependant l'oreille, guettant l'éventuel retour de Belle, car elle aurait veillé à faire moins de bruit s'il y avait eu quelqu'un dans les parages. Mais elle avait la certitude d'avoir la maison pour elle.

Lorsqu'elle eut accompli toutes ces tâches, elle s'installa sur son lit avec son livre. S'il y avait eu un fauteuil, elle aurait lu assise, mais elle n'avait pas le choix. Elle se demanda si la chambre de Mr. Lamb était mieux équipée. Sans doute pourrait-elle demander un fauteuil à Belle. Mais cela l'obligerait à lui faire la conversation, et les conversations, Delia les évitait autant que possible. Elle frémissait à l'idée qu'elles soient amenées à devenir deux confidentes bavardes qui, tous les soirs, s'échangeraient des nouvelles de leur journée de travail.

Elle adossa son oreiller au barreau métallique à la tête de son lit et se renversa en arrière. Dans un premier temps, elle se satisferait pour lire de la lumière du jour — un chaud rayon d'or qui l'incitait à une douce paresse. Elle entendait les pleurs d'un bébé de l'autre côté de la rue. Au loin, une femme cria : « Robby ! Kenny ! », sur ces deux notes, pareilles au son d'une cloche, que partout les mères utilisent pour ramener leur progéniture au bercail. Delia continua à lire en tournant les pages dans un paisible bruissement. Elle suivait avec intérêt l'histoire de Gatsby, mais sans se sentir pour autant transportée. Cela occuperait sa soirée, voilà tout.

Le jour faiblit et elle alluma la lampe de bureau qui se trouvait sur le rebord de la fenêtre, braquée au-dessus de son épaule. Sitôt délivrés de la corvée du dîner, les enfants d'en face étaient retournés jouer dehors à un jeu passablement turbulent. Delia leur prêta attention pendant un moment puis elle oublia de les écouter. Lorsqu'elle repensa à eux, elle s'aperçut qu'ils devaient être rentrés se coucher. La nuit était tombée et les phalènes frappaient à coups sourds contre la moustiquaire. Dans la rue, une portière claqua ; des talons retentirent dans la véranda. Belle entra dans la maison et se rendit tout droit dans la pièce de façade où elle téléphona. « Vous savez qu'elle offre un remarquable potentiel de plus-value », surprit Delia, avant d'oublier à nouveau d'écouter. Plus tard, elle interrompit un instant sa lecture et n'entendit plus que le silence au-dedans comme au-dehors, ponctué de la seule rumeur lointaine de la circulation sur la 380. La fraîcheur du soir était tombée et elle appréciait le petit cercle de chaleur qui rayonnait de la lampe.

Elle était parvenue à la fin de son livre, mais elle lut et relut la dernière phrase jusqu'à en avoir les yeux brouillés de larmes. Puis elle le posa par terre et éteignit la lampe pour sangloter dans le noir — ultime étape de son rituel quotidien.

L'esprit vide, elle pleura à lourds sanglots silencieux qui lui torturaient la poitrine et lui contorsionnaient la bouche. De temps à autre, elle se mouchait dans un bout de papier toilette qu'elle gardait sous son oreiller. Lorsqu'elle se sentit à bout de forces, elle soupira dans un frisson et dit à voix haute : « Enfin... » Puis elle se moucha une dernière fois et s'allongea pour s'endormir.

Elle était toujours sidérée de sombrer dans un sommeil aussi profond.

Le bambin insistait pour que les pigeons lui mangent dans la main. Accroupi parmi eux, son volumineux derrière de velours côtelé à ras du sol, il leur tendait un croûton de pain. Mais les pigeons se pavanaient sous son nez en lui coulant des regards matois, évasifs, et lorsqu'il comprit soudain qu'ils ne s'approcheraient pas davantage, il bascula en arrière sans crier gare et, de rage, se mit à pédaler en l'air. Delia sourit, à l'abri cependant de son journal.

Ce jour-là, il n'était plus fait mention de sa disparition. Elle se demanda si les autorités l'avaient déjà oubliée.

Elle replia les pages d'informations locales et posa le journal sur le banc à ses côtés. En tendant la main pour attraper le yaourt qui était sur sa gauche, elle aperçut dans son champ de vision une femme qui l'observait à quelques mètres de là.

Son cœur fit un bond dans sa poitrine. « Eliza ? »

Eliza s'avança brusquement, comme si elle venait en cet instant même de prendre une décision.

Il n'y avait personne à ses côtés, personne derrière.

Personne.

Elle était vêtue d'une robe — une robe chemisier ocre qui datait de l'époque où il y avait encore un grand magasin Stewart non loin de chez eux. Eliza ne portait quasiment jamais de robe. Ce devait être une occasion exceptionnelle, se dit Delia, avant de songer : *Mais c'est moi, cette occasion.* Elle se leva en triturant son pot de yaourt. « Bonjour, Eliza.

— Bonjour, Delia. »

Elles restèrent gauchement plantées l'une en face de l'autre, Eliza serrant à deux mains une grosse pochette carrée en cuir. Delia se souvint alors du vieillard du banc est. Il avait beau faire semblant d'être plongé dans son magazine, elle ne s'y trompait pas. « Veux-tu que nous allions faire un tour ? demanda-t-elle.

— Pourquoi pas », répondit Eliza d'un ton guindé.

Elle était probablement en colère. Évidemment. Quoi d'étonnant à cela ? Tandis qu'elle fourrait pêle-mêle les restes de son déjeuner dans la poubelle, Delia avait l'impression d'être une petite fille qui dissimulait un quelconque méfait. Et puis elle sentait le rouge lui monter au front. Satanée peau fine qui la trahissait à la moindre occasion ! Elle passa à l'épaule la bandoulière de son sac à main et traversa le square avec Eliza à la traîne, qui semblait vouloir ainsi accentuer l'obstination de sa sœur, son insensibilité. Lorsqu'elles furent dans la rue, Delia s'arrêta et fit volte-face. « Tu penses sans doute que je n'aurais jamais dû faire ça.

— Je n'ai rien dit de tel. J'attends que tu t'expliques. »

Delia se remit en marche. Si elle avait su qu'Eliza surgirait ainsi sans crier gare, elle aurait inventé à l'avance une raison quelconque. C'était absurde de n'en avoir aucune à fournir.

« Mr. Sudler pense que tu étais une femme battue, déclara Eliza.

— Qui donc ?

— Le couvreur. Vernon Sudler.

— Ah, Vernon. » Évidemment, il devait avoir lu le journal.

Elles traversèrent la rue et se dirigèrent vers le nord. Delia avait prévu de faire un tour à la boutique de vêtements d'occasion, mais à présent elle ne savait plus où aller.

« Il nous a appelés à Baltimore, poursuivit Eliza. Il a demandé...

— Baltimore ! Mais que faisiez-vous à Baltimore ?

— Nous avons plié bagage et nous sommes rentrés sitôt après ton départ. Tu ne croyais tout de même pas que nous allions rester au bord de la mer ? »

À vrai dire, c'est précisément ce que Delia pensait. Mais elle se rendait compte à présent de l'incongruité de la situation : toute sa petite famille affairée comme à l'accoutumée à se tartiner d'écran solaire et à gonfler assidûment des canots pneumatiques, tandis que les policiers faisaient renifler ses pantoufles à leurs chiens.

« Tout d'abord, nous avons cru que tu étais rentrée à Baltimore, expliquait Eliza. Inutile de te décrire la tête des ponceurs en nous voyant tous débarquer. Et quand nous avons constaté que tu n'étais pas là... Enfin, Dieu merci, Mr. Sudler a téléphoné. Il a appelé hier soir en demandant à me parler en personne et la chance a voulu que ce soit moi qui ai décroché. Il a dit qu'il pouvait jurer que tu n'avais pas été kidnappée, mais qu'il n'osait pas en parler à la police parce que, à son avis, tu avais de bonnes raisons de t'enfuir. Il a dit que que tu étais descendue de son mobile home devant une église qui sert de refuge aux femmes battues.

— Non, c'est vrai ? »

Delia s'arrêta net devant la vitrine du fleuriste.

« Il paraît que tu as vu le panneau et que tu lui as demandé de descendre.

— Quel panneau ?

— Et puis, il y a aussi une histoire de discussion, à ce qu'il a dit, quelque chose dont vous aviez parlé tous les deux et qui, après coup, lui a mis la puce à l'oreille... Mais il n'a pas voulu me dire où tu étais, au cas où ton mari serait dangereux. "Dangereux ! Mais Sam Grinstead est le meilleur des hommes !" je lui ai dit. Mais Mr. Sudler n'a pas voulu en démordre. "J'ai seulement téléphoné pour vous prévenir qu'elle allait bien. Et puis aussi, je voulais dire que sur l'instant, je ne savais pas qu'elle était en fuite. Elle m'a seulement supplié de l'emmener dans une certaine ville, en prétendant qu'elle y avait de la famille, alors du coup j'ai pensé qu'il n'y avait pas de mal à cela." Et puis il m'a demandé de ne pas en parler à Sam, mais évidemment je le lui ai raconté. Je pouvais difficilement garder un tel secret. J'ai dit à Sam que je viendrais d'abord voir ce qu'il en était. »

Elle observa un silence. Manifestement, elle tenait à ce que Delia lui pose la question. Bon, qu'à cela ne tienne. « Et qu'est-ce que Sam a répondu ?

— Il a dit que naturellement il fallait que j'y aille. Il était absolument de cet avis.

— Ah. »

Nouveau silence.

« Et il a parfaitement compris que je ne puisse pas divulguer le nom de la ville en question avant de t'avoir parlé.

— Je vois », dit Delia. Puis elle ajouta : « Mais comment as-tu su de quelle ville il s'agissait ?

— Mais, parce que tu as dit à Mr. Sudler que tu avais de la famille ici.

— De la famille. Euh...

— Notre famille maternelle ! À Bay Borough.

— La famille de maman habitait à Bay Borough ?

— Autrefois, oui. Il est possible que certains y habitent encore, mais je n'en ai jamais entendu parler. Ne me dis pas que tu ne le savais pas. Bay Borough ? C'est là qu'habitait tante Henny. Et le grand-oncle Roscoe, c'est là qu'il avait son élevage de poulets, un petit peu plus à l'ouest.

— C'était à Bay Borough ?

— Mais où veux-tu que ce soit ?

— Je ne l'ai jamais su.

— Je ne vois pas comment tu as fait ton compte. Franchement, il y a même une rue qui porte le nom des Weber, le nom de jeune fille de grand-mère Carroll. Je l'ai traversée en venant de la 380. Et une autre, Carroll Street, juste au sud d'ici, si je me souviens bien. Il y en a bien une, non ?

— Oui, mais je croyais qu'il s'agissait des autres Carroll. Ceux de la déclaration d'Indépendance.

— Eh non, ma belle, ce sont nos Carroll à nous », répliqua Eliza d'un ton satisfait. De toute évidence, cette démonstration l'avait mise de meilleure humeur.

Elles se remirent en marche et passèrent devant le cabinet

du dentiste, puis le magasin de l'opticien. « En fait, il semblerait même que nous soyons apparentés au fondateur de cette ville, poursuivit Eliza. Mais seulement par alliance.

— Le fondateur... Tu veux parler de George Bay ?

— Tout à fait.

— George Bay, le déserteur ?

— Tu peux parler, si je puis me permettre. »

Delia encaissa le coup.

« Alors, j'ai pris la route ce matin, expliqua Eliza, et je me suis renseignée dans tous les endroits où tu pouvais séjourner. Mais il s'est avéré qu'à part le petit motel sordide d'Union Street, il n'y avait qu'une seule auberge. Et quand j'ai vu que tu n'y étais pas, je me suis dit que je surveillerais le square, car à le voir, c'est typiquement le genre d'endroit que les gens traversent à un moment ou à un autre de la journée. »

Elles étaient à deux pas du cabinet de Mr. Pomfret. Si jamais il était rentré de déjeuner, il risquait de la voir passer en jetant un coup d'œil par la fenêtre de façade. Miss Grinstead accompagnée ! Prise en flagrant délit de sociabilité !

Elle n'avait plus qu'à espérer qu'il se trouvait encore au restaurant Bay Arms avec ses vieux copains. Arrivée dans George Street, elle tourna à gauche. Elles longèrent la devanture du Paradis des Animaux, où un jeune garçon disposait des jouets en caoutchouc à côté des sacs de croquettes.

« Delia, reprit Eliza, Mr. Sudler s'est trompé, n'est-ce pas ? C'est-à-dire... y a-t-il... un problème dont tu voudrais me parler ?

— Oh non.

— Ah ! » Eliza en devint presque jolie. « Tu vois ! Je le lui avais bien dit ! s'écria-t-elle. Je lui ai dit que j'étais certaine que tu avais seulement besoin de respirer un peu. Tu sais ce qu'ils ont raconté, à la police ? Quand on leur a téléphoné, il y en a un qui a dit : "Vous savez, je parie tout ce que vous voulez qu'elle est hors de danger et en parfaite santé. Vous n'imaginez pas le nombre de femmes qui se mettent en tête de partir comme ça alors qu'elles sont en vacances en famille." Tu savais ça, toi ? C'est curieux, non ?

— Hmm », fit Delia. Elle avait l'impression d'avoir des boulets aux pieds et arrivait à peine à avancer.

« Il doit avoir une certaine expérience, à force de travailler à Bethany Beach.

— Sans doute, oui.
— Alors, Dee, on va chercher tes affaires ?
— Mes affaires », répéta Delia. Elle s'arrêta net.
« Je suis garée à côté du square. Tu as des bagages ? »
Une force étreignit Delia à la gorge, quelque chose comme de l'entêtement, mais en plus farouche. Elle fut prise au dépourvu par sa violence. « Non ! » s'écria-t-elle. Elle avala sa salive. « Non, je ne pars pas avec toi.
— Pardon ?
— Je veux... j'ai besoin de... Je me suis fait ma place ici, j'ai un travail, un statut, une maison. Tu vois ? C'est là que j'habite », dit-elle en gesticulant en direction de la maison de Belle. Les rideaux de mousseline du rez-de-chaussée lui parurent soudain ressembler à des bandages.
« Tu as une maison ? s'étonna Eliza en contemplant la pension.
— Enfin, une chambre. Viens voir ! Entre ! »
Elle saisit sa sœur par le coude et l'entraîna vers la véranda. Eliza renâclait, le bras aussi raide qu'une aile de poulet. « Elle appartient à un agent immobilier, poursuivit Delia en ouvrant la porte. Une femme très gentille. Le loyer est on ne peut plus raisonnable.
— Cela ne m'étonne pas, persifla Eliza en regardant autour d'elle.
— Je travaille chez un avocat, à deux pas d'ici. C'est le seul avocat en ville et il s'occupe de tout, successions, ventes de biens... et moi, je suis responsable de tout son cabinet. Je parie que tu ne me croyais pas capable de faire ça, hein ? Tu pensais sans doute que si j'avais travaillé avec papa, c'est seulement parce que j'étais sa fille, mais maintenant je m'aperçois... »
Elles grimpaient l'escalier. Delia ouvrait la marche. Elle regrettait que Belle n'ait pas accroché de tableaux. Ou changé le papier peint. « En gros, j'ai tout l'étage pour moi. L'autre pensionnaire est en voyage toute la semaine. Du coup, j'ai ma salle de bains à moi, tu vois ? » ajouta-t-elle en l'indiquant d'un geste. Elle ouvrit la porte de sa chambre et entra. « Voilà, c'est chez moi », dit-elle en posant son sac à main sur la commode.
Eliza avança à pas lents.
« C'est idéal, non ? Je sais que cela fait un peu vide, mais...
— Delia, serais-tu en train de me dire que tu comptes vivre ici ?

— Mais j'y vis déjà !
— Oui, mais... pour toujours ?
— Oui, pourquoi pas ? Assieds-toi. Est-ce que je peux t'offrir un thé ?
— Oh, je... non, merci. » Eliza se cramponna davantage encore à sa pochette. Elle semblait déplacée dans ce cadre — simple visiteuse venue du pays, avec cette allure humble, effacée, qu'ont toujours vos compatriotes lorsqu'ils sont loin de chez eux. « Je voudrais seulement m'assurer d'avoir bien compris.
— J'en ai pour une seconde à faire chauffer de l'eau. Assieds-toi sur le lit.
— Tu es en train de m'annoncer que tu nous quittes pour toujours, reprit Eliza sans bouger. Tu as l'intention de t'installer définitivement à Bay Borough. Tu quittes ton mari, tu quittes tes trois enfants, dont un va encore au lycée.
— Il va au lycée, oui, il a quinze ans et il est parfaitement capable de se débrouiller sans moi. » Avec horreur, elle sentit ses paupières gagnées par de chaudes larmes. « Et sans doute mieux, même, poursuivit-elle avec fermeté. Comment vont les enfants, d'ailleurs ?
— Ils sont abasourdis. Qu'est-ce que tu crois ?
— Mais à part ça, comment vont-ils ?
— Parce que cela te tracasse ?
— Mais bien sûr ! »
Eliza s'éloigna. Delia croyait qu'elle se laisserait fléchir et s'assiérait sur le lit, mais elle alla regarder par la fenêtre. « Sam, comme tu peux l'imaginer, n'en revient pas, déclara-t-elle, le dos tourné à Delia.
— Ça, il doit regretter de ne pas avoir opté pour les numéros un ou deux. »
Eliza fit volte-face. « Delia, qu'est-ce qui te prend ? Aurais-tu complètement perdu la raison ? Te voilà avec un mari merveilleux, un modèle de mari qui erre dans la maison comme un zombie, des enfants qui ne savent pas que penser, des voisins aux quatre cents coups, sans compter les journalistes de télé et de radio qui assurent notre renommée d'un bout à l'autre du Maryland.
— C'est passé à la télévision ?
— Sur toutes les chaînes de Baltimore. Avec une grande

photo couleurs s'affichant à l'écran : Avez-vous vu cette femme ?

— Quelle photo ont-ils prise ?

— Celle du mariage de Linda.

— Mais elle date d'il y a des années !

— Les trois quarts du temps, c'est toi qui prenais les photos. On n'avait guère le choix !

— Mais j'avais cette horreur de robe de demoiselle d'honneur sur le dos ! À voir les épaules, on aurait dit que j'avais oublié d'enlever le cintre !

— Delia, depuis que Mr. Sudler a téléphoné, je n'ai pas cessé d'essayer de comprendre ce qui a pu te pousser à nous quitter comme ça, sans crier gare. Jusque-là, j'avais toujours pensé que tout avait été si facile pour toi. Petite dernière de la famille. Mignonne comme un cœur. Miss Popularité en personne au lycée. La chouchoute de papa. C'est vrai que tu n'as pas eu de mère, mais tu n'avais pas l'air de t'en apercevoir. Tu n'avais que quatre ans quand elle est morte et tout le temps que tu l'as connue, elle était clouée au lit. Mais maintenant, je me dis qu'à quatre ans tu n'étais plus un bébé ! Bien sûr que tu as dû t'en apercevoir. Bon sang, tu passais tous tes après-midi à jouer dans sa chambre !

— Je ne m'en souviens pas.

— Mais si, tu dois t'en souvenir. Elle et toi, vous aviez des poupées en papier que tu rangeais dans une boîte à chaussures au fond de son placard et tous les après-midi...

— Je ne m'en souviens pas du tout ! Pourquoi insistes-tu tellement ? Je n'ai aucun souvenir d'elle !

— Et puis cette préférence que te marquait papa n'avait peut-être pas que des avantages. Quand il t'a découragée de t'inscrire en fac, en prenant pour acquis que tu viendrais travailler au cabinet... Enfin, je comprends parfaitement que tu aies pu lui en vouloir.

— Mais je ne lui en ai jamais voulu !

— Et puis sa mort : il était évident que sa mort te toucherait davantage que...

— Je ne vois pas pourquoi tu remues tout ça !

— Écoute seulement ce que j'ai à te dire, s'il te plaît. Dee, tu sais que je suis convaincue que les êtres humains ont plusieurs vies. »

D'ordinaire, Delia aurait maugréé. Cette fois, elle fut ravie de voir la conversation changer de cap.

« Chaque vie représente une sorte de mission, poursuivit Eliza. À chaque fois qu'on arrive sur terre, on se voit assigner une place précise, un petit carré d'expériences à mener à terme. Et même si on a connu une vie un peu chahutée, j'ai la conviction que la mission qui nous est dévolue à chaque tour est de se colleter avec elle jusqu'au bout.

— Et qu'est-ce qui te dit que Bay Borough ne figure pas au programme de la mission qui m'a été assignée ? »

Un pli d'incertitude barra le front d'Eliza.

« Eliza, je me demandais...

— Oui ? fit Eliza avec empressement.

— Avez-vous ramené le chat... ? »

C'était une erreur. Au fond du regard d'Eliza, quelque chose se ferma. « Le chat ! s'exclama-t-elle. C'est donc là tout ce qui te tracasse !

— Mais bien sûr que non. C'est seulement qu'il se cachait sous un meuble quand je suis partie et je ne savais pas si vous y avez...

— Nous y avons pensé, rétorqua sèchement Eliza. Pourquoi, je l'ignore. Ce satané matou est si vieux qu'il ronfle même quand il ne dort pas.

— Vieux ?

— On a également embarqué tous tes vêtements et tes petits plats. Cette pauvre Susie s'est retrouvée obligée d'empaqueter... Mais Delia ? Tu pleures ?

— Non, répondit-elle d'une voix étouffée.

— Tu pleures à cause du chat ?

— Non, je t'ai dit ! »

Oh, elle savait bien que ce n'était plus un chaton. (Il avait été si joyeux, étant chaton — un chaton doté du sens de l'humour qui rôdait avec ostentation du côté des plantes vertes avant de venir lui faire des grâces.) Mais, lorsqu'elle pensait à lui, elle l'imaginait toujours dans la fleur de l'âge et ce n'est qu'en cet instant qu'elle revoyait comment depuis quelques mois il marquait un temps d'arrêt avant de tenter le moindre saut. Comment, au printemps dernier, alors qu'elle l'avait chassé du plan de travail, il était retombé maladroitement en pédalant à toutes griffes pour atterrir en un amas de poils embarrassé et s'empresser de se lécher l'arrière-train comme s'il avait toujours eu l'intention de prendre cette pose.

Elle écarquilla les yeux pour éviter que les larmes ne débordent.

« Delia, reprit Eliza, y a-t-il quelque chose que tu ne me dis pas ? Est-ce que cela a quelque chose à voir avec ce... cet homme ? »

Delia ne prit pas la peine de feindre la perplexité. « Non, il n'a rien à voir là-dedans. » Puis elle s'approcha de la tête du lit, en forçant Eliza à reculer d'un pas. Elle attrapa le papier toilette sous l'oreiller et se moucha. « C'est sans doute que je deviens folle, dit-elle.

— Mais non ! Tu n'es pas folle ! Juste un peu... oh, fatiguée, peut-être. À bout de nerfs. Tu sais ce que je crois ? Je crois qu'aucun d'entre nous n'a vu combien tu t'étais exténuée à t'occuper de papa au cours de sa dernière maladie. Et puis, tu dois faire de l'anémie ! Tu as besoin d'un bon repos. De vacances au calme, toute seule. Ce n'est pas une si mauvaise idée d'être venue à Bay Borough. Quelques jours encore, quelques semaines peut-être, et tu seras de nouveau parmi nous, remise à neuf.

— Possible, fit Delia d'un ton incertain.

— Et c'est ce que je vais aller dire à la police. “Elle s'est accordé une petite permission dans le berceau familial.” Voilà ce que je vais leur dire. Parce que, vois-tu, il faut bien que je les tienne au courant.

— Je sais.

— Et puis, il va falloir que je prévienne Sam.

— Oui.

— Et il va sans doute vouloir en reparler avec toi. »

Delia tamponna ses yeux avec le papier toilette.

« Je ne suis pas vraiment à la hauteur dans ce genre de situation », soupira Eliza. Elle ôta une main de sa pochette pour la poser sur l'épaule de sa sœur.

« Mais non, lui assura Delia, tu t'en tires très bien. »

Une tristesse subite l'envahit lorsqu'elle s'aperçut qu'Eliza avait mis du rouge à lèvres (un rose sucré qui jurait avec son teint brouillé). Eliza ne s'embarrassait jamais de maquillage. Sans doute avait-elle éprouvé le besoin de revêtir une armure pour affronter cette visite.

« Je demanderai à Sam de t'apporter des vêtements, d'accord ?

— Non, c'est gentil.

— Une robe ou deux ?

— Non, rien. »

Eliza laissa retomber sa main.

Elles quittèrent la chambre, Eliza ouvrant la marche, et descendirent l'escalier. « Et comment vont tes plantations ? s'enquit Delia d'un ton faussement enjoué.

— Oh, tu sais... », marmonna Eliza. Une fois dans le vestibule du rez-de-chaussée, elle ajouta : « Tu vas avoir besoin d'argent.

— Non.

— Si j'avais su que tu ne rentrerais pas avec moi... Je n'ai pas grand-chose sur moi, mais prends-le toujours, c'est de bon cœur.

— Sincèrement, je n'en ai pas besoin. Je touche un salaire très confortable chez l'avocat. Je n'en croyais pas mes oreilles quand il me l'a annoncé. » Elle passa devant Eliza pour lui ouvrir la porte. « D'autant que, tu le sais, j'ai emporté l'argent des vacances. Cinq cents dollars. Je m'en veux déjà suffisamment.

— Oh, nous nous sommes débrouillés », dit Eliza, l'œil rivé sur une planche de la véranda à l'aspect fibreux.

Delia aurait pu la raccompagner à sa voiture, ou tout du moins jusqu'au cabinet de Mr. Pomfret, mais cela aurait prolongé les adieux. Elle avait donc préféré laisser son sac à main au premier et, les bras croisés, elle se tenait sur la véranda, dans l'attitude de celle qui s'apprête à retourner à l'intérieur. « Je suis sûre que vous vous êtes débrouillés. C'est seulement que je suis furieuse contre moi-même de ne pas être partie de rien. Partie... comment dire... à égalité.

— À égalité ?

— À égalité avec les sans-logis, quelque chose comme ça. Je ne sais pas... je ne sais pas ce que je veux dire ! »

Eliza se pencha pour poser sa joue contre celle de sa sœur. « Tout ira bien, lui assura-t-elle. Ce petit repos va faire merveille, crois-moi. Et en attendant, Dee... » Elle s'apprêtait à tourner les talons, mais elle sembla frappée par une idée subite. « En attendant, souviens-toi du dicton favori du grand-oncle Roscoe.

— C'était quoi ?

— Ne fais jamais ce que tu ne peux défaire.

— Je m'en souviendrai.

— Oncle Roscoe était peut-être un ours mal léché, mais parfois, il était plein de bon sens. »

Delia lui lança : « Rentre bien. »

Elle suivit Eliza du regard — petite silhouette toute d'économie et d'énergie — jusqu'à ce qu'elle ait disparu au coin de la rue. Puis elle retourna chercher son sac dans la maison.

En grimpant l'escalier, elle songea : *Mais si on devait ne jamais faire ce qu'on ne peut défaire, on finirait par ne rien faire.* Elle fut tentée de rebrousser chemin et de rattraper Eliza pour le lui dire, mais elle n'aurait pu supporter d'avoir à recommencer les adieux.

8

Ce soir-là, elle lisait *Le soleil se lève aussi* d'Hemingway, mais elle n'arrivait pas à le finir parce qu'elle était sans cesse distraite. On était vendredi, c'était le début du week-end. La rumeur de la circulation sous ses fenêtres semblait plus animée, plus joyeuse, les voix des passants paraissaient plus sonores. « Youhou ! Nous voilà ! » s'écria un adolescent. L'espace d'un instant, Delia perdit le fil de sa phrase. Vers huit heures, quelqu'un traversa la véranda — non pas Belle, mais quelqu'un chaussé de semelles plates, qui marchait lentement, comme accablé de fatigue ou de tristesse. Elle baissa son livre et tendit l'oreille. La porte d'entrée s'ouvrit, il pénétra dans la maison, l'escalier craqua marche à marche. Il montait. Puis la poignée de la porte d'en face cliqueta et elle se dit : *Ah oui, l'autre pensionnaire.*

Elle s'était replongée dans sa lecture, mais de temps à autre un bruit venait troubler sa concentration — une toux profonde, le glissement de cintres métalliques sur la tringle du placard. Lorsqu'elle entendit le jet de la douche, elle se leva et s'approcha de sa porte à pas de loup pour s'assurer qu'elle était bien fermée à clé. Puis elle remonta sur son lit et relut le paragraphe qu'elle venait de lire.

Une heure ou deux plus tard, Belle arriva. Elle était accompagnée d'un homme. Delia entendit un rire jovial, tonitruant, qu'elle n'avait jamais entendu auparavant. « Allez, un peu de sérieux ! » lança Belle. Au rez-de-chaussée, la télévision s'alluma et la porte du réfrigérateur claqua avec un bruit mat.

Mr. Lamb se révéla être un brun émacié d'une quarantaine d'années, au cheveu raide et à l'œil cave. Delia le croisa le lendemain matin dans l'escalier en allant faire une course.

« Bonjour, lui dit-elle sans s'arrêter, bien déterminée à limiter leurs échanges au strict minimum. Mais elle n'avait aucun souci à se faire. Mr. Lamb s'aplatit contre le mur et adressa un pitoyable sourire à ses chaussures en marmonnant quelque chose d'inintelligible. Sans doute ne se réjouissait-il pas plus qu'elle à l'idée de devoir faire salle de bains commune.

Elle était en quête d'une banque ouverte le samedi. Elle voulait toucher le chèque de salaire qu'elle avait reçu la veille. Il avait été émis de la First Farmers, tout près du square, un peu au nord, mais elle en trouva les portes closes et résolut d'aller jusqu'à la Bay Borough Federal. La matinée était fraîche, le vent s'était levé et les nuages sombres qui plombaient le ciel lui donnaient des reflets mauves. Ce quartier de la ville, où elle n'était plus retournée depuis son arrivée, lui apparaissait à présent sous un tout autre jour. Il avait l'air presque suranné. Les bâtisses avaient des couleurs si fanées qu'elles ne semblaient pas avoir été peintes mais teintes à la main, comme ces photographies d'autrefois.

« Pourriez-vous m'encaisser ce chèque ? », s'enquit-elle au guichet de la Bay Borough Federal.

L'employée — une dame qui louchait derrière ses lunettes de strass — regarda à peine la signature avant d'acquiescer d'un signe de tête. « Zeke Pomfret ? Aucun problème. »

C'est ainsi que Delia toucha le premier salaire de sa vie et se retrouva avec quelques billets craquants entre les doigts. Elle était sidérée de voir combien les diverses charges pouvaient amputer un salaire.

Weber Street, East Street. La traversée en diagonale du square. Elle marchait la tête haute et posait les pieds avec précision. Elle aurait pu être l'héroïne d'un roman ou d'un film. Et son public d'élection n'était autre que Sam.

Non qu'elle fût impatiente de recevoir sa visite. Certes non. Elle redoutait d'avoir à s'expliquer ; elle savait combien il jugerait boiteuses et dérisoires toutes les raisons qu'elle pourrait lui fournir. Et pourtant, la veille, dès l'après-midi, dans un coin de sa tête, elle s'était livrée à de tortueux calculs.

Mettons qu'il faille deux heures pour aller à Baltimore. Eliza sera de retour à la maison aux alentours de, disons, quatre heures et demie, auquel cas Sam pourrait arriver sur le coup de six heures et demie. Peut-être sept. À moins qu'il ne décide de boucler d'abord sa journée au cabinet. En admettant qu'il doive prendre de l'essence... Puis plus tard, ce soir-là : *Il attend sûrement le week-end. C'est bien plus raisonnable.*

Imaginez qu'il lui tombe dessus à l'improviste en cet instant précis, alors qu'elle va à la bibliothèque chercher son livre du samedi. Ou sur le chemin du retour, tandis qu'elle fourrage parmi les tasses amoncelées sur une table devant La Cuisine de Katie. Ou encore, sortant de la friperie avec un sac contenant la robe de jersey bleu marine.

Imaginez qu'il l'observe depuis la véranda de la pension, alors qu'elle apparaît à l'angle de la rue. Il la verrait qui effleure à peine le trottoir, très professionnelle d'allure dans cette tenue d'un gris strict, parfaitement à l'aise dans cette ville qu'il n'a jamais vue de sa vie. *Se peut-il réellement que ce soit Delia ?* se dirait-il.

À moins qu'en grimpant l'escalier, elle ne le trouve attendant à la porte de sa chambre. « Tiens, Sam », dirait-elle d'un ton serein en tirant de son sac à main son trousseau de clefs — si solennel d'aspect, cet anneau chromé de Mr. Pomfret où la clef de sa chambre avait rejoint celle du cabinet —, avant d'ouvrir la porte et, d'un mouvement gracieux de la tête, de l'inviter à entrer.

À moins encore qu'il ne l'attende à l'intérieur, ayant réussi à persuader Belle de le laisser entrer. Il se tiendrait à une fenêtre. Il se retournerait et la verrait entrer les bras chargés de tout son attirail — son livre de bibliothèque, sa tasse à thé et sa nouvelle robe. « Attends, je vais t'aider », proposerait-il, et elle lui répondrait : « Non, merci, je peux me débrouiller toute seule. »

Mais il n'était pas là, et elle posa ses affaires sur le lit dans un silence absolu.

Elle descendit payer son loyer. Belle était là. Elle en était sûre. Des bruits lui parvenaient de l'autre côté de la porte couleur de céleri qui donnait sur le vestibule. Elle frappa. « Entrez ! » lui lança la logeuse, tout en faisant grincer et vrombir un quelconque engin. Un vélo d'appartement, découvrit Delia lorsqu'elle entra dans la pièce. Belle pédalait comme une diablesse, cramoisie, en nage, dans un survêtement rose parsemé de nœuds de satin. « Ouf ! » souffla-t-elle en voyant Delia. Son salon, tout comme le reste de la maison, semblait garni de meubles mis au rebut par de précédents locataires. Un canapé en peluche de laine défraîchie faisait face au téléviseur ; la table basse s'ornait d'une arabesque de taches d'eau en forme de cercles.

« Je venais payer mon loyer, annonça Delia.

— Ah, merci, répondit Belle tout en fourrant les billets pliés dans une manche, sans ralentir son pédalage. Tout va bien ?

— Très bien, oui.

— Parfait », conclut Belle en se courbant diligemment sur son guidon tandis que Delia refermait la porte.

Delia projetait de faire un saut au Glouton pour s'acheter de quoi déjeuner, mais, à l'instant où elle quittait la maison, un jeune homme en uniforme surgit dans la véranda. Elle pensa tout d'abord à un quelconque soldat. Il avait un uniforme kaki et les cheveux hérissés sur le sommet du crâne tant ils étaient courts. « Ma'am Grinstead ?

— Oui.

— Chuck Akers, de la p'lice. »

Il lui fallut un instant avant de traduire.

« J'peux vous dire un mot ?

— Mais certainement. » Elle s'était déjà retournée pour le faire entrer, lorsqu'elle s'aperçut qu'elle ne pouvait le conduire nulle part. Il était hors de question de le faire monter dans sa chambre ; quant au salon de Belle, il lui était difficile de l'utiliser. Aussi pivota-t-elle sur ses talons pour demander : « Que puis-je pour vous ? » C'est ainsi que l'échange se déroula au beau milieu de la véranda.

« Vous êtes bien ma'am Cordelia F. Grinstead ?

— Oui.

— Si j'ai bien compris, vous êtes venue ici de votre plein gré.

— En effet.

— Personne ne vous a enlevée ou n'a exercé sur vous la moindre contrainte...

— Personne n'a rien à voir dans cette histoire.

— Dommage que vous n'ayez pas mis ça au clair avant de partir.

— Je suis désolée. La prochaine fois, je n'y manquerai pas. »

La prochaine fois !

Mais à quand, cette prochaine fois ? songea-t-elle.

Samedi, dimanche. Heures blanches et vides minutieusement remplies, à l'affût de la moindre tâche insignifiante sur laquelle se précipiter avec joie. Le samedi soir, elle resta dans sa chambre et mangea à même les barquettes des plats chinois rapportés de chez le traiteur. Puis elle lut *Daisy Miller* jusqu'à une heure avancée de la nuit. Le dimanche, son petit déjeuner, qu'elle prit au lit, se composa d'un thé accompagné d'un muffin de l'épicerie. En revanche, son déjeuner fut un véritable événement. Elle mangea au Bay Arms, un établissement cossu tapissé de lourdes tentures et d'épaisses moquettes, dont toutes les tables étaient occupées par des familles endimanchées. Son penchant naturel eût été d'expédier le déjeuner au plus vite, mais elle se força à commander un potage, un plat principal et un dessert, et, s'attelant à la tâche, elle avala le tout posément, sans se presser, jusqu'à la dernière bouchée, l'œil rivé sur un point situé à mi-distance

Un jour, au cours d'une phase de féminisme particulièrement virulente, Susie avait décrété que toutes les femmes devraient apprendre à manger seules dans un grand restaurant, sans même prendre un livre. Delia aurait voulu que sa fille la vît en cet instant.

À vrai dire, peut-être Sam emmènerait-il les enfants avec lui lorsqu'il viendrait. Peut-être feraient-ils une entrée fracassante dans le restaurant ; ils pouvaient fort bien retrouver sa trace. Elle avait revêtu sa nouvelle robe bleu marine. Elle la jugeait très seyante. Delia commanda un autre café et s'attarda encore un moment.

Elle fut prise d'une envie subite de cigarette, alors même qu'elle n'avait plus fumé depuis le temps du lycée.

En sortant du restaurant, elle dirigea ses pas vers la bibliothèque, afin de se choisir sa lecture du soir. Mais elle trouva les portes closes et les stores vénitiens baissés. Elle aurait dû penser que ce serait fermé le dimanche. Voilà qu'elle était forcée de *s'acheter* un livre — d'investir de l'argent.

Au drugstore de George Street, elle dénicha un présentoir de livres de poche — des policiers pour la plupart et quelques romans d'amour. Elle opta pour un roman d'amour qui s'intitulait *Clair de lune sur Wyndham Moor*. Sur la couverture, une dame en long manteau tombait en pâmoison dans les bras d'un monsieur barbu qui ne lui offrait que le soutien précaire d'une main passée autour de sa taille, l'autre étant occupée à brandir un glaive.

Après avoir payé le livre, Delia le dissimula au fond de son sac. Puis elle poursuivit son chemin vers la pension de Belle, en adoptant un pas ferme et rapide, afin que tout observateur éventuel se dise en la voyant : *Voilà une femme parfaitement indépendante.*

Elle se rappela comment, petite, elle s'installait dans le jardin à chaque fois que des visiteurs étaient annoncés. Elle songea plus particulièrement à ce jour où le grand-oncle Roscoe devait arriver. Elle avait mis le berceau de sa poupée sur la pelouse et s'était placée à côté pour se figer en une pose gracieuse jusqu'à ce que l'oncle Roscoe descende de voiture. « Mais, qui je vois là ! s'était-il écrié. Notre petite Lady Delia en personne ! » Il sentait le sirop contre la toux, celui au goût amer. Elle pensait n'avoir gardé aucun souvenir de l'oncle Roscoe et fut stupéfaite de le voir surgir devant ses yeux, changeant de main sa petite valise en cuir veiné afin de pouvoir lui agripper l'épaule pour gagner la maison. Mais à quelle occasion était-ce ? Pourquoi était-il ainsi venu en visite, vêtu de son vieux costume noir lustré ? Elle eut le vague sentiment qu'elle préférait ne pas connaître la réponse.

« Je chantais une berceuse à ma poupée », lui avait-elle glissé sur le ton de la confidence.

Elle avait été une enfant si fausse, si avide de se conformer à l'image que les adultes se faisaient d'elle.

Clair de lune sur Wyndham Moor se révéla décevant. L'intrigue ne lui paraissait guère vraisemblable. Delia ne cessait de le lâcher pour fixer un regard vide sur les sombres recoins de sa chambre. Elle regarda combien de pages il lui restait à lire. Elle pencha la tête pour prêter l'oreille au bruit de la radio de Mr. Lamb. Il l'avait écoutée tout le week-end, sans cependant la mettre assez fort pour qu'elle parvienne à décrypter un mot de ce que disait le présentateur. Sur le toit de la véranda, la pluie tombait goutte à goutte. Elle regrettait de ne plus entendre la famille d'en face. Ils avaient dû fermer leurs fenêtres à cause du mauvais temps.

Alors comme ça, il ne va pas venir du tout ?

Le lundi matin, Mr. Pomfret lui fit comprendre d'une manière détournée qu'il avait appris la vérité. « Je vois que vous avez une nouvelle robe, Mrs. Grinstead », lança-t-il en appuyant sur le « Mrs. » avec un regard entendu. Mais elle fit mine de ne pas le remarquer et, dès la fin de la matinée, il était revenu au « Miss » habituel. Elle se sentait curieusement éteinte ce jour-là. Et la pluie n'arrangeait pas les choses. Elle avait été forcée d'acheter un parapluie au drugstore et, pendant le déjeuner, elle s'était rendue au bazar pour faire l'emplette d'un cardigan gris bon marché en synthétique quelconque. Apparemment, il y avait du laisser-aller dans la tenue vestimentaire de Miss Grinstead. La mine abattue, elle passa les bras dans les manches tubes collantes.

Avec la pluie, elle ne pouvait pas pique-niquer dans le square, sur son banc habituel, et elle n'avait pas le courage d'affronter les efforts de sociabilité qu'exigeaient Rick Rack ou le Bay Arms. Aussi emporta-t-elle son yaourt dans sa chambre. Elle ouvrit la porte extérieure, enjamba le courrier et commença à monter les marches. Puis elle s'arrêta et se retourna pour aller voir de plus près une des enveloppes qui gisaient sur le sol.

Une enveloppe couleur crème — ou paille, plus exactement. Elle connaissait cette teinte par cœur tout comme elle connaissait le nom gravé en relief en lettres brunes dans le coin supérieur gauche : SAMUEL A. GRINSTEAD, DOCTEUR EN MÉDECINE.

Ainsi donc, il se contenterait de lui écrire une lettre ?

Elle se pencha pour la ramasser. L'adresse était libellée en ces termes : *Mrs. Delia Grinstead* (mais qu'avait-il fait de son manuel de savoir-vivre ?), *George Street, maison avec véranda à prox. épicerie Au Glouton. Bay Borough, Maryland.*

Elle l'emporta dans sa chambre avant de l'ouvrir. *Delia*, écrivait-il. Pas même *Chère Delia. Delia, j'ai cru comprendre, à ce que m'a dit Eliza...*

Il avait utilisé la machine à écrire du cabinet, celle aux *e* capricieux, et il n'avait pas pris la peine de changer les marges qui lui servaient à taper les notes d'honoraires. La lettre faisait tout juste une petite dizaine de centimètres de large.

> *Delia, J'ai cru comprendre, à ce que m'a dit Eliza, que tu avais exprimé le désir de rester seule quelque temps, à la suite de divers stress dont la mort de ton père, etc.*
>
> *Naturellement, j'aurais préféré que tu nous préviennes à l'avance. Tu ne pouvais pas ignorer l'anxiété que tu nous causerais en partant sur la plage comme si de rien n'était et en disparaissant ainsi.* ~~*As-tu la moindre idée de ce que l'on éprouve quand*~~
>
> *En outre, je ne suis pas certain de bien comprendre les*

« stress » auxquels tu fais allusion. Certes, je sais combien vous étiez proches, ton père et toi. Mais sa mort remonte à plus de quatre mois ~~et franchement, j'ai le sentiment~~ Peut-être me comptes-tu au nombre de ces stress. En ce cas, c'est regrettable, mais je ~~me suis toujours efforcé d'être un bon mari~~ m'étais promis, autrefois, d'être un roc pour ma femme et mes enfants, et autant que je sache, j'ai tenu cette promesse ~~si bien que je ne comprends pas ce que~~ mais si tu as de quelconques reproches à me faire, je suis prêt à les entendre.

En attendant, tu peux être assurée que je ne viendrai pas empiéter sur ta vie privée. ~~xxxxxxxxxxxxxxxxxxxxxxxxxxxxxxxxx xxxxxxxxxxxxxxxxxxxxxxxxxxxxxxxxxxxxxxxxxxxxxxxxxxxxx xxxxxxxxxxxxxxxxxxxxxxxxxxxxxxxxxxxxxxxxxxxxxxxxxxxxx~~

Sam.

Il avait effectué les quatre premières corrections en se servant de la touche du tiret et Delia n'avait eu aucun mal à déchiffrer ce qui était barré, mais la cinquième était raturée d'une telle quantité de x qu'elle fut incapable de la décrypter, pas même par transparence, en la mettant à la lumière. Enfin, sans doute était-ce mieux ainsi. C'était vraisemblablement une remarque plus obtuse encore que les précédentes. Et Dieu sait qu'elles étaient obtuses.

Ne pas empiéter sur sa vie privée ! Renoncer à elle sans rien faire, comme si elle était un chien ou un chat fugueur, une simple moufle ou une pièce de monnaie égarée.

Elle aurait dû s'en douter. Voilà qui prouvait à l'évidence qu'elle avait eu bien raison de partir.

Elle claquait des dents et son nouveau cardigan ne lui était pas d'un grand secours. Au lieu de déjeuner, elle ôta ses chaussures et se mit au lit. Elle s'allongea en grelottant sous la couverture, les mâchoires serrées pour lutter contre le froid et les bras enlacés autour de ses côtes, s'étreignant de toutes ses forces.

9

RIEN D'ÉTONNANT à ce qu'elle ait été incapable d'imaginer Bay Borough en hiver. En son for intérieur, elle avait toujours cru que Sam viendrait la chercher bien avant les premiers froids. Elle était semblable à ces enfants en fugue qui, malgré toute la distance qu'ils peuvent parcourir, n'ont jamais réellement eu l'intention de partir de chez eux. Mais, que voulez-vous ? Elle était là. Et la perspective du restant de ses jours s'étirait devant elle, désespérément vide.

Le soir, elle prit l'habitude de s'asseoir sur son lit et de contempler le néant. C'eût été trop dire qu'elle réfléchissait. Aucune pensée consciente ne lui traversait l'esprit, ou du moins aucune qui valût la peine qu'elle s'y attardât. Le plus clair de son temps, oh, elle le passait à observer l'air, comme quand elle était petite. En ce temps-là, elle scrutait pendant des heures les minuscules grains multicolores qui fourmillent dans l'atmosphère d'une chambre. Et puis Linda avait cru bon de l'informer qu'il s'agissait de particules de poussière. De ce jour, elle n'y avait plus trouvé le même plaisir. Qu'allait-elle donc se soucier de simples poussières ? À présent, elle songeait que Linda avait tort. C'était bel et bien de l'air qu'elle observait, une incommensurable masse d'air se réorganisant à l'infini et, plus elle l'observait, plus elle se sentait apaisée, sereine et fascinée.

Elle apprenait la vertu de l'ennui. Elle se vidait l'esprit. Elle avait toujours su que son corps n'était guère qu'une coquille dans laquelle elle séjournait, mais elle s'apercevait à présent que son esprit n'était jamais qu'une autre coquille — auquel cas, qui était « elle » ? Elle se vidait l'esprit pour voir ce qu'il resterait. Peut-être n'y aurait-il rien.

Souvent, elle n'entamait sa lecture du soir que vers neuf heures, neuf heures et demie, si bien qu'il n'était plus question pour elle de finir un roman en une seule fois ; aussi passa-t-elle aux recueils de nouvelles. Elle en lisait une, contemplait l'air un moment, puis s'attaquait à une autre. Glissant sa carte de bibliothèque en guise de marque-page, elle prêtait l'oreille aux bruits du dehors — le souffle des voitures, le cri des insectes, les voix des enfants de la maison d'en face.

Par les nuits chaudes, les aînés des enfants dormaient dans la véranda du premier et discutaient pendant des heures jusqu'à ce que leurs parents interviennent. « Faut-il que je monte ? » Telle était la plus terrible menace que proférait leur père. Cela les calmait. Le temps d'une minute.

Delia se demanda si Sam était au courant que Carroll était inscrit à un stage de tennis pendant les deux premières semaines de juillet. Il ne fallait guère compter sur son petit dernier pour se le rappeler. Et puis, y aurait-il quelqu'un pour se souvenir que c'était le mois du dentiste ? Eliza, sans doute. S'il n'y avait pas eu Eliza, Delia n'aurait pu quitter sa famille aussi aisément.

Elle ne savait pas si elle devait lui en être reconnaissante.

Le fait est que Delia n'était pas irremplaçable. Elle n'était qu'un extra. Elle avait vécu sa vie de femme mariée comme une petite fille joue à la maison de poupée, avec, toujours auprès d'elle, un adulte prêt à prendre la relève — sa sœur, son mari ou son père.

Logiquement, elle aurait dû y voir un réconfort. (Elle avait eu si peur de mourir pendant que ses enfants étaient en bas âge.) Mais au contraire, elle en avait éprouvé une jalousie maladive. Pourquoi, ainsi, fallait-il toujours que ce soit vers Sam qu'ils se tournent tous dans les moments décisifs ? À chaque fois, il passait pour le plus raisonnable des deux, le plus posé, le plus fiable. Elle n'était que purement décorative. Comment en était-elle arrivée là ? Où avait-elle la tête pendant que s'enracinait cet état des choses ?

Elle lut une autre nouvelle qui contenait une série de passages quelque peu longuets décrivant les beautés de la nature. Elle aimait certes la nature comme son prochain, mais point trop n'en fallait.

Et à présent, qui veillait sur la santé de Sam ? Depuis quelque temps, il avait tendance à trop s'entraîner. *Cela ne me re-*

garde en rien, se rappela Delia. Sa lettre l'avait délivrée. Fini de compter les grammes de cholestérol ; inutile de dire qu'Au Glouton, ils vendaient de la mayonnaise sans matière grasse.

Elle se remémora certains passages de la lettre : *Tu ne pouvais pas ignorer* et ce *En outre, je ne suis pas certain de bien comprendre.* Des formules exsangues, dépourvues d'émotion. Tout le voisinage devait savoir que ce n'était pas par amour qu'il l'avait épousée.

De nouveau surgirent sous ses yeux les trois filles alignées sur le canapé — l'image appartenait à l'origine aux souvenirs de Sam, mais elle semblait se l'être appropriée. Elle revit son père dans le fauteuil et Sam dans le rocking-chair. Ils discutaient d'un nouveau médicament, tandis que Delia sirotait son sherry en lançant des regards furtifs aux mains de Sam, des mains à l'évidence si habiles, si savantes, avait-elle songé, des mains de docteur. Peut-être le vertige qui l'avait alors saisie n'était-il dû qu'à ce verre de sherry dont elle n'avait guère l'habitude.

Quelques instants épars suffisent à résumer une vie entière, se dit-elle. Cinq, six tableaux qui passent et repassent comme des cartes de tarot remélangées et redistribuées à l'infini. Une tache de lumière sur une banquette de fenêtre où quelqu'un de corpulent lui frottait les mains avec un gant de toilette. Un concours d'orthographe où Eliza était venue sans prévenir et, l'espace d'un instant, Delia l'avait perçue comme une étrangère. L'éclat de la tête blonde de Sam sur le bois du rocking-chair aux sombres reflets de mélasse. Son père adossé à ses deux oreillers, faisant des efforts pour parler. Et Delia marchant vers le sud le long de l'océan Atlantique.

Dans ce dernier tableau, elle était vêtue de sa robe grise de secrétaire. (Les souvenirs ne sont pas toujours exacts.) Elle portait les chaussures de cuir noir achetées chez Bassett & Frères. La tenue n'était pas la bonne, mais l'allure était juste : ferme, déterminée. C'était l'image à laquelle elle se raccrochait.

« À chaque fois que j'entends le mot "été", avait déclaré une des trois demoiselles à marier (Eliza, cela va de soi), je sens cette odeur fondante, cette odeur jaune, chaude, fondante. » Linda avait fait chorus : « Eh oui, elle est comme ça ! Eliza est capable de flairer le jour de la muscade à la fabrique d'épices qui est en plein centre-ville ! La colère, aussi. » Et Delia avait souri, le nez dans son sherry. « Ah oui », avait murmuré Sam pensivement. Devinait-il les motifs qui les animaient ? Eliza qui voulait se rendre intéressante, Linda qui s'efforçait de souligner l'excentricité de sa sœur, et Delia qui espérait mettre en évidence la fossette de sa joue droite.

Le gant de toilette qui lui frottait les mains était aussi chaud et rugueux qu'une langue de chatte léchant ses petits. La jeune fille courtaude à l'air triste qui s'approchait du bureau de Miss Sutherland revêtit soudain les traits de la sœur de Delia. « Je voudrais... », murmura son père, et ses lèvres craquelées semblèrent se déchirer au lieu de s'entrouvrir, puis il détourna le visage. Le soir de sa mort, elle était allée se coucher avec un somnifère. Elle était si sensible aux médicaments qu'il lui arrivait rarement de prendre une aspirine, mais elle avait avalé avec gratitude le cachet que lui avait donné Sam et dormi toute la nuit d'un sommeil de plomb. Sinon qu'elle avait davantage encore le sentiment de s'être enfouie dans la nuit, de s'être creusé un tunnel à l'aide d'un instrument aussi inadapté qu'une cuillère à soupe, et elle s'était éveillée au matin, hébétée, épuisée et convaincue d'être passée à côté de quelque chose. À présent, elle se disait que ce à côté de quoi elle était passée n'était autre que son propre chagrin. Pourquoi tant de précipitation à sombrer dans l'oubli ? s'interrogeait-elle. Pourquoi un tel empressement à sauter par-delà le chagrin pour vivre l'étape suivante ?

Elle se demanda ce que son père avait voulu dire. Sur l'instant, elle n'avait pas réussi à le deviner et peut-être avait-il tout simplement pensé qu'elle s'en moquait. Des larmes emplirent ses yeux et ruisselèrent sur ses joues. Elle ne fit rien pour les arrêter.

N'est-il pas fréquent que vos parents âgés meurent au moment même où les autres, votre mari, vos enfants adolescents, ont cessé de s'émouvoir en vous voyant arriver ? Mais les parents sont toujours émus de vous voir, ils vous regardent parler en s'attardant avec tant d'amour sur votre visage. Une des innombrables ironies de la vie.

Elle tendit la main vers sa réserve de papier toilette et se moucha. Elle sentait qu'en elle quelque chose se relâchait. Elle espérait continuer à pleurer ainsi toute la nuit.

Dans la maison d'en face, un enfant s'écria : « M'man, Jerry me tape dessus. » Mais la voix était lointaine, rêveuse, et la réponse fut tempérée : « Allons, allons, Jerry... » Petit à petit, les enfants parurent s'endormir. Ceux qui veillaient encore laissèrent peu à peu s'étirer les pauses qui entrecoupaient leurs paroles et leurs voix se firent de plus en plus languides jusqu'à ce que, enfin, la maison plongeât dans le silence.

Le jour de la fête de l'Indépendance était quasiment passé inaperçu à Bay Borough — ni défilé, ni feu d'artifice, rien sinon quelques devantures pavoisées de rouge, blanc et bleu, ici et là. Il en alla tout autrement de la fête de Bay, qui commémorait l'anniversaire du fameux rêve de George Pendle Bay. Elle était célébrée le premier samedi du mois d'août par un match de base-ball accompagné d'un pique-nique dans le square. Mr. Pomfret étant président du comité des fêtes, Delia était au courant du moindre détail des festivités. Il lui avait demandé de taper une lettre suggérant de remplacer le match de base-ball par une activité exigeant moins d'espace — un lancer de fers à cheval, par exemple.

Le square, argumentait-il, était bien trop exigu et les arbres, bien trop touffus. Mais Frick, le maire, lui-même fils et petit-fils des premiers maires, qui régnait à l'évidence en maître sur les destinées de la ville, lui écrivit en retour que le match de base-ball était une « une tradition consacrée » qui devait par conséquent être maintenue.

« Une tradition ! fulmina Mr. Pomfret. Bill Frick serait incapable de reconnaître une tradition si elle lui plantait les crocs dans le croupion. Mais enfin, au départ, il y avait toujours un concours de lancer. Jusqu'au jour où Ab Bennett est revenu de sa ligue minable la queue entre les jambes, alors Bill Frick Père lui a organisé un match de base-ball, histoire de lui redorer la pilule. Mais Ab ne joue même plus ! Il est bien trop vieux. Il tient le stand des limonades. »

Delia ne s'intéressait nullement à la fête de Bay. Elle projetait de passer la matinée à faire des courses en évitant soigneusement les abords du square. Mais elle trouva toutes les portes closes et le temps curieux qu'il faisait ce jour-là (un brouillard aussi dense que du porridge, d'une douceur quasi palpable) l'incita à poursuivre sa promenade et, lorsqu'elle atteignit la foule, elle se sentit si bien emmitouflée dans ce manteau de brume qu'elle se joignit aux badauds.

Les quatre rues qui entouraient le square, interdites à la circulation, étaient jonchées de plaids où des gens s'étaient installés pour pique-niquer. Les trottoirs étaient bordés de stands de sandwichs et des vendeurs ambulants proposaient des fanions et des ballons. Et encore, dans le brouillard, c'est à peine si elle parvenait à distinguer tout cela. Les gens qui approchaient semblaient se matérialiser sous ses yeux, leurs traits ne s'assemblant qu'au tout dernier instant. L'effet était particulièrement troublant lorsqu'il s'agissait de jeunes garçons juchés sur des skates. Grisés par ces rues fermées à la circulation, ils slalomaient à tombeau ouvert parmi la foule, surgissant en pied à la dernière seconde avant de s'évanouir en fumée. Tous les bruits étaient étouffés, cotonneux, et cependant d'une inquiétante netteté. Même les odeurs paraissaient plus distinctes : un parfum de bergamote flottait, tel un auvent, au-dessus de deux vieilles dames qui versaient du thé d'une Thermos.

« Delia ! » lança une voix.

En se retournant, elle aperçut Belle Flint qui dépliait un fauteuil de plage à rayures. Elle était vêtue d'une barboteuse rose vif et ses bras étaient chargés d'anneaux qui tintèrent lorsqu'elle s'assit. Jusqu'alors, Delia n'était pas certaine que Belle se souvenait de son nom, aussi fut-elle prise au dépourvu. « Tiens, bonjour, Belle », répondit-elle, et Belle de demander : « Vous connaissez Vanessa ? »

La femme qu'elle indiquait de la main n'était autre que la jeune maman du square. Elle était assise juste derrière Belle sur un couvre-pied dont la couleur se confondait avec celle du brouillard, son bambin entre les genoux. « Servez-vous de fromage, dit-elle à Delia.

— Non, merci, je... », commença Delia. Puis elle se ravisa : « Oh, peut-être bien, après tout », et sur ce, elle alla s'installer à côté d'elle.

« Regardez-moi un peu ces pique-niques ! s'écria Belle. À croire que c'est un concours. Ils devraient décerner des prix. Qu'avez-vous apporté ?

— Euh... rien.

— Ah, voilà une femme comme je les aime », approuva Belle en se rapprochant encore pour lui glisser à l'oreille : « Selma Frick a apporté un assortiment de hors-d'œuvre dans des paniers de bambou empilés. Polly Pomfret, elle, a préparé des artichauts frais sur un lit d'écrevisses au curry.

— Moi, je suis avec les jeunes, intervint Vanessa en tendant un biscuit en forme d'animal à son fils. Je picore à droite et à gauche, sur les stands, dès que j'ai une petite faim. »

Elle évoquait irrésistiblement à Delia ces stars du cinéma des années quarante aux allures de grande fille toute simple, jolie, mince, le teint mat, en chemisier blanc et short rouge flamboyant, les cheveux noirs tombant aux épaules et sur les lèvres, un rouge carmin. Son fils était bien trop couvert, songea Delia — typique pour un premier enfant. En velours côtelé et chemise à manches longues, il se tortillait d'un air furibond — et à juste raison. Delia sentait la chaleur moite du trottoir à travers le couvre-pied.

« Quel âge a votre petit garçon ? demanda-t-elle.

— Il a eu dix-huit mois mercredi dernier. »

Dix-huit mois ! faillit s'écrier Delia. Elle se souvenait si bien de cet âge-là. Quand Ramsay avait dix-huit mois, il... et puis c'est l'âge où Susie avait appris à...

Quelle tentation de revendiquer son appartenance au clan — les douleurs de l'accouchement, les premières dents, l'époque où elle aussi aurait été capable de donner au jour près l'âge de son bébé. Mais elle résista et se contenta de sourire aux reflets blonds des cheveux de l'enfant en disant : « Il doit avoir les cheveux de son père.

— C'est probable...

— Vanessa est mère célibataire, expliqua Belle.

— Oh !

— Je ne sais pas du tout qui peut bien être le père de Greggie, déclara Vanessa en essuyant la bouche de son fils avec un mouchoir en papier. J'ai bien quelques idées, mais de là à restreindre le champ des possibilités jusqu'à ce qu'il n'en reste plus qu'une, c'est une autre affaire.

— Je comprends », fit Delia en s'empressant de détourner le regard pour s'intéresser au match de base-ball.

Non qu'il y eût grand-chose à voir dans le brouillard. Apparemment, le marbre était installé dans le coin sud-est. C'est de là que lui parvint le *ploc !* d'un coup sûr. Mais elle ne distinguait que le deuxième but, marqué par un banc du parc. Sous ses yeux, un coureur s'élança en bondissant pour atterrir sur le banc où se trouvait déjà un autre joueur, qui se leva pour saisir au vol une balle tombée du ciel avant de la relancer dans le brouillard. Puis il se rassit. Le coureur se courba en avant, les coudes sur les genoux, et braqua un regard fixe en direction du marbre, quoique, à vrai dire, Delia se demandait par quel miracle il pouvait espérer voir quelque chose à une telle distance.

« Derek Ames, l'informa Belle. Un de nos meilleurs batteurs.

— Je pensais que la statue ferait obstacle.

— Oh, George joue arrêt court, gloussa Belle. Non, sérieusement, il y a une règle : le premier qui se paie la statue passe direct au premier but. Ça comptait automatiquement pour un point jusqu'au jour où Rick Rackley est venu s'installer ici. Vous connaissez les athlètes professionnels : ils sont doués pour tous les sports. À chaque fois que Rick venait frapper, il descendait ce bon vieux Georgie.

— Rick Rackley est un athlète professionnel ?

— Enfin, c'était un athlète, jusqu'au jour où son genou l'a lâché. Mais d'où est-ce que vous débarquez, de Mars ? Évidemment, lui, c'est plutôt le football, mais croyez-moi, les Blues ont de la chance de l'avoir dans leur camp. C'est le match auquel nous assistons, au cas où vous ne le sauriez pas. Les Blues contre les Grays. Les Blues sont tout nouveaux ici ; les Grays sont là depuis toujours. Holà ! Ça m'a tout l'air d'un coup de circuit. »

Un autre *ploc !* avait retenti du coin sud-est. Delia leva les yeux au ciel, mais ne distingua qu'un manteau de flanelle blanche opaque. Dans ce qui figurait le champ (un triangle de pelouse derrière le deuxième but), un joueur lança à un autre : « Elle va vers où ?

— J'en sais fichtre rien », répondit le second joueur. Puis, avec un grognement de surprise, il attrapa la balle à l'instant même où elle lui arrivait dessus. « Je l'ai, cria-t-il.

— Tu la vois ?

— Je l'ai récupérée.

— Elle est déjà retombée ?

— Oui.

— Bobby l'a attrapée ! s'écria le premier en direction du marbre.

— Qu'est-ce t'as dit ?

— Il l'a attrapée, avertit une voix. Le batteur est hors-jeu.

— Il est quoi ?

— Hors-jeu !

— Où est le batteur !

— Mais c'est qui le batteur ? »

Vanessa donna à son fils un autre biscuit en forme d'animal. « Qui dit fête de Bay dit purée de poix, déclara-t-elle. Je ne crois pas que quiconque ait jamais réussi à suivre le match en détail. Alors, Delia, ça vous plaît de travailler pour Zeke Pomfret ?

— Oh... ce n'est pas un mauvais cheval », répondit Delia. Sans doute aurait-elle dû s'attendre que toute la ville sache comment elle gagnait sa vie.

« C'est un très bon avocat, vous savez. Si vous décidez de divorcer, vous pouvez toujours miser sur Zeke Pomfret, vous ne vous en trouverez pas plus mal. »

Delia écarquilla les yeux.

« Oui, il s'en est très bien tiré pour mon ex-copain, lui expliqua Belle. Et puis le jour où Jip s'est retrouvé dans la poisse, Jip, c'est le frère de Vanessa, il a réussi à le sortir de prison.

— Je ne me suis pas encore vraiment penchée sur la question du... divorce.

— Mais, bien sûr, il n'y a rien qui presse ! Et de toute façon, le cas de mon ex-copain n'avait rien à voir avec le vôtre. »

Et que s'imaginaient-elles au juste sur son cas à elle ? Delia préféra s'abstenir de leur poser la question.

Belle fourrageait dans son gros sac. Elle en extirpa une bouteille vert pâle et une pile de gobelets en carton. « Un peu de vin ? proposa-t-elle à ses compagnes. C'est un bouchon à vis. N'en parlez pas à Polly Pomfret. Mais il faut dire que le cas de Norton était tout ce qu'il y a de plus simple. Il n'était marié que depuis un an. En fait, nous nous sommes rencontrés le jour de son premier anniversaire de mariage. Il y avait une offre spéciale week-end de jeu à Atlantic City et il y avait emmené sa femme, histoire de fêter ça. Disons que lui et moi... on se tournait autour, vous voyez ? D'autant que sa femme était du genre à rester soudée à sa machine à sous. Et, ni une ni deux, je suis venue m'installer à Bay Borough, j'ai loué un petit appartement avec lui et Zeke s'est attaqué au divorce de Norton. »

Le vin avait un arrière-goût de métal, qui rappelait le jus de pamplemousse en boîte. Delia tenait le gobelet dans le creux de ses mains. « Je n'ai encore rien décidé de très précis, dit-elle.

— Bien sûr que non.

— Pour l'instant, je me sens, comment dire... vide. Vous voyez ce que je veux dire ?

— Mais bien sûr ! » s'écrièrent-elles en chœur.

Dans le square, la manche devait être achevée. Les premiers joueurs s'évanouirent et d'autre prirent forme, un nouveau seconde base s'éleva peu à peu dans les airs et vint se solidifier sur le banc.

Elle rêva que Sam traversait la pelouse de Baltimore au volant d'un camion, alors que les enfants jouaient à cache-cache au beau milieu de sa trajectoire. Ce n'étaient encore que des bambins et non ces jeunes gens qu'ils étaient devenus. Elle essayait de crier pour les prévenir, mais elle restait muette et ils se faisaient tous écraser. Puis Ramsay se relevait en se tenant le poignet, tandis que Sam descendait du camion, tombait, essayait de se redresser. À ce spectacle, Delia eut l'impression qu'une énorme plaie se déchirait dans sa poitrine.

Au réveil, ses joues étaient trempées. Elle croyait avoir presque perdu cette habitude de pleurer toutes les nuits, mais voilà que ses yeux s'emplissaient de larmes et elle s'abandonna à de violents sanglots. Elle était hantée par la vision de ces sandalettes marron de Ramsay dont elle avait oublié jusqu'à l'existence. Elle vit ses enfants alignés sur la pelouse, toujours du temps où ils étaient petits, avant qu'ils ne deviennent coriaces et agressifs, avant que les garçons ne commencent à avoir du duvet au menton et que Susie ne s'achète un journal intime à cadenas de cuivre inviolable. Tels étaient les enfants dont elle se languissait tant.

Un soir de septembre, elle trouva en rentrant de son travail une série d'enveloppes à son nom éparpillées par terre dans l'entrée. Elle savait que ce devait être des cartes d'anniversaire — elle allait avoir quarante et un ans le lendemain — et devinait, à l'interminable libellé de l'adresse (*Maison avec véranda à prox...*) qu'elles venaient de sa famille. La première représentait une brouette pleine de marguerites. MEILLEURS VŒUX D'ANNIVERSAIRE, disait-elle, et à l'intérieur : *Amitié et santé, Rire et félicité, Tout au long de l'année. Ramsay*, était-il simplement écrit, la hampe du *y* traversant mollement le feuillet, comme à contrecœur.

Elle monta dans sa chambre. Il était inutile d'affronter cette épreuve en public.

Susie, était signée la seconde carte. (*Mes félicitations les plus sincères et meilleurs vœux de bonheur.*) Mais de Carroll, rien, bien qu'elle eût parcouru à deux reprises la pile d'enveloppes. Il était aisé d'imaginer ce qui s'était passé. Ces cartes avaient été envoyées à l'initiative d'Eliza. Elle avait amadoué toute la famille en jouant sur la corde sensible et réussi à les persuader de les expédier. « Tout ce que je vous demande... » Telle était sans doute une des formules qu'elle avait employées. Ou encore : « On ne doit jamais laisser personne passer un anniversaire sans... » Mais Carroll l'obstiné avait refusé catégoriquement. Et Sam ? Delia ouvrit son enveloppe. Une photo en couleurs de roses dans un vase de porcelaine bleu et blanc. *Profusion de joie, Moisson d'allégresse...* Signé *Sam*.

Elle décacheta ensuite une lettre de Linda postée du Michigan. *Je tenais à te souhaiter sincèrement un joyeux anniversaire, sache-le*, écrivait-elle. *Je ne t'en veux pas d'avoir ainsi pris la clé des champs, bien que cela nous ait forcés à écourter nos vacances, qui représentent la seule occasion de l'année où les jumelles peuvent prendre conscience de leurs racines. Quoi qu'il en soit, n'en passe pas moins un excellent anniversaire.* Sous sa signature, figuraient celles de Marie-Claire et de Thérèse — une belle ronde élégante et un gribouillis recroquevillé de gauchère.

Chère Delia, écrivait Eliza sur une autre carte.

> *Tout le monde va bien, mais nous espérons que tu seras bientôt parmi nous. Je me charge du travail de paperasse du cabinet pour le moment et les enfants ont tous repris les cours.*
>
> *Bootsy Fisher a appelé à plusieurs reprises, ainsi que certains de nos voisins, mais je leur ai dit à tous que tu étais en visite chez des parents.*
>
> *J'espère que tu passeras un bon anniversaire. Je revois le soir où tu es née comme si c'était hier. Papa nous avait autorisées, Linda et moi, à rester dans la salle d'attente avec les pères et quand l'infirmière est sortie, elle nous a dit : « Félicitations, les enfants, vous n'avez plus qu'à former un trio de chant et à passer à la télé chez Arthur Godfrey. » C'est comme ça que nous avons appris que tu étais une fille. Tu me manques beaucoup.*
>
> *Affectueusement, Eliza.*

Delia garda cette lettre. Les autres, elle les jeta. Puis elle se ravisa et se dit qu'elle pouvait tout aussi bien jeter celle d'Eliza. Ensuite, elle passa un long moment assise sur son lit, le bout des doigts sur les lèvres.

Le jour même de son anniversaire, un paquet lui parvint de la mère de Sam. Il était environ de la taille d'un livre et ne passait pas par la fente de la boîte aux lettres, aussi en rentrant Delia le trouva-t-elle adossé à l'intérieur de la porte-moustiquaire. Elle poussa un soupir excédé en reconnaissant l'écriture. Eleanor était connue pour n'offrir que des cadeaux on ne peut plus terre à terre — une règle permettant de convertir en système métrique ou encore un chargeur de batterie —, le tout systématiquement emballé dans du papier cadeau froissé du Noël précédent. Cette fois, comme Delia s'en aperçut lorsqu'elle eut monté le paquet dans sa chambre, il s'agissait d'une liseuse miniature suspendue au bout d'un cordon qui se mettait autour du cou. Quoique..., songea-t-elle. Cela serait certainement plus efficace que sa lampe actuelle. Elle fourra la chose sous son oreiller, à côté de sa réserve de papier toilette.

Le cadeau était accompagné d'une lettre rédigée sur le papier chamois ordinaire d'Eleanor :

> *Chère Delia,*
>
> *Voici juste un petit quelque chose qui, je l'espère, pourra vous être utile. Les quelques fois où j'ai moi-même voyagé, les lampes de chevet se sont avérées désastreuses. Peut-être en faites-vous l'expérience. Si tel n'est pas le cas, transmettez ceci aux œuvres de bienfaisance de votre choix. (Ces temps derniers, je n'ai eu qu'à me plaindre de Bonne volonté, mais je continue à penser que Citoyens attardés est une organisation de valeur.)*
>
> *Mes meilleurs vœux pour votre anniversaire.*
>
> *Affectueusement, Eleanor.*

Delia retourna la lettre, mais le verso était vierge, abstraction faite d'une ligne en bas de page disant : PAPIER RECYCLÉ PAPIER RECYCLÉ PAPIER RECYCLÉ. Elle s'était attendue à une explosion d'indignation, ou tout du moins à quelques reproches.

Elle repensa à toutes les espérances qu'elle avait placées en Eleanor lorsqu'elle s'était fiancée avec Sam. Elle avait cru s'être trouvé une mère. Mais c'était avant de faire sa connaissance. Eleanor était venue dîner chez les Felson en arrivant tout droit du Foyer des jeunes filles sous tutelle où elle donnait des cours de dactylographie bénévoles deux fois par semaine. Passé les présentations, c'est à peine si elle avait adressé un regard à Delia. Elle n'avait parlé que de la terrible misère qu'enduraient les jeunes filles sous tutelle et du contraste renversant qu'offrait ce repas — qui, entre parenthèses, se réduisait à un rôti de porc parsemé d'un mélange d'épices en boîte et d'une salade de laitue. « Tenez, cette pauvre enfant, par exemple, avait dit Eleanor, je lui ai demandé : "Mon petit, croyez-vous que vos parents pourraient vous acheter une machine à écrire pour que vous puissiez travailler chez vous après la naissance du bébé ?" Et vous savez ce qu'elle m'a répondu ? "Mes parents sont si pauvres qu'ils ne peuvent même pas acheter du shampooing." » Une corbeille de pain était apparue sous le nez d'Eleanor. Elle en avait contemplé le contenu d'un air perplexe avant de la faire passer. « Allez savoir pourquoi elle a été choisir cet exemple parmi tant d'autres, avait-elle ajouté. Du shampooing. »

Comment se faisait-il que tant de voix lui revenaient par bouffées ces derniers temps ? Parfois, en s'endormant, elle les entendait jacasser sans se soucier de sa présence, comme si tous les gens qu'elle avait croisés dans sa vie se trouvaient réunis autour d'elle à converser paisiblement. Comme au chevet d'un malade, songea-t-elle. Comme au chevet d'un mourant.

Un jour, Eleanor lui avait offert un minuscule défroisseur électrique à vapeur pour rafraîchir les vêtements en voyage. C'était il y avait de cela quelques années. Delia ne savait plus trop ce qu'elle avait pu en faire. Mais le fait est qu'à Bay Borough elle en aurait eu l'usage. Elle aurait pu redonner un peu de tenue à ses robes de bureau qui godaient toutes deux aux coutures après des lavages à la main répétés. Cela lui aurait évité d'acheter un fer et une planche à repasser. Oh, pourquoi n'avait-elle pas gardé ce défroisseur ? Pourquoi ne pas l'avoir emporté avec elle ? Comment avait-elle pu manquer à ce point de prévoyance, et de reconnaissance aussi ?

Elle ne répondit à aucune des cartes d'anniversaire, pourtant la bienséance exigeait qu'elle envoyât un mot de remerciements à Eleanor. *La liseuse est très pratique*, écrivit-elle, *bien plus agréable que la lampe de bureau dont je me servais pour lire jusqu'à présent. J'ai donc pu installer la grande lampe sur la commode, si bien que je n'ai plus à allumer le plafonnier, ce qui donne une atmosphère bien plus douce à la pièce...* Elle parvint ainsi à remplir tout l'espace libre d'une carte de correspondance standard, sans rien dire du tout.

Le lendemain matin, alors qu'elle mettait sa carte à la boîte aux lettres proche du cabinet, elle se rappela subitement qu'Eleanor avait travaillé dans un bureau. Elle avait payé les études universitaires de son fils sur un simple salaire de secrétaire de lycée — ce n'était pas un mince exploit, et Delia pouvait à présent l'apprécier à sa juste valeur. Elle regretta de ne pas lui avoir soufflé mot de ses fonctions. Mais peut-être Eliza lui en avait-elle parlé. « Delia travaille chez un avocat, lui aurait-elle dit. Elle se charge de régler toutes les questions de détail pour lui ; vous ne la reconnaîtriez pas si vous la croisiez dans la rue.

« Vraiment ? s'étonnerait Sam. (Dieu sait par quel miracle Eliza avait changé d'interlocuteur.) Elle s'occupe de tout, d'après toi ? Elle n'égare pas de dossiers importants ? Elle ne se vautre pas dans la salle d'attente en lisant des romans de gare ? »

Elle avait passé la moitié de son existence à s'efforcer d'obtenir l'approbation de Sam. Elle ne comptait tout de même pas briser une telle habitude du jour au lendemain.

Octobre vint et le temps se rafraîchit. Le square fut envahi de feuilles jaunes. Certaines nuits, Delia était obligée de fermer sa fenêtre. Elle s'acheta une chemise de nuit en pilou et deux robes à manches longues — l'une à fines rayures grises, l'autre vert forêt — et se mit en quête d'un bon manteau d'occasion. Il ne faisait pas encore assez froid pour en enfiler un, mais elle voulait être parée.

Les jours de pluie, elle déjeunait désormais au Bille-Bar dans Bay Street. Elle commandait un sandwich et un café et suivait la partie en cours sur l'unique billard de la salle. Vanessa la rejoignait souvent avec sa poussette. Et, tandis que Greggie titubait entre les pieds de chaises comme une toupie de couleur vive, Vanessa croquait sur le vif les joueurs. « Vous voyez le type qui donne l'acquit ? lui dit-elle un jour. C'est Buck Baxter. Il s'est installé ici il y a huit ou dix ans. Il est de la famille des

Baxter, vous savez, les fournisseurs de livrées, mais il paraît que son père l'a déshérité. Non, Greggie, le monsieur ne veut pas de ton gâteau. Elle, je ne sais pas trop, poursuivit-elle en parlant du minuscule bout de femme aux cheveux bruns qui était quasiment allongée sur le billard pour tirer sur la pointe des pieds, son petit sac violet en tapisserie encore suspendu à l'épaule. Elle ne doit pas être d'ici. Mais laisse donc le monsieur tranquille, Greggie. Et le type en santiags, c'est l'ex de Belle, Norton Grove. Belle a été dingue de craquer pour lui. S'il était volage ? Si le mot est dans le dictionnaire, c'est grâce à lui. »

Delia commençait à penser que Bay Borough était une ville de paumés. Partout, ce n'était que gens qui avaient fui et parfois *fait* fuir. Elle ne lui paraissait plus si idyllique. Rick et Teensy Rackley se voyaient traités avec froideur par certains citoyens du troisième âge ; les deux seuls homosexuels qu'elle connaissait semblaient ne fréquenter personne ; à en croire les rumeurs, au lycée technique, il y avait de graves problèmes de drogue ; et le cabinet de Mr. Pomfret débordait de clients qui se chicanaient pour des histoires de limites de propriété et remettaient en question des délits de conduite en état d'ivresse.

Pourtant, elle se sentait bien ici. Elle avait sa confortable routine, sa petite niche au sein du système. Tandis qu'elle se rendait de son bureau à la bibliothèque, de la bibliothèque au café, elle se disait que son moi externe donnait des instructions à son moi interne, tout comme on ferme les yeux en mimant le sommeil pour le convaincre de venir. Non que sa tristesse l'eût quittée, mais Delia semblait évoluer sur une surface lisse bien au-dessus de la tristesse. Elle déposait son chèque tous les samedis ; elle dînait tous les dimanches au Bay Arms. On lui adressait un signe de tête à son passage, ce qu'elle ne prenait pas pour un salut, mais pour une confirmation : *Ah oui, voilà Miss Grinstead, exactement à sa place.*

Quoique, de temps à autre, un coup de poignard venait la transpercer. Une chanson de la période Grateful Dead de Carroll, où il était question de *knock-knock-knocking on heaven's door*. Ou le spectacle d'une mère et de sa fille se jetant dans les bras l'une de l'autre devant la maison d'en face. « Elle me quitte ! avait lancé la mère à Delia sur un ton faussement plaintif. Elle va passer la nuit avec ses petites copines pour la première fois ! »

Peut-être Delia pouvait-elle faire semblant de croire qu'elle était revenue au temps où elle n'était pas encore mariée. Que ses enfants ne lui manquaient pas le moins du monde pour la bonne et simple raison qu'ils n'étaient pas encore nés.

Mais, rétrospectivement, elle avait le sentiment qu'en ce temps-là déjà ils lui manquaient. Se pouvait-il réellement qu'il y ait eu une époque où elle ne connaissait pas ses enfants ?

Chère Delia, écrivait Eleanor (cette fois, sa lettre était adressée au 14, George Street).

> *Cela m'a fait très plaisir de recevoir votre carte. Je suis contente d'apprendre que mon petit cadeau vous rend service et ravie de voir que vous lisez.*
>
> *Je suis incapable, quant à moi, de trouver le sommeil si je ne lis pas quelques pages auparavant, de préférence quelque chose d'instructif, comme des biographies ou des livres d'actualité. Il fut un temps, après la mort du père de Sam, où je lisais le dictionnaire. C'était le seul ouvrage qui offrait des sections suffisamment courtes pour retenir mon attention. Et puis, les informations y étaient d'une telle précision !*
>
> *Sans doute Sam a-t-il été marqué par le fait d'avoir perdu son père si jeune. J'avais l'intention de le mentionner dans mon dernier mot, mais je ne crois pas l'avoir fait. Il faut dire aussi que son père n'a jamais eu une très forte personnalité. Il était de ces hommes qui laissent toute l'eau du bain se vider avant de sortir de la baignoire. Il est possible qu'un petit garçon ait pu s'inquiéter à la perspective de risquer d'en faire autant plus tard.*
>
> *J'espère ne pas avoir outrepassé les bornes.*
>
> *Affectueusement, Eleanor.*

Delia demeura perplexe. Elle comprit mieux lorsqu'elle reçut le mot suivant, deux semaines plus tard. *Pardonnez-moi si je vous ai donné l'impression de « faire belle-mère ». Peut-être est-ce la raison pour laquelle vous n'avez pas répondu à ma lettre. Loin de moi l'intention de chercher des excuses à mon fils. J'ai toujours dit qu'il avait quarante ans à sa naissance et je conçois que ce ne soit pas facile à vivre.*

Delia acheta une carte postale représentant un rectangle blanc immaculé ayant pour légende : *La fête de Bay Borough.* Il y avait encore moins d'espace à remplir que sur la précédente. *Chère Eléanor*, écrivit-elle. *Si je suis ici, ce n'est pas tant à cause de Sam. Si je suis ici, c'est que...*

Puis elle se renversa sur sa chaise, ne sachant trop comment terminer sa phrase. Elle envisagea de recommencer, mais ces cartes postales n'étaient pas données et elle se décida en définitive pour : *Si je suis ici, c'est que j'aimais bien l'idée de recommencer à zéro.* Elle signa : *Affectueusement, Delia*, et la posta le lendemain matin, sur le chemin du bureau.

Et après tout, n'était-ce pas là la véritable raison ? Bien plus véridique qu'elle ne l'avait pensé en l'écrivant. Son départ n'avait que très peu de choses à voir avec qui que ce soit.

En déverrouillant la porte du cabinet, elle nota la satisfaction que lui procurait le vide de la pièce. Elle ouvrit les stores blancs des fenêtres ; elle tourna une nouvelle page sur son éphéméride, elle s'assit et glissa une feuille vierge dans la machine à écrire. Jusque-là, on aurait pu passer toute sa matinée en revue sans y déceler le moindre faux pas.

Mr. Pomfret employait parfois les services d'un détective du nom de Pete Murphy. Ce n'était pas le personnage fanfaron que Delia se serait imaginé, mais un gros garçon au visage poupin venu d'Easton. Le plus souvent, manifestement, le but de ses missions n'était pas tant de réussir à retrouver des gens que d'*échouer* dans ses recherches. Dès qu'une succession ou un titre de propriété exigeait ses services, Pete entrait d'un pas lourd en sifflotant des notes discordantes, saluait Delia en frétillant de ses doigts boudinés et se dirigeait tout droit vers le bureau de Mr. Pomfret. Il ne lui adressait jamais la parole et ne savait probablement pas même comment elle s'appelait.

Par un après-midi pluvieux, cependant, il apparut avec une masse gigotante qui se démenait sous le plastron de son coupe-vent. « J'ai un cadeau pour vous, annonça-t-il à Delia.

— Pour moi ?

— Je l'ai trouvé dans la rue. »

Il ouvrit sa fermeture Éclair, et un petit chat gris et noir trempé jusqu'à l'os bondit à terre et fila se réfugier sous le radiateur. « Oh ! s'écria Delia.

— Zut alors. Sors d'ici, espèce de canaille ! »

Sous le radiateur, silence.

« Il ne sortira jamais si vous le lui ordonnez, dit Delia. Il faut reculer un peu, détourner le visage, faire mine de regarder ailleurs.

— Bien, je vous laisse faire. » D'un geste, il ôta les poils de chat collés à sa manche et prit le chemin du bureau.

« Moi ! Mais... attendez ! Je ne peux pas ! » protesta Delia. Elle s'adressait à présent à Mr. Pomfret qui était sorti voir ce qu'il se passait. « Il a rapporté un chat errant ! Je ne peux pas me charger d'un chat !

— Allons, allons, je suis sûr que vous trouverez une solution, lui assura Mr. Pomfret d'un ton enjoué. Voyez-vous, Miss Grinstead était un chat dans sa dernière réincarnation, glissa-t-il à Pete.

— Pas possible ? » Sur ce, ils s'engouffrèrent dans le bureau et Mr. Pomfret referma la porte derrière lui.

Pendant la demi-heure qui suivit, Delia travailla en lorgnant le radiateur du coin de l'œil. Elle vit une queue gris et noir se dérouler de derrière un tuyau, en bouffant à mesure qu'elle séchait. Elle avait l'impression d'être sous surveillance.

Lorsque Pete émergea du bureau, elle lui dit : « Peut-être que ce chat a un maître. Y avez-vous seulement pensé ?

— Ça m'étonnerait. Apparemment, il n'a pas de collier. » Il agita les doigts et tourna les talons. Lorsque la porte d'entrée claqua derrière lui, la queue tressaillit.

Delia se leva et se rendit dans le bureau. « Excusez-moi, dit-elle.

— Hmm ? » fit Mr. Pomfret. Il était déjà vissé devant son écran d'ordinateur. Ce matin-là, il avait découvert les délices apparemment exaltants d'une opération baptisée Rechercher-et-Remplacer. *Tic-tic*, cliquetaient ses doigts, tandis qu'il avançait avec application son cou avachi vers l'écran.

« Mr. Pomfret, ce chat est toujours sous le radiateur et je n'ai nulle part où l'emmener ! Je n'ai même pas de voiture !

— Vous pouvez peut-être prendre un carton dans l'armoire à fournitures, suggéra-t-il. Zut ! » Il frappa successivement plusieurs touches. « Occupez-vous-en, Miss Grinstead, voulez-vous.

— Mais j'habite dans une pension ! » protesta Delia.

Mr. Pomfret attrapa son manuel d'informatique et commença à le feuilleter avec le pouce. « Mais qui a bien pu écrire cette horreur ! fulmina-t-il. En tout cas, pas un humain. Écoutez, Miss Grinstead, pourquoi ne pas partir un peu plus tôt et emmener ce chaton où bon vous semblera. Je m'occuperai de fermer à votre place, ça vous va ? »

Delia soupira et se dirigea vers l'armoire à fournitures.

Au Paradis des Animaux, voilà où elle trouverait peut-être de l'aide. Elle vida un carton d'enveloppes kraft et l'apporta dans l'autre pièce. À genoux devant le radiateur, elle avança une paume sur le sol. « Tss-tss ! » fit-elle. Elle attendit. Au bout d'une minute, elle sentit un imperceptible frémissement mouillé sur son majeur. « Tss-tss-tss ! » Le chat l'épiait, en ne laissant apparaître que ses moustaches et sa truffe en cœur. Avec précaution, Delia enroula sa main autour du corps frêle et le tira vers elle.

Ce n'était guère qu'un chaton — un mâle efflanqué avec des grosses pattes au bout de membres filiformes. Son pelage était d'une saisissante douceur. Une véritable plante à soie. Lorsqu'elle le caressa, il se contracta sous ses doigts, mais il parut comprendre qu'il ne pouvait s'enfuir nulle part. Elle le souleva, l'installa dans le carton et referma les rabats. Il n'émit qu'un unique miaulement d'affliction avant de sombrer dans le silence.

Il pleuvait toujours et elle n'avait pas de main libre pour ouvrir un parapluie, aussi marcha-t-elle à pas pressés sans prendre la peine de s'abriter. Le carton ballottait dans ses bras comme s'il contenait une boule de bowling. Pour un si petit être, il avait un poids fort honorable.

Elle tourna à l'angle de la rue et entra en trombe au Paradis des Animaux. Derrière le comptoir, une dame aux cheveux grisonnants consultait une liste. « Sauriez-vous s'il y a une SPA à Bay Borough ? » s'enquit Delia.

La dame la dévisagea un moment, accommodant lentement son regard bleu perdu dans le vague. Puis elle répondit : « Non, la plus proche est à Ashford.

— Ou un endroit quelconque qui recueille les animaux errants ?

— Non, désolée.

— Et vous, que diriez-vous d'un chat ?

— Mon Dieu ! Si je ramenais à la maison un nouvel animal, mon mari me tuerait. »

Alors, Delia décida de déclarer forfait pour l'heure et acheta un paquet de croquettes ainsi qu'un sac de litière, en prenant dans les deux cas le plus petit modèle possible, de quoi tenir juste une nuit. Puis elle rapporta tant bien que mal le chat chez elle.

Belle était déjà rentrée et discutait au téléphone dans la cuisine. Delia l'entendit rire. Elle monta l'escalier à pas de loup, entra dans sa chambre, posa le carton par terre et referma la porte derrière elle. Le miroir lui renvoya l'image d'une folle. Des vrilles de cheveux mouillés étaient collées sur son front. Son cardigan s'auréolait aux épaules de marques humides plus sombres et son sac à main dégoulinait de pluie.

Elle se pencha au-dessus du carton et souleva les rabats. À l'intérieur, le chat, assis sur son arrière-train, la fusillait des yeux. Delia se recula et s'installa sur le rebord du lit en regardant ostensiblement dans une autre direction. Au bout d'un moment, il bondit hors du carton et se mit à flairer les plinthes. Delia resta immobile. Il plongea sous la commode et en ressortit, les moustaches couvertes de moutons. Il approcha du lit de biais, en promenant les yeux ailleurs. Elle détourna la tête. Un instant plus tard, elle sentit un creux délicat se former dans le matelas à l'endroit où il avait atterri. Il passa derrière elle, en effleurant son dos de toute la longueur de son corps, comme par inadvertance. Delia ne bougeait pas un muscle. Elle avait l'impression qu'ils se livraient tous deux à une danse empreinte d'élégance, de raffinement et de dignité.

Mais elle ne pouvait absolument pas le garder.

C'est alors que les talons de Belle claquèrent dans l'escalier. Elle ne montait quasiment jamais. Mais ce jour-là, oui. Delia lança un regard au chat en espérant qu'il se cache. Mais il se contenta de se figer sur place en braquant un œil écarquillé sur la porte. *Toc toc.* Il était au beau milieu de l'oreiller, sa queue noire aux allures de goupillon dressée à la verticale. Avec la meilleure volonté du monde, il était impossible de ne pas le voir.

Delia le saisit sous ses petites aisselles duveteuses. Elle sentait sous ses doigts son cœur qui palpitait. « Un instant », lança-t-elle. Elle tendit la main pour attraper le carton.

Mais Belle dut mal entendre, car elle entra comme une fleur en claironnant : « Tenez, Delia... » Puis elle s'interrompit. « Mais qu'est-ce que je vois là ? »

Delia se redressa. « J'essaie de lui trouver un toit.

— Oh, qu'il est trognon !

— Ne vous inquiétez pas, je n'ai pas l'intention de le garder.

— Mais, pourquoi ça ? Euh... c'est-à-dire... il est propre, n'est-ce pas ?

— Tous les chats sont propres. Qu'est-ce vous croyez ?

— Eh bien, en ce cas, pourquoi ne pas garder ce chacha botté, ce pauvre minou tout mimi ? » Belle se penchait vers le chat en lui offrant ses ongles vernis à flairer. « Mais on en a une jolie truffe en cœur, roucoula-t-elle. Et une tête toute ébouriffée. Une vraie petite boule de poils.

— Le détective de Mr. Pomfret l'a trouvé dehors sous la pluie, reprit Delia. Il me l'a laissé sur les bras. Je n'ai rien pu faire. Je savais bien que je ne pouvais pas le garder. Et d'abord, où voulez-vous que je mette sa litière ?

— Dans la salle de bains, suggéra Belle en se mettant à grattouiller l'animal derrière l'oreille.

— Et comment ferait-il pour sortir ?

— Vous pourriez laisser votre porte tout juste entrouverte, histoire qu'il puisse aller et venir comme ça lui chante. Oh, comme il est doux ! De toute façon, je n'ai jamais compris pourquoi vous fermiez votre porte. Dans une petite ville comme ici, qui pourrait bien venir vous cambrioler ? Ou se faufiler en douce pour vous violer ?

— C'est-à-dire...

— Croyez-moi, Mr. Lamb serait bien incapable de mobiliser l'enthousiasme nécessaire. »

Belle caressa le chat sous le menton et il renversa la tête en arrière avec délectation. Il avait de ces ronronnements en teuf-teuf dignes d'une Ford T.

« Je ne suis pas sûre de vouloir que ma vie se complique à ce point, déclara Delia.

— Mais c'est qu'on en est une complication, un gros paquet de soucis. »

Belle tenait une enveloppe dans sa main libre. Sans doute était-ce ce qui l'amenait. L'écriture d'Eleanor s'y déployait en hautes lettres majestueuses. Delia eut soudain l'impression d'être accablée par un fardeau. Elle se sentait assaillie de toutes parts.

Mais, lorsque Belle lui demanda : « Alors, qui garde ce pauvre chou, vous ou moi ? », Delia lui répondit : « Moi, sans doute.

— Bien. Appelons-le Toufou, qu'en pensez-vous ?

— Hmm », marmonna Delia en faisant mine de réfléchir à la question.

Mais elle n'avait jamais approuvé que l'on donne aux chats

des surnoms mièvres. En outre, il s'était déjà imposé à elle sous le nom de George.

Ce n'est qu'une fois couchée qu'elle trouva le temps de lire la lettre d'Eleanor. Le style était toujours le même : elle la remerciait de sa dernière carte, lui donnait des nouvelles de ses activités au sein des Repas sur roues. *Je peux sans peine m'identifier à votre désir de recommencer à zéro !* écrivait-elle. (*Je m'identifie*, la formule soigneusement choisie révélait à quel point elle s'était efforcée de peser ses mots.)

Et je suis soulagée de voir que c'est là la raison pour laquelle vous êtes partie. J'avais craint que ce ne soit à cause de Sam. Je m'étais demandé si par hasard il n'avait pas expressément envie *d'une femme qui fugue, auquel cas on ne pourrait guère vous blâmer.*

Mais, lorsque vous aurez fini de recommencer à zéro, pensez-vous parvenir à retrouver le présent et à rentrer chez vous ? C'est une simple question.

Bien affectueusement,

Eleanor.

Une patte poilue vint tapoter le feuillet et Delia écarta la lettre. Le chat avait trouvé refuge auprès d'elle, sur les couvertures. Il avait avalé une énorme platée et rendu visite à deux reprises à la litière de fortune qu'elle lui avait installée dans la salle de bains. Visiblement, il commençait à se sentir à son aise.

Elle prit son livre — Carson McCullers — et retrouva l'endroit où elle l'avait laissé la veille. Elle lut deux nouvelles, en entama une autre. Puis elle s'aperçut que le sommeil la gagnait ; aussi posa-t-elle le livre sur le rebord de la fenêtre et éteignit-elle la liseuse qu'elle plaça dessus. Sur le parquet luisait un rayon de lumière jaune qui filtrait par la porte entrouverte. Elle se glissa au fond du lit en prenant soin de ne pas déranger le chat. À présent, il faisait sa toilette. À chacun de ses mouvements, il s'adossait à ses côtes comme par inadvertance, mais elle savait pertinemment qu'il le faisait exprès.

Comme il était étrange, lorsqu'on y réfléchissait, que les animaux acceptent de partager leur territoire avec les humains ! Si elle s'était trouvée dans un lieu sauvage et qu'une créature des bois fût venue se nicher tout contre elle, Delia eût été stupéfaite.

Elle bâilla, ferma les yeux et tira la couverture sur ses épaules.

Une des nouvelles qu'elle avait lues s'intitulait « Un arbre, un rocher, un nuage ». Un homme y disait que l'on devrait commencer par aimer des choses faciles d'approche avant de songer à s'attaquer à autrui. Commencer par quelque chose de moins complexe, suggérait-il. Un arbre. Ou un rocher. Ou un nuage. Ces trois mots résonnaient dans l'esprit de Delia : arbre, rocher, nuage.

Tout d'abord, un temps de solitude, puis une relation ou deux, puis un petit animal qui n'exigeait rien. Delia se demanda ce qui viendrait ensuite et où tout cela finirait.

10

Le dimanche précédant la fête de Thanksgiving, Belle arrêta Delia au bas de l'escalier. « Dites-moi, Dee, que faites-vous pour Thanksgiving ?

— Oh, euh...

— Voulez-vous venir déjeuner chez moi ?

— Avec plaisir.

— Le menu est du genre ringard : dinde farcie, sauce aux airelles...

— Mais j'ignorais que vous faisiez la cuisine !

— Je ne fais pas la cuisine, répliqua-t-elle d'un ton lugubre. C'est un stratagème. J'essaie de passer pour le parfait grillon du foyer auprès d'un type avec lequel je sors depuis quelque temps. »

Pour l'heure, elle n'avait rien d'un grillon du foyer. Le dimanche était un jour chargé à l'agence immobilière et elle s'apprêtait à sortir vêtue de son énorme manteau violet aux épaules rembourrées qui remontaient en pointes comme une combinaison spatiale de Martien. En dessous flottait un pantalon lilas et l'atmosphère autour d'elle s'était chargée des effluves capiteux de son parfum de fruit trop mûr.

« Vanessa vient avec Greggie, annonça-t-elle. C'est une attention touchante d'inviter un enfant, vous ne trouvez pas ? Et puis il y aura aussi ce couple qui s'est installé depuis peu en ville et auquel je viens de vendre une maison, un couple marié, ça fait toujours bien...

— Et moi, j'aiderai aux cuisines, devina Delia.

— Oh, soit dit entre nous, je vais tout faire venir de l'extérieur. Mais je me disais que vous ajouteriez un peu, comment dire, un peu de classe. Il faut que je lui donne l'image d'une femme parfaitement convenable et respectable. Et puis aussi, vous pourriez me donner des conseils pour ajouter la touche de la parfaite épouse : le milieu de table et tout le tralala. Vous devez avoir eu l'habitude de ce genre de choses chez vous ? Vous n'auriez pas par hasard ces espèces de paniers qui ressemblent vaguement à une corne d'abondance ?

— Pas sous la main. Mais je serais ravie de faire mon possible.

— Formidable. » Belle écarta le chat du bout du pied — il avait suivi Delia au rez-de-chaussée — et ouvrit la porte d'entrée. Elles sortirent dans la fraîcheur d'une journée couleur d'étain. « Il s'appelle Henry McIlwain, je vous l'avais dit ? reprit-elle. On sort ensemble depuis plusieurs semaines déjà et j'aimerais passer à des choses plus sérieuses. Je ne veux pas qu'il s'imagine que je suis tout juste bonne pour faire la java ! Peut-être pourriez-vous glisser quelques remarques devant lui, l'air de rien. Quelque chose dans le genre : "Belle, j'espère au moins que vous nous avez préparé vos fameux choux de Bruxelles !"

— Parce que vous allez lui servir des choux de Bruxelles ?

— Je n'ai pas le choix. Parmi les légumes verts que proposait le traiteur, c'était le seul qui rentrait dans mon four.

— Et quand vous viviez avec Norton, comment faisiez-vous pour les repas ?

— Nous mangions dehors. Mais cette fois, je veux m'y prendre autrement. Vous pourriez aussi me demander une de mes recettes, en profitant d'un moment où Henry aura l'oreille qui traîne.

— Je meurs d'impatience de savoir ce que vous me répondrez, plaisanta Delia.

— Le déjeuner est à une heure, mais croyez-vous que vous pourrez descendre un peu plus tôt pour m'aider à mettre le couvert ? Et puis, j'aimerais que vous portiez votre robe grise à rayures. Elle est si... si grise. Vous voyez ce que je veux dire ? »

Le jour de Thanksgiving, Delia fit la grasse matinée et s'attarda à lire au lit en buvant du thé, le chat pelotonné à côté d'elle. De l'autre côté du couloir, dans la chambre de Mr. Lamb, un présentateur ânonnait sans fin. C'était un présentateur de télévision, avait compris Delia, et non de radio. À présent qu'elle laissait sa porte légèrement entrouverte, elle entendait la musique s'enfler puis décliner sans raison apparente, sans doute en réponse à un signal visuel. Et ce jour-là, elle parvenait à distinguer des phrases, à chaque fois qu'elle émergeait du lit pour aller chercher de l'eau pour son thé : « La maman ourse conduit ses petits... », puis : « La femelle araignée injecte à ses victimes... » Manifestement, Mr. Lamb regardait des émissions animalières.

Peu après midi, elle se leva et s'habilla. Dommage qu'elle n'ait pas un rang de perles pour donner un petit air de fête à sa robe, se dit-elle. Ou tout au moins un foulard. N'avait-elle pas un foulard cachemire bordé de virgules grises ? Oui, en effet — à Baltimore. Elle le revoyait plié dans la boîte à gants en laque de Chine de sa grand-mère.

Elle appliqua une couche de brillant à lèvres, puis se pencha vers le miroir pour se lisser les cheveux. Ils étaient plus longs à présent et, en poussant, ses boucles, semblaient s'être assagies — ce qui seyait parfaitement à Miss Grinstead. Toutefois, lorsqu'elle recula pour juger de l'effet d'ensemble, ce ne fut pas à Miss Grinstead qu'elle pensa, mais à Rosemary Bly-Brice.

Elle s'empressa de se détourner du miroir et prit le vase de fleurs d'automne qu'elle avait achetées la veille.

Le chat sortit sur ses talons. Il dévala l'escalier en trombe et s'enroula autour de ses chevilles, les quatre fers en l'air, tandis qu'elle frappait à la porte du salon. N'obtenant aucune réponse, elle essaya à l'autre porte, celle de droite, et finit par tourner la poignée en risquant sa tête dans l'embrasure. « Il y a quelqu'un ? » lança-t-elle.

Seigneur, Belle avait grand besoin qu'elle vole à son secours. La nappe n'avait pas même encore été mise sur la longue table étroite en imitation bois digne des fêtes d'associations de parents d'élèves. Delia posa ses fleurs et se dirigea vers la cuisine. « Belle ? »

Elle la trouva appuyée à l'évier, étreignant de ses bras croisés le plastron furieusement volanté d'un tablier blanc, le visage ruisselant de larmes.

« Belle ? Que s'est-il passé ?

— Il ne vient pas, balbutia-t-elle d'une voix étouffée.

— Votre petit ami ?

— Il est retourné avec sa femme.

— J'ignorais qu'il avait une femme.
— Eh oui.
— Je suis désolée. »

À vrai dire, elle était choquée, mais elle s'efforça de n'en rien montrer. Guère étonnant que Belle ait tant voulu avoir l'air respectable ! Delia lui tapota l'épaule d'une main hésitante pour la consoler, au cas où elle en aurait ressenti le besoin. Et manifestement, c'était le cas. Elle s'effondra dans ses bras en sanglotant à chaudes larmes dans son cou.

« Il était fait pour moi ! gémit-elle. C'était l'homme dont j'ai toujours rêvé ! Et puis ce matin, il a appelé et... oh, j'aurais dû comprendre tout de suite à cette façon qu'il a eue de marmonner à voix basse, confidentielle, comme s'il craignait d'être surpris... »

Elle se dégagea pour arracher un bout d'essuie-tout au rouleau accroché au-dessus de l'évier. Elle se tamponna un œil, puis l'autre, et reprit : « "Belle, il me dit, pour aujourd'hui, y a un problème. — Ah oui ? je lui dis. Quoi ?" Moi, je croyais qu'il ne pouvait pas faire démarrer sa voiture ou qu'il voulait amener un ami. "Voilà, il fait. Comme qui dirait, Jacinthe et moi, on s'est remis ensemble."
— Jacinthe, c'est sa femme ?
— Oui, et le bébé s'appelle Narcisse, vous imaginez un peu ?
— Parce qu'il y a un bébé.
— Et c'est même pas un bébé de printemps ! Il est né en octobre !
— Vous voulez dire... en octobre dernier ? »

Belle acquiesça d'un signe de tête en se mouchant bruyamment.

« Ce qui lui fait... un mois ?
— Six semaines.
— Ah. »

Le tablier de Belle était si neuf qu'on apercevait encore les trous des épingles qui le fixaient à l'origine dans son emballage. Sa mise en pli était plus volumineuse encore qu'à l'accoutumée et elle était vêtue de la première robe que Delia lui avait jamais vue porter — tout, du moins, laissait à penser qu'il s'agissait bien d'une robe, car ses jambes émergeaient de l'ourlet de son tablier, gainées de bas nylon dont le blanc brillant évoquait des fleurs de prunier. Mais sa figure était un véritable désastre

— rouge à lèvres barbouillé, yeux charbonneux et traînées de larmes grises. « Il faudrait que vous préveniez les autres, bredouillait-elle en se tamponnant les joues. Je suis incapable d'affronter le déjeuner.

— Mais tout est déjà prêt », protesta Delia. Elle jaugeait du regard les barquettes enveloppées de papier aluminium qui jonchaient le plan de travail, les assiettes et les couverts entassés sur la table de cuisine et les plats de service attendant qu'on les garnisse. Par la vitre du four allumé, elle distinguait une dinde brunie mais, curieusement, elle n'en percevait pas l'odeur. « Cette dinde m'a tout l'air d'être cuite, dit-elle.

— Elle est arrivée déjà cuite. Je n'ai plus qu'à la réchauffer. Je l'ai gardée au frigo toute la nuit.

— En ce cas, pourquoi renoncer à votre déjeuner ? Cela pourrait vous remonter le moral.

— Rien ne peut me remonter le moral.

— Allons, asseyez-vous et je m'occupe de tout.

— Je voudrais être morte et enterrée », soupira Belle en tirant à elle une chaise. Elle s'y laissa tomber et attrapa le chat. « C'est plus de mon âge de me faire plaquer ! J'ai trente-huit ans. C'est épuisant de se relancer à chaque fois dans une nouvelle histoire. »

Delia ne lui répondit pas, car elle s'était mise en quête d'une nappe. Impossible de deviner où Belle pouvait ranger son linge de maison. C'était une de ces cuisines des années cinquante aux murs brillants parfaitement dépouillés, pourvue d'énormes appareils électroménagers blancs et de meubles à tiroirs également blancs en métal piqueté de rouille. Elle ouvrit un à un tous les tiroirs dans un bruit de ferraille. Ils étaient vides, pour la plupart.

Elle finit par repérer un amas de tissus dans l'espace ménagé sous l'évier. « Ah ! ah ! » fit-elle en secouant une nappe damassée complètement froissée. Elle l'apporta dans la salle à manger et l'étendit sur la table, puis elle replaça les fleurs au centre. « Je suis sûre que vous avez des bougeoirs.

— On s'est rencontrés au printemps dernier, dit Belle. C'est moi qui leur ai revendu leur ancienne baraque. Ils s'installaient dans une maison plus grande en prévision de la naissance du bébé. Et vous savez quoi, vu l'état du marché, ça m'a pris six mois. »

Delia ouvrit tous les tiroirs de la commode vert pomme qui

tenait lieu de buffet. Elle y découvrit deux bougeoirs gisant au creux d'un nid de rallonges électriques et les disposa de part et d'autre des fleurs. Pendant ce temps, dans la cuisine, Belle avait réussi à vendre la maison juste à temps pour la naissance du bébé. « L'acte de vente devait être signé deux jours avant la date prévue de l'accouchement, expliquait-elle. L'enfant est arrivé trois jours plus tard. Alors naturellement, j'ai fait un saut à l'hôpital avec un petit cadeau : ces choses-là sont déductibles des impôts. Et je vois mon Henry en papa tout fier qui m'emmène dans le couloir devant la vitre de la nursery pour me montrer comme son bébé est mignon et intelligent et puis tout ça, ça n'en finissait pas. Bref, il a commencé à me taper sur le système. Je n'écoutais pas un mot de ce qu'il disait, j'étais là à regarder ses lèvres bouger et subitement je me suis dit : *Et si je m'approchais de lui pour l'embrasser, qu'est-ce qu'il ferait ?*

— Les bougies ?

— Essayez le placard à balais. » Belle trompeta dans son mouchoir, délogeant le chat qui ne fit qu'un bond et sauta de ses genoux. « Et dire que ce n'est même pas mon type d'homme ! Maigre comme un clou ! Pâle ! Et avec ça, une vraie dégaine d'informaticien ! Mais moi j'étais là à me dire : *Et si je déboutonnais mon chemisier, juste là, devant la vitre de la nursery, en me passant le bout de la langue sur les lèvres sans détacher les yeux de sa bouche ?* »

Les bougies n'étaient pas dans le placard à balais, mais sur le dessus du réfrigérateur, dans une boîte d'un blanc sale. Elles étaient également jaunies, et légèrement tordues, Delia les disposa pourtant dans les bougeoirs. Puis elle prit les assiettes et les couverts préparés dans la cuisine et les disposa sur la table. Belle en était au chapitre des coliques du bébé, des brusques scènes de ménage entre les nouveaux parents et des trésors de compassion tendre et empressée qu'elle avait alors déployés. « J'ai intrigué, j'ai comploté, je suis restée à l'affût, confessa-t-elle. Je lui ai dit que ma porte lui serait toujours ouverte. À deux, trois, quatre heures du matin, il fuyait les odeurs de lait régurgité et de couches sales, et il me trouvait là qui l'attendait en nuisette à fines bretelles du Secret de Victoria. »

Et dire que tout cela se passait pendant que Delia dormait d'un sommeil de plomb ! Elle jeta un coup d'œil à la dinde. La bête s'était affaissée autour du bréchet. Elle tomba sur les choux de Bruxelles dans leur barquette d'aluminium et les enfourna dans le grill à 350°. Il y avait également des feuilletés, mais elle ne les réchaufferait qu'à la toute dernière minute.

« Il y a deux semaines, Jacinthe est retournée chez sa mère, poursuivit Belle. Elle a pris Narcisse sous son bras et elle est partie. J'étais au septième ciel. Vous n'avez pas remarqué comme j'étais rayonnante ces derniers temps ? Oh, Delia, mais comment faites-vous pour supporter de ne pas avoir de vie amoureuse ? »

Delia, qui tenait un paquet de serviettes en papier imprimé d'oies cendrées, s'arrêta pour réfléchir à la question. « Évidemment, les câlins me manquent. Mais quand je pense, comment dire... au reste, ça me laisse un peu perplexe. Je me dis : *Pourquoi j'en faisais toute une affaire, autrefois ?* Mais c'est sans doute... »

La sonnette de la porte retentit.

« Oh non, on a oublié d'annuler le déjeuner, soupira Belle, sans se rendre compte apparemment qu'elle était au beau milieu des préparatifs de Delia. Zut ! Je ne peux pas affronter ça. Allez voir qui c'est, voulez-vous, pendant que j'essaie de m'arranger un peu. »

En traversant la salle à manger pour rejoindre l'entrée, Delia se sentait l'allure grise, sèche et virginale d'une tante restée vieille fille remplissant son devoir.

C'était Vanessa. Elle était vêtue d'un blazer de cuir assorti d'un jean et portait Greggie sur la hanche. Derrière elle, descendant à peine de voiture, apparurent un homme et une femme qui devaient être le couple marié de Belle. Delia eut tout juste le temps de chuchoter la nouvelle à Vanessa — « Henry McIlwain est retourné avec sa femme » — avant que le couple ne gagne la véranda. « Mais, qui voilà ! » lança le mari à Greggie. Il était jeune, la trentaine tout au plus, il était aussi rassis qu'un homme d'âge mûr, songea Delia, avec son toupet de cheveux bruns clairsemés et son long pardessus noir solennel.

Sa femme était une coquette et séduisante brune vêtue d'un tailleur de lainage rouge impeccable qui semblait tout droit sorti d'une garde-robe de poupée Barbie. « Je suis Delia Grinstead, lui dit-elle. Voici Vanessa Linley — je ne sais pas si vous vous connaissez — et Greggie.

— Nous sommes les Hawser, annonça le mari en parlant au nom de sa femme. Donald et Melinda.

— Entrez, je vous en prie. »

Elle avait l'intention de les conduire au salon mais, lorsqu'elle se tourna, elle aperçut Belle sur le seuil de la salle à manger. Elle souriait de toutes ses dents en ajustant le décolleté plongeant d'une robe à fleurs boutonnée de haut en bas. « Joyeux Thanksgiving ! » claironna-t-elle. Si elle avait effectivement procédé à quelques retouches, le résultat n'était guère convaincant. Ses joues étaient encore maculées de traînées grises et ses yeux étaient roses et bouffis. Mais elle roucoula gaiement : « Ravie que vous ayez pu venir ! Entrez donc, installez-vous ! »

Il n'y avait pas d'autre endroit où s'asseoir qu'autour de la table. « Donald, à ma droite, dit Belle, et Vanessa à ma gauche. J'ai mis Greggie près de toi, Vanessa. Va chercher des annuaires dans la cuisine, s'il a besoin de se mettre à niveau. Et Melinda, de l'autre côté de Greggie. »

Peut-être était-ce la coutume locale, après tout, de passer directement à table. Mais Vanessa elle-même semblait sidérée. Et le mari (qui n'avait pas encore ôté son pardessus) demeura figé sur place un instant avant d'approcher une chaise. « Sommes-nous... en retard ? s'inquiéta-t-il.

— En retard ! Mais pas du tout ! protesta-t-elle avant de s'abandonner à une cascade de rire musical. Delia, vous vous assiérez à côté de... Oh, s'écria-t-elle. Franchement !

— Qu'y a-t-il ? s'enquit Delia.

— Il y a un couvert en trop ! »

C'était vrai. Delia avait ramassé tout ce qu'elle avait trouvé sur la table de la cuisine, ce qui incluait sans nul doute le couvert de Henry McIlwain. Belle fixait la chaise à l'autre bout de la table, les yeux débordant de larmes toutes fraîches.

« Je suis désolée, s'excusa Delia. Nous pourrions...

— Allez vite me chercher Mr. Lamb, ordonna Belle.

— Mr. Lamb ? D'en haut ?

— Mais dépêchez-vous. Nous attendons tous. Dites-lui que nous mangerons sans lui s'il ne descend pas presto. »

Delia ne voyait guère ce qu'ils pourraient bien manger, dans la mesure où, sur la table, il n'y avait rien à se mettre sous la dent. Mais Vanessa, qui revenait de la cuisine, les bras chargés d'une pile d'annuaires, rassura Delia : « Allez-y, je m'occupe du déjeuner. »

Delia se retrouva dans l'entrée, où semblait régner un calme absolu après toute l'agitation de la salle à manger. Elle grimpa l'escalier avec le chat dans les jambes et frappa à la porte de Mr. Lamb. « En désespoir de cause, les saumons se jettent à contre-courant », déclarait une voix austère. La porte s'ouvrit sur un filet du visage décharné de Mr. Lamb. « Oui ? » fit-il, puis : « Oh ! », car George avait réussi à se faufiler par la fente à force de contorsions.

« Belle m'envoie vous inviter à déjeuner pour Thanksgiving, lui annonça Delia.

— Mais votre animal a réussi à entrer dans la chambre !

— Je suis désolée. Viens, George. »

Elle tendit le bras pour récupérer le chat et Mr. Lamb consentit de mauvaise grâce à entrouvrir la porte de quelques centimètres de plus. Delia renifla cette odeur de noisette des vêtements portés une fois, avant d'être fourrés au fond d'un tiroir sans avoir été lavés. L'éclat glacé de la télévision jaillit dans la pénombre. Elle attrapa George et recula.

« Je voulais vous parler du dispositif sanitaire que vous avez aménagé sous le lavabo de la salle de bains, dit Mr. Lamb.

— Pardon... ?

— Votre chat ne pourrait-il pas faire cela dehors ?

— Pas au milieu de la nuit. » Elle étreignit George contre elle et lança : « Alors, vous venez déjeuner ou non ?

— À quelle heure ?

— Hmm... tout de suite.

— Ma foi, ce devrait être faisable. » Il considéra sa tenue — un tee-shirt avachi, un pantalon noir flottant — et lui referma la porte au nez.

Delia s'étonna qu'un aussi fervent spectateur d'émissions animalières puisse trouver à redire à un pauvre chat inoffensif.

Au rez-de-chaussée, Vanessa avait tout mis sur la table — la dinde, les choux de Bruxelles, la sauce aux airelles, les patates douces écrasées parsemées de marshmallows, le tout dans les barquettes d'origine. Toujours revêtue de son blazer de cuir, elle vidait la farce de la dinde à la cuillère. Greggie était mollement affaissé sur sa pile d'annuaires et suçait son pouce, l'œil rivé sur sa mère, les paupières lourdes. Ce devait être l'heure de sa sieste.

Belle discutait de Henry avec les Hawser : « Ce que je ne comprends pas, c'est quand tout ceci est arrivé. Jusqu'à dix heures du soir, hier, c'était tout beau tout rose. Henry et moi, on a passé une soirée très agréable dans un restaurant d'Ocean City. Et puis ce midi, au téléphone — là, comme ça, d'un coup, c'était un tout autre homme.

— Sa femme a dû réapparaître ce matin », suggéra Donald Hawser avec sagesse. Il avait drapé son pardessus sur le dossier de sa chaise et allumait les bougies tordues avec un briquet d'argent. « En se levant ce matin, elle s'est sûrement dit : "Me voilà loin de chez moi le jour de Thanksgiving, alors que c'est une fête familiale." »

Delia posa le chat par terre et prit place à côté de Donald. *Et en cette fête familiale*, songea-t-elle, *voilà que je me retrouve à manger de la dinde froide achetée chez un traiteur en compagnie de parfaits inconnus*. Elle se faisait l'effet d'une écervelée en quête d'aventures.

« "Me voilà avec ma mère au lieu d'être avec mon mari", elle s'est dit, et, en deux temps trois mouvements, elle a plié bagage et elle est revenue vers lui, mais il n'a pas pu vous prévenir avant midi, que vouliez-vous qu'il fasse ? Qu'il s'excuse pour courir vous appeler à la minute où elle est arrivée ?

— Donald peut toujours vous donner un avis d'expert, et ce, quel que soit le sujet », lança sa femme avec un petit rire aigre.

Elle se tenait très raide, la colonne vertébrale ne touchant pas même le dossier de la chaise. Les pointes de ses cheveux étaient enroulées en forme d'ouïes de violon.

« Oui, c'est une sorte de don, acquiesça Donald sans se départir de son calme. J'ai des talents de visionnaire. Voyez-vous, il faut tout d'abord régler la question de son installation dans la maison. N'oubliez pas qu'elle a un bébé avec elle et un sac de couches, et puis un de ces sièges-auto pour enfant...

— Mais il aurait pu la chasser ! explosa Belle. Il ne l'aime même pas ! Il me l'a dit !

— Évidemment, c'est ce qu'il prétend », dit-il en s'étalant sur sa chaise.

Vanessa découpait la dinde. Delia commença à faire passer les autres plats. Les choux de Bruxelles étaient tout juste tièdes, et les patates, réfrigérées. Tout le monde se servit néanmoins.

« Vous avez raison, soupira Belle. Mais quand est-ce que je comprendrai enfin ? Ça m'arrive quasiment toutes les semaines. Norton Grove est le seul qui ait jamais divorcé pour moi et regardez un peu comment ça s'est fini !

— Comment cela s'est-il fini ? s'enquit Delia.

— Il est tombé amoureux d'une femme plombier qui était venue déboucher notre évier. »

Donald hocha la tête en laissant entendre qu'il aurait pu le prédire.

« C'est ce que répète sans cesse Ann Landers dans sa chronique, reprit Belle. Elle dit qu'un homme qui est capable de quitter sa femme vous quittera certainement un jour ou l'autre.

— Peut-être devrais-tu chercher un homme qui n'a pas de femme, suggéra Vanessa en tendant à son fils une aile de dinde.

— Oui, mais c'est à croire que je manque d'imagination. Comment dire, c'est un peu comme si je ne pouvais pas m'imaginer épouser un homme avant de l'avoir vu marié à une autre. Alors là, je me dis : "Mais, c'est qu'il ferait un mari idéal pour moi !" »

La porte d'entrée s'ouvrit et Mr. Lamb apparut sur le seuil, vêtu d'un costume noir lustré qui donnait à son visage une couleur de cendre. « Mon Dieu, mais vous avez des invités, marmonna-t-il.

— Oui, Mr. Lamb, et vous en êtes, rétorqua Belle. Donald Hawser, Melinda Hawser... Vanessa et Greggie, vous avez bien dû les croiser ici. Je vous présente Horace Lamb », dit-elle à l'adresse des autres convives. Elle indiqua d'un geste désinvolte l'unique chaise vide. « Asseyez-vous.

— C'est à dire que... je ne peux pas rester très longtemps.

— Asseyez-vous, Mr. Lamb. »

Il entra dans la pièce, accompagné d'un frôlement qui fit baisser les yeux à Delia. Il était chaussé de ces mules de papier que l'on donne dans les hôpitaux. « Cet après-midi, c'est du sport, du sport et encore du sport, soupira-t-il en se laissant tomber sur sa chaise. Priorité sur toutes les émissions habituelles. J'en suis réduit aux chaînes éducatives.

— Dites-moi, s'écria Donald, vous êtes pour qui, vous ?

— Pardon ? En semaine, j'aime regarder les séries qui passent l'après-midi. Oh, je le confesse, je l'admets. Tous les jours que le bon Dieu fait, enfin, quand je suis sur la route, je me fais un devoir de m'arrêter pour *Mes chers enfants*.

— Vous faites quoi dans la vie, Horace ? Je peux vous appeler Horace ?

— Je vends des doubles fenêtres. » Il prit la barquette de patates douces qu'on lui tendait et y plongea le regard. « Cela m'a l'air excessivement riche », observa-t-il. Ses longues dents de devant étaient si proéminentes que ses lèvres avaient peine à les recouvrir. Sa figure paraissait étirée et les articulations de sa mâchoire trop serrées. Il leva ses yeux caves vers Belle et ajouta : « Je suis malheureusement affligé d'un estomac délicat.

— Oh, mangez donc, ça vous fera du bien, aboya Belle. Nous parlions des hommes mariés.

— Pardon ?

— Ce n'est pas tout, dès que je vois un homme marié, je suis persuadée qu'il va me trouver irrésistible.

— Irrésistible ?

— Je m'adresse à toute la tablée, Mr. Lamb. Mangez donc. Quand je vois un homme avec sa femme, son assommante petite souris qui ne fait pas même l'effort de prendre soin d'elle, je me dis : *Pourquoi ne me préférerait-il pas à elle ? Je suis bien plus marrante et sacrément plus mignonne, avec ça.* Mais c'est à croire qu'il y a une espèce, je ne sais pas, une espèce d'emprise que possèdent certaines femmes et à laquelle je ne peux rien. Est-ce un secret ? Un secret que vous vous transmettez de bouche à oreille ? »

Elle s'adressait à Melinda Hawser, mais Melinda se contenta de partir d'un nouveau rire hystérique en émiettant son feuilleté dans son assiette. « C'est ça ? demanda Belle à Delia.

— Oh non, fit Delia. Ce serait plutôt une question de... comment dit-on déjà ? Ce terme qu'on utilisait en cours de physique... Impulsion ?

— Inertie, rectifia Mr. Lamb.

— Exact. » Elle lui jeta un regard. « C'est seulement que les gens préfèrent rester là où ils sont.

— Si c'est aussi simple que ça, objecta Belle, comment se fait-il que Katie ait réussi à partir à Hawaii avec Larry Watts ? Elle a bien dû découvrir le secret. Enfin, franchement, quand Larry Watts était en pension ici, il ne m'a jamais regardée ! C'est à croire qu'il faisait tout pour m'éviter. La seule fois où je l'ai invité en bas à venir prendre un petit verre entre amis, à le voir, on aurait dit qu'il me considérait comme une sorte de pouffiasse. »

Sa bouche s'affaissa et elle se couvrit les yeux d'une main. « Allons, allons », fit Donald. « Ne pleure pas, Belle », dit gentiment Vanessa. Mr. Lamb, quant à lui, se mit à tirer férocement sur son nez.

« Quoi qu'il en soit, intervint Melinda, je ne vois franchement pas pourquoi vous auriez besoin d'un mari. »

Il y eut un silence où tous les convives parurent réviser leurs positions.

« Et puis d'abord, qui a inventé le mariage ? demanda Melinda à Greggie, qui la fixa en roulant les yeux à l'abri d'une poignée graisseuse d'aile de dinde. Tout le monde est là à vanter ses mérites, les femmes, surtout. Les mères, les tantes, les amies. Et puis, une fois mariée, vous vous rendez compte à quel point votre mari est suffisant, comment il n'arrête pas de parler, d'assener ses théories et ses jugements, de claironner les succès qu'il remporte en affaires. "Je leur ai dit ceci", et "je leur ai dit cela". Alors vous, vous demandez : "Et qu'est-ce qu'ils t'ont répondu ?", et lui il vous dit : "Oh, tu sais bien, mais du coup, moi je leur ai tout sorti, carrément, je n'y suis pas allé par quatre chemins..." Et si jamais vous vous plaignez à votre mère, à vos tantes et ainsi de suite, elles vous diront : "Ah, ça c'est sûr, le mariage n'est pas une partie de plaisir." Et vous, vous avez envie de leur demander : "Mais pourquoi ne pas m'avoir prévenue ? Où étiez-vous quand j'ai annoncé mes fiançailles ?"

— Ha, ha. Certes, intervint son mari en parcourant la tablée du regard. Mais nos amis vont penser que tu parles de notre mariage, ma chérie. »

Tout le monde attendit la suite, mais Melinda se contenta de harponner un choux de Bruxelles.

« Oh, cela ne nous viendrait pas à l'idée », lui assura Belle. Elle était très droite sur sa chaise, les larmes séchant déjà sur ses joues. « Un bel homme comme vous ? Mais bien sûr que non. » Elle poursuivit en s'adressant au reste de la tablée : « Donald et Melinda sont des clients à moi. Ils ont acheté l'ancienne maison des Meers — un endroit ravissant. Donald occupe des fonctions de cadre importantes à la fabrique de meubles. »

Melinda mastiquait ses choux de Bruxelles très bruyamment, mais peut-être cette impression ne venait-elle que du silence de mort qui régnait dans la pièce.

« Mrs. Meers, elle, était partie en maison de retraite, dit Belle, mais Mr. Meers y habitait encore à l'époque. C'est lui-même qui nous a fait visiter la maison, il nous a montré comment fonctionnait le compacteur d'ordures. Après, il nous a dit : “Et en prime, dans le congélateur, vous trouverez cent quarante-quatre blancs d’œufs, gratis.”

— Ils devaient faire leur propre mayonnaise », présuma Mr. Lamb.

Belle s’apprêtait à reprendre la parole, mais elle se ravisa pour le dévisager.

« A priori, les doubles fenêtres, vous n’êtes pas preneur, dit Mr. Lamb à Donald.

— Non, pas vraiment, répondit Donald sans détacher les yeux de sa femme.

— Ah bon, enfin, je m’en doutais bien.

— Cette maison n’a absolument besoin de rien, reprit Belle. Les Meers ont passé leur temps à s’en occuper. Et Donald ici présent, Don... » Elle lui sourit. « Don a repéré ça dès la minute où il est entré.

— Melinda et moi, nous sommes un ménage sans histoires. Sept ans de mariage, déclara Donald, les yeux toujours rivés sur sa femme. Déjà du temps de la fac, on était un de ces couples reconnus du campus. Le style fidèle, accroché.

— Je vois bien le genre, dit Belle.

— Melinda me connaît depuis si longtemps qu’elle m’appelle encore Hawk ! Hawk Hawser, ajouta-t-il en se tournant enfin pour affronter le regard de Belle. J’étais dans l’équipe de basket. Une espèce de star, pour ainsi dire, bien que je n’aie jamais atteint un niveau professionnel.

— Vraiment ! s’exclama Belle.

— Hawk Hawser, répéta-t-il avec lenteur.

— Je crois bien avoir entendu parler de vous.

— Si vous étiez dans l’Illinois, c’est possible. Au Jerry Bingle College ?

— Jerry Bingle. Hmm...

— Je jouais centre.

— Vraiment !

— Et au beau milieu de la dernière année...

— Marshmallow », réclama Greggie.

Il n’éprouvait pas cette difficulté qu’ont habituellement les enfants à prononcer les *r* et articulait avec précision et délicatesse. « Maman ? Marshmallow ! »

Ce fut en définitive Delia qui, du bout de sa fourchette, piqua un marshmallow dans les patates douces et le tendit en travers de la table pour le déposer dans son assiette. Tous les autres convives observaient Belle. Bouche bée, haletante, miraculeusement remise de ses émotions, elle caressait le bouton supérieur de sa robe en suivant un mouvement circulaire, hypnotique, ses yeux aux cils humides rivés avec fascination sur la bouche de Donald.

11

PARFOIS, Mr. Pomfret ordonnait à Delia d'aller mettre de l'argent dans un parcmètre pour un client. Ou il claquait des doigts lorsqu'il avait besoin d'elle. Un jour, il lui lança son imperméable en lui disant de l'apporter à la teinturerie express. « Bien, Mr. Pomfret », murmura-t-elle. Lorsqu'elle revint, elle lui déposa le reçu dans le creux de la main avec la dextérité d'une infirmière tendant un scalpel.

Mais à présent, elle sentait poindre en elle un soupçon de rébellion.

« Miss Grinstead, ne voyez-vous donc pas que je *fusionne* ? s'indigna-t-il, lorsqu'elle lui apporta des lettres à signer. » Désolée, Mr. Pomfret », dit-elle d'un ton neutre, excessivement flegmatique, le visage de marbre.

Et de retour derrière son bureau, elle fulmina de reparties imaginaires. *Vous et votre saleté d'ordinateur ! Vos « Fusionner », vos « Rechercher et Supprimer » et Dieu sait quoi encore !*

Un vendredi, au début du mois de décembre, un homme aux cheveux grisonnants en blouson de base-ball arriva sans rendez-vous. « Je m'appelle Leon Wesley, annonça-t-il à Delia. C'est au sujet de mon fils, Juval. Croyez-vous que Mr. Pomfret pourrait me consacrer une minute ? »

La porte du bureau de l'avocat était fermée — c'était le tout début de la matinée, l'heure à laquelle Mr. Pomfret se plongeait dans les derniers catalogues — mais, lorsqu'elle lui posa la question, il répondit : « Leon ? Mais Leon m'a refait le revêtement de mon allée. Envoyez-le-moi. Et préparez-nous du café, tant que vous y êtes. »

Quand bien même elle l'aurait voulu, il était impossible

d'ignorer ce qui amenait Mr. Wesley. Il déballa les raisons de sa visite avant de s'asseoir, continuant à parler pendant que le moulin à café était en marche, tant et si bien que Mr. Pomfret dut lui demander de répéter. Juval, expliqua Mr. Wesley, était censé rejoindre la marine après Noël. Il avait un brillant avenir en perspective, on lui avait accordé un intérêt tout particulier en raison de ses qualifications, qui semblaient fondées sur un quelconque savoir-faire technique que Delia avait du mal à comprendre. Et voilà que subitement, la nuit précédente, il avait été arrêté pour tentative de vol avec effraction, surpris en flagrant délit en train de passer par la fenêtre de la salle à manger des Hanff à dix heures du soir.

« Les Hanff ! » s'écria Mr. Pomfret. Les Hanff possédaient la fabrique de meubles, comme nul ne l'ignorait, pas même Delia — la seule manufacture de la ville. « Mais nom d'un chien, c'est bien les dernières personnes à aller cambrioler ! »

Delia alla chercher du sucre dans l'armoire à fournitures et, lorsqu'elle revint, Mr. Pomfret s'étonnait encore des victimes que s'était choisies Juval. « Enfin, franchement, quand on sait que Reba Hanff est contre les bijoux, qu'il ne possède pas le plus petit couvert en argent et qu'en plus il distribue le moindre *cent* de bénéfice à un quelconque gourou en Inde... Qu'espérait-il voler, bon sang ?

— Et surtout pourquoi ? Moi, c'est ce que j'aimerais bien savoir, reprit Mr. Wesley. C'est ce que je ne réussis pas à comprendre. Avait-il besoin d'argent ? Dans ce cas, pour quoi faire ? Il ne boit même pas. Quant à la drogue, n'en parlons pas. Il n'a même pas de petite amie.

— Sans oublier que les Hanff sont les seuls de tout Bay Borough à avoir installé une alarme chez eux, murmura Mr. Pomfret d'un ton rêveur.

— Et avec une carrière aussi fabuleuse en perspective ! s'indigna Mr. Wesley. Je parie que tout est à l'eau, maintenant. Mais pourquoi a-t-il été tout gâcher, à quelques semaines à peine de son départ ?

— Peut-être est-ce précisément là la raison, intervint Delia en posant deux tasses sur un plateau.

— M'dame ?

— Peut-être a-t-il tout gâché pour ne pas être obligé de partir. »

Mr. Wesley la fixait d'un œil hébété.

Mr. Pomfret lança : « Vous pouvez disposer, Miss Grinstead.
— Bien, Mr. Pomfret.
— Veuillez refermer la porte en sortant, je vous prie. »
Elle referma la porte avec un tel excès de précautions que le mécanisme de la serrure se déclara dans ses moindres détails.
En ce qui concerne la création d'un fonds nominal, tapa-t-elle.
Sur ces entrefaites, Mr. Pomfret émergea du bureau en fourrant les bras dans ses manches d'imperméable étriquées et raccompagna Mr. Wesley à la porte. « Vous annulerez mon rendez-vous de dix heures, annonça-t-il à Delia.
— Bien, Mr. Pomfret. »
Il ouvrit la porte d'entrée pour faire sortir Mr. Wesley, puis il la referma et revint se planter devant le bureau de Delia. « Miss Grinstead, dit-il, à l'avenir, je vous prierais de vous dispenser de vos commentaires lorsque je suis en consultation. »
Elle le regarda d'un air buté en écarquillant de grands yeux innocents.
« Je vous paie pour vos talents de secrétaire et non pour vos opinions personnelles.
— Bien, Mr. Pomfret. »
Il sortit.
Elle avait beau savoir qu'elle l'avait mérité, dès qu'il eut le dos tourné, elle ne s'en livra pas moins à un accès de juste colère. Elle tapa vite et mal en relançant le chariot avec une telle violence que la machine à écrire ne cessait de glisser sur le bureau. Lorsqu'elle téléphona pour annuler le rendez-vous de dix heures, elle avait la voix qui tremblait. Et quand elle sortit du bureau à la pause du déjeuner, elle prit au passage un *Clairon* de Bay Borough afin de se mettre en quête d'un nouvel emploi.
Certes, elle n'irait pas jusqu'au bout. Mais elle avait besoin de rêver un peu.
Le temps rigoureux était lugubre et, bien qu'elle n'eût rien emporté à manger, elle alla tout de même au square car elle n'avait pas le courage d'affronter le Bille-Bar ce jour-là. Elle trouva les bancs déserts. La statue semblait recroquevillée en une masse compacte, comme un oiseau aux plumes gonflées pour lutter contre le froid. Elle s'emmitoufla dans son manteau et s'assit à l'extrême bord d'une latte humide et glacée.
Quel plaisir elle éprouverait à donner sa démission ! « J'ai le regret de vous apprendre, Mr. Pompeux... », dirait-elle. Il se-

rait désemparé. Il ignorait même où elle rangeait le papier carbone.

Elle ouvrit le *Clairon* et chercha la rubrique des petites annonces. D'ordinaire, elle ne lisait jamais le *Clairon*, qui n'était guère qu'un journal gratuit publicitaire consacré en grande partie à des offres spéciales et à des nouvelles on ne peut plus locales, et qu'on trouvait empilé chaque semaine dans plusieurs magasins. En survolant les pages, elle aperçut une invitation à se joindre à la chorale qui se produirait dans le square pour la veillée de Noël, une autre à se rendre à la journée « Deux paires pour le prix d'une » du magasin de chaussures et un compte rendu de la collecte de moufles. À l'avant-dernière page, elle découvrit quatre annonces d'offres d'emplois : baby-sitter, baby-sitter, tourneur et « employée à demeure ». La ville devait connaître des problèmes de chômage. Venaient ensuite les annonces de ventes. Un monsieur du nom de Dwayne vendait deux alliances, pas cher. Son regard se reporta à l'*employée à demeure.*

> *Père célibataire recherche personne pour s'occuper de son fils de douze ans, gai, intelligent, attachant. Se charger de le réveiller le mat., servir petit déj., accompagner en classe, menues tâches ménagères, courses, aider aux devoirs à la maison, assurer le transport chez dentiste / médecin / grand-père / petits camarades, assister rencontres sportives et soutenir équipe idoine, recevoir groupes 11 à 13 ans, préparer dîner, montrer enthousiasme pour émissions TV de sport / jeux sur ordinateur / romans de guerre, être disponible de nuit en cas cauchemar / maladie. Permis de conduire indispensable. Non-fumeuse. Nourrie, logée, salaire généreux. Week-ends libres ainsi que la plus grande partie de la journée, sf vacances scolaires / maladie / neige. Appeler Mr. Miller, lycée Underwood, 8 h-17 h, lundi au vendredi.*

Tss..., fit Delia. Cet homme ne manquait pas de culot ! Franchement, il y en avait qui demandaient la lune. Elle tordit le journal d'un geste impatient et le replia. On ne pouvait tout de même pas demander à une simple employée de servir de mère de substitution ! Or, c'était bel et bien ce dont il s'agissait.

Elle se leva et jeta le *Clairon* à la poubelle. Autant pour l'annonce.

En traversant West Street, elle jeta un coup d'œil aux magasins — la boutique de mode, le bazar et le fleuriste. Et un emploi de vendeuse ? Non, elle était trop timide de nature. Quant à être serveuse, en famille déjà, elle oubliait systématiquement ce que chacun lui avait commandé pour le dessert le temps d'aller à la cuisine. Et elle savait, pour avoir discuté avec Mrs. Lincoln à la bibliothèque, que la municipalité devait se battre pour maintenir l'unique poste de bibliothécaire.

À vrai dire, songea-t-elle en longeant les stores blancs aseptisés de La Clinique de l'ongle, à bien des égards, une employée était préférable à une mère — moins empêtrée dans le jeu des émotions, moins susceptible de causer des dommages. Et s'il arrivait que l'enfant de l'employeur soit malheureux, il ne viendrait pas à l'idée de l'employée de se sentir responsable.

Elle s'engouffra chez Vision plus et prit un autre *Clairon* sur la pile qui se trouvait juste derrière la porte.

« Je ne voudrais pas que mon fils s'imagine qu'on vient l'inspecter, expliqua Mr. Miller. Le jauger pour voir s'il fera l'affaire. C'est pourquoi je vous ai priée de venir en son absence. Ainsi, si vous pensez être intéressée, vous pourrez rester afin de faire sa connaissance. Il dîne chez un ami, mais il devrait être de retour d'ici une demi-heure environ. »

Il était assis en face d'elle dans un fauteuil de chintz qu'il semblait écraser par sa seule présence, comme il écrasait le reste du salon encombré de meubles, au décor surchargé, de sa petite maison de plain-pied située en bordure de la ville. À la grande surprise de Delia, il s'était avéré qu'elle le connaissait. Joel Miller : il avait consulté Mr. Pomfret quelques mois auparavant à propos d'un droit de visite.

Elle se rappelait avoir admiré à l'époque sa calvitie non dissimulée. Les hommes qui dédaignaient le subterfuge des mèches artistiquement disposées dégageaient une séduisante impression d'assurance virile, et avec ses traits réguliers, son teint mat et son ample costume gris, Mr. Miller semblait parfaitement serein. Toutefois, sous la surface, elle décelait une certaine tension. Il lui avait déjà répété à trois reprises — contredisant en cela le texte de son annonce — que son fils serait en classe quasiment toute la journée, à dire vrai, toute la journée, et que, une fois rentré à la maison, il n'avait guère besoin que de la présence symbolique d'un adulte en coulisse. Delia avait le sentiment d'être la seule à avoir répondu à l'annonce.

« En fait, il dîne souvent chez des amis, disait Mr. Miller. Et l'été — je ne crois pas avoir mentionné ceci —, il passe deux semaines en colonie de vacances. En outre, il y a les stages d'informatique et de football...

— L'été ! » s'écria Delia. Elle se renversa dans les coussins de chintz de son rocking-chair. L'été, avec ses doux après-midi de paresse, le tintement des glaçons dans les verres de limonade, la peau couleur de pêche des enfants en maillot de bain. « Oh, vous savez, il semblerait que je traverse une période particulièrement instable pour l'instant. Je ne suis pas sûre de pouvoir... m'investir à ce point.

— Et l'été, je suis là bien plus souvent, poursuivit Mr. Miller, apparemment sourd à ce qu'elle venait de dire. Enfin, pas toute la journée — un proviseur n'a pas la liberté d'action de ses professeurs —, mais une certaine liberté tout de même.

— Je n'aurais sans doute pas dû venir, reprit Delia. Un enfant de l'âge de votre fils a besoin de stabilité. »

En ce cas, pourquoi êtes-vous venue ? aurait-il été en droit de lui demander, mais le pauvre homme se raccrocha à sa dernière phrase. « Vous semblez avoir de l'expérience. Avez-vous des enfants, Miss Grinstead ? Oh... » Les coins de sa bouche s'affaissèrent, l'espace d'une seconde. « Je suis navré, bien sûr que non.

— J'ai en effet des enfants.

— Je devrais donc dire Mrs. Grinstead ?

— Je préfère Miss.

— Je comprends. »

Il médita quelques instants sur la question.

« Ainsi, vous avez bel et bien de l'expérience, dit-il enfin. C'est parfait ! Et vous êtes d'ici ? »

À l'évidence, il ne se tenait guère au courant des commérages de Bay Borough. « Non.

— Ah non. »

Elle voyait bien qu'il réfléchissait de nouveau. Certes, il pouvait bien être désespéré, il n'en était pas téméraire pour autant. Il n'avait nulle envie d'embaucher une folle capable de massacrer une famille à la hache.

« Je suis de Baltimore, finit-elle par confesser. Je suis parfaitement respectable, je vous assure, mais ce pan de ma vie appartient désormais au passé.

— Ah. »

Seigneur, voilà qu'il imaginait une quelconque tragédie. Il la dévisageait avec attention, la tête légèrement inclinée.

« Mais, en ce qui concerne ce poste...

— Je sais, vous n'en voulez pas, soupira-t-il tristement.

— Cela n'a rien à voir avec la nature du travail. Je suis persuadée que votre fils est un très gentil garçon.

— Oh, il est bien davantage que cela ! Il a un si bon fond, Miss Grinstead. Il est merveilleux ! Mais il faut croire que j'ai surestimé nos forces en pensant que nous serions capables de nous débrouiller tout seuls. Je croyais qu'il nous suffisait de savoir comment fonctionne la machine à laver... Mais je me suis laissé déborder. »

Il balaya le salon du geste. Delia en resta stupéfaite, car il offrait le spectacle d'un ordre sidérant. Le canapé enjuponné était garni de petits coussins dodus ornés d'un bouton au centre, qui étaient disposés selon un angle bien précis. La table basse était recouverte de magazines de mode, espacés à intervalles mathématiques. En suivant son regard, Mr. Miller expliqua : « Oh, pour le ménage, je m'en sors. J'ai accroché un planning dans la cuisine. À chaque jour est assignée une tâche bien précise. Cet après-midi, nous avons passé l'aspirateur ; hier, nous avons fait la poussière. Mais apparemment, il y a des choses auxquelles je n'avais pas pensé. Tenez, le week-end dernier, par exemple, il m'a demandé si nous pouvions avoir de la soupe au sou. "Une soupe au sou !" ai-je répété. Je trouvais cela curieux. Il m'a dit que sa mère lui en servait au déjeuner quand il était petit. Je lui ai demandé ce qu'il y avait dedans, et je me suis rendu compte qu'il s'agissait tout bonnement d'une soupe de légumes. Sans doute appelle-t-on cela une soupe au sou parce que ce n'est pas cher. "Aucun problème", lui dis-je. Je mets à réchauffer une boîte de Campbell, il jette un œil et, qu'est-ce qu'il fait ? Il commence à pleurer. Du haut de ses douze ans, il se décompose, un gamin qui n'a pas poussé le plus petit gémissement le jour où il s'est cassé le bras. Je m'étonne : "Que se passe-t-il ? Qu'est-ce que j'ai fait de mal ?" Il me dit qu'elle devait être maison. Je proteste : "Franchement, Noah." Mais je ne suis pas complètement idiot, je savais pertinemment que cette soupe représentait quelque chose pour lui. Je sors donc un livre de cuisine et je me mets à préparer une soupe maison. Mais quand il m'a vu faire, il m'a dit de laisser tomber. Et puis il a ajouté : "De toute façon, je n'ai pas faim." Et il a disparu dans sa chambre en m'abandonnant avec mon tas de carottes coupées en dés.

— En rondelles. »

Il haussa ses sourcils noirs.

« Il fallait couper les carottes en rondelles, lui expliqua-t-elle, et puis ajouter des courgettes, de la courge, des pommes de terre nouvelles — le tout coupé en forme de piécettes. C'est la raison pour laquelle on l'appelle soupe au sou. Cela n'a rien à voir avec son coût. Je doute que vous puissiez en trouver la recette dans des livres de cuisine, parce que, voyez-vous, c'est davantage une recette de... mère.

— Miss Grinstead, reprit Mr. Miller, permettez-moi de vous montrer la chambre que vous occuperiez si vous acceptiez ce poste.

— Non, vraiment, je...

— Juste un coup d'œil ! C'est une chambre d'invité. Avec une salle de bains privée. »

Elle se leva en même temps que lui, espérant seulement en profiter pour s'échapper. Qu'est-ce qu'il lui avait pris de venir ici ? Elle avait l'impression de sentir dans le creux de ses doigts le besoin de couper ces légumes comme il fallait, de poser la soupe devant l'enfant et de se détourner aussitôt (à douze ans, l'âge des câlins est passé) en faisant mine de ne pas remarquer ses larmes. « Je suis persuadée qu'elle est charmante, dit-elle. Elle plaira certainement ! À quelqu'un de plus jeune, peut-être, qui a encore assez de... »

Elle avait emboîté le pas de Mr. Miller dans un petit couloir moquetté donnant sur une rangée de portes ouvertes. Une fois parvenu à la dernière, Mr. Miller se recula pour lui permettre de jeter un œil à l'intérieur. C'était le genre de chambre conçue pour n'accueillir que les visiteurs de passage une nuit ou deux. Le grand lit haut perché ne laissait guère qu'un mètre pour circuler de chaque côté. La table de chevet offrait une sélection attentionnée de lectures typiques pour invités (des magazines, deux livres aux allures d'anthologie). La tapisserie accrochée au mur proclamait BIENVENUE en six langues différentes.

« Un grand vestiaire, détaillait Mr. Miller. Une salle de bains privée, comme je crois vous l'avoir dit. »

À l'autre bout de la maison, une porte claqua et une voix d'enfant cria : « Papa ?

— Ah, fit Mr. Miller. J'arrive ! lança-t-il. Vous allez pouvoir faire la connaissance de Noah. »

Elle eut un mouvement de recul.

« C'est juste pour lui dire bonjour, lui assura-t-il. Quel mal y a-t-il à cela ? »

Elle n'eut d'autre choix que de le suivre à nouveau dans le couloir.

Dans la cuisine (placards couleur caramel et papier peint imprimé de barattes), se tenait un petit garçon filiforme qui se démenait pour ôter une veste rouge. Il avait une masse de cheveux bruns en bataille, un visage mince parsemé de taches de rousseur et de grands yeux bruns qu'il tenait de son père. Dès qu'ils franchirent le seuil, il se mit à parler. « Hé, papa, devine ce que la mère de Jack nous a fait à dîner ! Des espèces de cubes de viande que tu trempes dans un... » Il remarqua la présence de Delia, lui jeta un regard et poursuivit : « que tu trempes dans une marmite et puis...

— Noah, j'aimerais te présenter Miss Grinstead. Pouvons-nous vous appeler Delia ? » Elle acquiesça d'un signe de tête ; cela n'avait guère d'importance. « Appelez-moi Joel, et voici Noah, mon fils.

— Oh, bonjour », dit Noah. Il affichait cette mine de circonspection impassible qu'adoptent les enfants pour les présentations. « Alors, tu vois, la marmite est pleine d'huile bouillante, enfin je crois, et on a chacun...

— De la fondue, l'interrompit son père. C'est de fondue dont il s'agit.

— Ouais, bon, alors on a chacun une fourchette pour faire cuire la viande, avec genre, chacun un animal différent, histoire de savoir laquelle est à qui. Genre, moi, j'ai eu une girafe, et la petite sœur de Jack, devine ce qu'elle a eu ?

— Je n'en ai pas la moindre idée, répondit son père. Écoute, mon garçon, Delia est venue pour...

— Un cochon ! glapit Noah. Sa petite sœur a eu le cochon !

— Vraiment.

— Et même que ça l'a fait pleurer, mais Carrie pleure pour un rien. Et puis au dessert, on a eu chacun un sac de billes au chocolat, mais moi, j'ai refusé le mien. Poliment, hein. Je lui fais, à sa mère...

— Dis.

— Hein ?

— Tu as *dit* à sa mère.
— Ouais, bon, alors moi j'y vais de mon couplet : "Merci beaucoup, Mrs. Newell, mais j'ai plus faim, alors il vaut mieux que j'en prenne pas."
— Je croyais que tu aimais les billes au chocolat ? s'étonna son père.
— Tu veux rire ? Avec ce que je sais maintenant ? » Noah se tourna vers Delia. « Les billes au chocolat sont recouvertes de carapaces de gros cafards.
— Non ! s'écria-t-elle.
— Non, répéta Mr. Miller. Où as-tu entendu une chose pareille ?
— C'est Kenny Moss qui me l'a dit.
— Ah, évidemment, si c'est Kenny Moss qui te l'a dit, le doute n'est plus permis.
— C'est sérieux ! C'est son oncle qui lui a appris, il est du métier.
— Quel métier — le journalisme à sensation ?
— Hein ?
— Il n'y a pas de carapace de cafard dans les billes au chocolat. Tu peux me croire sur parole. Les services de contrôle sanitaire ne l'autoriseraient jamais.
— Et devinez ce qu'il y a dans les chips de maïs ? demanda-t-il à Delia. Celles qui sont toutes jaunes ? Des crottes de mouette !
— Mais je ne le savais pas !
— C'est pour ça qu'elles sont si croustillantes.
— Noah..., intervint son père.
— C'est vrai, papa ! Kenny Moss me l'a juré.
— Noah, Delia est venue parce qu'elle envisage de s'occuper de la maison. »
Delia regarda Mr. Miller en fronçant les sourcils. Il affichait un air détaché et faussement innocent, en feignant de ne pas comprendre où elle voulait en venir. « En fait, dit-elle à Noah, je... je me renseignais, un point c'est tout.
— Elle va y réfléchir, rectifia Mr. Miller.
— Ça serait génial ! s'exclama Noah. J'ai été obligé de me préparer tout seul mon sandwich de midi.
— Des insanités, dit son père. Surtout, n'en dites rien à la Protection de l'enfance.
— Tiens, j'aimerais bien vous y voir. T'ouvres ta gamelle et

tu te dis : “Waouh, je me demande ce que j’ai bien pu me préparer de bon pour aujourd’hui.” »

Delia éclata de rire. « Il faut que j’y aille, lança-t-elle. Je suis ravie d’avoir fait ta connaissance, Noah.

— Au revoir », fit Noah. Et, la prenant au dépourvu, il lui tendit la main. « J’espère que vous déciderez de venir chez nous. »

Sa petite main était calleuse. Lorsqu’il leva les yeux vers elle, elle décela sous ses prunelles des taches d’or, semblables à des rayons de soleil filtrant au travers d’une eau boueuse.

Une fois dehors, Delia prit son père à parti : « Je croyais que vous ne vouliez pas qu’il se sente jaugé.

— Ah, soupira Mr. Miller. Oui, enfin...

— Je croyais que vous vouliez l’épargner ! Et vous êtes allé lui dire la raison de ma visite.

— Je sais bien que je n’aurais pas dû faire cela. » Il se couvrit la calvitie d’une main distraite, comme s’il s’était agi d’une casquette. « Mais j’avais tellement envie que vous acceptiez de venir.

— Vous n’avez même pas vu mes références ! Vous ne savez rien de moi !

— Non, mais j’approuve la manière dont vous vous exprimez.

— La manière dont je m’exprime ?

— Je ne supporte pas de l’entendre parler d’une façon si relâchée. “Genre ceci”, “genre cela” et “je lui fais” au lieu de “je lui dis”. Cela me rend fou.

— Vraiment ? » Delia tourna les talons.

« Miss Grinstead ? Delia ?

— Qu’y a-t-il ?

— Est-ce que vous y réfléchirez, au moins ?

— Bien sûr. »

Mais elle savait pertinemment qu’elle n’en ferait rien.

Personne, d’après Vanessa, n’était autant à plaindre que Joel Miller. « Depuis que sa femme l’a quitté, il fait tout juste face.

— Mais n’y a-t-il donc aucun ménage heureux à Bay Borough ? s’étonna Delia.

— Si, des quantités. Mais ce ne sont pas forcément les gens qu’on choisit de fréquenter, voilà tout. »

Elles étaient installées dans la cuisine de Vanessa, le lendemain matin, par un samedi frais et ensoleillé. En fait, elles étaient chez sa grand-mère. Vanessa et ses trois frères vivaient avec la mère de leur père. La jeune femme écrivait sur des étiquettes avec un porte-plume à l'ancienne. *Insectifuge surpuissant*, calligraphiait-elle à l'encre brune sur des étiquettes ovales, d'une écriture aussi fine qu'un cheveu. L'insectifuge en question était une recette de famille. Lorsque Vanessa avait fini son lot quotidien d'étiquettes, son frère cadet les collait sur de minces fioles de verre où surnageaient mystérieusement des brindilles et des baies. Delia avait peine à croire que des gens pouvaient vivre ainsi, mais à l'évidence les Linley gagnaient correctement leur vie. Ils habitaient une vaste et confortable maison et la grand-mère avait les moyens de s'offrir le voyage à Disneyworld une fois par an. Vanessa disait que la concoction était à base de pouliot. « Garde ça pour toi, confia-t-elle à Delia, mais les insectes *détestent* le pouliot. Les autres herbes sont surtout là pour faire bien. »

Par terre, Greggie était occupé à contruire une tour en empilant des bouchons. Lorsqu'elle aurait terminé ses étiquettes, Vanessa l'emmènerait avec Delia voir le Père Noël. Puis Delia irait peut-être choisir quelques cadeaux. Elle ne savait pas trop, elle était incapable de décider. Elle avait toujours détesté Noël et l'inévitable risque de décevoir les secrètes attentes des siens, d'autant que cette année, ce serait pire que jamais. Ne devait-elle pas purement et simplement s'en désintéresser ? Pourquoi n'y avait-il pas de manuel de savoir-vivre pour les femmes en rupture de ban ?

Ce qui la ramena à Mr. Miller. « Comment se fait-il que sa femme l'ait quitté, le sait-on ? demanda-t-elle à Vanessa.

— Bien sûr, tout le monde le sait. Ils étaient ensemble depuis des années, ils avaient un petit garçon adorable, une jolie maison, et puis un beau jour, au printemps dernier, Ellie, sa femme, s'est trouvé une boule au sein. Elle est allée chez le médecin qui lui a dit que c'était bel et bien un cancer. Et une fois rentrée chez elle, elle a été voir son mari pour lui annoncer : "Je veux profiter le plus possible de ma vie pendant le temps qu'il me reste. Je veux faire ce que j'ai toujours rêvé de faire." Et à la tombée de la nuit, elle avait plié bagage et elle était partie. C'était ce qu'elle souhaitait au plus profond d'elle-même — tu imagines un peu ?

— Et où est-elle ?

— Oh, elle présente la météo à Kellerton. La boule était bénigne. On la lui a ôtée sous anesthésie locale. Et du coup, Mr. Miller et Noah peuvent allumer leur poste et la regarder tous les soirs si ça leur chante. À moins que tu ne l'aies aperçue dans le *Boardwalk Bulletin*. Ils ont publié un portrait d'elle en août dernier. Une jolie blonde comme on en voit peu. Des cheveux de la couleur de la paille qui nous sert à emballer nos flacons. Évidemment, en ville, ça ne nous a fait ni chaud ni froid — tu penses, une femme capable d'abandonner son propre enfant ! »

Delia baissa les yeux.

« Toutes les femmes d'ici ont essayé d'aider Mr. Miller, poursuivit Vanessa. Elles lui apportaient des plats de lasagnes, elles prenaient son fils l'après-midi. Mais il faut croire que dès l'été dernier, il a compris que cela ne suffisait pas, car c'est à cette époque qu'il a passé l'annonce dans le *Clairon*.

— L'annonce y est depuis l'été dernier ?

— Oui, mais sa voisine m'a dit que les seules à avoir répondu étaient des gamines du lycée. Mr. Miller fait craquer toutes les filles de Dorothy Underwood. Moi aussi, autrefois. Ça fait partie du jeu, quand on est élève là-bas. J'étais en terminale l'année où il a été nommé proviseur et je trouvais que c'était le type le plus sexy que j'avais jamais vu. Mais bien sûr, il ne peut pas engager la première écervelée venue, et du coup, il a continué à faire paraître l'annonce. Je n'ai pas pensé une seconde que le poste pourrait t'intéresser.

— Enfin, non, ça ne m'intéresse pas réellement. » Elle observa Greggie qui faisait rouler un petit train en bouchons sur le linoléum. Ses mains minuscules lui rappelaient ces biscuits piqués de trous de fourchette. Elle avait oublié la joie que procure le spectacle des jeunes enfants. « Mais j'en ai tellement marre de Mr. Pomfret, soupira-t-elle. Crois-tu qu'ils embauchent à la fabrique de meubles ?

— Oh, la fabrique de meubles, répondit Vanessa en trempant son porte-plume dans l'encre, tout ce qu'ils ont à offrir, c'est des postes de graisseur. Ça veut dire rester debout du matin au soir à frotter des pieds de chaise à l'huile avec de grosses moufles aux mains.

— Mais il doit bien y avoir des emplois de bureau. Dactylo, archiviste...

— Et pourquoi ne pas accepter de travailler chez Mr. Miller ?

— Je ne veux pas... entrer dans la vie d'un petit garçon comme ça, au cas où il me prendrait l'envie de partir.

— Et ça t'arrive souvent de lever le camp, comme ça ? »

Elle ne savait pas trop où Vanessa voulait en venir. Elle la regarda d'un œil soupçonneux. « Non, pas souvent, réponditelle.

— Je ne t'ai jamais entendue te plaindre de Zeke Pomfret, et là, subitement, tu veux partir.

— Mais il est si autoritaire, si condescendant. Et puis le salaire est ridicule. Je ne m'en étais pas aperçue quand j'ai accepté le poste. Il n'y a même pas d'assurance maladie. Et si je tombe malade ? »

Vanessa se renversa sur sa chaise pour la dévisager.

« C'est vrai, oui, confessa Delia, il semblerait que je lève souvent le camp. »

En prononçant ces mots, elle vit une silhouette droite et solitaire marcher le long de la côte. Quel étrange élan d'affection éveillait en elle cette vision !

Elle décida de n'acheter aucun cadeau de Noël pour sa famille. Peut-être avait-elle été déprimée par la visite de Greggie au Père Noël. Avant d'y aller, le bambin avait semblé comprendre de quoi il retournait, mais, sitôt arrivé, il s'était mis à hurler et avait dû être évacué d'urgence. Vanessa était effondrée, le Père Noël également. Quant à la tournée des magasins qui avait suivi, elle s'était révélée déprimante. Drapé dans sa dignité, l'air boudeur, Greggie larmoyait en hoquetant au fond de sa poussette. Delia annonça à Vanessa qu'elle pensait rentrer. « De toute façon, il faut que j'aille à la laverie », avait-elle dit. Piètre excuse.

Lorsqu'elle fut de retour, Belle la héla du seuil du salon. « On t'a téléphoné, lança-t-elle.

— Moi ? »

Ses genoux parurent se dérober sous elle. Sa première pensée fut pour ses enfants, puis elle songea aux problèmes cardiaques de Sam.

Mais Belle lui annonça : « Mr. Miller, du lycée. Il veut que tu le rappelles.

— Oh.

— Je ne savais pas que tu connaissais Joel Miller. »

Delia s'était abstenue de lui en parler, car, si elle acceptait ce poste, elle serait obligée de quitter la pension ; et comment pourrait-elle faire une chose pareille ? La maison était parfaite. Et même Mr. Pomfret avait ses bons côtés. Curieusement, c'est au cours de la visite au Père Noël qu'elle s'en était rendu compte. Elle prit donc d'une main nonchalante le numéro que Belle avait griffonné au coin d'un menu de traiteur. Autant s'en débarrasser au plus tôt. Elle se jucha sur le bras du canapé, attrapa le téléphone et composa le numéro.

Pendant ce temps, Belle rôdait dans les parages en feignant d'être captivée par le chat. « Qu'il est gentil, le petit chaton, qu'il est mignon », roucoulait-elle. Delia écouta le téléphone sonner à l'autre bout du fil, heureuse de pouvoir laisser vaguer son regard sur les murs blancs dépouillés et les lattes de parquet nu.

« Allô ? fit Noah.

— C'est Delia Grinstead.

— Oh, bonjour ! Je suis censé vous dire que je suis désolé.

— Désolé ? Mais de quoi ?

— Papa dit que les garçons ne doivent pas parler de crottes de mouette devant les dames.

— Oh, tu sais... »

Une voix d'homme fit une remarque dans le fond.

« Les femmes, dit Noah.

— Pardon.

— Les "femmes", je voulais dire, pas les "dames". »

Tout cela n'était qu'un prétexte, à l'évidence. Mr. Miller ne pouvait pas imaginer une seule seconde qu'elle s'offusquerait des crottes de mouette. Ou de ce mot de « dames ». Ce n'était que pure stratégie. Mais Noah ne s'en doutait certainement pas le moins du monde, aussi Delia le rassura-t-elle : « Cela n'a aucune importance.

— L'oncle de Kenny Moss a un camion de vente ambulante, c'est comme ça que Kenny a appris pour les vous savez quoi. Mais papa prétend que son oncle se payait sa tête. Papa a fait : "Mais bien sûr, la fabrique de chips de maïs prend le temps d'expédier ses ouvriers sur la plage avec des pelles." »

Nouveau murmure dans le fond.

« Bon, d'accord, "dit". Il a *dit*, répéta Noah. Et en plus, il a *dit* (lourde insistance, silence éloquent), il a dit : “Comment ça se fait que c’est pas dans la liste des ingrédients, s’ils y mettent des crottes de mouette ?” Oh, pardon.

— Tu as déjà regardé ces listes ? répondit Delia. Elles sont bourrées de termes scientifiques. Ils peuvent dissimuler n’importe quoi sous des noms d’appellation savante.

— Ah bon ?

— Mais bien sûr ! Cela s’appelle probablement “dihydroxyexymexylène” ou quelque chose comme ça. »

Noah pouffa de rire. « Hé, papa, lança-t-il d’une voix qui s’éloigna légèrement, Delia dit que c’est sans doute dans la liste ; c’est sûrement du dihydroxy... »

Belle avait approché le chat de la fenêtre. Elle le tenait près de la vitre quasiment opaque tant elle était poussiéreuse. Des toiles d’araignée obscurcissaient le haut des rideaux et le philodendron du rebord, mal entretenu, poussait tout en hauteur. La pièce paraissait soudain décolorée, comme si, déjà, elle avait sombré dans les profondeurs les plus secrètes de la mémoire de Delia.

12

« ON NE TIENT PAS en place, hein ? » lui lança Mr. Pomfret, l'air impassible (à croire qu'elle faisait partie de l'équipement de bureau). Tout ce qu'il lui demandait, c'était de terminer la semaine, de boucler tout ce qui pouvait traîner à droite et à gauche. Ce qu'évidemment elle accepta, bien qu'il n'y eût rien qui traînait ; seul le lot habituel de lettres qu'elle tapait en rafales, de coups de téléphone auxquels elle répondait en automate et la pile quotidienne de catalogues annotés par Mr. Pomfret.

Apparemment, il avait un besoin urgent de gants de conduite en cuir perforé, d'une antenne de radio aux allures d'assiette à dessert, d'un présentoir en noyer massif destiné à exposer ses balles de golf souvenirs.

Lorsqu'elle lui rendit la clef du bureau le vendredi après-midi, il lui annonça qu'il attendrait peut-être janvier pour la remplacer. « Cette fois, je crois que j'emploierai un traitement de texte, en admettant que j'en trouve un. »

Delia fut décontenancée l'espace d'un instant. Elle l'imagina, embauchant une machine. Essayez un peu de demander à une machine de débattre de sa taille de gants avec une opératrice de numéro vert ! Puis elle comprit son erreur. Mais elle en ressentit une certaine humiliation et, jetant son sac à l'épaule, elle partit sans lui dire au revoir.

Tous ses biens entraient aisément dans un carton qu'elle avait demandé chez Rick Rack. Seule émergeait la tête de la lampe de bureau. Elle aurait pu la laisser ainsi, car Belle l'accompagnait en voiture, mais elle aimait bien l'idée qu'une vie puisse tenir dans un simple carton compact, aussi réaménagea-t-elle le contenu jusqu'à ce que les rabats ferment bien. Puis elle prit son manteau et son sac à main posés sur le lit, souleva le carton et sortit.

Inutile de jeter un dernier regard en arrière. Elle connaissait la chambre dans ses moindres détails — chaque marque de clou, chaque raccord de papier peint, et cette allure d'animal squelettique posé sur son arrière-train que revêtait le radiateur à pieds dans la pénombre duveteuse de ce samedi matin nuageux.

Au bas de l'escalier, elle se débarrassa de son chargement et enfila son manteau. Elle entendait Belle qui parlait à George dans la cuisine. Il resterait là une semaine ou deux, le temps que Delia soit installée. Elle avait la conviction qu'il fallait que sa nouvelle maison s'imprègne tout d'abord de son odeur, faute de quoi il fuguerait sans cesse pour retourner à la pension.

Mr. Miller lui avait assuré que George était tout à fait le bienvenu. Quoi qu'il en soit, il avait eu l'intention d'acheter un chat, lui avait-il dit. (Mais, en employant le mot « acheter », il montra qu'il ignorait que les vrais amoureux des animaux ne mettraient pour rien au monde les pieds dans une animalerie.)

En boutonnant son manteau, elle traversa le salon pour frapper à la porte de la cuisine. « J'arrive ! », cria Belle. Delia retourna dans l'entrée. Au premier, Mr. Lamb faisait craquer les lames de parquet et sa télévision avait repris son incessant murmure monotone. Quand se rendra-t-il compte que je suis partie ? se demanda-t-elle. Qui sait, peut-être jamais.

Elle pouvait encore changer d'avis.

« J'ai donné à George une boîte de thon, dit Belle lorsqu'elle apparut. Ça devrait l'occuper un moment.

— Oh, Belle, tu vas trop le gâter.

— Rien n'est trop bon pour mon mistigri ! J'espère que l'heure venue, il refusera de me quitter. “Non, non, m'man, couina-t-elle. Je veux rester avec tata Belle !” »

Tout en parlant, elle enfila avec bien du mal son manteau ailé et redonna du gonflant à ses boucles. Puis elle fit tinter ses clefs de voiture. « Prête ? demanda-t-elle.

— Prête. »

Elles se dirigèrent vers son énorme Ford. Delia enfourna son carton dans le coffre au beau milieu d'un enchevêtrement de pancartes d'agence immobilière, ensuite elles grimpèrent en voiture et Belle démarra. Au bruit insistant de l'alarme des ceintures de sécurité, elles s'éloignèrent.

Il y avait des mois que Delia n'était pas montée en voiture. Le décor défilait à une telle vitesse, tout en douceur. Elle s'agrippa à la portière quand elles prirent le virage à l'angle de la rue et, en un éclair, se succédèrent le dentiste, le bazar, le Palais du Pot-pourri. Quelques instants plus tard, elles bifurquaient dans Pendle Street et se garaient dans l'allée de gravier des Miller — un trajet qui lui avait pris une bonne dizaine de minutes à pied.

« On dirait la maison de mes parents. » Belle regardait à travers le pare-brise les motifs de chariot découpés dans les volets. « Quelque part dans la banlieue de York. Dee, tu es sûre de vouloir y aller ?

— Oui, oui, répondit Delia d'une voix faible.

— Mais tu ne seras qu'une domestique.

— Mieux vaut ça qu'être une machine à écrire.

— Évidemment, présenté comme ça. »

Delia descendit de voiture et Belle vint l'aider à extirper son carton du coffre. « Merci, dit Delia. Tu as mon numéro de téléphone.

— Oui.

— Je t'appellerai dès que tu pourras amener le chat.

— Ou même avant. Imagine que tu veuilles revenir ! J'attendrai quelques jours avant de relouer ta chambre. »

Elles auraient pu prolonger ainsi les adieux indéfiniment, mais Noah jaillit de la porte d'entrée. « Delia ! Bonjour ! lança-t-il.

— Miss Grinstead, si ça ne te dérange pas, marmonna Belle entre ses dents. Ne les laisse pas te traiter en péon. »

Delia se contenta de la presser contre elle et se tourna vers la maison. Elle ne se souciait pas le moins du monde de la manière dont les Miller la traiteraient. Ce qui l'inquiétait bien davantage, c'était la manière dont elle devait les traiter, eux — la distance à maintenir avec ce gamin en jean aux cheveux en bataille. Il était si facile de retomber dans le rôle de mère ! Elle lui sourit, tandis qu'il lui prenait le carton des bras. « Je peux me débrouiller toute seule, lui dit-elle.

— Je suis censé porter vos bagages. C'est papa qui me l'a dit. C'est tout ce que vous avez ? »

Belle faisait déjà marche arrière dans l'allée.

« C'est tout.

— Papa est au lycée et il m'a demandé de tout vous montrer. On vous a tout bien préparé la chambre. Et on a changé les draps, même s'ils étaient propres.

— Mais alors, pourquoi les avoir changés ?

— Papa a dit que s'ils n'avaient pas gardé leur odeur de linge frais, vous auriez pu penser que quelqu'un d'autre avait dormi dedans.

— Cela ne me serait jamais venu à l'idée. »

Ils traversèrent le salon où les coussins du canapé étaient scrupuleusement alignés dans le même ordre que la semaine précédente. Les magazines non plus n'avaient pas bougé d'un pouce. On venait de passer l'aspirateur sur la moquette du couloir, cependant. Elle portait encore les traces des rouleaux. Et lorsqu'ils pénétrèrent dans la chambre d'invité, Noah posa le carton sur un porte-bagages pliant qui n'y était pas la fois précédente. « C'est nouveau, dit-il en suivant son regard. On l'a acheté au Coin du foyer.

— C'est très joli.

— Et vous avez vu ça ? » Sur la commode trônait un petit poste de télévision. « Une télé couleur ! Elle vient de chez Lawson-Électroménager. Papa dit qu'une employée à demeure a toujours sa propre télévision.

— Oh, mais je n'ai pas besoin de...

— Radio-réveil, poursuivit Noah, boîte de Kleenex décorative. »

Le détail, toutefois, qui la toucha le plus fut ce bord de drap replié, ce méticuleux triangle blanc. « Vous n'auriez pas dû », fit-elle. Et elle le pensait vraiment, car elle eut soudain l'impression d'avoir une dette à leur égard.

Elle lui emboîta le pas jusqu'au vestiaire, où il lui montra les cintres. « Trois douzaines de cintres assortis, en plastique rose. Pas un seul en fil de fer. On avait le choix entre rose, blanc ou marron.

— Rose, c'est parfait. »

Trois douzaines ! Ils seraient déçus de constater le peu de vêtements qu'elle possédait.

« Et maintenant, je suis censé vous laisser seule, lui annonça

Noah. Mais si vous avez besoin de quoi que ce soit, je suis dans ma chambre.

— Merci, Noah.

— Vous savez où elle est, ma chambre ?

— Je la trouverai.

— Et vous, vous êtes censée défaire vos bagages et ranger vos affaires dans les tiroirs, et puis tout ça, quoi.

— Je n'y manquerai pas. »

En partant, il lui jeta un coup d'œil sceptique, comme s'il craignait qu'elle ne suive pas ses instructions.

Son carton avait l'air pitoyable, ainsi posé sur la toile du porte-bagages. Elle en souleva les rabats, et soudain s'échappa le parfum de solitude de George Street, son odeur de nid de frelons. Enfin. Elle ôta son manteau, le suspendit à un des cintres. Passa la lanière de son sac sur un crochet. Extirpa la lampe de bureau du carton. Mais elle ne savait pas trop où la poser, car la chambre contenait déjà deux lampes aux abat-jour de satin blanc rigide.

La lampe de bureau à la main (avec son casque de métal gris-vert et son socle bosselé depuis cette nuit où le chat l'avait renversée), elle était mollement assise sur le couvre-pied lustré. Le lit était de ceux que l'on trouve dans les hôtels, tout à la fois trop élastique et trop dur, et elle ne savait pas comment elle pourrait s'y habituer.

À l'autre bout de la maison, elle entendit une porte s'ouvrir, des pas pesants, une voix d'homme qui appelait, Noah qui répondait. Il lui faudrait se rafraîchir le visage avant d'aller les rejoindre. D'ici une minute. Pour l'instant, elle restait là, cramponnée à sa petite lampe quelconque, à rassembler tout son courage.

À l'arrière de la maison, séparée de la cuisine par un simple comptoir, se trouvait ce que les Miller appelaient la salle de séjour. Le décor surchargé du reste de la maison y laissait place à un cadre plus décontracté. Un long canapé bas faisait face au poste de télévision, un bureau s'adossait contre un mur et trois fauteuils étaient regroupés dans un coin. C'est cette pièce qui était appelée à devenir le territoire de Delia. (Elle avait toujours rêvé d'une maison plus moderne, sans renfoncements, sans coins ni recoins.) Le matin, lorsqu'elle avait fini le ménage, elle s'installait au bureau pour rédiger sa liste de courses. Elle partait ensuite plusieurs heures durant — généralement à pied, bien qu'elle eût une voiture à sa disposition —, et les après-midi la voyaient le plus souvent s'affairer entre la cuisine et la salle de séjour, pendant que Noah faisait ses devoirs sur le canapé. Le soir, elle lisait dans un fauteuil pendant que Noah regardait la télévision. Parfois, Mr. Miller — ou Joel, ainsi qu'elle devait penser à l'appeler — venait se joindre à son fils, auquel cas elle se retirait de bonne heure avec son livre. Elle était quelque peu intimidée par Mr. Miller, enfin, Joel. La situation lui semblait très embarrassante, simple fruit d'une transaction et cependant nécessairement intime. Mais d'ordinaire, il se rendait à des réunions ou employait ses soirées à bricoler dans le garage, devant son établi. Elle le soupçonnait de percevoir aussi le malaise qu'elle ressentait. Il était impensable qu'avant son arrivée il ait passé autant de temps à l'extérieur.

Ils appréciaient l'un comme l'autre les plats simples — les rôtis de bœuf, le poulet grillé et les hamburgers. Noah détestait les légumes, mais il était prié d'en manger une cuillerée chaque soir. Mr. Miller n'en était sans doute guère plus amateur, mais il se faisait un devoir de finir tout ce qu'il y avait dans son assiette et ne manquait jamais de la féliciter : « C'est délicieux, Delia. » Il aurait dit la même chose, soupçonnait-elle, quoi qu'elle lui serve à dîner. À chaque repas, il lui posait une série de questions de pure courtoisie (La journée s'était-elle bien passée ? Trouvait-elle tout ce dont elle avait besoin ?), mais elle voyait bien qu'il n'écoutait pas ses réponses. C'était un homme profondément triste et, même lorsque son fils parlait, il observait parfois un silence avant d'avoir la force de répondre.

« Devinez quoi ? lançait par exemple Noah. Kenny Moss vient d'avoir un golden retriever supergiga. Dis, papa, tu pourrais m'acheter un golden retriever ? »

Long silence. Tintement de vaisselle. Puis, enfin : « "Supergiga" n'est pas un mot qui existe.

— Bien sûr que si, puisque je viens de l'utiliser. »

Et ils se lançaient dans une de leurs querelles habituelles. Delia n'avait jamais rencontré d'être aussi pointilleux sur les questions de vocabulaire que Joel Miller. Il méprisait tous les termes dans le coup (y compris « dans le coup »). Il refusait d'admettre que quelque chose puisse être « impeccable », à moins que ce ne soit littéralement irréprochable.

Il interrompit un des récits les plus passionnés de Noah en lui faisant observer que personne ne saurait être « branché escalade ». Cependant, il mettait toujours un certain humour dans ses remarques, ce qui expliquait sans doute que Noah s'aventurât encore à ouvrir la bouche.

À la porte de la salle de bains de Delia était accrochée une glace, la première où elle se voyait des pieds à la tête depuis des mois, à l'exception des miroirs des cabines d'essayage, et elle fut stupéfaite de constater à quel point elle avait maigri. Les os de son bassin ne formaient plus que deux petits éclats pointus et le haut de ses robes flottait. Aussi prit-elle l'habitude de se servir de généreuses portions au dîner, de prendre le petit déjeuner avec Noah et, tous les midi, lorsqu'elle allait chez Rick Rack, de faire un copieux déjeuner, n'hésitant pas à commander des croquettes de crabe, car à présent elle gagnait bien sa vie et n'avait rien à débourser.

Rick servait également du porc à la sauce barbecue, bien vinaigré, pour lequel elle s'était découvert un faible. « Vois-tu, je n'avais guère eu l'occasion jusqu'à présent de m'offrir un vrai repas ici. Je te savais bon cuisinier, mais à ce point...

— Et dire que le dimanche, tu allais déjeuner chez ces péteux du Bay Arms ! » s'exclama-t-il.

N'y avait-il donc pas un seul de ses faits et gestes que la ville ignorât ?

Après le déjeuner, elle traversa la rue pour rendre visite à George. Il lui en voulait d'être partie. Il pointa le bout du museau dès qu'elle franchit le seuil, mais lui tourna ostensiblement le dos et fila. « George ? » l'appela-t-elle d'une voix câline. Pas de réponse. Il entra d'un pas hautain dans le salon et disparut.

Delia attendit dans l'entrée et, quelques instants plus tard, un brin de moustache traître dépassa de l'embrasure de la porte. Un museau, une oreille, un œil accusateur. « Mon petit Georgie ! » susurra-t-elle. Il se coula hors du salon en dépoussiérant au passage la porte de son pelage, semblant avancer à reculons pour venir se laisser caresser.

Pourquoi Delia ne manquait-elle pas autant à ses enfants ?

En ville, toutes les rues étaient pavoisées de guirlandes d'argent et de cloches. À la bibliothèque, Mrs. Lincoln avait accroché une couronne au-dessus de son bureau, et Vanessa avait attaché un ruban rouge à la poussette de Greggie.

À la perspective de passer avec les Miller un Noël dont tout le fardeau retomberait sur le pauvre Noah, Delia était terrifiée. À moins qu'ils ne célèbrent pas Noël. Peut-être étaient-ils juifs, ou encore de ces intégristes qui condamnent les rituels païens. Jusque-là, à dire vrai, ils n'avaient nullement manifesté qu'ils savaient en quelle période de l'année on se trouvait.

Un soir, Delia alla dans le garage parler à Mr. Miller. « Hmm, Joel ? »

Il mesurait une planche à son établi, vêtu d'un chandail noir effiloché et d'un pantalon de velours élimé. Delia attendit qu'il lève les yeux — cela lui prit une bonne minute —, puis elle lui dit : « Voilà, je venais vous voir au sujet de Noël.

— Noël, répéta-t-il en rembobinant son mètre.

— Est-ce que vous le fêtez ?

— Oui. Normalement. »

« Normalement » signifiait sans doute du temps de sa femme. Après tout, ce serait le premier Noël qu'ils passeraient sans elle. Delia vit le visage de Mr. Miller s'altérer à cette pensée, les plis se creuser de chaque côté de sa bouche. Cependant, il répondit : « Voyons voir. Ah oui, bien sûr, vous prendrez votre journée. Noah sera chez sa mère et je suis invité chez des amis à Wilmington. Le lycée est fermé jusqu'au Nouvel An, alors, si vous souhaitez prolonger votre séjour à Baltimore...

— Je ne vais pas à Baltimore. »

Il garda le silence.

« Je me demandais seulement comment vous fêtiez Noël, reprit-elle. Est-ce que vous mettez un sapin ? Dois-je emmener Noah acheter des cadeaux ?

— Des cadeaux ?

— Quelque chose pour sa mère, peut-être ?

— Oh, seigneur », soupira-t-il en se laissant tomber sur un haut tabouret posé derrière lui. Il étreignit le sommet de son crâne d'une large main — signe qui trahissait chez lui le désarroi. « Oui, pour sa mère, et aussi pour Nat, le père d'Ellie. Noah est assez proche de son grand-père. Et sans doute également pour moi. Ce sont là des gestes que nous sommes censés encourager, non ? Et puis il va falloir que je lui achète quelque chose. Seigneur tout-puissant...

— Je l'accompagnerai demain », décréta-t-elle. Elle n'avait pas eu l'intention de plonger le pauvre homme dans le désespoir.

« Nous serons samedi. Que faites-vous de votre week-end ?
— C'est sans importance. »

Ainsi juché sur son tabouret, Mr. Miller était davantage à la hauteur de ses yeux. Il posa le regard sur elle un moment, puis lui demanda : « Mais n'avez-vous donc pas de famille chez qui vous puissiez aller en week-end, en vacances, enfin, je ne sais pas ?
— Non. »

Il devait vivre dans un grand isolement pour ne pas avoir entendu la moindre rumeur sur son compte, songea-t-elle. À ses yeux, Delia était tombée du ciel. Il était manifeste qu'il aurait aimé en savoir plus, mais il se contenta de lui dire : « Merci, Delia. Pour ce qui est du sapin, dans la mesure où Noah ne sera pas là, je pense que c'est inutile. »

S'il n'avait tenu qu'à elle, Delia en aurait tout de même pris la peine. Mais elle ne discuta pas. Lorsqu'elle partit, Mr. Miller était toujours affaissé sur son tabouret, le regard rivé sur son mètre.

Noah fit tous ses achats de Noël à la quincaillerie Brent, un sombre magasin vieillot situé en face de chez Belle. Il avait des idées de cadeaux bien précises, s'aperçut Delia. Pour sa mère, il choisit un tournevis à pointes interchangeables car, maintenant qu'elle vivait seule, elle devait se charger de ses réparations elle-même. Pour son grand-père, qui avait du mal à se baisser, un instrument ressemblant à des tenailles, baptisé « agrippeur », pour l'aider à ramasser les objets tombés. Et pour son père, un outil destiné à maintenir le clou en position pendant qu'il tapait. « Papa passe son temps à s'écraser le pouce, expliqua-t-il. Comme menuisier, il n'est pas très doué.
— Que construit-il au juste ?
— Des casiers.
— Des casiers ?
— Mais si, des petites étagères en bois cloisonnées, pour mettre au mur.
— Ah oui.
— Parce que ma mère faisait collection de miniatures. Des ustensiles de cuisine tout petits petits, des meubles, enfin plein de trucs comme ça, et lui, il lui fabriquait des casiers pour les ranger. »

Et maintenant ? avait-elle envie de demander.

C'est à croire que Noah avait lu dans ses pensées. Il poursuivit : « Et maintenant, il se contente de les empiler dans le garage, derrière les pneus.

— Je comprends. »

Il lui était impossible de deviner au ton de Noah comment il vivait la séparation de ses parents. Il n'avait fait qu'une brève allusion à sa mère et la visite qu'il s'apprêtait à lui rendre serait la première depuis l'arrivée de Delia.

« Il me faut encore autre chose, lui annonça-t-il. Tu m'attends dehors une minute. »

Ainsi donc, il allait également lui offrir un cadeau. Elle aurait préféré qu'il s'en abstienne. Il lui faudrait manifester sa reconnaissance, faire tout un cinéma le jour où elle se servirait de l'objet en question, sans parler de l'obligation de lui choisir un cadeau qui ne soit ni plus ni moins conséquent que le sien. Mais comment s'était-elle débrouillée pour se retrouver dans cette situation ? Elle aurait dû rester chez Belle. Elle le savait depuis le début.

Mais Noah semblait si joyeux en la poussant dehors qu'elle ne put s'empêcher de sourire.

« As-tu besoin d'argent ? lui demanda-t-elle.

— J'ai économisé sur mon argent de poche. »

Il referma la porte et gesticula derrière la vitre en faisant mine de la chasser.

Elle attendit sur le trottoir et observa les passants. Il était difficile de ne pas se laisser piéger par l'atmosphère ambiante. Tout le monde était chargé de paquets cadeaux de couleurs éclatantes. De chez Rick Rack, à deux pas de là, s'élevait dans l'air glacé l'odeur réconfortante de bacon et de pancakes chauds. Lorsque Noah la rejoignit en serrant un sac contre lui, elle suggéra : « Ça te dirait, que je t'offre un soda chez Rick Rack ? »

Il hésita. « Tu vas le noter dans le carnet ? »

Il parlait du petit carnet que Mr. Miller lui avait donné. Elle était censée y consigner toutes les dépenses remboursables et Noah craignait toujours qu'elle ne soit lésée. (Il voyait en elle quelqu'un à qui la chance avait moins souri, ce qu'elle jugeait amusant et un tant soit peu humiliant.) « Aujourd'hui, c'est moi qui t'invite », dit-elle d'une voix ferme. Lorsqu'il ouvrit la bouche pour protester, elle le poussa du coude vers le café.

Rick agita sa spatule dans leur direction. Il s'affairait devant le gril. Teensy, en revanche, les accueillit à bras ouverts. « Mais c'est Delia ! Et le fils de Mr. Miller. Regarde, papa, gazouilla-t-elle en se tournant vers le vieil homme installé au comptoir. C'est Delia Grinstead ! Elle habitait juste en face ! Mon père, Mr. Bragg, dit-elle à Delia. Il est venu nous rendre une petite visite. »

Le père de Teensy, si Delia avait bonne mémoire, était un ours mal léché qui ne s'était pas très bien conduit envers son gendre ; aussi fut-elle surprise de lui découvrir cette expression humble et timide et cette posture avachie. Il avait le nez dans son petit déjeuner, comme un enfant. Lorsqu'elle le salua, il tortilla la bouche quelques minutes avant que les mots ne se forment. « Je bois du chocolat, finit-il par articuler.

— Vous en avez de la chance ! »

Lorsqu'elle s'entendit parler, sa voix lui parut aussi fausse que celle de Teensy.

« C'est votre fils ? demanda-t-il.

— C'est... Noah, répondit-elle sans prendre la peine de lui fournir d'autres explications.

— Viens t'asseoir ici, mon garçon.

— Oh, nous ferions mieux de prendre une table avec tout notre chargement. » Delia gesticula en indiquant les sacs de Noah. Les poignées de l'agrippeur de son grand-père dépassaient du sac d'une bonne cinquantaine de centimètres.

À la table du fond, Mr. Lamb était assis, la tête baissée sur un bol de céréales. Deux adolescentes occupaient une table à côté de la fenêtre — des lycéennes d'Underwood, pensa Delia, à en juger par la manière dont leur visage s'éclaira à la vue de Noah. (Déjà, elle en avait renvoyé un certain nombre de chez Mr. Miller en les remerciant sèchement de leurs assiettes de fondant maison, feignant de ne pas remarquer comment elles essayaient de regarder derrière elle dans l'espoir d'entrevoir Joel.)

L'une d'entre elles claironna : « Salut, Noah ! »

Noah fixa Delia en roulant des yeux.

« Qu'est-ce que je vous sers ? s'enquit Teensy, plantée devant leur table.

— Un café, s'il vous plaît, répondit Noah.

— Un café !

— Je peux pas ? Papa me laisse en prendre de temps en temps, dans les grandes occasions.

— Bon, d'accord. Alors, deux cafés.

— Tout de suite », fit Teensy. Puis elle se pencha si près que Delia sentit son parfum de tissu amidonné et lui chuchota : « En partant, peux-tu t'assurer que papa t'entende bien quand tu diras au revoir à Rick ?

— Bien sûr.

— Papa peut être si blessant envers lui.

— Je lui aurais dit au revoir, de toute façon, tu le sais bien.

— Je sais, oui, mais... » Teensy agita une main en direction de son père. Il paraissait toujours aussi inoffensif, avec le x de ses bretelles qui épousait la courbure de son dos.

Noah étaient de ceux qui aiment à se délecter de leurs achats avant même de les avoir rapportés chez eux. Il fouillait dans son sac dans un bruissement de papier pour en extirper le tournevis, puis il en sondait les profondeurs et jetait un ccup d'œil furtif sur quelque chose avant de couler à Delia un regard de biais. Lorsqu'elle fit mine de se pencher par-dessus la table pour guigner le contenu du sac, il se mit à rire aux anges et referma le sac en le froissant. Ses deux incisives étaient encore assez récentes pour paraître trop grandes pour sa bouche.

Et ce mouvement de ses cheveux retombant sur ses yeux — leur masse souple, leur douce brillance qui lui donnaient envie d'y enfouir les doigts. Et le bout de son nez retroussé, et cette grappe de minuscules verrues de petit garçon qui apparut sur l'articulation de son index recourbé lorsqu'il attrapa la tasse que Teensy lui apporta. Une pointe de son col de veste rebiquait. Le polo qu'il portait en dessous était taché de feutre. Son jean, elle le savait, était déchiré au genou et ses chaussures de sport étaient de ces mastodontes sophistiqués boursouflés de partout, montant à mi-chevilles, que l'on aurait cru destinés à marcher sur la Lune.

Il lui racontait un de ses rêves, un récit ennuyeux et impossible à suivre. Son professeur se changeait en chien, puis le chien venait rendre visite à Noah dans sa maison, qui se trouvait également être l'auditorium du collège, si Delia voyait ce qu'il voulait dire.

Delia acquiesça d'un signe de tête en souriant béatement et se força à garder les mains bien serrées pour s'empêcher de le toucher.

Belle prétendait que depuis quelque temps le chat présentait des troubles alimentaires. Elle le lui amena le lundi en fin de matinée dans un carton de céréales, afin qu'il puisse s'adapter à sa nouvelle demeure pendant que Delia serait seule. Il fut apporté dans sa boîte directement dans la chambre de Delia et posé par terre.

« C'est à croire qu'il est boulimique », expliquait Belle. Elle se laissa tomber sur le rebord du lit pour le regarder risquer le bout du museau hors du carton. « Il n'a pas encore vidé son écuelle à moitié qu'il commence à me harceler pour que je lui en redonne ; je n'aurais jamais cru qu'un chat puisse être capable de planifier comme ça à l'avance. Et si d'aventure il a tout mangé jusqu'à la dernière miette, j'ai droit à un mélodrame à fendre le cœur dès la seconde où je franchis le seuil. Il miaule à n'en plus finir, il se tord les pattes. Et je ne l'ai pas plutôt resservi qu'il titube à pas souffreteux jusqu'à l'écuelle pour s'empiffrer en faisant des bruits écœurants et s'en aller vomir dans un coin dans les dix minutes qui suivent.

— Oh, George, c'est à cause de moi ? » lui demanda Delia. Il inspectait sa chambre en détail, reniflant le porte-bagages d'un museau délicat.

« À peu près six fois par jour, il va au placard jeter un coup d'œil à son paquet de croquettes, histoire de vérifier que j'en garde suffisamment en stock.

— Toute ma vie, j'ai été une maîtresse de chat idéale, dit Delia. J'ai toujours habité sous le même toit, j'avais un emploi du temps bien précis. En fait, j'étais statique. Et voilà que je passe mon temps à déménager comme... il doit se sentir complètement instable ! »

Elle se baissa pour caresser le M noir dessiné sur le front de l'animal tandis que Belle parcourait la pièce du regard. « Cette chambre est minuscule, non ? Celle d'avant était sacrément plus grande.

— Elle me suffit. » Delia essayait d'attirer George dans la salle de bains. « Tu vois ? Voilà ta litière. C'est une vraie, cette fois, que je t'ai achetée exprès, et pas un carton.

— Que fais-tu à Noël, Dee ?

— Oh, je reste ici.

— Tu passes Noël avec des étrangers ?

— Ils ne seront pas là, au moins pendant la journée.
— C'est encore pire.
— J'ai un peu hâte d'y être. »
George entra dans sa litière pour en ressortir aussitôt, comme s'il tenait à lui prouver qu'il savait ce que c'était.
« Viens avec moi chez mes parents, lui proposa Belle. Ils seront ravis de t'avoir.
— C'est gentil, mais non, vraiment.
— Ou bien demande à Vanessa de t'inviter chez sa grand-mère.
— Elle m'a déjà invitée, mais j'ai refusé.
— Il faut dire que ce n'est pas de tout repos là-bas. Je suis un peu en froid avec elle en ce moment.
— Non ! Et pourquoi ça ?
— Tu sais ce qu'elle a eu le culot de me dire ? » Belle se leva pour emboîter le pas de Delia dans le couloir. Elles se dirigeaient vers l'écuelle de croquettes posée dans la cuisine. L'air hésitant, George errait vaguement dans leur sillage. « Je me lamentais sur ma vie amoureuse, poursuivit Belle. Impossible de trouver un homme, je lui disais, et elle m'a demandé si je n'avais jamais pensé à Mr. Lamb.
— Mr. Lamb !
— Tu imagines un peu ! Cet homme sinistre, lugubre, ce... grincheux ! Je lui ai dit : "Vanessa, pour qui tu me prends ? Franchement, tu me vois sortir avec un type qui a toujours habité dans des meublés !" Enfin, quand on y pense, personne ne l'appelle par son prénom, tu as remarqué ? Allez, vite, dis-moi son prénom ?
— Euh...
— Horace », soupira Belle d'un ton funèbre. Elle s'assit lourdement à la table de la cuisine. « J'ai beau être célibataire, je n'ai aucune envie de courir au suicide. C'est quoi, ça, sur le frigo ? »
Elle parlait du plan que Mr. Miller avait établi de l'aménagement de la maison. « C'est pour que tout dans le salon soit exactement à la même place que le jour où Mrs. Miller est partie, expliqua Delia. Il y a porté la moindre babiole à l'endroit précis où Mrs. Miller la rangeait habituellement. »
Belle s'approcha pour regarder de plus près. Sur le rectangle représentant le dessus de la cheminée étaient inventoriés en

minuscules capitales *vase bleu, bougie pomme de pin, photo bac à sable, pendule.*

« Si c'est pas malheureux, tout de même, dit Belle. À quoi ça lui sert ? Bon sang, mais qu'est-ce qu'il croit, que tous ces trucs vont se volatiliser comme ça ?

— Si tu le voyais dans la maison, tu ne poserais même pas la question. Pour un homme tellement obsédé par l'ordre, il est invraisemblablement... désorienté. C'est bien simple, il est incapable de quoi que ce soit ! Oh, en apparence, tout est parfait, mais sitôt qu'on jette un œil au fond d'un placard, on trouve des casseroles calcinées irrécupérables, des torchons percés d'énormes trous de brûlure...

Belle regardait le plan de la table basse. « *Grand presse-papier, petit presse-papier, magazines*, lut-elle à haute voix.

— Il garde les magazines qui continuent à arriver ici à son nom, ce ne sont que des trucs sur la mode, la cellulite, tout ce que tu veux...

— Ellie Miller n'a jamais eu un gramme de cellulite de sa vie.

— Dès qu'un nouveau numéro arrive, il le met à la place du précédent qu'il jette.

— Voilà ce que c'est d'aduler une femme, soupira Belle. Le pauvre, il la croyait capable de marcher sur l'eau ! En fait, elle était un peu gourde, mais tu sais bien comment les types les plus intelligents sont capables de devenir complètement gagas devant de vraies nunuches. Après le départ d'Ellie, je l'ai invité à un pique-nique, et tu sais ce qu'il m'a répondu ? "C'est gentil à vous, mais je crains de ne connaître personne." Il est proviseur de lycée, quand même ! Il devrait connaître toute la ville ! Mais il était complètement dépendant de sa femme pour ça. Elle adorait sortir, elle était très sociable, elle organisait des soirées à thème, fête à Hawaii, barbecue du Far West... et un thé pour les mères de bacheliers à la rentrée, mais Joel a tout arrêté. Cette année, il a laissé les mères de bacheliers en plan, alors que, inutile de le préciser, toutes les gamines de la ville rêvaient de l'aider.

— Si seulement... », commença Delia.

Si seulement Sam Grinstead était capable de tels sentiments à son égard, s'apprêtait-elle à dire. Mais elle se retint.

« Oh, je suis sûre que toi, il te laisserait l'aider, déclara Belle en se méprenant sur le sens de son silence. Il faut y aller tout doucement, vois-tu. Et bientôt tu lui seras indispensable.

— Oui, bien sûr. »

À ses yeux, c'était une évidence. Delia n'était arrivée que depuis dix jours que déjà Mr. Miller lui avait demandé de refaire une de « ses » terrines à la viande, un matin, il avait déposé sans mot dire une chemise à laquelle il manquait un bouton, et surtout, il avait perdu l'obsession de ces listes d'instructions qu'il lui laissait sur la table du petit déjeuner.

Mais n'était-il pas curieux qu'elle prenne cela pour une évidence ? Elle semblait s'être métamorphosée en une tout autre femme, une femme vers laquelle on se tournait automatiquement lorsqu'on avait besoin de soutien.

Le chat s'enroula autour de ses chevilles en ronronnant. « Tu vois, dit Delia, il n'est pas le moins du monde boulimique. Il n'a mangé que quelques croquettes, par pure politesse.

— Dee, tu es extraordinaire. »

Belle avait également apporté le courrier de Delia — un paquet d'Eleanor et une lettre d'Eliza. Le paquet d'Eleanor contenait une liseuse tricotée pour lire au lit. La lettre d'Eliza lui annonçait qu'elle avait invité les Allingham pour le réveillon de Noël. *Je ne veux pas te harceler, mais sache que tu es la bienvenue*, écrivait-elle, avant de s'empresser de lui donner des nouvelles de Linda : *Elle dit que les jumelles sont à l'âge où elles ont envie de rester chez elles pour les vacances, si bien qu'il n'y aura sans doute que les Allingham, nous, et bien sûr Eleanor...* Le papier à lettres dégageait ce léger parfum de clou de girofle (destiné à favoriser les pensées positives) qui flottait toujours dans la chambre d'Eliza.

Noah était tout excité à l'idée d'avoir un chat dans la maison. Ce jour-là, il rentra directement après ses cours et balança ses livres au petit bonheur en criant : « George ? George ? »

George, bien évidemment, se cachait. Delia dut lui expliquer comment on devait s'y prendre avec les chats — il ne fallait pas les poursuivre, ni s'adresser à eux en les regardant droit dans les yeux, mais procéder en diagonale, pour ainsi dire. « Assieds-toi à sa hauteur, lui dit-elle, lorsque George daigna resurgir. Regarde-le légèrement de biais, parle-lui d'une voix câline.

— Lui parler ? Mais qu'est ce que je dois lui dire ?

— Dis-lui qu'il est beau. Les chats adorent le mot "beau". Ça doit être le ton sur lequel on le dit, parce qu'ils ne sont pas du tout doués pour les langues, mais si tu laisses traîner le son *o* avec des trémolos dans la voix...

— Tu es bôôô... », susurra Noah, et, bien entendu, George plissa les yeux en esquissant un sourire onctueux plein de suffisance.

Le soir du réveillon, Delia alla chercher Noah à l'école pour le conduire chez sa mère. Les Miller avaient une Coccinelle. Elle ne s'était pas encore habituée à la raideur du changement de vitesse, aussi le trajet fut-il quelque peu cahotique.

Noah eut la gentillesse de s'abstenir de tout commentaire. Il se penchait en avant pour guetter la bretelle qui menait à Kellerton. « La plupart du temps, maman vient me chercher, mais en ce moment sa voiture est au garage. Elle a eu cinq accidents dans les neuf derniers mois.

— Cinq !

— Mais à chaque fois, c'était pas de sa faute.

— Je vois.

— C'est juste qu'elle n'a pas de chance. La dernière fois, un type l'a emboutie par-derrière en reculant alors qu'elle cherchait une place de parking. Il faut prendre cette sortie. »

Delia mit son clignotant et bifurqua à droite pour s'engager sur une route à quatre voies au revêtement irrégulier qui filait entre des champs de chaume gelé. Le paysage était si plat qu'elle n'avait quasiment pas besoin de changer de vitesse. Ils roulaient plein est, en direction des plages. Mr. Miller lui avait dit qu'il lui fallait compter une demi-heure.

« Ce soir, à six heures, il faudra que tu regardes WKMD, lui déclara Noah. C'est pas que je serai sur le plateau, mais au moins tu sauras que je suis là, quelque part dans le studio. »

Ce devait être sinistre de voir sa propre mère présenter la météo tous les soirs, alors qu'elle n'habitait plus sous le même toit. Quoique, à sa connaissance, il ne la regardait jamais. À six heures, Mr. Miller suivait les informations de MacNeil et Lehrer.

Aux champs succédèrent des self-services de hamburgers, des casses de voiture et des débits d'alcool qui semblaient indiquer les abords d'une ville, mais Delia eut tôt fait de s'apercevoir que c'était là le cœur même de la ville. Noah lui désigna la station de télévision sous sa tour en Meccano. Puis il lui montra l'endroit où sa mère faisait ses courses, celui où on la coiffait, et il la guida vers le sud, à deux blocs de là, au pied d'un petit immeuble de briques beiges. « Veux-tu que je t'accompagne ? lui demanda Delia en se garant le long du trottoir.

— Non, j'ai la clef, si jamais elle n'est pas là. »

Delia était déçue, mais elle n'insista pas.

« Quand tu te réveilleras demain, ajouta Noah pendant qu'elle ouvrait le coffre, tu regarderas sur l'étagère de mon placard et tu trouveras ton cadeau.

— Et quand toi, tu te réveilleras, tu regarderas dans la poche intérieure de ton sac polochon. »

Il lui adressa un sourire radieux et attrapa ses affaires. « Bon, d'accord, alors à demain.

— Joyeux Noël. »

Au lieu de l'embrasser, elle lui ébouriffa les cheveux. Il y avait si longtemps qu'elle en rêvait.

Lorsqu'elle rentra, Mr. Miller guettait son retour à la fenêtre de façade. C'est à peine s'ils se croisèrent sur le seuil — il lui tendit le creux de la main pour qu'elle lui donne les clefs de voiture, lui souhaita un joyeux Noël en lui annonçant qu'il serait de retour le lendemain soir avec Noah, puis il partit. Le chat émit un miaulement angoissé et talonna Delia pas à pas jusqu'à sa chambre.

Sur sa commode, elle trouva une carte de Noël accompagnée d'un chèque de cent dollars. *Meilleurs vœux*, disait la carte. Suivaient quelques lignes en capitales de la main de Mr. Miller : *Un petit geste pour vous remercier d'avoir su remettre de l'ordre dans notre vie. Avec toute notre gratitude, Joel et Noah.*

C'était gentil de sa part, pensa-t-elle. Et il avait fait preuve de tact en quittant la maison de si bonne heure. La situation eût été tendue sans la présence de Noah pour servir de tampon.

Elle passa l'après-midi sur le canapé à lire un véritable pavé qu'elle avait pris à la bibliothèque : *Le Docteur Jivago*. Le vent précipitait des feuilles déchiquetées contre la baie vitrée. George dormait enroulé à ses pieds. Le crépuscule tomba et elle se nicha sous le halo couleur de miel de sa lampe.

Peu avant six heures, elle prit la télécommande à l'extrémité de la table basse et alluma la télévision. Sur WKMD, un pirate borgne faisait la publicité de résidences luxueuses de front de mer. Puis une ménagère aspergeait une pièce à l'aide d'un aérosol. Enfin, un bureau bondé de présentateurs — un Noir barbu, un Blanc au teint rose et une blonde glamour en tailleur d'affaires. Delia pensa tout d'abord que la blonde devait être Ellie Miller, jusqu'au moment où le Noir l'appela Doris. Doris parla d'un braquage qui s'était produit dans une banque d'Ocean City. Le braqueur était déguisé en Père Noël, expliquait-elle. Elle s'exprimait de telle façon que son rouge à lèvres n'entrait jamais en contact avec ses dents.

Delia était déconcertée par la vitesse à laquelle défilaient les séquences. Elle avait dû perdre l'habitude de regarder la télévision. Elle avait l'impression que ses yeux étaient saturés et elle profita d'une nouvelle série de spots publicitaires pour détourner les yeux.

« Et maintenant, voici Ellie et les prévisions météo, annonça le barbu. Alors, dites-nous, Ellie, avons-nous une petite chance de passer Noël sous les flocons ?

— Pas la moindre, Dave », lui répondit Ellie de ce ton décontracté, copain-copain, qu'affectent les gens de la télévision. Son visage, toutefois, ne correspondait pas à sa voix. Il était trop doux, trop ouvert — un joli visage avec une grande bouche rouge, des yeux bleus étonnés et des pommettes soulignées de rose vermeil. Ses cheveux vaporeux étaient couleur d'argent. Son pull blanc angora à col rond semblait quelque peu douteux aux bords. Quelque part à l'abri de l'improbable décor de marécages et de joncs, était tapi Noah, mais pour l'heure, Delia ne songeait pas à Noah. Elle mémorisait le visage d'Ellie, s'efforçant de deviner ce que cachaient ces yeux d'azur et ce regard de poupée.

« Persistance du front froid... rafales de vent... » Delia écoutait, la tête inclinée, en appuyant sa joue sur le bout de ses doigts.

La météorologie fut suivie par la page sportive et Delia sortit de la pièce d'un pas désœuvré, traversa la cuisine et s'en alla vaguer du côté de la chambre principale. Elle ouvrit le placard et inspecta les rangées de vêtements suspendus.

Les costumes de Mr. Miller étaient disséminés sur la tringle, empiétant sur l'espace vacant qui se trouvait sur la droite. L'étagère du dessus était également vide sur la droite. De toute évidence, Ellie, contrairement à Rosemary Bly-Brice, était partie en ne laissant rien derrière elle. Cependant, Delia poursuivit ses investigations en ouvrant un à un tous les tiroirs de la commode d'Ellie. Elle ne trouva qu'un bouton auquel était encore accroché un bout de fil bleu tortillé.

Lorsqu'elle revint dans la salle de séjour, la chaîne présentait les informations nationales. Elle n'avait pas regardé les nouvelles depuis des mois, mais visiblement, elle n'avait rien manqué : la planète courait toujours à la catastrophe. Elle éteignit le poste au beau milieu d'une phrase et alla se préparer à dîner.

Lorsqu'elle se réveilla le lendemain matin, le soleil brillait. À l'intensité de la lumière crue, elle sut que le froid devait être mordant. En outre, George s'était blotti dans le creux de son bras, ce qui ne lui arrivait jamais lorsqu'il faisait bon.

Ce ne fut qu'en buvant son thé qu'elle se rappela que c'était Noël. Noël en solitaire ! Nul doute qu'aux yeux de la plupart des gens, c'eût été une tragédie, mais elle était enchantée de cette perspective. Elle prit plaisir à errer dans la maison silencieuse, sa tasse à la main, simplement vêtue de sa chemise de nuit et de son peignoir de plage, en fredonnant quelques mesures des *Rois mages*, à l'abri des oreilles indiscrètes. Elle alla dans la chambre de Noah explorer le tiroir du haut pour dénicher une paire de chaussettes à enfiler en guise de chaussons. Puis elle se rappela qu'il lui avait laissé un cadeau et elle l'extirpa de l'étagère du placard — une forme vaguement carrée enveloppée de papier rouge métallisé. Sur l'étiquette était écrit : *Parce que tu n'as pas de vêtements pour la maison*, ce qui la rendit perplexe, le temps de déchirer le papier et de découvrir un tablier de menuisier en toile avec des poches plaquées sur le devant. Elle sourit et passa la lanière par-dessus sa tête. Jusque-là, elle s'était servie d'un petit tablier de soubrette qui ne couvrait pas le haut de ses robes.

Elle avait offert à Noah un nécessaire de survie venant de chez Kemp Kamping. Les garçons semblaient adorer ce genre de choses. Et puis ce nécessaire était si ingénieux — à peine plus grand qu'une carte de crédit et cependant truffé de gadgets miniaturisés qui se dépliaient, dont une loupe pour allumer le feu.

Elle donna à manger à George, puis elle s'habilla et rejoignit le canapé en compagnie du *Docteur Jivago*. De temps à autre, elle levait les yeux de son livre et laissait errer son regard dans la pièce. Un soleil d'hiver, presque blanc, jetait ses rayons sur le tapis. Le chat faisait sa toilette dans un carré de lumière qui illuminait le fauteuil bleu. Tout semblait agréablement superficiel, comme dans un tableau.

Chez elle, ils devaient en être à ouvrir les paquets. Fini le temps où ils se levaient avant l'aube. À présent, ils descendaient mollement l'escalier au beau milieu de la matinée et distribuaient cérémonieusement les cadeaux, à chacun son tour. Au déjeuner, il y avait toujours une oie au menu, contribution d'un patient de Sam qui chassait. Pour le dessert, un pudding arrosé de crème au beurre, qu'ils trouveraient trop lourd, mais ne pourraient s'empêcher de manger, pour ensuite passer l'après-midi à gémir en se tenant le ventre.

De temps à autre, elle avait le souffle coupé à l'idée que sa famille avait accepté aussi aisément de la voir partir.

Quoique, en y songeant, son départ paraissait bel et bien acceptable. Presque inévitable. Presque... fixé d'avance. A posteriori, elle voyait dans les événements de l'année précédente — la mort de son père, la maladie de Sam, la rencontre d'Adrian — une série de vagues qui l'avaient projetée en avant, l'une après l'autre, de plus en plus rapprochées. Non pas de côté, comme elle l'avait d'abord pensé, mais en avant, car tout compte fait, sa décision de s'installer chez les Miller lui apparaissait comme une sorte de progression.

Elle avait imaginé que ses vacances lui paraîtraient bien trop courtes, mais lorsque, au crépuscule, Joel et Noah apparurent au détour de l'allée, elle les guettait déjà à la fenêtre. Elle laissa retomber le rideau dès qu'elle aperçut les phares et se précipita pour leur ouvrir la porte et leur souhaiter la bienvenue.

13

UNE FOIS PAR SEMAINE, le mercredi après-midi en général, Delia emmenait Noah rendre visite à son grand-père, à quelques kilomètres à l'ouest en passant par l'A50. Le vieil homme habitait dans une résidence du nom de Senior City — trois étages de briques rouges flambant neuves en bordure d'un terrain de golf marécageux. Delia se garait sur l'esplanade en demi-lune, déposait Noah et repartait en longeant une flotte de Buick et de Cadillac gigantesques. Elle revenait le prendre devant l'entrée une heure plus tard. Cela lui laissait tout juste le temps de faire l'aller-retour à Bay Borough, ce qui n'en valait guère la peine, aussi prit-elle l'habitude de se rendre au centre commercial le plus proche pour y feuilleter un livre ou entrer dans une épicerie fine pour acheter une gourmandise pour le dîner.

Elle déposait Noah un mercredi de la mi-janvier lorsqu'il lui annonça qu'elle était censée l'accompagner. « Moi ? Mais pourquoi ça ? s'étonna-t-elle.

— Papi veut te voir.

— Mais, je... »

Elle baissa les yeux. Sous son manteau, elle portait une blouse de ménage, en coton imprimé foncé qu'elle avait achetée en solde après Noël. « Pourquoi pas la semaine prochaine, plutôt ?

— Il m'avait demandé de t'amener aujourd'hui. Ça m'était sorti de la tête. »

Elle se gara sur une place de parking réservée aux visiteurs. « Si tu m'avais prévenue, je me serais un peu habillée.

— Oh, ce n'est que papi.

— Mais je suis attifée n'importe comment ! Comment s'appelle-t-il ?

— Nat.

— Je veux parler de son nom de famille », dit-elle en descendant de voiture. Des années d'expérience lui avaient appris à ne pas se fier aux enfants pour ce qui était des présentations officielles. « Il faut bien que je l'appelle Mr. *quelque chose.*

— Tout le monde l'appelle Nat tout court. »

Elle renonça et passa à la suite de Noah devant une rangée de plaques d'immatriculation portant le macaron Invalides. « Veut-il me voir pour une raison particulière ?

— Il dit qu'il n'arrive pas à t'imaginer quand je lui parle de toi. »

Ils approchaient de la double porte coulissante qui s'ouvrit sur leur passage. Le revêtement du hall présentait un relief rigide probablement adapté aux fauteuils roulants et grinçait sous leurs pieds. À leur droite, se trouvait une boutique de cadeaux entièrement vitrée et, par une ouverture, sur leur gauche, Delia aperçut une cafétéria déserte à cette heure-ci, mais où flottait encore cette odeur de légumes cuits à la vapeur reconnaissable entre toutes. Un petit groupe de vieilles dames attendait devant l'ascenseur. L'une d'entre elles était dans une chaise roulante électrique et deux autres s'appuyaient sur des béquilles. Delia avait l'impression d'être en pleine zone de guerre, sinon que ces vieilles dames étaient élégantes et joliment coiffées. À la vue de Noah, un sourire vint éclairer leur visage. Un sourire *vaillant*, songea-t-elle. Pour avoir si longtemps observé les patients de Sam, elle connaissait bien les épreuves que traversaient les personnes âgées.

L'ascenseur s'ouvrit sur une vieille dame mince aux cheveux bleus, vêtue d'une robe haute couture. « Pardon ! claironna-t-elle. Je descends.

— Mais, Pooky, vous êtes déjà en bas, objecta la dame en fauteuil roulant. Nous sommes au rez-de-chaussée.

— Si vous voulez monter à bord, vous êtes les bienvenus, mais je regrette, j'ai déjà appuyé sur le bouton du niveau 0.

— Mais Pooky, vous êtes déjà au niveau 0. »

Les autres ne prirent pas la peine de discuter. Elles s'engouffrèrent laborieusement dans l'ascenseur en se cramponnant pour la plupart à ce qui leur tombait sous la main. Noah et Delia entrèrent en dernier. La porte se referma derrière eux et ils commencèrent à s'élever. Toutes les vieilles dames couvaient Noah des yeux, le regard radieux — même ladite Pooky, qui ne semblait pas perturbée le moins du monde par le fait que l'ascenseur ne descendait pas. Au premier, sortit une femme chargée d'un cabas. Arrivé au second, Noah annonça : « On descend là », et ils se retrouvèrent dans un long couloir. À leur suite descendirent plusieurs vieilles dames dans un concert de cliquetis métalliques assortis d'un ronflement de roues. Pooky, cependant, resta à bord en regardant droit devant elle d'un air béat, tandis que la porte de l'ascenseur se refermait dans un glissement.

« Il lui arrive de passer la journée entière à monter et à descendre », expliqua Noah.

En apparence, rien ne différait d'un immeuble ordinaire, sinon les rampes qui couraient le long des murs. Des portes laquées couleur miel étaient régulièrement espacées, chacune munie d'un œilleton à hauteur d'homme. Noah s'arrêta devant la quatrième porte sur la droite. *Nathaniel A. Moffat, Photographe*, annonçait une carte de visite portant une adresse barrée à Cambridge, dans le Massachusetts. Lorsque Noah appuya sur la sonnette, une seule note mélodieuse résonna de l'autre côté de la porte.

« Est-ce que c'est mon petit-fils préféré ? s'écria une voix d'homme.

— Oui, lança Noah en retour. Son unique petit-fils », ajouta-t-il en gloussant à l'adresse de Delia.

La porte s'ouvrit, mais, au lieu du vieux monsieur que s'attendait à voir Delia, elle découvrit une petite femme boulotte qui leur souriait sur le seuil. Elle n'avait pas même quarante ans. Son visage rond au teint d'abricot était encadré de boucles aux reflets roses et elle était vêtue d'une robe moulante de coton orange, dont l'encolure était ajourée d'un ovale. Elle portait des chaussures également orange, de minuscules escarpins à bouts découverts, comme s'en aperçut Delia lorsque, par pur réflexe, elle jeta un coup d'œil à ses pieds, pensant y trouver des sabots d'infirmière qui puissent expliquer la présence de la jeune femme. « Bonjour, je m'appelle Binky, dit-elle à Delia. Coucou, Noah. Entrez donc. »

Le salon dans lequel ils pénétrèrent devait être aussi moderne que le reste de l'immeuble, mais derrière l'enchevêtrement de meubles d'époque massifs, sombres, surchargés d'ornements, Delia ne distinguait rien. Ils encombraient la pièce, s'entassaient les uns sur les autres, comme s'ils avaient autrefois appartenu à plusieurs pièces plus vastes. L'espace d'un instant, Delia eut du mal à repérer le grand-père de Noah. Il se hissait des profondeurs d'un fauteuil de velours bordeaux aux bras torsadés. À portée de sa main se dressait une canne métallique quadripode, mais il s'avança sans son aide pour venir la saluer. « Ainsi, c'est vous, Delia. Appelez-moi Nat. »

C'était de ces hommes qui semblent avoir gagné à vieillir — barbe blanche soigneusement taillée, teint hâlé, corps sec et vigoureux. Il était vêtu d'une veste en tweed et d'un pantalon gris. Il avait la poigne ferme et musclée.

« Merci d'être venue. Je tenais à rencontrer cette personne dont mon petit-fils fait si grand cas.

— C'est à moi de vous remercier de m'avoir invitée.

— Binky va vous débarrasser. »

Delia s'apprêtait à lui annoncer qu'elle préférait garder son manteau car elle ne pouvait rester qu'une seconde lorsqu'elle vit que, devant le canapé, la table avait été dressée pour le thé. Il y avait des assiettes de gâteaux, quatre tasses en porcelaine et une théière qui infusait déjà dans un emmaillotement de linge ivoire. Encore heureux que Noah se soit rappelé qu'elle était invitée.

Elle tendit son manteau à Binky et prit la place que lui indiquait Nat, à l'extrémité du canapé. Nat reprit son fauteuil et Noah s'assit sur le petit rocking-chair qui était à ses côtés. Lorsque Binky revint du vestiaire, elle s'installa à l'autre bout du canapé et se pencha pour déballer la théière.

« Noah préfère le thé à la menthe, dit-elle à Delia. J'espère que cela ne vous dérange pas.

— Pas le moins du monde. »

Ainsi donc, Noah prenait le thé à chaque fois qu'il venait ici ? Delia s'était imaginé qu'il jouait aux échecs ou quelque chose du même ordre. Elle tourna les yeux vers son grand-père qui hocha gravement la tête.

« Noah prend le thé avec moi depuis qu'il a appris à boire dans une tasse pour enfant, expliqua-t-il. C'est le seul garçon de la famille. Nous devons nous serrer les coudes, nous autres les hommes. »

Binky tendait sa tasse à Delia. « Alors, demanda-t-elle, ça vous plaît de travailler chez le père de Noah ?

— Beaucoup, oui.

— Joel est un chic type, dit Nat d'un ton placide. Je me fais un devoir de ne jamais prendre parti dans les querelles domestiques de mes filles, ajouta-t-il. Quand elles étaient toutes petites, je m'étais juré d'accepter celui qu'elles épouseraient. »

Ces paroles furent suivies d'un long silence, si bien que Delia se sentit obligée de lui demander : « Et vous les avez acceptés ?

— Mais absolument ! » Son petit rire filtré par sa barbe avait un sifflement asthmatique. « J'adore littéralement mes gendres ! Et ils me trouvent merveilleux.

— Mais tu es merveilleux », affirma Binky avec conviction.

Il s'inclina. « Merci, madame.

— Mais peut-être pas au point qu'ils se l'imaginent... »

Il lui fit une grimace et elle lança à Delia un clin d'œil espiègle.

Ladite Binky était-elle payée pour lui tenir compagnie ? Était-ce une de ses filles ? Mais son visage enjoué ne ressemblait aucunement à celui de Nat. Et elle ne semblait pas autrement liée à son petit-fils. « Prends du beurre, lui disait-elle, sans s'apercevoir qu'il n'avait rien sur quoi le tartiner.

— Tu veux dire de la pâte à tartiner 100% végétale à faible taux de cholestérol, rectifia Nat. D'abord, j'engloutis mon Incroyable, On Dirait Du Vrai Beurre, lança-t-il à Delia, et sur ce, je vais me laver la tête avec C'est Génial comme Tes Cheveux Sentent Bon. »

Cette dernière remarque laissa Delia perplexe, mais Noah poussa un petit rire étouffé. Son grand-père jeta un coup d'œil vers lui, ses lèvres frémirent comme s'il s'efforçait de ne pas sourire, puis il se tourna vers Delia. « Vous êtes de Baltimore, je crois.

— En effet, oui.

— Et vous avez de la famille là-bas ?

— Un peu. »

Il haussa un sourcil, mais elle s'en tint là.

« Quatre-vingt-dix pour cent des pensionnaires de cette résidence viennent de Baltimore, finit-il par dire.

— Ah oui ?

— De riches rentiers qui sont venus se retirer sur la Côte. Des gens de Roland Park ou de Guilford. »

Delia demeura impassible, ne manifestant aucunement

qu'elle avait déjà entendu parler de Roland Park ou de Guilford.

« Vous ne croyez tout de même pas que toutes ces rombières chichiteuses viennent du coin, poursuivit Nat. Seigneur non. Moi-même, je ne serais pas ici, si je n'avais pas épousé une Murray, du Condiment au Crabe Murray. Comment voulez-vous qu'un petit photographe de rien du tout puisse payer des tarifs aussi exorbitants ?

— J'ai entendu dire qu'il allait y avoir une augmentation en juillet », intervint Binky.

Delia parcourait la pièce du regard. Cette allusion à son métier avait attiré son attention sur les photos qui couvraient les murs — de grands tirages noir et blanc artistiquement encadrés. « Est-ce qu'elles sont de vous ?

— Celles-ci ? Ah, si seulement... »

Il se leva en attrapant cette fois sa canne. « C'est l'œuvre de maîtres, expliqua-t-il en claudiquant vers l'étude d'un voluptueux poivron vert. Edward Weston, Margaret Bourke-White... » Il pivota pour examiner la photo qui était sur sa gauche — des cheminées d'usine alignées comme autant de notes de musique. « Moi, je photographiais des jeunes mariés, déclara-t-il. Quarante-deux ans de jeunes mariés. Quelques noces d'or, de temps à autre. Et puis, j'ai commencé à avoir ce que j'appelle mes flash-back. » Sa barbe piqua vers le sol. Delia crut tout d'abord qu'il indiquait le tapis. « Je me suis fait rattraper par une vieille polio de quand j'étais petit. Thelma — ma femme — était décédée, mais elle nous avait inscrits tous les deux sur la liste d'attente à l'époque des premiers plans de Senior City. Je n'ai jamais compris pourquoi, car elle refusait de quitter notre vieille maison bien trop immense pour nous, alors même que les filles étaient grandes et parties depuis belle lurette. “Mais si jamais elles veulent revenir ?” répétait-elle sans cesse. Et vous savez quoi, le pire, c'est qu'elles sont revenues : à la moindre crise, elles se précipitaient à la maison, toutes les quatre, les unes comme les autres, et franchement, tout ça pour l'unique raison qu'elles avaient une maison qui leur tendait les bras. “Mais Seigneur, Thel, je lui disais, on ne peut tout de même pas passer notre vie à élever les filles ! Regarde un peu comment font les chattes. Elles élèvent leurs chatons, elles les sèvrent et, en l'espace de quelques mois, elles sont incapables de les reconnaître si elles les croisent dans l'allée. Pourquoi les humains n'en feraient-ils pas autant ?"

— Mais c'est impossible ! » s'exclama Binky en échangeant un sourire de connivence avec Delia.

Nat poussa un soupir de dérision dans sa barbe. « Foutaises », lança-t-il à Noah. Le garçon se contenta de lécher un bout de glaçage collé à son pouce. « Toujours est-il que j'ai commencé à avoir ces flash-back. Parfois, en fin de journée, la jambe me lâchait tout bonnement. J'en étais arrivé au point où le soir je pouvais à peine monter l'escalier. Je savais bien que je ne pourrais plus continuer à habiter là. C'est à ce moment-là que je les ai appelés et je leur ai dit : "Écoutez, ma femme nous avait bien inscrits sur la liste d'attente, non ?" Et c'est comme ça que j'ai atterri à Senior City. Senior City, misère. Quel nom abominable.

— Cela m'a pourtant l'air très bien... organisé, intervint Delia.

— Précisément. Organisé. C'est le mot ! » Il fit volte-face (ses mouvements, fût-ce les plus pénibles, semblaient explosifs, à peine contenus) et regagna son fauteuil. « Comme des dossiers dans les casiers d'un classeur, poursuivit-il en se rasseyant petit à petit. Notre organisation obéit à un schéma vertical. Plus nos forces nous lâchent, plus nous sommes logés en hauteur. L'étage d'en dessous est réservé à ceux qui ont bon pied bon œil. Il y en a même qui continuent à travailler, qui découpent leurs bons de réduction ou je ne sais quoi encore ; ils profitent du terrain de golf, des tables de ping-pong, s'en vont passer Noël plus au sud. À cet étage-ci, vous trouvez ceux dont le handicap est, dirons-nous, modéré. Ceux qui ont besoin de plans de travail à hauteur de fauteuil roulant ou d'un peu d'aide ici et là. Au troisième, ce sont les cas de dépendance totale. Infirmières, lits à barrière... tout le monde espère bien mourir avant d'être expédié au troisième.

— Non, c'est faux ! s'indigna Binky. C'est très agréable là-haut ! Prends un sablé, Noah.

— "Agréable" n'est guère le mot qui me viendrait à l'esprit, reprit Nat. Non que je sois opposé en théorie à Senior City, bien au contraire. Mieux vaut cela qu'être un fardeau pour ses enfants. Mais toute cette organisation me semble fâcheusement, comment dire, symbolique. Voyez-vous, j'ai toujours imaginé la vie comme une de ces échelles que l'on trouve sur les toboggans des cours de récréation — une sorte d'échelle des ans que l'on grimpe de plus en plus haut jusqu'à ce que *hop !* on tombe par-dessus bord. Je n'arrête pas de me dire que Thelma aurait pu nous dénicher un endroit avec quelques barreaux de plus. »

Delia se mit à rire et Nat se renversa dans son fauteuil en lui adressant un large sourire. « Je radote, je radote. Je suis ravi d'avoir enfin eu l'occasion de vous rencontrer, Delia. Noah m'a raconté tout ce que vous avez fait pour eux. »

Elle connaissait sa réplique. « J'ai été enchantée de faire votre connaissance, dit-elle en se levant.

— Dorénavant, passez donc prendre le thé quand vous viendrez chercher Noah. »

Elle enfila les manches du manteau que lui tendait Binky, tandis que Noah se démenait pour passer sa veste. « Rentrez bien, leur lança Binky en ouvrant la porte. » Son encolure ajourée d'un ovale révélait une larme rebondie d'un beau rose poudré, coupée en deux par l'étroite fente qui séparait ses seins. Est-ce ce détail ou le sourire coquin de Nat qui, subitement, conduisit Delia à se demander si, tout compte fait, Binky ne serait pas sa petite amie ?

Joel lui dit qu'il ne savait pas le moins du monde qui était Binky. Il ignorait même jusqu'à son existence. « Binky ? Binky qui ? Drôle de nom, Binky. »

Ils dînaient dans la cuisine en tête à tête. Noah avait accepté une invitation de dernière minute chez les Moss. Dans un premier temps, Delia s'était débrouillée pour passer les trois quarts du temps debout, mais Joel avait fini par lui dire : « Asseyez-vous donc, Delia », d'un ton bienveillant qui lui donna le sentiment qu'il avait lu dans ses pensées. « Comment trouvez-vous Noah ? » avait-il dit.

La réponse lui avait pris trois secondes environ (Noah allait bien). Puis ils avaient dû se mettre en quête d'un nouveau sujet et c'est ainsi que Delia avait pensé à parler de Binky.

« Quel âge a-t-elle à votre avis ? demanda Joel.

— Oh, trente-cinq, trente-six ans...

— Bon : trop jeune pour être une pensionnaire de la résidence. Et cela m'étonnerait que Nat ait besoin d'une infirmière. Qu'en pense Noah ?

— Il se contente de dire qu'elle est "dans les parages." Je lui ai demandé qui c'était et il m'a répondu : "Je ne sais pas, quelqu'un qui traîne souvent dans les parages."

— Hmm.

— Enfin, cela ne me regarde en rien. Je ne sais pas pourquoi je me suis mise à parler de cela. »

Mais bientôt, la mémoire lui revint, car ils avaient à nouveau sombré dans un pénible silence.

« Sa femme était un parangon de vertu, déclara Joel en se reprenant du pain. La grand-mère de Noah.

— Vraiment ?

— Il suffisait de l'entendre.

— Ah.

— Je n'ai jamais pu supporter cette femme. Elle se mêlait toujours de ce qui ne la regardait pas. S'immisçait dans notre vie. Demandait ce qu'il était advenu de ses cadeaux. "Est-ce que vous utilisez ceci ?" "Comment se fait-il que je ne vous ai jamais vu porter cela." »

Delia se mit à rire.

« Alors, reprit Joel, si ladite Binky est sa maîtresse — la crudité du terme choqua légèrement Delia —, eh bien, tant mieux pour lui. Il a bien mérité sa part de bonheur.

— Je ne voulais pas dire...

— Et pourquoi pas ? Il n'a que soixante-sept ans. S'il n'avait pas ces satanées rechutes, il serait encore sur son bateau à faire de la voile. »

Delia ignorait que Nat avait fait de la voile, mais elle l'imaginait aisément, longue silhouette s'activant sur le pont, partout à la fois.

« Elle aimait dire qu'elle était toujours "là" pour les autres », poursuivit-il. Sans doute était-il revenu à la grand-mère de Noah. « Je n'avais encore jamais entendu personne dire cela, Dieu sait pourtant que c'est devenu courant de nos jours. "Je suis toujours *là* pour mes filles", singea-t-il. On avait envie de lui demander : "Mais où cela, au juste ?" J'ai horreur de cette expression. »

Delia espéra ne pas l'avoir employée. Elle était quasiment certaine que non.

« J'ai également horreur de "rescapé", reprit Joel. À moins évidemment qu'on ne l'entende au sens littéral.

— Rescapé ?

— De nos jours, le seul fait d'avoir traversé l'enfance sans encombres suffit à faire de vous un rescapé.
— Ah.
— Un autre mot que je déteste... »
Il était heureux qu'il ait autant d'opinions tranchées. Ainsi Delia n'était-elle pas obligée de soutenir la conversation. Elle suivait sa bouche du regard, cette longue bouche ferme finement dessinée, avec son petit sillon bien marqué au centre de la lèvre supérieure, en songeant que pour un être aussi fasciné par les questions linguistiques, il révélait bien peu de choses.

Désormais, lorsqu'elle se rendait à l'épicerie fine après avoir déposé Noah le mercredi après-midi, elle achetait un petit quelque chose en plus — des cornichons français au vinaigre, de la gelée de piment — qu'elle réglait de sa propre poche et apportait à Nat pour le thé. « Comment avez-vous deviné que j'avais un penchant pour ce genre de choses ? s'étonna Nat. La plupart des gens viennent avec des chocolats, des fruits confits. Du sucré. »

Parce que son père, lui aussi, adorait les conserves au vinaigre ou en saumure, mais elle s'abstint de le lui dire, car elle décelait dans l'attitude de Nat une touche de galanterie badine qui montrait à l'évidence qu'il ne se voyait pas si vieux que cela. Il plaisantait souvent de Senior City, comme pour se prouver qu'il n'en faisait pas réellement partie. « La Maison des Morts-Vivants », surnommait-il la résidence. Il prétendait être convaincu que les mouettes qui survolaient le bâtiment n'étaient autres que des vautours et parlait d'un ton enjoué des « pauvres choux » du troisième. Sans compter son idylle avec Binky.

Car Binky était bel et bien sa petite amie. Delia n'avait plus le moindre doute sur la question. À trois reprises, elle était arrivée pour le thé et l'avait trouvée juchée sur le canapé, qui jouait les hôtesses. Mais lorsque, la quatrième fois, elle ne la vit pas, Nat jugea nécessaire d'expliquer qu'elle avait été appelée à la dernière minute. Son fils s'était ébréché une dent, avait-il précisé.

« Binky a un fils ? s'étonna Delia.
— Deux, en fait.
— Je l'ignorais.

— Si bien que c'est Noah qui va faire le service aujourd'hui. »

Delia s'installa sur le canapé en gardant son manteau sur le bras. Elle observa Noah qui versait un filet de thé tremblotant.

« Je ne savais même pas qu'elle était mariée », reprit-elle.

Elle avait pris soin de bien choisir ses mots, évitant de dire « avait été mariée », car il se pouvait que Binky le soit encore. Mais la réponse de Nat ne l'éclaira pas davantage. « Oh si, à un dentiste. »

En veine d'inspiration, elle déclara : « En ce cas, cette dent ébréchée ne devrait pas poser de problème.

— En effet », rétorqua Nat. Il lui coula un regard en biais sous ses sourcils gris broussailleux. Puis il se radoucit : « En admettant qu'elle ait envie de mettre son fils dans un avion et de l'expédier dans un cabinet du Wyoming.

— Oh.

— Ils ont divorcé.

— Je vois.

— Et tout sauf à l'amiable, ajouta Nat, non sans une certaine satisfaction. Des mois devant les tribunaux, des kyrielles d'avocats, de remplaçants d'avocats, quarante mille dollars dépensés pour en gagner cinq mille... vous imaginez.

— C'est terrible.

— Ça l'a quasiment mise sur la paille, au point qu'elle a été forcée d'accepter un poste de vendeuse à la boutique de cadeaux de Senior City.

— Elle travaille à la boutique de cadeaux ?

— Enfin, pour l'instant. »

Il jeta un regard à Noah qui passait une assiette de brownies dangereusement inclinée. « Le fait est, reprit Nat, que Binky et moi, nous allons nous marier. »

L'assiette observa une inclinaison plus périlleuse encore. « Mes félicitations ! s'exclama Delia en se penchant pour ramasser un brownie sur le tapis.

— Sérieux ? s'étonna Noah.

— Sérieux. Mais n'en dis rien aux filles, pour l'instant, d'accord ? J'aurais dû l'annoncer en premier à ta mère et à tes tantes.

— Alors, tu vas déménager d'ici ?

— J'ai bien peur que non, fiston. » Nat se tourna vers Delia. « Noah préférait mon ancienne maison.

— Dans la maison d'avant, il y avait une cabane géniale dans un arbre au fond du jardin, expliqua Noah.

— Mais il n'y avait pas d'ascenseur, ni de poignée au-dessus de la baignoire. Ni de salle de rééducation pour les vieux croûtons comme moi.

— T'es pas un vieux croûton !

— Et puis, il y a le petit détail du contrat que j'ai signé avec Senior City, ajouta Nat à l'adresse de Delia. Cela pose un léger problème avec le comité directeur, comme vous pouvez l'imaginer. Toutes mes économies sont englouties dans cet appartement, mais l'âge minimum d'admission est de soixante-cinq ans. Binky n'en a que trente-huit.

— Et ses fils ? demanda Delia.

— Ah ça, ç'aurait été un sacré problème ! Du rock dans la cafétéria, des skates dans les couloirs... Quoi qu'il en soit, ses fils resteront avec les parents de Binky. L'un des deux est déjà en fac et l'autre s'apprête à y entrer. Mais le comité a tout de même piqué une crise de nerfs, sans compter que je me suis mis à dos certaines de mes voisines, car les hommes sont une denrée rare dans les parages. L'idée, c'est d'épouser une des résidentes et non la pin-up de la boutique de cadeaux.

— Vous ne pouviez pas mieux choisir, je crois. »

Et elle le pensait réellement. Elle s'était prise d'affection pour Binky, qui ponctuait leurs conversations de murmures admiratifs et de paroles encourageantes.

Et lorsqu'elle passa la semaine suivante, Delia se fit un devoir de dire à la jeune femme que Nat avait bien de la chance.

« Oh, merci, répondit-elle, rayonnante.

— Avez-vous fixé une date ?

— Nous avons pensé à juin.

— Ou mars », intervint Nat.

Binky regarda Delia en roulant des yeux d'un air comique. Mars approchait à grands pas. On était déjà à la mi-février. « Il n'a pas idée de tout ce qu'il y a à préparer.

— Vous avez l'intention de faire un grand mariage ?

— Oh, un grand mariage, c'est beaucoup dire, mais... pour mon premier mariage, en fait, je m'étais enfuie. À l'époque, j'étais en première année de fac à Washington College et je me suis mariée dans la tenue que je portais en cours ce jour-là. Alors, cette fois, j'aimerais avoir tout le tralala.

— Je vais être témoin, annonça Noah à Delia.

— Vraiment !

— Ça sera à moi de tenir l'alliance.

— Vous serez des nôtres, Delia, n'est-ce pas ? demanda Nat.

— Si je suis invitée, ce sera avec plaisir.

— Oh, vous serez invitée », dit Binky, qui tapota la main de Delia en lui souriant de toutes ses fossettes.

Mais plus tard, sur le chemin du retour, Noah apprit à Delia qu'à son arrivée il s'était aperçu que Binky avait pleuré.

« Pleuré ! Mais pourquoi ?

— Je ne sais pas, mais elle avait les yeux tout rouges. Elle disait que tout allait très bien, mais moi je voyais bien que ce n'était pas vrai. Puis le téléphone a sonné quand elle était dans la cuisine et papi lui a crié : “Ne réponds pas !”, et elle n'a pas répondu. Lui non plus, il a laissé sonner. J'ai fini par lui demander : “Tu veux que je réponde ?”, mais il m'a dit : “Non, laisse. Ça doit être Dudi.”

— Qui est Dudi ?

— Une de mes tantes.

— Ah. » Delia réfléchit un instant. « Mais quelle raison aurait-il de ne pas lui parler ? »

Il haussa les épaules. « Ça me dépasse, soupira-t-il. Surveille un peu ton compteur.

— Merci », dit Delia.

Elle avait eu deux amendes en l'espace de deux semaines. Sans doute était-ce ce paysage de rase campagne. La vitesse semblait grignoter du terrain centimètre par centimètre et, avant même d'en avoir pris conscience, elle s'envolait.

Lorsqu'ils furent de retour à Bay Borough, ils trouvèrent Joel qui était rentré de bonne heure et attendait de pied ferme les dernières nouvelles. Les projets de mariage de Nat éveillèrent en lui un intérêt non dénué de gaieté. « Noah va être témoin, lui annonça Delia en suspendant son manteau.

— Non, c'est vrai ? s'exclama-t-il. Et où allez-vous enterrer sa vie de garçon ?

— Enterrer sa vie de garçon ?

— Et tu as pensé aux toasts que tu allais porter ?

— Les toasts !

— Ne l'écoute pas, Noah », lui conseilla Delia. Il semblait inquiet.

Elle songea subitement qu'elle croiserait certainement Ellie lors du mariage. C'était scandaleux qu'elles ne se soient pas déjà rencontrées. Delia s'occupait du fils d'Ellie. Quelle mère pouvait ainsi confier son fils à une parfaite étrangère ?

Quelques semaines auparavant, en traversant la chambre de Nat pour aller dans sa salle de bains, Delia avait remarqué une photo couleurs de ses filles, juchées sur une commode. Tout du moins avait-elle supposé qu'il s'agissait bien de ses filles — Ellie et trois autres blondes riant, bras dessus bras dessous. Des quatre, Ellie était la plus vive, celle qui attirait le regard. Elle était vêtue d'une robe crème parsemée de fraises assorties à la couleur de sa bouche. Ses chaussures, en revanche, n'étaient guère flatteuses. C'étaient des ballerines, de vilaines ballerines noires, fines comme du papier, qui lui faisaient la cheville épaisse. En plus, elles étaient déformées par ses orteils.

Pourquoi Delia en avait-elle éprouvé une telle satisfaction ? Elle n'avait rien contre Ellie ; elle ne la connaissait même pas. Cela ne l'empêcha pas de passer un long moment à étudier la photo de plus près, dans l'espoir de lui découvrir d'autres défauts. En vain. Et, quoi qu'il en soit, il lui eût été pour le moins difficile de les signaler à Joel.

14

UN VENDREDI MATIN de fin février — par une journée si douce et ensoleillée que Delia aurait pu croire le printemps de retour si elle n'avait été familière des ruses de l'hiver, elle alla à pied chez Mister Junior Mode échanger un pyjama pour Noah. (Elle lui en avait acheté un qui ressemblait à une tenue de l'équipe des Baltimore Orioles, sans savoir que, pour une étrange raison, il préférait les Philadelphia Phillies.) C'était si agréable de pouvoir se promener dehors en simple cardigan, qu'elle décida de faire une petite visite à Mrs. Lincoln à la bibliothèque. Elle coupa donc à travers le square et bifurqua dans West Street. Devant la vitrine du fleuriste, elle ralentit pour admirer un pot de narcisses blancs et, lorsqu'elle passa sous les fenêtres de Mr. Pomfret, elle coula un regard en biais dans l'espoir d'entrevoir la nouvelle secrétaire.

À en croire la rumeur, il se débrouillait tant bien que mal avec une nièce de sa femme qui ne savait pas taper à la machine et encore moins se servir d'un ordinateur. Mais les reflets qui jouaient sur la vitre ne lui permirent pas de distinguer l'intérieur du bureau, il aurait fallu qu'elle s'approche tout près. Elle ne discernait que sa propre silhouette doublée d'une autre à l'arrière-plan, toutes deux fondues dans un motif de lierre provenant de la nouvelle plante tentaculaire que la nièce avait dû poser sur le rebord. Delia accéléra le pas et traversa George Street.

Cette semaine-là, dans la vitrine de la friperie il y avait des robes de petite fille si bien que les deux silhouettes qui s'y reflétaient étaient revêtues d'imprimés à carreaux ou fleuris de boutons de roses. Elle remarqua que la seconde silhouette avait des allures de longue cigogne dégingandée, toute en bras et en jambes, comme celle d'un adolescent. Comme celle de Carroll.

Elle fit volte-face. C'était bien lui. Il avait l'air encore plus stupéfait qu'elle, si tant est que cela fût possible. Son expression se figea et il recula brusquement, les mains enfoncées dans les poches de son coupe-vent, les coudes saillants.

« Carroll ? souffla-t-elle.

— Quoi ?

— Oh, Carroll ! » s'écria-t-elle, saisie d'une émotion si déchirante, semblable à l'étau d'un poing qui l'étreignait au plus profond d'elle, qu'elle comprit pour la première fois à quel point il lui avait manqué. Son visage se confondait avec le sien, et ce n'était pas tant leur ressemblance (bien réelle pourtant) que le fait qu'au cours des quinze dernières années, elle en avait assimilé jusqu'au moindre détail — le semis de taches de rousseur étoilées sur son nez délicat, cette façon qu'avaient ses cernes de s'assombrir dans les moments pénibles. (En cet instant, ils étaient quasiment pourpres.) Il leva le menton en signe de défi, aussi à la dernière seconde se contenta-t-elle de poser une main sur son bras au lieu de l'embrasser. « Si tu savais comme je suis heureuse de te voir ! Comment es-tu venu jusqu'ici ?

— On m'a déposé. »

Elle avait oublié que sa voix avait mué. Il lui fallut soudain s'y réhabituer. « Et que fais-tu dans West Street ? lui demanda-t-elle.

— J'ai d'abord essayé à ta pension, mais personne n'a répondu, et puis je t'ai vue traverser le square. »

Ainsi donc, il n'avait sans doute prévenu personne de sa visite (elle avait envoyé sa nouvelle adresse à Eliza des semaines auparavant). « Tout va bien à la maison ? s'inquiéta-t-elle. Et toi, tu vas bien ? Mais tu dois avoir cours aujourd'hui !

— Tout va bien. »

Il essayait discrètement de se dégager. Il jetait des regards embarrassés aux passants. À contrecœur, elle lâcha prise. « Allez... que dirais-tu de déjeuner ?

— Déjeuner ? Mais je viens à peine de prendre mon petit déjeuner. »

Certes, ils étaient encore au beau milieu de la matinée. Elle se sentait étourdie, égarée, enivrée, presque. « Alors, un Coca, ou autre chose, dit-elle.

— OK. »

Elle saisit le prétexte de guider ses pas vers le café pour le toucher une fois encore. Elle adorait ce tendon dur enfoui au creux de son bras. Oh, elle aurait dû deviner que ce serait Carroll qui finirait par venir à elle ! (De ses enfants, tout compte fait, c'était celui qui lui était le plus attaché — d'entre tous le plus aimant, le plus proche. Mais sans doute aurait-elle pensé de même s'il s'était agi de l'un des deux autres.)

« Il faut que tu me mettes au courant d'un tas de choses. Comment se passe ta seconde ? »

Il haussa les épaules.

« Ton père a-t-il eu d'autre crise ?

— Pas à ma connaissance.

— Et Ramsay et Susie, ils vont bien ?

— Ouais. »

Alors, que se passe-t-il ? avait-elle envie de lui demander. Mais elle se retint. Déjà, elle retrouvait le masque de duplicité qu'il était indispensable de revêtir face à toute progéniture adolescente. Elle l'entraîna plus à l'ouest, dans George Street, en retenant quasiment son souffle. « Est-ce que Ramsay fréquente toujours cette fille divorcée ? Velma ? »

Nouveau haussement d'épaules. Manifestement, oui.

« Et Susie ?

— Quoi ?

— A-t-elle la moindre idée de ce qu'elle va faire après son diplôme ?

— Hein ? » fit-il en regardant un poster de Bon Jovi à la vitrine du disquaire.

Il était toujours aussi frustrant et n'avait pas perdu cette habitude de refréner ostensiblement un bâillement à chaque fois qu'elle ouvrait la bouche. Elle se força à être patiente. Elle le fit passer devant la cave Shearson et la quincaillerie Brent, puis ils franchirent le seuil de chez Rick Rack.

« Dee, ma belle ! » s'exclama Rick en baissant son exemplaire de *Sports Magazine*. Rien qu'à cet accueil, elle avait deviné que son beau-père était assis au comptoir. (En présence de Mr. Bragg, Rick faisait systématiquement tout un cinéma.) « Mais qui est-ce que tu nous amènes ?

— Mon fils... Carroll, je te présente Rick Rackley.

— Ton fils ! En voilà une surprise ! »

Carroll avait l'air éberlué. Delia ressentit une pointe d'agacement. Ne pouvait-il pas au moins faire preuve de courtoisie ? « Asseyons-nous à une table », dit-elle d'un ton brusque.

Teensy ne semblait pas dans les parages, aussi Delia prit-elle la liberté d'attraper deux menus de la pile posée sur le tabouret. Dès qu'ils furent assis, elle en passa un à Carroll. « Je sais qu'il est encore tôt, mais tu devrais essayer le sandwich de porc barbecue. Il est préparé comme en Caroline du Nord, ni trop doux...

— M'man, chuchota Carroll.

— Quoi ?

— M'man, c'est bien Rick Rack ?

— Pardon ?

— Rick Rackley, le footballeur ?

— Je crois bien, oui. »

Bouche bée, Carroll contempla Rick qui resservait du café à son beau-père. Il se retourna vers Delia et lui chuchota : « Tu connais Rick Rack en personne ? Rick Rack te connaît ? »

Les choses prenaient une tournure inespérée. « Mais bien sûr, répondit-elle d'un ton badin, puis, ne résistant pas au plaisir de l'épater, elle lança : Où est donc Teensy, Rick ?

— Chez le coiffeur, dit-il en reposant la cafetière sur le réchaud. Tu n'as qu'à me dire ce que tu veux, je prendrai directement ta commande.

— Est-ce qu'il est trop tôt pour avoir un porc barbecue ?

— Mais non, je peux te préparer ça. »

Carroll protesta : « Je sors à peine du petit déjeuner, maman. Je te l'ai déjà dit.

— Oui, mais tu ne peux pas rater ça, dit-elle. Pas une goutte de sauce tomate ! Et puis c'est servi avec des frites fabuleuses et un coleslaw maison. »

Que lui prenait-il d'insister aussi lourdement ? Carroll n'avait manifestement pas faim ; il ne pouvait pas détacher ses yeux de Rick. Mais elle lança : « Deux sandwichs, s'il te plaît, Rick, et deux grands Coca.

— Ça marche. »

Mr. Bragg fit pivoter son tabouret afin de les dévisager. Ses rares cheveux blancs coupés en brosse étaient redressés sur le sommet de son crâne et lui donnaient une tête d'ahuri. « Mais, glapit-il, qu'est-il donc arrivé à ce garçon ? »

Delia jeta un coup d'œil affolé à Carroll.

« Comment il a fait pour pousser aussi vite ? Pour grandir comme ça, d'un coup ? »

Elle se demanda si le vieil homme avait réussi à lire dans ses pensées, mais sur ce, il poursuivit : « À Noël dernier, il n'était pas plus haut que ça. » Il plaça sa main à hauteur du tibia.

« Ah, fit Delia. Vous voulez parler de Noah. »

Il était désormais notoire que Mr. Bragg commençait à perdre la tête, si bien que Rick et Teensy ne pouvaient pas le renvoyer là d'où il venait.

« C'est qui, Noah ? demanda-t-il.

— C'est qui, Noah ? répéta Carroll.

— Le garçon dont... » Elle se sentit paniquée, comme prise en flagrant délit de traîtrise. « Le fils de mon employeur, c'est tout. Mais, Carroll, raconte-moi un peu ce qui s'est passé à la maison. Alors, le Harem des petits plats a débarqué ? Les tartes aux pommes affluent en masse ?

— Tu ne m'as pas demandé de nouvelles de tante Liza.

— Eliza ? Elle va bien ?

— Pas mal, sans doute.

— Que veux-tu dire ? Est-elle malade ?

— Non, elle n'est pas malade.

— L'année dernière, tu n'étais qu'un avorton, lança Mr. Bragg. Vous étiez là tous les deux à glousser devant les cadeaux que vous aviez achetés.

— Eliza s'occupe toujours de la maison, non ? » persévéra Delia.

Mais Carroll semblait distrait par Mr. Bragg. « Mais de qui il parle ?

— Je te l'ai dit, du fils de mon employeur.

— C'est pour ça que tu portes ce sac ? "Vêtements chics pour le jeune homme de goût" ? Tu lui achètes ses fringues, au gamin ? Vous gloussez tous les deux ? Et puis d'abord, c'est quoi ce que tu as sur le dos ? »

Delia baissa les yeux. Sa tenue n'avait rien de particulier, elle était simplement en cardigan de Miss Grinstead et blouse de ménage bleu marine. « Comment ça, ce que j'ai sur le dos ?

— On dirait que tu es repliée dans ta forteresse. »

Deux assiettes apparurent devant eux en cliquetant sur le Formica. « Du ketchup ? proposa Rick.

— Non, merci. » Elle se tourna vers Carroll. « Écoute, mon chéri, je...

— Moi, j'en veux bien, du ketchup, dit Carroll d'un ton agressif.

— Oh, excuse-moi. Oui, merci, Rick.

— Aurais-tu oublié que tu as un fils qui met du ketchup sur ses frites ?

— Crois-moi, mon chéri. Je n'oublierai jamais. Enfin, pour le ketchup peut-être, mais jamais... »

Un flacon en plastique surgit sur la table, accompagné de deux grands gobelets en carton de Coca. « Merci, Rick », dit-elle.

Elle attendit qu'il se fût éloigné, puis elle posa sa main sur celle de son fils. Il avait les articulations aussi grenues que du cuir. Ses lèvres étaient gercées. Il avait quelque chose de trop concret ; elle s'était habituée aux contours flous, embrumés, du Carroll de ses rêveries.

« Je n'oublierai jamais que j'ai des enfants.

— Ouais. C'est pour ça que tu t'es débinée sur la plage sans même un regard pour eux. »

Une voix lança : « Delia ? »

Elle sursauta. Deux adolescentes étaient campées devant leur table — Kim Brewster et Marietta quelque chose. Schwartz ? Schmidt ? (Elle gratifiait régulièrement Joel de fondant maison tellement sucré qu'ils en avaient des sifflements dans les tempes.) « Tiens, bonjour ! leur lança Delia.

— Oh, vous ne direz pas à Mr. Miller que vous nous avez vues ici ? » supplia Kim. Kim était une des élèves auxquelles Delia donnait des cours de soutien. Depuis quelque temps, elle avait accepté d'assurer des leçons particulières de maths au lycée. « Il nous tuerait s'il l'apprenait !

— On sèche les cours, intervint Marietta. On vous a vue ici et on s'est dit qu'on allait vous demander : vous savez que c'est bientôt l'anniversaire de Mr. Miller. »

Delia l'ignorait, mais elle acquiesça de la tête. Il fallait à tout prix qu'elle se débarrasse d'elles.

« Alors, avec des copines, on fait une collecte pour lui acheter un cadeau et on a pensé que vous pourriez peut-être nous dire quoi lui offrir.

— Oh ! Je ne...

— C'est-à-dire que vous le connaissez mieux que personne. Il ne fume pas, hein ? Apparemment, les trois quarts des cadeaux pour homme sont des articles pour fumeurs.

— Non, il ne fume pas, répondit Delia.

— Pas même la pipe ?

— Il est toujours si distingué, chic et tout, qu'on s'était dit qu'il aurait une allure géniale avec une pipe. On devrait peut-être lui en acheter une quand même.

— Non, j'en suis certaine, cela ne lui plairait pas du tout, trancha Delia. Bien, je suis ravie de vous avoir vues, les filles. »

Mais Kim dévisageait Carroll d'un regard ombragé de longs cils soyeux. « Tu fréquentes pas Dorothy », l'informa-t-elle.

Carroll rougit. « Dorothy ?

— Notre lycée, Dorothy Underwood, dit-elle en faisant claquer son chewing-gum. T'es pas d'ici.

— Exact.

— Je savais bien qu'on ne t'avait jamais vu dans les parages. »

Delia entama son coleslaw ; la délicatesse lui commandait d'éviter de regarder Carroll en face. Toutefois, ce dernier se contenta d'attraper le flacon de ketchup et d'arroser méthodiquement ses frites une à une. « Bon... », finit par soupirer Kim. Les deux filles allèrent s'installer à une table libre en laissant tomber des bribes de phrases derrière elle. « En tout cas, merci, Dee... Si vous avez une idée... »

Delia but une gorgée de Coca.

« C'est qui, ce type ? » demanda Carroll en reposant violemment le ketchup.

Perplexe, elle parcourut le café du regard.

« Le type à la pipe, m'man. Ce type si distingué que tu connais tellement bien.

— Oh ! » Elle se mit à rire, mais son rire sonnait faux. « Ce n'est pas ce que tu crois. C'est mon patron.

— C'est ça. »

Il repoussa son assiette. « Tout concorde, maintenant. Pas étonnant que tu sois pas rentrée début septembre, pour la fête du travail.

— La fête du travail ?

— Papa avait dit que tu serais de retour à ce moment-là, mais bon, maintenant je comprends mieux pourquoi t'es toujours pas rentrée. »

Elle écarquilla les yeux. « Papa a dit que je serais rentrée début septembre ?

— Il a dit que tu avais seulement besoin de rester seule

quelque temps et que tu rentrerais à la fin de l'été. On comptait là-dessus. Il avait promis. Susie était d'avis de venir te chercher, mais il a dit : "Non, laissez-la tranquille. Je vous garantis qu'elle sera là pour le pique-nique de la fête." Et résultat, tu es revenue sur ta promesse.

— Ma promesse ! s'écria Delia. C'était sa promesse, pas la mienne ! Je n'ai rien à voir avec ça. Et de quel droit vous a-t-il fait cette promesse, je te le demande ? Qui est-il pour garantir que je serai de retour à telle ou telle date ?

— Allez, m'man », glissa Carroll à mi-voix. Il jeta un coup d'œil furtif en direction de Rick. « On va pas en faire tout un plat, OK ? Calme-toi un peu.

— Je t'interdis de me dire de me calmer ! » s'écria-t-elle en se demandant combien de fois elle avait prononcé ces mots. *Je t'interdis de me dire de me calmer !* et puis aussi : *Je suis parfaitement sereine et maîtresse de moi !* Mais elle s'adressait à Sam, non à Carroll. Oh, tout lui revenait à présent : ce sentiment d'être systématiquement en tort, de se voir accusée d'être frivole, instable, émotive. (Et plus elle s'en défendait, évidemment, plus elle paraissait émotive.) Elle agrippa le rebord de la table à deux mains et déclara : « Je suis parfaitement sereine et maîtresse de moi.

— Tant mieux, répondit Carroll. Tu m'en vois ravi. » Sur ce, il saisit une frite dégoulinant de rouge et la glissa dans sa bouche en affichant une superbe indifférence.

Tu m'en vois ravi était une des répliques favorites de Sam. Ainsi que *Puisque tu le dis* et *Comme tu voudras*. Sur ce, il tournait une page d'un doigt placide ou se mettait à discuter avec les garçons d'un tout autre sujet. Il était toujours si convaincu d'avoir raison. Et le fait est que, la plupart du temps, il avait bel et bien raison. Lorsqu'il critiquait des gens qu'elle aimait bien, elle ne voyait plus soudain que leurs défauts, et lorsque c'était à elle qu'il s'en prenait, elle s'identifiait subitement à la pauvre godiche qu'elle était à ses yeux. Tenez, comme en cet instant, précisément : il avait promis qu'à la fin de l'été elle aurait discrètement regagné ses pénates, et la vision de cet humble retour offrait un tableau si convaincant qu'elle avait quasiment l'impression qu'il avait déjà eu lieu. Elle ne pouvait même pas *déserter* correctement ! De toute façon, elle était partie bouder dans son coin. Juste histoire de se défouler.

Mais d'humble retour, point. Ni à la fin de l'été. Ni plus

tard. Jamais, jusqu'à ce jour. Elle s'était reconstruit une existence dans une ville avec laquelle Sam n'avait rien à voir.

Et lorsque Belle fit une entrée majestueuse dans le café en lançant : « Coucou, Dee, je pensais bien que c'était toi », Delia mit un point d'honneur à se lever pour se jeter avec fougue dans ses bras.

« Belle ! » s'écria-t-elle, et Belle (voluptueuse brassée de chair moelleuse gainée de violet) eut la délicatesse de lui rendre son étreinte.

« C'est ton nouveau copain ? demanda-t-elle.

— C'est mon fils. Carroll, je te présente Belle Flint. » Elle garda un bras enroulé autour de la taille de Belle. « Comment vas-tu, Belle ?

— Tu ne devineras jamais ce qui m'arrive, jamais !

— Quoi ? lança Delia avec un enthousiasme quelque peu excessif.

— Jure-moi que tu n'en diras rien à Vanessa. C'est juste entre toi et moi. »

Mais toutes ces démonstrations se révélèrent vaines, car Carroll se leva et se fraya un passage pour sortir. « Salut, marmonna-t-il, la tête basse.

— Carroll ? »

Elle lâcha la taille de Belle.

« Demain soir, annonçait Belle, j'ai invité Horace Lamb au cinéma. »

Horace Lamb ? Tout en se ruant sur les talons de Carroll, Delia ne put s'empêcher de tressaillir de surprise. Il se précipita vers la porte du café. « Carroll ! Chéri ! »

Sur le trottoir, Teensy s'avançait vers eux en trottant à pas menus sous un gigantesque colback de bouclettes rouges explosant à tous vents. Carroll manqua de la renverser. « Oh ! fit Teensy avec un mouvement de recul en portant la main à sa mise en plis de crainte qu'elle ne se soit écroulée. Delia, sois franche. Est-ce que j'ai l'air ridicule ?

— Mais pas du tout. Carroll, attends ! »

Il se retourna, les sourcils en bataille. « T'inquiète surtout pas pour moi, occupe-toi plutôt de tes potes ! Miss Poil de Carotte et ton monsieur si distingué et ton gamin glousseur et ta Veranda ou peu importe... »

Vanessa, faillit rectifier Delia, tandis que derrière elle Teensy s'inquiétait : « Tout va bien, Delia ? » Et Belle, sur le seuil, soupirait : « Ah, les gamins. Il faut croire qu'ils sont tous les mêmes.

— J'allais te faire une faveur, déclara Carroll.

— Quoi donc, mon chéri ?

— J'allais te mettre au parfum de ce qui se passe à la maison, mais laisse tomber. T'inquiète. »

Toutefois, il ne partait pas. Il était là, comme en suspens, à se balancer en faisant crisser les semelles de caoutchouc de ses tennis.

Prudente, Delia s'abstint d'approcher plus près. Elle resta à quelque deux mètres de lui, en revêtant un masque de douceur. « Que se passe-t-il à la maison ?

— Oh, rien. Rien du tout. Sinon que ta propre sœur essaie de vamper ton mari.

— Eliza ?

— Et papa est complètement à la masse. Quand on lui dit, il balaie ça d'un rire. Mais on a tous remarqué, moi, Susie, Ramsay, ça nous a sauté aux yeux et on devine comment ça va finir, on peut parier.

— Eliza ne ferait jamais une chose pareille », dit Delia tout en réfléchissant à cette éventualité. Puis elle repensa au canapé du salon, à la rangée de demoiselles à marier. *À chaque fois que j'entends le mot « été », je sens cette odeur fondante.* Et voilà qu'elle avait l'impression de surprendre Sam glissant à Eliza le bref regard élogieux dont il s'était abstenu dans la réalité. Après tout, ce n'était pas impossible, se dit Delia.

Mais elle se contenta de protester : « Tu dois te faire des idées.

— Bien sûr, qu'est-ce que t'en as à foutre ? éclata Carroll en faisant de nouveau volte-face pour s'élancer dans West Street.

— Carroll, ne pars pas ! »

Elle le suivit en marchant rapidement. (Pourtant, il ne pouvait pas aller bien loin.) Il traversa George Street, s'arrêta brièvement pour laisser passer un camion postal et disparut à l'angle de la rue. Delia accéléra le pas. Dans West Street, elle le vit s'envoler vers le sud, foncer au galop devant Mr. Pomfret qui discutait avec un coursier devant son cabinet. Elle fila elle-même sous le nez de l'avocat en détournant la tête ; ce n'était guère le moment d'être hélée par une autre connaissance. L'espace d'un instant, elle perdit Carroll de vue, puis elle le repéra non loin du fleuriste. Il bondissait sur place en attendant une brèche dans la circulation. De toute évidence, il avait pris la direction du square. Parfait : ils s'assiéraient sur un banc. Histoire de reprendre leur souffle. De reparler de tout cela.

Mais, une fois qu'il eut traversé la rue, il s'arrêta devant une des voitures garées le long du square. Une voiture grise, une Plymouth. Sa Plymouth. Avec Ramsay au volant. Elle reconnut son profil ramassé si cher à son cœur. Carroll ouvrit la portière et grimpa. Le moteur vrombit et la voiture se mêla au flot de la circulation.

Elle avait encore le temps de se lancer à leur poursuite. Pour l'instant, ils étaient forcés de rouler au pas. Mais elle demeura figée sur le trottoir, une main pressée sur la gorge.

Ramsay était en ville. Il avait fait tous ces kilomètres sans prendre la peine de venir la voir. Qui sait, peut-être que Susie était là également, bien qu'elle n'eût entrevu que deux têtes dans la voiture.

Certes, elle l'avait bien mérité. Inutile de le nier.

À l'aveuglette, elle rebroussa chemin jusqu'au café.

Elle venait de subir une véritable avalanche d'événements et cependant, en arrivant au café, elle trouva Belle et Teensy qui discutaient encore sur le seuil, Kim et Marietta soufflant d'aguichantes volutes de fumée à l'intérieur, et Rick qui glissait l'addition de son déjeuner sous le flacon de ketchup. Elle compta son argent au ralenti et paya, sans oublier de laisser un pourboire sur la table. Elle attrapa sa bourse et son sac de chez Mister Junior et sortit du café dans l'odeur chimique de soufre de la mise en plis de Teensy et le chaos des jacassements de Belle. « Tu as remarqué, disait-elle, que Horace Lamb a un tout petit petit quelque chose d'Abraham Lincoln ? »

Au coin de la rue, Delia bifurqua vers le sud. La pendule dans la devanture de l'opticien indiquait onze heures et quart — bien loin de l'heure du déjeuner — et pourtant, elle regrettait d'avoir dû laisser ce sandwich. Et quant au coleslaw, il lui avait paru exquis. Crémeux, truffé de graines de céleri. Une graine ou deux étaient restées logées dans sa bouche et, lorsqu'elle les croqua, elles révélèrent leur parfum boisé. Elle en savoura le goût sur le bout de sa langue. Elle se sentait soudain prise d'une faim dévorante. À croire qu'elle n'avait pas mangé depuis des mois.

15

APRÈS LA VISITE DE CARROLL, une demi-douzaine de lieux lui semblèrent hantés pendant quelques jours par sa présence. La vitrine pleine de lierre où il était apparu à ses yeux, la table de chez Rick Rack à laquelle il s'était assis, la véranda de la pension où il avait dû passer plusieurs minutes à attendre qu'on vienne lui répondre. (Avait-il remarqué la peinture écaillée ? Et les planches branlantes sous ses pas ?) Lorsqu'elle repensait à la scène, elle voyait davantage de tristesse que d'agressivité chez Carroll, dont l'attitude de porc-épic n'était jamais que le signe d'une profonde blessure. Elle aurait dû l'emmener avec elle en partant, songea-t-elle. Mais elle aurait été obligée de prendre également Susie et Ramsay, de crainte d'être taxée de favoritisme. Elle s'imagina, longeant la côte à longues enjambées avec toute sa suite — les poignets noueux des deux garçons dans les mains, Susie pressant l'allure pour rester à leur hauteur. *Où est-ce qu'on va, m'man ? Chut, ne posez pas de question. On s'enfuit de la maison.*

Quoique, à vrai dire, en partant, c'était aussi ses enfants qu'elle avait fuis.

Puis elle se dit qu'en définitive Carroll ne lui avait pas paru anéanti par son départ. Il avait très bien survécu, ainsi que son frère et sa sœur. Et elle repensa à la philosophie que prônait Nat : il faut oublier sa progéniture aussi facilement que les chattes oublient la leur. Elle sourit intérieurement. Enfin, peut-être pas aussi facilement.

Pourtant, n'était-il pas vrai qu'au cours des dernières années ses enfants lui étaient devenus quasiment étrangers, jusqu'à son petit dernier ? Et non seulement elle n'occupait plus la place essentielle qui avait été la sienne, mais à leur tour ils avaient perdu à ses yeux un peu de l'écrasante prééminence qu'elle leur avait longtemps accordée.

Elle demeurait hébétée, le regard plongé dans le vide, à se demander depuis combien de temps elle s'en doutait.

Après avoir ainsi vu ses enfants lui échapper, elle se retourna vers ce qui lui restait : son mari.

Si tant est qu'il lui restât.

Elle l'imaginait assis à la table du petit déjeuner, tandis qu'Eliza lui servait du café. Sa sœur avait revêtu sa robe safari ocre et s'était même légèrement maquillée. Elle n'était pas dénuée de charme, d'un certain point de vue. Elle avait de ces teints lisses et olivâtres moins vulnérables aux années et le fard à joue donnait à ses yeux marron un éclat pétillant. Elle s'insinuerait dans le train-train quotidien de Sam, s'occuperait de ses rapports et de ses notes d'honoraires, et se chargerait de lui assurer des vrais repas ainsi qu'une vie de famille parfaitement réglée. « Merci, Eliza », dirait Sam d'une voix émue. Les hommes étaient si crédules, parfois ! Et il avait bien davantage en commun avec Eliza qu'on n'aurait pu tout d'abord le soupçonner. Certes, Eliza était convaincue qu'elle vivrait et revivrait sa vie jusqu'à ce qu'elle l'ait réussie, alors que Sam déclarait que pour sa part, il avait l'intention de la réussir du premier coup. Mais tous deux partaient du principe qu'il était possible de « réussir sa vie ». Delia, quant à elle, avait plus ou moins renoncé à cette idée.

Sans compter qu'Eliza était la sœur de Delia. Elle avait son petit gabarit et la même ossature fine, sa denture incroyablement saine, la même tendance à devenir incontrôlable dès qu'elle avait avalé le plus petit morceau de sucre et la même habitude de laisser des bouts de phrase inachevée en suspens. Il lui serait tout aussi naturel de s'éprendre d'Eliza que d'écouter avec plaisir une chanson entendue autrefois.

Delia se sentit l'envie subite de sauter en voiture pour foncer à Baltimore, mais, elle en avait bien conscience, c'eût été obéir à un élan d'une affligeante banalité : se remettre à désirer un homme dès l'instant où on le savait désiré par une autre. Elle se força à rester tranquille. *Tu l'as bien cherché*, se dit-elle.

Ce mari et cet enfant d'une autre femme, tous deux mutilés, cette maison trop neuve dont les cloisons rendaient un bruit mat de carton pâte, cette ville clairsemée dans une campagne aussi plate et blême qu'une feuille de papier.

Un matin, elle se réveilla en sursaut avant l'aube, troublée par un rêve, peut-être, dont il ne lui serait pas resté la moindre image. Sans savoir pourquoi, allongée dans son lit, elle se rappelait soudain le premier dîner qu'elle avait organisé après avoir épousé Sam. Il avait tenu à inviter deux de ses vieux copains de classe accompagnés de leur femme. Des jours durant, elle avait étudié les divers menus possibles. Elle avait refusé l'aide que lui offraient ses sœurs et fait jurer à sa famille de ne pas montrer le bout du nez de toute la soirée. Il était essentiel qu'elle leur prouve qu'elle était adulte. Et pourtant, sitôt le premier couple arrivé, elle s'était sentie replonger en enfance. « Salut, Grin », avait lancé le mari à l'adresse de Sam. Grin ! Se sentirait-elle un jour assez intime avec lui pour oser l'appeler ainsi ? s'était-elle demandé en tortillant sa jupe. « Salut, Joe, avait-il répondu. Delia, je te présente Joe et Ann Glups. » Delia n'avait pas été informée par avance de leur patronyme et, entendant ce nom de Glups pour la première fois de sa vie, le trouva cocasse et s'esclaffa. Son hilarité se mua en d'irrépressibles cascades de rire, et bientôt elle eut le souffle réduit à des couinements, les yeux ruisselants de larmes et des crampes aux joues. À croire qu'elle était retournée en sixième ! Elle rit jusqu'à en perdre toute force sous le regard plein de sollicitude du couple, tandis que Sam ne cessait de lui répéter : « Delia ? Ma chérie ? »

« Je suis désolée, s'excusa-t-elle, lorsque, de pur embarras, elle finit par se calmer. Je suis navrée, je ne sais vraiment pas ce qui... »

Sur ces entrefaites, le second couple arriva. « Ah, vous voilà ! s'écria Sam, visiblement soulagé. Ma chérie, voici mes plus vieux amis, Frank et Mia Mewmew. »

Oh, misère.

Sam, toutefois, s'était montré on ne peut plus compréhensif. Après le dîner, il l'avait enlacée et, d'une voix chaleureuse perdue dans les boucles qui moutonnaient sur sa tête, il lui avait assuré que c'étaient là des choses qui pouvaient arriver à tout un chacun.

Qu'il était jeune en ce temps-là ! Mais Delia n'en avait pas conscience. Il lui semblait très mûr, imperméable au doute, cet homme à l'invulnérable sang-froid qui était quasiment venu sur son cheval blanc l'arracher à son sort d'éternelle petite dernière. Ses yeux étaient déjà entourés de minuscules ridules qu'elle jugeait tout à la fois séduisantes et inquiétantes. *Si jamais il meurt avant moi*, songeait-elle, *je me refuserai à vivre sans lui. Je trouverai bien un poison mortel dans le cabinet de papa.* À cette époque, elle pouvait se permettre ce genre de propos, car les enfants n'étaient pas encore nés. Elle passait alors son temps à imaginer toutes sortes de catastrophes. Par la suite également, pour être honnête. Elle avait toujours été craintive, sujette aux intuitions et aux pressentiments. Et pourtant : le soir où il avait ressenti ses douleurs à la poitrine, elle n'avait pas eu la moindre prémonition. Elle lisait *L'Amant de Lucinda* comme une idiote. Et c'est alors que le téléphone avait sonné.

Bien qu'à vrai dire la nouvelle ne l'eût pas prise totalement au dépourvu. Tout en écoutant l'infirmière formuler ses explications avec tact et diplomatie, elle se disait : *Mais bien sûr*, alors que s'imposait à elle un sentiment de moiteur glacé, la lourdeur d'une confirmation. *D'abord papa, et maintenant Sam.* Il mourrait et on l'enterrerait au cimetière de Cow Hill où il reposerait seul jusqu'à ce que Delia le rejoigne sur la pointe des pieds, comme ces soirs où elle restait tard à regarder un film idiot puis montait au premier et se glissait sous les couvertures en posant délicatement un bras en travers de sa poitrine pendant qu'il dormait.

Elle s'adossa à la tête du lit en dérangeant le chat et alluma le radio-réveil. C'était l'heure du jazz. Des solos de clarinette et des pianos égrenant des accords métalliques. À la fin de chaque morceau, le présentateur précisait le lieu et la date d'enregistrement. Un bar de New York par une soirée d'août 1955. Un hôtel de Chicago, le soir de Noël 1949. Delia se demanda comment les hommes pouvaient supporter de vivre dans un univers régi par le temps qui passe.

Tout compte fait, Nat et Binky ne se marieraient pas en juin. La date de leurs noces fut avancée et fixée à un samedi du mois de mars. Nat expliqua qu'il avait exercé son droit de senior. « Je leur ai fait le coup classique *du combien de temps me reste-t-il à vivre*, confia-t-il à Noah et Delia. Le coup du *pitié pour un vieux schnock*. »

Binky s'adapta gaiement à ce changement de plan. « Comme ça, dit-elle à Delia, je serai Mrs. Nathaniel Moffatt trois mois plus tôt que prévu. C'est tout. Alors, quelle importance si nous devons faire une croix sur quelques babioles ? Ce n'est pas bien grave. » Elles étaient en tête à tête dans la cuisine de Nat, feuilletant des livres de cuisine. (La pièce montée était au chapitre des babioles sur lesquelles elle avait décidé de faire une croix.) « Et j'ai bien l'intention de devenir Mrs. Moffatt ! ajouta-t-elle. C'est le premier homme qui soit vraiment fou amoureux de moi. » Puis le pourtour de ses yeux rosit comme si elle était sur le point de fondre en larmes et elle s'empressa de se replonger dans ses recettes.

« Dans ce cas, il faut que vous l'épousiez sur-le-champ, déclara Delia.

— Si seulement ses filles étaient de cet avis, répondit Binky. Vous avez appris que Dudi s'était coupé les cheveux à ras ?

— Comment cela ?

— Elle a piqué une crise lorsque Nat lui a annoncé que nous étions fiancés ; elle s'est ruée dans la salle de bains de son père pour attraper les petits ciseaux qui lui servent à se rafraîchir la barbe et elle s'est coupé les cheveux à ras.

— Mon Dieu, soupira Delia.

— Pat et Donna, quant à elles, ont tout bonnement refusé d'assister au mariage et, quand j'ai demandé à Ellie d'être demoiselle d'honneur — par pure gentillesse, car j'ai déjà ma sœur et mes nièces —, elle a répondu qu'elle ne viendrait peut-être pas non plus, elle n'était pas sûre, peut-être que oui, peut-être que non, alors dans le doute, mieux valait qu'elle décline l'invitation. Sur ce, elle est allée dire à Nat qu'il fallait absolument qu'il demande à son notaire d'établir un contrat de mariage. Manifestement, elles s'imaginent que je suis une espèce de... chercheuse d'or. Cela ne leur effleure même pas l'esprit qu'elles insultent leur père en étant incapables de croire qu'une femme puisse l'aimer pour lui-même.

— Elles sont un peu surprises, c'est tout, expliqua Delia. Cela leur passera. »

Binky secoua la tête tristement en lissant de la paume de la main une page du livre de cuisine.

« Quand elles lui téléphonent, la première chose qu'elles lui demandent, c'est : "Est-ce qu'elle est là ?" *Elle*, voilà comment elles m'appellent. Elles font tout pour éviter de m'appeler par mon nom. Elles ne viennent quasiment jamais le voir. Donna prétend que c'est parce que je suis toujours dans les parages. D'après elle, je ne les laisse jamais en tête à tête. Je fais tout ce que je peux, pourtant, c'est seulement que... »

Elle s'interrompit en rougissant. Delia demeura sans comprendre jusqu'à ce que Binky achève sa phrase dans un murmure : « J'habite plus ou moins ici, maintenant.

— Évidemment, s'empressa de dire Delia. Qu'est-ce qu'elles croient ?

— Enfin, je n'avais pas l'intention de vous enquiquiner avec mes problèmes. Vous savez pourquoi j'adore discuter avec vous, Delia ? Vous n'interrompez jamais des confidences pour raconter ce que vous avez vécu, vous. Pas étonnant qu'on vous aime tant !

— Moi ?

— Ne soyez pas aussi modeste. Noah nous a dit que vous étiez amie avec la moitié de Bay Borough.

— Seigneur ! Je ne connais quasiment personne », protesta Delia.

Quoique, maintenant qu'elle prenait le temps de faire le compte, elle était sidérée de voir à quel point les amis s'étaient multipliés.

« Vous ne vous contentez pas de danser sur place pendant que je parle, poursuivit Binky. Vous n'êtes pas là à gigoter en guettant l'occasion de vous raccrocher au wagon pour raconter l'histoire de votre vie.

— C'est-à-dire que je n'ai pas grand-chose à raconter. »

La semaine précédente, au cours du dîner, Joel lui avait demandé de quel quartier de Baltimore elle venait. « Oh, j'ai habité ici et là », avait-elle répondu. Et il avait laissé tomber. Du moins était-ce ce qu'elle avait cru. Mais, une minute plus tard, il avait repris : « C'est drôle tout de même comment les gens qui ne parlent pas de leur passé sont systématiquement soupçonnés d'avoir un passé, enfin, un passé plus riche, plein d'aventures exotiques.

— C'est vrai », avait-elle acquiescé d'un ton neutre. La théorie lui avait semblé intéressante. Elle avait médité quelques secondes sur la question, puis le silence qui régnait l'avait incitée à lever les yeux et elle s'était aperçue qu'il avait le regard fixé sur elle. « Qu'y a-t-il ? lui avait-elle demandé.

— Oh, rien. »

Sur ce, Noah avait glissé une main entre eux pour attraper la salière — attaque surprise en piqué, plongeon en avant en équilibre sur deux pieds de sa chaise — et l'instant était passé.

Sur le chemin du mariage, Delia ne cessait de jeter des coups d'œil dans le rétroviseur. Elle craignait de s'être trop maquillée. « Que penses-tu de mon rouge à lèvres ? demanda-t-elle à Noah.

— Pas mal », répondit-il sans même regarder.

Il avait ses propres soucis. Régulièrement, il glissait les doigts entre les boutons fermés de sa veste de lainage pour vérifier que l'alliance était bien dans la poche de sa chemise.

« Tu es sûr qu'il n'est pas trop voyant ? insista-t-elle.

— Hmm ?

— Mon rouge à lèvres.

— Mais non, il est très bien.

— Toi, tu es très beau.

— Franchement, je comprends pas pourquoi il faut que je sois aussi endimanché.

— Endimanché ! Une chemise et même pas de cravate, c'est ce que tu appelles être endimanché ?

— On dirait un de ces zozos qui chantent dans les chœurs du collège.

— Tu devrais être content que Nat ne t'ait pas obligé à t'acheter un costume.

— Et si je laisse tomber l'alliance ? À tous les coups, ma main va trembler. Je vais laisser tomber l'alliance, ça fera un boucan d'enfer, elle roulera par terre et *poc*, elle disparaîtra sous une grille et on ne la récupérera jamais.

— Je regrette de ne pas avoir de tenue plus chic, soupira-t-elle. Je ressemble à la vieille fille de la famille, une tante ou je ne sais pas, moi. » Sous son manteau, elle portait sa robe grise à fines rayures. « Ou tout au moins un collier, un médaillon ou un rang de perles.

— Puisque je te dis que t'es très bien comme ça. »

Dans sa boîte à bijoux, à Baltimore, il y avait un collier de perles à quatre rangs. Des fausses perles, certes, mais il serait allé à merveille avec la robe.

Combien de temps lui faudrait-il avant qu'elle puisse se dire que, même si elle était restée, ses affaires de Baltimore devaient être à présent démodées, en piteux état ou usées jusqu'à la corde ? Quand donc les affaires qu'elle possédait à Bay Borough deviendraient-elles véritablement siennes ?

Elle mit son clignotant et vira sur les chapeaux de roues sur l'A50. « Hou, là, là ! s'écria Noah en se cramponnant à la poignée de la portière.

— Désolée. » Elle ralentit. « Alors, je vais enfin faire la connaissance de ta mère.

— Ouais.

— Elle a bien décidé de venir, non ?

— Aux dernières nouvelles, oui. »

Quelque temps auparavant, Delia avait trouvé le portrait du *Boardwalk Bulletin* enfoui au fond du placard de Noah. (*Mais qui est donc la superbe créature qui présente la météo sur* WKMD *?* ainsi commençait l'article.) Mais à le voir en cet instant, rien ne laissait penser qu'il se souciait le moins du monde de sa mère. Il bâillait en contemplant par la vitre les dégâts causé par la violente tempête de neige qui avait sévi la semaine précédente. La forêt qui dessinait des hiéroglyphes noirs sur fond blanc avait des allures de photo d'art.

Un avis de tempête de neige ou de cyclone imminent peut parfois épargner des vies humaines, avait déclaré Ellie au journaliste venu l'interviewer. *Ça me fait tout chaud partout de penser que j'œuvre ainsi pour le bien de la communauté.*

Delia se demandait ce que Joel aurait pensé de ce « tout chaud partout ».

Le cube rouge brique de Senior City se dressa sous leurs yeux. Delia s'engagea dans le parking. « Et si on me demande de faire un discours ? s'inquiétait Noah.

— Tu n'auras pas à faire de discours.

— Et si quelqu'un tombe dans les pommes, ou je ne sais pas, moi. Je suis censé prêter main-forte.

— Crois-moi, dit Delia, ça se passera comme un charme. »

Ils descendirent de voiture et traversèrent le parking qui n'avait guère été dégivré. Delia, qui n'avait pas de bottes, dut s'agripper au bras de Noah tandis qu'ils se frayaient un chemin entre les plaques de verglas. « Tu vois, lui dit-elle, tu prêtes déjà main-forte ! »

Son bras mince farouchement tendu avait la dureté d'un ruban d'acier

Dans le hall, ils demandèrent à un vieux monsieur la direction de la chapelle. « Tout droit, puis à gauche au bout du couloir, expliqua-t-il. Vous devez aller au mariage ? »

Ils acquiescèrent d'un signe de tête.

« J'arrive tout de suite. Je ne voudrais manquer ça pour rien au monde. La résidence au grand complet est invitée, vous savez. »

Delia le remercia et ils prirent le couloir. En passant devant les portes de métal poli des ascenseurs, elle jeta un coup d'œil à son reflet. Elle eut l'impression d'avoir le teint blême et l'air négligé avec son manteau triste et avachi qui lui descendait trop bas sur les mollets.

Les vêtements sont ma plus grande faiblesse, avait confié Ellie au *Boardwalk Bulletin. Mais heureusement, avec ma ligne, tout me va à ravir, si bien que je ne suis pas obligée de dépenser des fortunes pour être élégante.*

Au bout du couloir, ils tournèrent à gauche et empruntèrent la porte latérale d'une petite chapelle aux murs tapissés de moquette crème où étaient alignés des bancs laqués de beige. Presque tous étaient déjà occupés par des vieilles dames, parmi lesquelles étaient venus se glisser trois ou quatre messieurs. La plupart des dames étaient vêtues de robes chics, quelques autres, plus rares, étaient en peignoir. Plusieurs pensionnaires en fauteuil roulant formaient un rang supplémentaire au fond. Delia et Noah contemplaient la scène lorsqu'un garçon brun en costume s'approcha pour offrir son bras à Delia. « Nous installons tout le monde un peu au hasard, dit-il. Là où il reste de la place.

— Noah n'aura pas besoin de siège. Il est témoin.

— Salut, Noah. Je suis Peter, le fils de la mariée », déclara le jeune homme. Il n'avait pas hérité du petit visage de poupée de Binky, pas plus que de son teint vermeil, mais seulement de son aisance à parler avec autrui. Il déclara à Noah : « Toi, tu es censé passer par la porte qui est là-bas au fond. Ton grand-père t'attend. »

Noah lança à Delia un ultime regard implorant. Elle lui adressa un large sourire et, d'une main, dégagea les mèches qu'il avait sur le front. « Bonne chance », lui dit-elle. Puis elle laissa Peter l'escorter vers l'une des dernières places libres, entre une dame en robe marron et blanc et un vieux monsieur affairé à tripoter sa prothèse auditive. Le monsieur assis en bout de rang se contenta de déplacer ses genoux osseux pour lui faciliter le passage. Ce fut la dame qui aida Delia à ôter son manteau. « C'est émouvant, n'est-ce pas ? » dit-elle. Son visage taché de son et sillonné de fines rides était éclairé d'une expression charmante et couronné d'une crinière de bouclettes orange vif qui avait dû être rousse. « C'est notre premier mariage à Senior City ! Nous ne comptons pas Paul et Ginny Mellors. Ils se sont enfuis. Vous êtes de la famille ?

— Non, je ne suis qu'une amie.

— Le comité est dans tous ses états, croyez-moi. Ils veulent facturer un tarif plus élevé à Binky sous prétexte qu'elle n'a pas l'âge minimum requis. À ce qu'ils prétendent, nous risquons autrement d'être envahis par les jeunes à cause de la sécurité et de l'organisation des soins médicaux dont nous bénéficions ici. Au fait, je m'appelle Aileen.

— Et moi, Delia.

— Ravie de faire votre connaissance, Delia. Nom d'une pipe, moi ce que j'en dis, c'est que Binky est tellement adorable que nous devrions plutôt la payer ! Sa présence va nettement améliorer nos petites réunions du dimanche. »

À cet instant précis, Ellie surgit dans l'embrasure de la porte latérale.

Delia la reconnut instantanément — ses cheveux d'argent, sa bouche rouge pulpeuse. Elle était vêtue d'un long manteau couleur crème, d'une nuance légèrement plus claire que son teint, et s'immobilisa en affichant un calme peu commun chez les femmes jusqu'à ce qu'un placeur s'approchât d'elle. Ce n'était pas Peter, mais son frère, à l'évidence — un garçon tout aussi brun, mais plus trapu. Ellie prit son bras et s'avança vers le premier rang au rythme de l'ourlet de son manteau qui se balançait avec classe. Mais où allait-elle bien pouvoir trouver une place, cependant ?

Tous les bancs étaient pleins à craquer. Le placeur semblait l'en informer. Elle l'écouta, fit la moue et fronça les sourcils. Ils passaient maintenant devant le pupitre. En face, le long du mur, étaient alignées plusieurs personnes — en tablier pour la plupart, sans doute le personnel des cuisines. Ellie fut déposée parmi eux. Quel dommage, songea Delia, que la seule fille de Nat qui ait daigné venir soit ainsi forcée de rester debout !

Mais non, une autre de ses filles était également présente, une femme maigre au teint hâve qui quitta sa place pour rejoindre Ellie en se frayant un passage devant une rangée de genoux. Elle était tout aussi blonde que sa sœur, mais elle avait les cheveux tailladés si ras que par endroits on avait l'impression qu'ils lui avaient été arrachés du crâne. La bouche dissimulée à l'abri de sa main, elle murmura quelque chose à l'oreille d'Ellie. Puis elles se tournèrent toutes deux et braquèrent leur regard sur Delia.

L'air coupable, Delia baissa les yeux. Au lieu de leur sourire à toutes deux, elle fit mine d'être en pleine conversation avec Aileen. « C'est Mary Lou Simms qui est à l'orgue », lui expliquait Aileen.

Delia n'avait pas même remarqué qu'il y avait un orgue, mais à présent lui parvenaient les bribes d'une interprétation effilochée d'*Espérance bénie*. Du vieux monsieur sur sa droite s'éleva un sifflement perçant qui semblait provenir de sa prothèse auditive. « Oh, voilà le révérend Merril, annonça Aileen. Quelle allure impressionnante, vous ne trouvez pas ? »

Delia ne fut pas particulièrement impressionnée par le révérend Merrill, mais il fallait reconnaître qu'il portait sa chasuble avec un certain chic. Il rejoignit le pupitre à grandes enjambées en balançant une bible à bout de bras. Derrière lui venaient Nat et Noah. Nat se tenait raide comme un piquet ; ce jour-là, il se passerait de canne. Noah lui parut très grand, subitement. Maintenant qu'il prenait place aux côtés de Nat, elle voyait combien il avait poussé depuis qu'elle avait fait sa connaissance, quelques mois à peine auparavant.

L'orgue passa soudain à *La Marche nuptiale*. Tous les regards se tournèrent vers le fond de la chapelle.

En tête apparut une version plus corpulente, plus ingrate de Binky — la dame d'honneur dans une ample robe bleue, sa large figure plaisante encadrée de cheveux gris coupés au carré. Puis venait Binky, toute de blanc vêtue. Elle était ravissante. Les bras chargés d'un bouquet de roses roses, elle remonta l'allée centrale d'un pas léger en arborant un sourire radieux. Ses deux nièces aussi volumineuses que leur mère la suivaient d'un pas lourd, en tenant sa traîne à pleine poigne.

« Quelle vision ! s'exclama Aileen. Avez-vous jamais vu

spectacle aussi émouvant ? » Le voisin de Delia mordait à belles dents dans un paquet de piles sous plastique. Le long du mur, le visage blanc d'Ellie rayonnait d'une étrange fixité, mais ce n'était visiblement pas Binky qu'elle regardait ainsi.

La procession de la mariée parvint au bout de l'allée et Nat, avec fierté, offrit solennellement le bras à Binky.

La cérémonie fut d'une extrême brièveté, réduite aux serments puis à l'échange des alliances. Noah fut parfait. Il présenta l'alliance au bon moment et ne la laissa pas tomber. Mais Delia ne suivit la cérémonie que d'un œil, tandis que son être le plus intime, tout de tension et de vigilance, demeurait à chaque instant conscient du regard impassible d'Ellie posé sur elle.

Tous les invités furent conviés dans l'appartement de Nat après la cérémonie — tous ceux qui avaient envie de venir. Les corps frêles se bousculèrent en masse pour sortir de la chapelle. Delia vint au secours de bras à la douceur flétrie de ballons dégonflés. Elle empila des lainages à l'odeur de naphtaline dans l'ascenseur, puis une fois en haut, elle entassa plus de vieilles dames qu'elle ne l'aurait cru possible sur les coussins marécageux du canapé de Nat. Tout ce petit monde attendait avec impatience le gâteau de Binky. Apparemment, ils le préféraient fait maison et se réjouissaient qu'elle n'ait pas eu le temps de commander la pièce montée en forme de pagode dont elle rêvait. « À la cafétéria, tout vient de chez le pâtissier, confia une vieille dame à Delia. De chez Brinhart. Ça a le goût de sparadrap. »

Delia chercha Ellie du regard, mais elle demeura introuvable, ainsi que Dudi. Toutefois, la foule était telle qu'il était difficile de s'y retrouver.

Elle se fraya un chemin jusqu'à Binky qui coupait des parts de gâteau, sa traîne enroulée autour du bras. « C'était comment, à votre avis ? » s'inquiéta Binky. Sa couronne de roses inclinée sur son oreille avait des allures de halo désinvolte.

« C'était parfait », lui assura Delia. Elle commença à servir. Nat, pendant ce temps, officiait au champagne, qu'il chargea les deux fils et les nièces de Binky de passer à la ronde. Les flûtes vinrent à manquer et ils durent ouvrir un paquet de gobelets en plastique.

Lorsque tout le monde fut servi, Nat porta un toast : « À

ma belle, ma si belle épousée », qu'il fit suivre d'un petit discours où il expliquait comment la vie n'était pas une ligne droite, ni montante ni descendante, mais que son parcours était bien plus erratique, en zigzag, en tire-bouchon ou même en gribouillis. « Parfois, poursuivit-il, vous croyez être arrivé en fin de course et vous vous apercevez que c'est un tout nouveau départ qui vous attend. » Quand il leva sa flûte vers Binky, ses yeux brillaient d'un éclat suspect.

Une des vieilles dames installées sur le canapé décréta que Binky avait dû râper elle-même les zestes de citron. « Je reconnais toujours les zestes de citron fraîchement râpés. Inutile d'essayer de les remplacer par cette espèce de poussière marronnasse en flacon. » L'œil rêveur, elle lécha quelques miettes restées sur le bout de sa fourchette. Son visage avait dépassé la simple vieillesse pour parvenir à ce stade où il ne semble plus formé que de particules en décomposition sans ligne claire de démarcation. Arrive-t-il un moment où, ayant survécu à tous vos amis, vous commencez à croire que vous serez peut-être le premier à échapper à la mort ? songea Delia.

Elle débarrassa Binky de sa pelle à gâteau et recoupa des parts qu'elle fit circuler sur un plateau pour ceux qui désiraient en reprendre. Dans la chambre, une jeune femme en blouse et pantalon d'infirmière pérorait sur divers hôpitaux qu'elle appelait familièrement « Saint-Joe » ou « Sainte-Trine » devant un auditoire captivé de pensionnaires qui faisaient cercle autour d'elle. Deux messieurs jouaient aux échecs dans un coin. L'un d'entre eux demanda à Delia s'il pouvait prendre une part de gâteau supplémentaire pour sa femme qui était au troisième étage. Le sourire aux lèvres, Aileen écoutait en acquiesçant de la tête une dame avec une étole de fourrure qui décrivait d'autres mariages auxquels elle avait assisté. « Et Loïs, donc ! En voilà une qui a eu de la chance ! Elle a épousé un homme qui avait déjà tout le gros électroménager, y compris un four à convexion. »

Noah apparut avec un verre de champagne qu'il tenta de dissimuler en apercevant Delia. « Donne-moi ça, lui ordonna-t-elle.

— Oh, Delia. »

Elle le lui prit des mains et le posa sur un plateau qui circulait. « Au fait, où est ta mère ?

— Je ne sais pas.

— Elle n'est pas montée ? »

Il haussa les épaules. « Elle avait sans doute mieux à faire. » Sur ce, il tourna les talons et sortit de la pièce sans lui donner le temps de faire le moindre commentaire — quoiqu'elle n'eût pas à ce point manqué de tact.

« Tss... tss..., fit la sœur de Binky qui portait le plateau. Je l'ai vue partir juste après l'échange de serments. Avec sa sœur, toutes les deux. Doodoo, c'est bien comme ça qu'on l'appelle ?

— Dudi.

— Tout ce foin sur la réaction de sa famille à lui ! Et la nôtre, alors ? On aurait eu de quoi se plaindre, pourtant, croyez-moi : aller épouser un homme qui pourrait être son père !

— Oh, je ne peux que me réjouir de voir qu'ils se sont trouvés l'un l'autre.

— Peut-être bien, oui », soupira sa sœur.

Sur ces entrefaites, Nat surgit à côté de Delia. « Avez-vous fait la connaissance de ma belle-sœur ? Bernice, ma nouvelle belle-sœur. Pouvez-vous imaginer un homme de mon âge qui se trouve une belle-sœur flambant neuve ? » Il exultait et, la voix mal assurée, la peau ferme, le teint éclatant, il faisait l'effet d'un *faux* vieillard grimé pour une pièce de théâtre de lycée. S'il avait remarqué la disparition de ses filles, cela n'avait en rien entamé son bonheur.

Pendant le trajet du retour, Delia dit à Noah qu'elle avait trouvé sa mère très jolie. En fait, cela n'était pas la stricte vérité. Elle avait jugé qu'elle avait un côté tapageur. Les contrastes de couleurs qui se jouaient sur son visage passaient mieux à la télévision qu'en réalité. Mais elle cherchait un prétexte pour parler d'elle. Noah se contenta de marmonner « Ouais » en tambourinant des doigts avant de se détourner vers la vitre.

« Et toi, tu avais une sacrée allure, là-bas.

— C'est ça.

— Tu ne me crois pas ? Fais attention, le prochain mariage auquel tu assisteras pourrait bien être le tien. »

Il ne lui accorda pas l'ombre d'un sourire. « Ça m'étonnerait.

— Comment ça ? Tu n'as pas l'intention de te marier ?

— Papa et moi, on a fait une croix sur les femmes, maugréa-t-il. Il doit y avoir un truc chez elles qu'on pige pas. »

En d'autres circonstances, elle se serait amusée de cette réponse, mais sur l'instant elle en fut émue. Elle le lorgna du coin de l'œil. Il avait toujours le regard rivé sur la vitre. Elle finit par lui tapoter le genou et ils firent le reste du chemin sans mot dire.

16

« Si *x* a l'âge qu'a maintenant Jenny, et *y*, l'âge qu'elle avait lorsqu'elle est venue s'installer en Californie... », dit Delia.

T.J. Renfro posa la tête sur la table de la cuisine.

« Allons, T.J., ce n'est pas si difficile que cela ! Écoute, nous savons qu'elle a trois ans de plus que cette amie qu'elle va voir en Californie, nous savons aussi que lorsque son amie avait...

— C'est pas ça qui va me servir dans la vie », fit-il d'une voix morne.

Sa coupe de cheveux était de celles qui semblent inachevées — relativement courte sur le sommet du crâne avec une traîne de longues mèches grasses dans la nuque. Ses deux bras étaient cerclés de tatouages de fils barbelés et son gilet de cuir noir s'ornait d'une collection de fermetures Éclair que peu de gens pouvaient se vanter de posséder dans toute leur garde-robe. Contrairement aux autres élèves auxquels Delia donnait des cours dans le parloir du lycée, T.J. venait la voir. Il était exclu jusqu'au 1er mai et il lui était interdit de mettre les pieds dans l'enceinte du lycée. Il apparaissait donc à la porte de la cuisine des Miller tous les jeudis après-midi à trois heures. Delia préférait ne pas savoir pourquoi il avait été renvoyé.

« Mais des problèmes de ce genre, la vie en regorge ! Savoir déterminer une quantité inconnue, ça te servira tout le temps.

— C'est ça, je vais aller voir une nana pour lui demander l'âge qu'elle a, soupira T.J. en levant la tête, et elle va me dire : "Il y a dix ans, j'avais le double de l'âge que ma cousine par alliance avait quand..."

— Mais tu n'as rien compris, protesta Delia.

— Et puis d'abord, comment ça se fait que Jenny va voir une nana qui a trois ans de moins ? Ça tient pas debout, cette histoire. »

Le téléphone sonna et Delia se leva pour aller répondre.

« À tous les coups, elle a prétendu qu'elle allait la voir pour se planquer avec son petit copain dans un motel », ajouta-t-il.

Delia décrocha. « Allô ? »

Silence.

« Allô ! »

L'inconnu avait raccroché. « Ça arrive souvent ces temps-ci, expliqua Delia en retournant s'asseoir.

— C'est des remous électriques.

— Des remous ?

— Si on n'utilise pas une ligne pendant un petit moment, ça se met à développer, genre, une énergie électrique qui se déverse d'un coup comme une inondation et ça fait sonner le téléphone. »

Delia inclina la tête de côté.

« Chez ma mère, ça arrive au moins une à deux fois par semaine, lui assura T.J.

— Ici, ça serait plutôt une ou deux fois par jour. »

Le téléphone se remit à sonner. « Tiens, tu vois ? dit-elle.

— Faut pas répondre.

— Ça me tue de ne pas répondre. »

Il renversa sa chaise en arrière et la dévisagea. La sonnerie retentit une troisième fois, puis une quatrième. Sur ces entrefaites, la porte s'ouvrit et Noah déboula dans la cuisine en amenant avec lui une bouffée d'air frais. « Salut, T.J. », lança-t-il. Il se débarrassa de son sac à dos et décrocha le téléphone. « Allô ? »

Durant le silence qui s'ensuivit, T.J. et Delia l'observèrent avec attention.

« Non, je crois que je peux pas, dit Noah en se détournant d'eux deux. Je peux pas, c'est tout. » Nouveau silence. « Mais c'est pas ça, je te jure ! C'est seulement que j'ai des devoirs et puis des trucs à faire. Bon, allez, faut que j'y aille. Salut. » Il raccrocha.

« Qui était-ce ? demanda Delia.

— Personne. »

Il jeta son sac sur son épaule et prit la direction de sa chambre.

T.J. et Delia échangèrent un regard.

Le lendemain après-midi, un vendredi frais et ensoleillé, Delia se rendit en compagnie de Vanessa chez Mister Junior, pour les soldes de pull-overs. Le printemps n'allait plus tarder et Noah avait tellement grandi depuis un an qu'il ne rentrait plus dans ses vêtements. L'expédition fut d'une exaspérante lenteur car Greggie, qui traversait ce cap terrible des deux ans, refusa obstinément de monter dans sa poussette. Il fallut qu'il marche d'un bout à l'autre du chemin. Delia songea qu'elle n'avait jamais vu Bay Borough à ce point dans le détail — le moindre couvercle en plastique roulant sur le trottoir, le plus minuscule moineau picorant du papier aluminium dans le caniveau. Ce n'est que vers trois heures que leur petite troupe prit le chemin du retour. « Zut, fit Delia, tu as vu l'heure ? Noah sera rentré avant moi.

— Il ne va pas voir sa mère ? s'étonna Vanessa.

— Pas cette semaine.

— Je croyais qu'il y allait tous les vendredis.

— Il a dû avoir un empêchement. »

Elles étaient au coin de la rue et leurs chemins divergeaient. Delia lança : « Au revoir, Greggie. Au revoir, Vanessa.

— À bientôt, Dee, répondit Vanessa. On peut demander à Belle si elle a envie qu'on se voie ce week-end.

— D'accord. »

Ces temps derniers, Belle consacrait tous ses week-ends à Mr. Lamb, mais Delia avait reçu l'ordre de garder le secret.

Au collège, des flots d'enfants se déversaient déjà dans la cour de récréation. Mais Delia ne prit pas la peine d'essayer de repérer Noah. Elle savait qu'il voulait rentrer avec ses copains. Elle évita de justesse une planche à roulettes qui avait échappé à son propriétaire, sourit à une petite fille qui ramassait des feuilles éparpillées à terre et, par politesse, feignit de ne pas voir une mère qui se disputait avec son fils à côté de sa voiture.

Mais... le fils n'était autre que Noah. Et la mère, Ellie.

Vêtue du manteau crème qu'elle portait au mariage, mais l'air hagard et les gestes désordonnés, Ellie était aux prises avec Noah qu'elle essayait à toutes forces de faire entrer dans sa voiture. Noah se dégageait de son étreinte, les manches de sa veste entortillées à mi-bras. « M'man, ne cessait-il de répéter. M'man, arrête. »

« Noah ? » intervint Delia.

Ils lui jetèrent tous deux un même regard distrait et se remirent à lutter de plus belle. Ellie entreprit d'aplatir la tête de son fils comme ces policiers à la télévision que l'on voit enfourner leurs suspects menottés dans les voitures de patrouille.

« Que se passe-t-il ? » demanda Delia. Elle attrapa Ellie par le poignet. « Lâchez-le ! »

Ellie rejeta Delia si violemment qu'elle la frappa en plein visage. La pierre anguleuse de sa bague lui égratigna le front. Noah, pendant ce temps, parvint à se dégager en se contorsionnant. Il chancela en arrière et rajusta sa veste. Son sac à dos grand ouvert déversait des papiers. (Les papiers mêmes que ramassait la petite fille !) Il s'essuya le nez de son poing et soupira : « Bon sang, maman. »

Ellie se redressa en haletant et le fusilla du regard.

La petite fille rendit respectueusement ses feuilles à Noah. Il les prit sans même les regarder. Delia se rendit alors compte que deux de ses camarades rôdaient dans les parages — Kenny Moss et un second garçon, dont elle avait oublié le nom. Ils observaient la scène du coin de l'œil mais feignaient l'indifférence en donnant des coups de pied dans le trottoir. Les autres enfants qui passaient par petits groupes ne semblaient pas s'apercevoir que quelque chose allait de travers.

« Je voulais seulement que tu viennes ! Comme d'habitude ! Comme tous les vendredis, rien d'autre ! Est-ce que c'est trop te demander ? » Ellie se tourna vers Delia. « Est-ce que c'est... ? »

Quelque chose l'arrêta. Elle resta bouche bée.

« Oh, la vache ! s'écria Noah en fixant le front de Delia. Mais nom d'un chien, tu es tout en sang ! »

Delia porta les doigts à son front. Lorsqu'elle les regarda, ils étaient écarlates. Mais elle ne ressentait pas de véritable douleur, seulement un léger picotement à la tempe, là où battait son artère. « Ce n'est rien, dit-elle. Je vais juste rentrer et... »

Mais Noah avait les yeux écarquillés et Kenny Moss s'écria : « Oh, purée ! » en tirant son copain par la manche. La petite fille, quant à elle déclara, comme à titre d'information : « Je m'évanouis dès que je vois du sang. »

Elle paraissait bel et bien sur le point de s'évanouir — ses lèvres étaient couleur de cendres — aussi Delia, agissant dans l'ordre des priorités, rétorqua-t-elle sèchement : « En ce cas, tu n'as qu'à ne pas regarder. » Elle n'avait pas même la tête qui tournait.

C'était manifestement de ces blessures qui paraissent bien plus graves qu'elles ne le sont en réalité. Cependant, elle s'inquiétait pour ses vêtements. « Quelque part là-dedans... », marmonna-t-elle en fouillant dans son sac à la recherche d'un mouchoir. Son sac de Mister Junior entravait ses mouvements et elle le passa à Noah en laissant des traînées de doigts rouges et gluantes sur le rabat froissé. « Je sais que je dois avoir... »

De douces montagnes en efflorescence de mouchoirs en papier surgirent sous son menton — cadeau d'Ellie. « Je suis vraiment désolée, disait-elle. C'était un accident ! Croyez-moi, Delia, je ne voulais pas vous faire mal.

— Je sais bien », répondit Delia en prenant les Kleenex. Elle trouvait curieusement flatteur qu'Ellie l'appelât par son prénom.

Elle pressa le tas de mouchoirs contre sa tempe et sentit son artère palpiter au rythme d'une douleur lancinante.

« Mon Dieu, il faut absolument vous amener chez le médecin, dit Ellie.

— Je n'ai pas besoin de médecin. Quelle idée !

— Vous êtes bien la dernière à pouvoir en juger ! Vous n'êtes pas dans votre état normal », décréta Ellie. Quoique, à vrai dire, c'était Ellie qui semblait dérangée. Elle ne cessait de lui jeter des poignées de mouchoirs (en avait-elle en vrac dans sa poche ou quoi ?) en aboyant des ordres à la cantonade d'une voix stridente : « Poussez-vous ! Faites de la place ! Noah, monte derrière. Nous allons installer Delia devant.

— N'y a-t-il pas une infirmière au collège ou je ne sais pas, moi ? Pourquoi ne pas aller chercher l'infirmière ? » demanda Delia.

Mais Ellie objecta : « Vous ne voulez tout de même pas finir avec une cicatrice ? Une horrible cicatrice qui vous défigurera ? »

Certes, c'était là un détail à prendre en considération. Aussi Delia se laissa-t-elle guider jusqu'à l'avant de la voiture. Noah, qui avait rabattu le siège pour grimper à l'arrière, le redressa. Lorsqu'elle fut installée, il se pencha par-dessus son épaule pour lui offrir un sweat-shirt gris qu'il avait pêché dans son sac à dos. « Tiens, dit-il. T'inondes ces mouchoirs comme un vrai robinet. »

Elle aurait pu discuter (les taches de sang étaient si difficiles à faire partir), mais elle avait bel et bien épuisé le stock de mouchoirs.

Elle pressa le sweat-shirt contre son front et respira son odeur de sueur propre et de chaussures de gymnastique. Pendant ce temps, Ellie se glissa derrière le volant et démarra. « Il va sans doute falloir vous faire des points de suture, dit-elle en se faufilant dans le flot de la circulation. Oh, ces derniers temps, c'est à croire que tout ce que je touche me file entre les doigts et part dans tous les sens ! Je n'en reviens pas !

— Je vois parfaitement ce que vous voulez dire », lui assura Delia. Elle lui jeta un coup d'œil à l'abri de son sweat-shirt. Ellie était plus attachante de près que de loin. Son rouge à lèvres ne dessinait plus qu'un contour fatigué et ses yeux s'affaissaient légèrement aux coins externes.

« Je ne me reconnais plus, poursuivit Ellie. On entend tout le temps des gens dire ça, mais jusqu'à présent je croyais que c'était une simple figure de style. Maintenant, je recule d'un pas pour me regarder comme si j'étais une tout autre personne et je me demande : “À quoi peut-elle bien penser ?” »

Elles bifurquèrent à gauche dans Weber Street. Delia replia le sweat-shirt pour trouver un carré propre. Elle commençait à comprendre pourquoi l'on voyait souvent des roses rouges plantées près des murs de pierre gris. Les taches de sang offraient un contraste si éclatant avec le sweat-shirt qu'elle aurait aimé le montrer aux autres.

Mais Ellie soliloquait toujours. « Je reconnais que c'est moi qui l'ai quitté » (Delia se repassa en pensée les dernières phrases en se demandant si elle avait raté une transition majeure.) « Inutile de me le rappeler ! J'en étais à m'imaginer qu'un beau jour j'arriverais devant les portes du Paradis et que le bon Dieu me dirait : “Quel gâchis ; je t'ai envoyée au monde et tu n'as pas su en profiter. Tu t'es contentée de rester dans ton coin en passant ton temps à te plaindre que tu t'ennuyais.” Du coup, je suis partie. Mais quand je vous ai vue au mariage, quand j'ai vu comment... disons que je devais vous imaginer plus vieille, plus grosse, en robe à fermeture Éclair ou je ne sais pas, moi. Quelle scène je lui ai faite au téléphone... »

Parce qu'elle avait téléphoné à Joel ?

« En fait je me suis regardée former le numéro en me disant : C'est bien la dernière chose à faire. Mais cela ne m'a pas empêchée de continuer. J'avais l'intention de me montrer très froide, un vrai iceberg. “J'ai bien réfléchi, Joel, je m'apprêtais à lui dire, maintenant que tu as une compagne, peut-être devrais-tu m'accorder la garde.” Mais il a dû vous raconter ce que cela a donné. Sitôt que j'ai entendu sa voix, j'ai eu l'impression d'être possédée. “Comment oses-tu faire ça à Noah ! Étaler sous les yeux d'un enfant innocent le spectacle de ce minable petit nid d'amour que tu t'es installé.” »

Un nid d'amour ! Delia en était tout excitée.

« Et comme si je n'avais pas déjà assez fait de dégâts, voilà que je mêle Noah à tout ça. Désolé, mon chat ! » lança Ellie à l'adresse du rétroviseur.

Mais elle n'attendit pas la réaction de Noah. « Et vous savez comment les enfants peuvent être cruels parfois. Dès que vous trahissez le moindre signe de chagrin, ils font comme si vous n'existiez pas. À croire que vous êtes devenue transparente. Ils inventent toutes sortes de prétextes pour ne pas venir vous voir.

— Maman », soupira Noah.

Delia était curieuse de savoir ce qu'il allait bien pouvoir répondre à cela, mais il se contenta de dire : « Maman, tu viens de dépasser le cabinet du Dr Norman.

— Oui, je sais », répliqua Ellie. Ils étaient à présent dans Border Street et se dirigeaient sur la 380. « Tous les matins, je me réveillais en me disant : “Aujourd'hui, je me ressaisis. Je n'y pense plus.” Mais voilà, vous étiez là : vous, cette mystérieuse étrangère dont personne ne sait rien, le type même de femme qui pourrait faire craquer Joel. Je parie que vous vous exprimez admirablement, non ?

— Vous vous trompez complètement, lui assura Delia, bien qu'à contrecœur. Ce n'est pas ce que vous... »

Mais Ellie s'engageait dans la 380, en direction du nord, et Noah la coupa pour demander : « Maman ? Où est-ce que tu vas ?

— Il y a une ribambelle de médecins à Easton.

— Easton ! s'écrièrent en chœur Noah et Delia.

— Vous ne croyez tout de même pas qu'on peut aller chez le Dr Norman. Il est en plein centre-ville ! Tout le monde ici va croire que je l'ai fait exprès.

— Ne pouvons-nous pas simplement lui assurer que non ? demanda Delia.

— Ha ! On voit que vous connaissez mal Bay Borough. Les gens d'ici transforment la moindre vétille en un véritable scandale.

— On peut peut-être aller dans une pharmacie, en ce cas, suggéra Delia, qui commençait à se sentir plutôt mal. J'ai juste besoin d'un pansement.

— Oh, Delia, Delia, soupira Ellie. Vous êtes si naïve. Je mets ma main à couper que le pharmacien sera un ancien du lycée, qui attendra avec impatience de pouvoir se jeter sur son téléphone pour se mettre à jacasser. "Devinez quoi ! singea-t-elle. Cette folle d'Ellie Miller a essayé d'assassiner la petite amie de son mari."

— Je ne suis pas sa...

— Je parie que vous ne dites jamais "déballer", hein ? Dans le sens de raconter. "Untel m'a déballé tout ce qu'il pensait de..." Joel grinçait des dents à chaque fois que je disais ça. Et puis aussi, il avait cette manie de vouloir à tout prix que chaque verbe soit suivi de son complément d'objet. S'amuser à quoi ? me demandait-il. Faire bien attention à qui ? Mais finis donc ta phrase, Ellie. »

Delia observa une casse de voitures au passage. À l'arrière, Noah gardait le silence.

« C'est drôle comme les hommes craignent toujours à l'avance que le mariage soit une prison, poursuivit Ellie. Les femmes, cela ne leur effleure même pas l'esprit. Ce n'est qu'après que ça leur saute aux yeux. Coincée à vie ! Emprisonnée ! Piégée à jamais avec un homme qui vous interdit de dire "materner". »

Elle freina. Ils avaient atteint un carrefour sur l'A50. En attendant que le feu passe au vert, elle entreprit de fouiller dans son sac. « Avez-vous du liquide ? demanda-t-elle à Delia. Je ne peux pas payer par chèque. Même à Easton, il y a peut-être des gens qui connaissent mon nom. »

Elle est folle, pensa Delia. Jusque-là, elle s'était efforcée de comprendre le point de vue d'Ellie — elle avait même compati. Mais à présent, elle était prise de panique. En outre, sa blessure commençait à lui faire mal. Elle avait l'impression que la plaie devenait béante, que ses lèvres se durcissaient en une cicatrice indélébile.

Il fallait absolument qu'ils prennent leurs jambes à leur cou, sitôt qu'elle aurait réussi à arracher Noah à l'arrière de la voiture. Une fois arrivés chez le médecin, peut-être. Si tant est qu'ils y arrivent. Car pour l'instant ils étaient coincés à ce feu rouge qui n'en finissait pas. « Vert, vert », implora-t-elle. Elle se pencha en avant, comme si cela pouvait hâter les choses.

Ellie se méprit sur le sens de ses mots. « Oh, pardon », s'excusa-t-elle en lâchant le frein. La voiture s'engagea en trombe sur l'A50 et, dans un hurlement de klaxon, un camion d'essence fit une embardée pour les éviter et se rabattit sur le mauvais côté de la route. Ellie poussa un cri. Delia était en proie à une terreur telle qu'elle était incapable de crier. Ils grimpèrent sur le bas-côté et rebondirent sur un terre-plein de gazon avant de s'arrêter.

« Je croyais que vous aviez dit que le feu était vert, s'égosilla Ellie.

— Je voulais seulement... seigneur ! » soupira Delia. Elle se retourna pour voir si Noah allait bien. « Ça va ? »

Il avala sa salive puis acquiesça d'un signe de tête.

Subrepticement, d'un mouvement qui semblait lubrifié, Delia chercha la poignée de la portière du bout des doigts. Elle appuya légèrement et la portière s'entrouvrit à peine. Puis elle cria : « Sors, Noah ! Vite ! » et bondit hors de la voiture en basculant dans la foulée son siège en avant afin que Noah puisse la suivre. Heureusement, il lui obéit. Il avait de bons réflexes. Il faillit atterrir sur elle, car elle avait mis le pied dans un trou ou un fossé dissimulé par le gazon lisse. Elle se tordit la cheville droite et Noah vint heurter son épaule de plein fouet. Sans compter, évidemment, qu'elle comprimait encore sa blessure avec le sweat-shirt. Mais tout du moins étaient-ils sains et saufs.

Ellie avait ouvert sa portière, déchaînant une fois encore les coups de klaxon d'un camion qui passait. Le hurlement strident transperça Delia en pleine poitrine. Son cœur se contracta subitement, comme s'il venait seulement d'être averti du danger. Mais ils avaient grillé un feu rouge ! Ils avaient plongé dans un flot de voitures roulant à tombeau ouvert sans même jeter un coup d'œil, que ce fût à droite ou à gauche ! À ce seul souvenir, son épiderme fut parcouru de picotements. Elle s'imagina qu'à fleur de peau le souffle de la mort l'avait bel et bien frôlée.

« On aurait pu se tuer ! » cria-t-elle, et Ellie, qui se ruait vers elle, lui lança : « Je sais ! J'ai du mal à croire que nous soyons encore vivants. » Elle jeta les bras autour de Delia et de son fils. Noah soupira « Maman... » et se dégagea de son étreinte, mais Delia la serra contre elle. Les deux femmes avaient les yeux larmoyants. « Mon Dieu, mon Dieu... », ne cessait de répéter Ellie, qui riait en se tamponnant les paupières.

« Maman, dit Noah qui se tenait à l'écart, est-ce qu'on pourrait juste aller chez le Dr Norman, s'il te plaît ?

— Nous n'avons qu'à lui dire que je me suis cogné la tête, ajouta Delia. Il ne se doutera de rien.

— Vous avez raison. Bonne idée. On y va, il faut seulement que j'aie le courage de reprendre le volant. »

Ils remontèrent tous trois dans la voiture, qui se trouvait être une Plymouth, d'un an ou deux plus récente que celle de Delia. Ellie attendit qu'il n'y ait plus le moindre véhicule en vue avant de s'aventurer lentement sur la route pour faire demi-tour. Elle était tellement concentrée sur sa conduite qu'elle ne se hasarda à ouvrir la bouche qu'après avoir rejoint la 380. Elle demanda alors à Noah ce qu'il avait l'intention de raconter à son père.

Noah laissa planer un long silence avant de répondre : « Oh, la même chose qu'au Dr Norman. Tu nous as ramenés de l'école et Delia s'est cogné la tête d'une manière ou d'une autre.

— Je me suis cogné la tête à la portière en montant en voiture, suggéra Delia.

— Parfait », soupira Ellie en décrispant ses mains sur le volant.

Sans doute était-ce de Delia qu'elle se méfiait davantage. Elle devait savoir d'instinct que Noah ne vendrait pas la mèche. Il affichait cette réserve déconcertante de froideur et de stoïcisme fréquente chez les enfants de couples en difficulté.

« D'autant que ce n'est pas loin de la vérité, dit Ellie. On s'est juste trouvés pris, comment dire, dans un tourbillon d'événements ? C'est ça, non ?

— Mais bien sûr », fit Delia.

Ellie ralentit à l'angle de Border Street. « Vous ne me croirez peut-être pas, reprit-elle, mais en principe, je suis quelqu'un de très stable. Seulement, depuis quelque temps, je suis très stressée. Oh, je n'imaginais pas que c'était aussi éprouvant de se retrouver devant une caméra. Je suis forcée de surveiller ma ligne à chaque instant, de m'assurer que j'ai bien mes huit heures de sommeil, de prendre soin de mon teint. Vous voyez ça ? » Elle s'interrompit au beau milieu de son créneau pour attraper ses cheveux. « Oxygénés, dévitalisés, permanentés, recolorés... » Elle tira sur une mèche puis la relâcha. « Vous voyez comment ils s'étirent, ils deviennent tout fins, tout fins et *boing*, ils se cassent. Ce ne sont plus des cheveux, je ne sais pas, moi, c'est de l'étoupe. Et si seulement j'avais le droit de prendre des vacances le temps que mes sourcils repoussent ! »

Un pneu racla sur le trottoir. « Pour couronner le tout, ma folle de sœur a perdu les pédales en apprenant que papa se mariait, et je me retrouve avec une fuite au plafond que personne n'est fichu de localiser. Tout cela, sans parler de papa, évidemment. Qu'est-ce qui lui prend de vouloir repartir à zéro à son âge ? Il a soixante-sept ans et par-dessus le marché il souffre constamment, vous saviez cela ? Pourquoi croyez-vous qu'il abrège à ce point les visites de Noah ? De tous ses petits-enfants, c'est son préféré, mais au bout d'une heure, papa est éreinté !

— Pauvre homme », compatit Delia. Elle descendit de voiture en maintenant le sweat-shirt contre sa tête. Étrangement, leur mission semblait avoir perdu de son urgence première. Elle bascula le siège en avant pour Noah et il s'extirpa de l'arrière.

« Quand je pense combien j'ai trimé pour son emménagement ! lâcha Ellie en claquant sa portière. Tous ces cartons que j'ai faits ! J'avais l'impression de l'envoyer en colonie de vacances. "Est-ce que tu as les vêtements qu'il te faut ? Et les autres enfants, qu'est-ce qu'ils porteront ?" Et dire que maintenant ils menacent de l'exclure.

— L'exclure ! » s'écria Delia.

Ils grimpaient le perron d'une grande maison de bois ornée d'une galerie. Noah ouvrait la marche. Delia traînait en arrière car sa cheville douloureuse ralentissait son pas.

« Mais je croyais qu'il était entendu qu'il avait le droit de rester après son mariage, lança Delia.

— Ça, c'était avant qu'ils apprennent que sa femme attendait un heureux événement », rétorqua Ellie.

Delia s'arrêta sur la dernière marche du perron et la regarda fixement. Même Noah écarquilla les yeux. « Comment ça ? demanda-t-elle bêtement.

— Mais, servez-vous donc de votre jugeote, Delia ! Pourquoi croyez-vous qu'ils aient avancé la date en mars ?

— Oh, parce que... Ils vous l'ont dit ? Ou ce n'est qu'une supposition ?

— Ça, pour me l'avoir dit, ils me l'ont dit ! s'exclama Ellie. Et en fanfare, avec ça. La semaine dernière. Papa a demandé à Binky : "Tu lui annonces la nouvelle, ou tu veux que je le fasse ?" et Binky qui lui répond : "Non, mon cœur, vas-y, toi." Ça ne vous fait pas rire, vous ? Ces minauderies sonnent tellement... comment dire, tellement faux, pour un remariage. Voilà donc papa qui s'éclaircit la gorge et me déclare : "Ellie, il me dit, tu vas avoir une sœur." Sur le coup, je n'ai pas saisi. "Mais j'ai déjà une sœur, je lui ai dit. Plusieurs, même." Et c'est là qu'il m'a annoncé : "Je veux parler d'une autre sœur. Nous sommes enceintes." Je cite mot pour mot. *Nous*, il a dit. Je parie que les quatre premières fois il ne l'a pas formulé comme ça.

— Mais... c'est pour quand ? balbutia Delia.

— Septembre.

— Septembre ! »

Ellie s'engouffra à l'intérieur de la maison d'un pas majestueux. Delia resta plantée sur la galerie, bouche bée. Binky avait toujours été un peu ronde, avec un petit ventre, même, mais... Elle se tourna vers Noah. « Tu étais au courant, toi ? » demanda-t-elle.

Il fit non de la tête.

« Eh bien... Voilà que tu vas te retrouver avec une nouvelle tante bébé ! Tu imagines ! »

Tandis qu'elle franchissait le seuil en claudiquant, Delia entendit le ricanement lugubre d'Ellie.

C'était la première fois que Delia venait au cabinet du Dr Norman, bien que son numéro fût apposé dans la cuisine des Miller, près du téléphone. Dès qu'elle huma le mélange d'odeur de cire à parquets et d'alcool isopropylique, elle fut submergée par le sentiment d'être en terres connues — l'impression d'être enfin revenue à la place qui était la sienne, loin de toutes ces autres, fallacieuses, temporaires, étrangères à sa véritable nature. Elle s'arrêta net dans le vestibule (tapis oriental élimé, lampe à pied en vase chinois posée sur une table), et Ellie dut la prendre par le bras pour la piloter vers la salle d'attente. « Est-il là ? » demanda-t-elle à la secrétaire. Bien que cette dernière eût quelques années et une bonne vingtaine de kilos de plus qu'elle, Delia pouvait sans peine s'identifier à la dame aux doigts suspendus au-dessus du clavier aux touches cerclées de métal chromé d'une machine à écrire antédiluvienne. « C'est pour une urgence ! » ajouta Ellie.

Ah oui, l'urgence. Delia avait quasiment oublié. Pendant qu'Ellie racontait les circonstances de l'accident (« une arête de métal sur le... je n'ai rien pu faire... j'ai bien essayé de la prévenir, mais... »), Delia décolla le sweat-shirt de sa plaie et s'aperçut qu'elle ne saignait plus. Les taches de sang qui maculaient le coton avaient pris en séchant une couleur terne, noirâtre. Elle jeta un regard aux autres patients qui attendaient. Deux femmes et une petite fille l'observaient d'un œil intéressé et elle s'empressa de plaquer à nouveau le sweat-shirt sur sa tempe.

Le Dr Norman venait juste de raccrocher le téléphone lorsque la secrétaire les introduisit dans son cabinet. C'était un petit homme rondouillard avec un véritable ruché de bouclettes blanches au-dessus des oreilles.

« Qu'est-ce qu'il y a là-dessous ? » demanda-t-il. Il se leva et contourna le bureau pour décoller le sweat-shirt de ses doigts experts. Son haleine sentait le tabac à pipe. Delia aurait aimé lui prendre la main et la presser contre sa joue. « Hmm, fit-il en scrutant la blessure. Bon, vous n'en mourrez pas.

— Est-ce que je garderai une cicatrice ? s'enquit Delia.

— Théoriquement, non, mais je ne peux rien vous garantir tant que je n'aurai pas nettoyé la plaie.

— Évidemment, j'ai fait tout ce qu'il était humainement possible de faire, reprit Ellie. Je l'avait bien prévenue, pourtant. "Faites attention en montant, Dee", je lui ai dit. Et pas qu'une fois, mais une demi-douzaine de fois, au moins... »

Non sans une pointe d'impatience, le Dr Norman l'interrompit : « Oui, oui, Ellie, parfait, je comprends », et elle se tut. « Passez à côté », dit-il à Delia. Il la fit entrer dans la pièce contiguë. Ellie et Noah lui emboîtèrent le pas, ce qu'il n'avait peut-être pas prévu.

Cette seconde pièce abritait une table d'examen matelassée de cuir noir. Delia se propulsa lestement à l'extrémité de la table et posa son sac sur les genoux. Tout en fourrageant dans un tiroir métallique couleur de lait condensé, le docteur s'enquit auprès d'Ellie du temps qu'il faisait, demanda à Noah des nouvelles de son équipe de softball, et déclara à Delia qu'il avait entendu dire qu'elle était une prof terrible.

« Terrible ! s'étonna Delia.

— Un bon prof, en d'autres termes. » Il leva les yeux des gants de latex qu'il était en train d'enfiler. « Dans la langue de T.J. Renfro, "terrible" signifie bon, tout comme "d'enfer". D'après ce qu'il dit, vous lui avez appris une équation d'enfer.

— Ah bon », fit Delia, soulagée.

Ellie, qui étudiait une affiche sur les premiers secours à apporter en cas d'étouffement, se tourna vers elle. « Vous donnez des cours à Underwood ? s'étonna-t-elle.

— Oui. »

Elle poussa un soupir dédaigneux. « Joel doit être aux anges. Il me poussait sans cesse à me porter volontaire. »

Le Dr Norman lui glissa un coup d'œil qu'elle ne remarqua sans doute pas. « Excuse-moi, fiston », dit-il à Noah en le contournant pour revenir scruter le front de Delia.

Elle arrêta de balancer les pieds lorsqu'il s'approcha d'elle. « Cela va piquer un peu, la prévint-il en déchirant une enveloppe de compresse antiseptique. L'odeur acide, impérieuse l'emplit de nostalgie. *Je ne suis pas une simple patiente*, aurait-elle pu lui dire. *Je connais ce cabinet de fond en comble ! Je sais que ce soir, vous vous assiérez à la table du dîner et raconterez à votre famille que, pour une femme séparée de son mari, Ellie Miller a un comportement sacrément possessif à l'égard de Joel. Je sais que vous leur direz que vous avez enfin eu l'occasion de faire la connaissance de l'employée à demeure qu'il s'est trouvée et, selon que vous êtes plus ou moins discret, vous pourrez même émettre quelque soupçon quant aux circonstances exactes dans lesquelles je me suis blessée. Je fais partie du sérail, moi, ne me prenez pas pour une de ces personnes incapables de voir au-delà de la blouse blanche.*

Mais bien évidemment, elle ne dit rien et le Dr Norman essuya sa plaie et posa de part et d'autre des petits points de tiédeur caoutchouteuse pour l'examiner du bout des doigts. « Vous avez une écorchure superficielle au front, déclara-t-il, mais à la tempe, en revanche, l'entaille est plus profonde. Inutile de faire des points de suture, cependant. Et si nous veillons à garder les lèvres de la plaie bien rapprochées pendant la cicatrisation, je ne pense pas que vous aurez de marques. » Il se retourna vers l'armoire. « Nous nous contenterons d'appliquer un stéri-strip. C'est un pansement très astucieux qui... »

Oui, Delia savait ce qu'était un stéri-strip — elle en avait posé plus d'un sur les blessures de ses enfants. Elle ferma les yeux pendant qu'il le posait.

À côté d'elle, elle entendait la respiration de Noah. Il se penchait pour regarder de plus près. « Super ! dit-il.

— Si vous le désirez, je peux vous prescrire un antalgique, ajouta le Dr Norman, mais je ne crois pas...

— C'est presque indolore, l'interrompit Delia en rouvrant les yeux. Je n'ai besoin de rien. »

Il gribouilla un mot à l'intention de sa secrétaire avant de la raccompagner à la porte, puis il donna une claque sur l'épaule de Noah et lança à Ellie : « Je suis ravi de voir que tout vous va toujours à ravir.

— Oh, arrêtez, protesta Ellie. Depuis que j'ai dit ça au *Boardwalk Bulletin*, je passe mon temps à me faire charrier, expliqua-t-elle en se tournant vers Delia.

— Ah oui ? se contenta-t-elle de dire, ne voulant pas trahir qu'elle aussi avait lu l'article.

— Mais je n'ai jamais dit ça, se récria Ellie. Ou du moins, ce n'est pas ainsi que je l'entendais. Je voulais seulement dire que je m'habillais à bon marché. »

Lorsqu'ils arrivèrent à la réception, elle pérorait encore sur le sujet — assurant à Noah que cette jupe, par exemple, ne lui avait coûté que treize dollars quatre-vingt-quinze chez Teenager World —, si bien que ce fut Delia qui paya la consultation. Elle songea qu'Ellie aurait pu lui proposer de la régler. Mais comme il était dans ses intentions de refuser, elle s'abstint de tout commentaire.

Une fois sur le porche, elle plia le sweat-shirt pour le fourrer dans son sac. Ellie discutait du budget vêtements d'une certaine Doris. Doris ? Ah oui, l'animatrice de WMKD. « Les fortunes qu'elle dépense, ne serait-ce qu'en bandeaux ! disait Ellie. Sans parler de ces foulards qu'elle porte pour cacher son cou de poulet... »

Delia songeait qu'après tout elle aurait dû accepter l'ordonnance qu'il lui avait proposée, non pas pour son front, mais pour sa cheville. Elle avait totalement oublié de mentionner qu'elle s'était tordu la cheville. Elle rejoignit péniblement la voiture en claudiquant et se laissa tomber lourdement sur le siège avant.

« Bon, j'imagine qu'on rentre maintenant, dit Ellie.

— Oui, si cela ne vous dérange pas », répondit Delia.

Mais Ellie s'adressait à Noah. « Chéri ? demanda-t-elle en le regardant dans le rétroviseur.

— Oh ben, oui.

— Tu n'as pas changé d'avis, tu ne veux pas venir plutôt chez moi ?

— J'ai mon interro d'histoire à réviser. »

Les épaules d'Ellie s'affaissèrent. Elle s'abstint de lui faire remarquer qu'il avait tout le week-end pour cela.

Ils longèrent lentement Weber Street, passèrent devant la boutique du traiteur chez lequel Belle avait commandé son déjeuner de Thanksgiving, puis devant le Sandwich Bar où tous les lycéens d'Underwood allaient prendre un en-cas à la sortie des cours. En compagnie d'Ellie, Delia voyait Bay Borough sous un jour différent. La ville semblait avoir perdu de sa joie de vivre. Sur les traits des femmes qui rentraient chez elles chargées de leur cabas se lisait une ironie inconsciente, qui n'était pas sans rappeler ces souriantes ménagères au visage de plastique des publicités pour électroménager des années cinquante.

Delia chassa cette pensée et se retourna vers Ellie. « Eh bien, peut-être nous croiserons-nous un de ces jours chez votre père.

— Si tant est que j'y remette les pieds, répliqua Ellie d'un ton lugubre.

— Mais il faut que vous retourniez le voir ! Qu'est-ce qui vous en empêcherait ? C'est un tel plaisir de discuter avec lui !

— C'est facile à dire pour vous. Vous n'êtes pas sa fille. »

Elle bifurqua dans Pendle Street, freina pour laisser passer un colley qui traversait imprudemment et s'engagea dans l'allée de la maison. (Le regard qu'elle lança aux fenêtres de façade ne voulait peut-être rien dire.) « Au revoir, Nono, dit-elle à son fils en lui soufflant un baiser. Delia, je suis désolée de ce qui s'est passé.

— C'est sans importance », lui assura Delia.

Tandis qu'elle remontait l'allée en claudiquant sur les talons de Noah, elle se rappela où elle avait déjà entendu la phrase d'Ellie. « C'est facile pour toi, lui répétaient ses sœurs. Évidemment, lui disaient-elles, toi, tu t'entends bien avec lui. Tu es venue sur le tard, c'est pour ça. Tu n'as pas autant de griefs contre lui. »

Mais elles n'avaient jamais précisé de quels griefs il s'agissait au juste. Elles n'étaient jamais parvenues à les formuler, quand

Delia le leur demandait, et elle était prête à parier qu'Ellie en serait tout aussi incapable.

Lorsque Delia enfila ses mules, elle s'aperçut que la lanière de ses sandales avait creusé un sillon dans son cou-de-pied droit. À vrai dire, elle avait la cheville si enflée qu'elle avait l'impression de porter une chaussure fantôme qui lui comprimait les chairs. Et l'os ne formait plus qu'une bosse. Elle ne devait rien avoir de cassé, cependant. Elle pouvait encore remuer les orteils.

Elle remplit une bassine à vaisselle d'eau froide, y ajouta quelques glaçons et s'assit sur une chaise de la cuisine pour faire tremper son pied. Que pouvait-elle faire d'autre ? Combien de fois avait-elle entendu Sam conseiller cela à ses patients ; elle aurait dû s'en souvenir. Il y avait bien un moyen mnémotechnique : R.É.G.I.M.E, leur répétait-il toujours. Elle essaya à voix haute. « Repos, eau, glace, immersion... » Mais que signifiait le M ? Modération ? Ménagement ? Elle essaya à nouveau. « Repos, eau, glace, immersion...

— Repos, eau, glace, immersion, maintien, élévation, compléta Joel en posant sa mallette sur le plan de travail. Que vous est-il arrivé ? On dirait une orpheline de guerre.

— Oh, fit Delia, vous savez, ces arêtes qu'il y a sur les portières de voiture... » Mais elle s'aperçut que cela ne justifiait en rien l'état de la cheville. « Il y a des jours, comme ça... », conclut-elle d'un ton vague.

Il n'insista pas. Il ouvrit un placard en hauteur et tâtonna sur l'étagère supérieure. « Je sais que nous avons une trousse de première urgence, expliqua-t-il. J'ai dû prendre des cours de... la voilà. » Il extirpa une caissette de métal gris. « Quand elle aura assez trempé, je vous ferai un bandage.

— Oh, cela devrait suffire. » Sans doute aurait-elle dû attendre encore quelque temps, mais la glace la faisait frissonner. Elle sortit son pied de l'eau et le sécha en le tamponnant avec un torchon.

« Vous devriez peut-être passer une radio, suggéra-t-il. Êtes-vous sûre de n'avoir rien de cassé.

— Certaine. Tout est en état de marche. »

Il écarta la bassine pour s'agenouiller à ses pieds et dérouler une bande élastique de couleur chair. Delia éprouvait un certain embarras à lui dévoiler ainsi sa cheville gonflée et sa macabre peau bleuâtre, mais il ne manifesta pas la moindre réaction. Il entreprit de lui panser la cheville en entrecroisant le bandage sur son cou-de-pied, progressant vers le haut en une série de V absolument symétriques. « Impeccable ! s'exclama-t-elle. Enfin, c'est parfait, je veux dire. Vous êtes très doué.

— Cela fait partie de la formation d'un proviseur. » Il enroula l'extrémité de la bande autour de son mollet. Puis il l'attacha avec deux clips de métal, d'une forme identique à celle du stéri-strip qu'elle avait à la tempe. « Ça va ? demanda-t-il. Il souleva son pied, comme pour le soupeser. C'est assez serré ?

— Oh oui, c'est... »

C'était merveilleusement agréable. Non seulement le bandage — bien que ce fût un grand réconfort que d'avoir la cheville ainsi maintenue —, mais également la main qui enserrait son pied, cette large paume qui en réchauffait la cambrure à travers la bande. Elle aurait aimé faire davantage encore pression au creux de sa poigne. Elle avait visiblement soif de cette fermeté. Jusqu'alors, elle ne s'était jamais rendu compte que la cambrure du pied pouvait être une zone érogène.

Comme s'il avait lu dans ses pensées, il resta agenouillé, les yeux fixés sur elle.

« Delia ? lança Noah. Est-ce que je peux inviter... ? »

Ils sursautèrent tous deux. Joel lâcha le pied de Delia et se releva. « Noah ! s'exclama-t-il. Je te croyais chez ta mère. »

Noah était planté dans l'embrasure de la porte, les sourcils froncés.

« Nous étions juste en train de... euh, bander la cheville de Delia, balbutia Joel. Apparemment, elle a dû se la fouler. »

Delia ajouta : « Repos, eau, glace, immersion, maintien, élévation ! C'est un moyen ménom... mnéno... » Elle se mit à rire. « Seigneur, je suis incapable de prononcer ce mot. »

Noah se contenta de l'observer. Puis il demanda : « Est-ce que je peux inviter Jack à dîner ?

— Mais bien sûr ! s'écria-t-elle. Oui ! Bonne idée ! »

Il la dévisagea quelques instants encore, dévisagea son père, puis il tourna les talons et sortit.

Ce soir-là, Joel refusa de lui laisser faire la cuisine. Il l'installa sur le canapé de la salle de séjour, les pieds surélevés et le chat sur les genoux, et partit commander une pizza. Noah et Jack étaient vautrés par terre devant la télévision. Il y avait au programme un quelconque policier. À chaque moment de suspense résonnait le tintement hypnotique d'un piano. Delia relâcha sa main sur George, renversa la tête en arrière et ferma les yeux.

À l'abri de ses paupières, elle revit la surface graveleuse de l'A50 se précipiter vers elle. Elle revit la Plymouth se jeter dans le flot de la circulation et éviter miraculeusement la collision comme un curseur de jeu vidéo. Elle se réveilla en sursaut, les yeux écarquillés, le regard fixe, une nouvelle fois bouleversée à l'idée d'avoir frôlé la mort de si près.

17

SA PLAIE au front cicatrisa rapidement, ne laissant qu'une minuscule trace blanche aux allures de hameçon. Sa foulure, en revanche, mit plus de temps à guérir. Des semaines durant, Delia ménagea sa cheville droite. « Ce n'est pas ma démarche habituelle », avait-elle envie de dire aux passants. Car elle éprouvait le vague sentiment d'être désavantagée, réduite à un statut subalterne, un état d'infériorité. Comment les gens — certains des pensionnaires de Senior City, par exemple — pouvaient-ils supporter de se savoir handicapés à jamais ? s'interrogeait-elle.

Senior City était le seul endroit où sa jambe boiteuse passait inaperçue. Elle pouvait sans hâte rejoindre un ascenseur sur le point de partir en étant certaine que ses occupants bloqueraient les portes. Une fois entrée, elle les trouvait qui conversaient paisiblement sans manifester le moindre signe d'impatience, l'un d'entre eux restant négligemment appuyé sur le bouton Ouverture jusqu'à ce que Delia lui rappelle de le relâcher. Leurs infirmités n'étaient plus si frappantes, tout comme leurs rides et leurs cheveux blancs. Ces derniers mois, Delia ne les voyait plus de la même manière.

Et quel contraste offrait Binky ! Car, à présent, il était flagrant qu'elle était enceinte. Dès le mois de mai, elle portait des vêtements de grossesse. Début juin, elle soutenait son ventre comme un tablier plein de fruits lorsqu'elle se levait d'un fauteuil. « Cette fois, j'ai l'impression d'être *plus* enceinte. Quand j'ai eu les garçons, jusqu'à la fin, cela ne se voyait quasiment pas. Je portais des jeans braguette ouverte avec par-dessus une liquette de mon mari. Mais en ce moment, pour monter en voiture, je suis forcée de me glisser de biais alors que j'en ai encore pour trois mois. »

Il ne faisait aucun doute que le bébé n'avait pas été prévu au programme. Binky lui avoua qu'elle avait mis douze semaines avant de soupçonner quoi que ce fût — elle avait continué à proclamer sur tous les toits qu'elle se marierait au mois de juin. « Et puis un beau jour, je me suis demandé ce qui se passait et je suis allée voir mon médecin. Quand il m'a annoncé que j'étais enceinte, j'en suis restée bouche bée. Il m'a dit : “Mais de nos jours, il y a des quantités de femmes qui ont des bébés à trente-huit ans. — Et à soixante-sept ? je lui ai demandé. — Soixante-sept ? Il a répété. — C'est l'âge du père. — Oh, il a fait. Je comprends. Hmm...” »

« Moi, je vois les choses comme ça, dit Nat à Delia. Il n'y a pas de meilleur endroit pour donner naissance à un enfant qu'une maison de retraite. Ici, nous avons des kyrielles de médecins et d'infirmières qui se tournent les pouces à longueur de journée au troisième étage. »

Delia fut horrifiée. « L'accouchement se fera au troisième ?

— Il plaisante, la rassura Binky.

— Nous transformerons le bloc de cardio en salle de travail, poursuivit Nat avec espièglerie. Un lit d'hôpital à barrière fera office de berceau. Quant aux couches, ce n'est pas ce qui doit manquer dans les parages. Pas vrai, Noah ? »

Noah fit un large sourire destiné à sa seule tasse à thé. Il était parvenu à cet âge où la moindre allusion aux fonctions corporelles le plongeait dans un monumental embarras.

« Le plus drôle dans l'histoire, reprit Nat, c'est qu'à aucun moment celui qui a rédigé le règlement de Senior City n'a envisagé cette éventualité. Notre contrat se contente de stipuler que “les postulants doivent avoir soixante-cinq ans pour être admis dans la résidence”, mais ce bébé n'est aucunement un postulant. En revanche, nous avons perdu la bataille du premier étage. Vous saviez que nous avions demandé à redescendre au premier ? Maintenant que j'ai Binky pour s'occuper de moi, je leur ai dit... mais le comité a refusé mordicus. Ils ont décrété que c'était incompatible avec le fonctionnement de la résidence. Toute l'organisation repose sur une progression montante, ils m'ont rappelé, et non descendante.

— Oh, ce n'est peut-être pas plus mal, dit Binky. Nos voisines du deuxième auraient le cœur brisé si elles nous perdaient, maintenant que le bébé va naître.

— Pour ça, elle ne risque pas de manquer de baby-sitter », répliqua Nat, pince-sans-rire.

Il persistait à soutenir qu'ils allaient avoir une fille, quand bien même ils avaient choisi de ne pas chercher à savoir le sexe de l'enfant. Les seuls bébés dont il avait quelque expérience étaient des filles. Il essaya de convaincre Noah que tous les bébés étaient au départ des filles, qui se métamorphosaient pour certaines en garçons environ à l'âge où leurs yeux s'assombrissent.

« Vous n'imaginez pas le nombre de vieilles dames qui s'affairent en ce moment à faire des petits chaussons, déclara-t-il à Delia. Des petites pantoufles tricotées, des chaussettes, des babies brodées... La gamine va être l'Imelda Marcos de la nursery. »

Et pourtant, songeait Delia, Nat et Binky devaient bien avoir quelques inquiétudes. Comment ne pas en avoir ? Elle était terrifiée par la bonne humeur dont ils avaient résolu de faire montre — par cette habitude qu'avait prise Binky de déclarer aux gens : « Nous sommes au comble de la joie », comme pour prévenir leur réaction, par la sollicitude de Nat qui s'activait en claudiquant, fragile, l'équilibre aussi précaire qu'un château de cartes.

« À l'époque où ma première femme était en train de mourir, raconta-t-il à Delia un après-midi, je m'asseyais à son chevet et je me disais : *Voilà son vrai visage.* Il était tout en creux et en angles. Jeune, elle avait été ravissante, mais je comprenais enfin que son visage d'alors n'était qu'une ébauche. La vieillesse n'était jamais que la forme aboutie, la version ultime, parachevée, vers laquelle elle tendait depuis le début. *Sa vraie nature. Enfin !* me disais-je, et vous n'imaginez pas à quel point la vie m'est apparue sous un nouveau jour depuis lors. Les jeunes gens séduisants que je croisais dans la rue avaient soudain l'air si... éphémères. Je me demandais bien pourquoi ils prenaient la peine de se pomponner. Ne comprenaient-ils pas ce qui les attendait au bout de la route ? Mais visiblement, jamais personne ne comprend. Pendant toute mon enfance, à l'époque où j'attendais impatiemment que ce soit “mon tour”, il ne m'a jamais effleuré l'esprit qu'un beau jour, mon tour serait passé.

Et puis Binky est arrivée. Alors, j'ai eu l'impression de renaître, qu'y a-t-il d'étonnant à cela ? »

Cela se passait en présence de Binky. Elle se pencha pour l'embrasser sur la joue. « Moi aussi, mon cœur », lui dit-elle.

Delia prit soudain conscience de son isolement — de la raideur de sa posture, coudes bien serrés contre son buste dans un fauteuil pour elle toute seule.

Puis ce fut l'été, sa chaleur et sa verdure vrombissantes de cigales après de longs mois de fraîcheur printanière. Les classes touchèrent à leur fin et Noah se mit à faire la grasse matinée, à traîner dans la maison avec ses copains et à se plaindre qu'il s'ennuyait. Joel adopta ses horaires de vacances qui lui permettaient de rentrer en milieu d'après-midi. Dans l'érable, au fond du jardin, un couple de piverts se construisit un nid. De temps à autre, Delia entendait leurs cris — des gloussements excités, suraigus qui lui faisaient penser à des gamines d'écoles de filles allant à leur première surprise-partie mixte. Et sur l'A50, des flots de voitures chaque jour plus nombreuses filaient en direction du bord de mer, des roues de bicyclette tournoyant sur le toit, des enfants entassés sur la banquette et sur la plage arrière, une masse coagulée de pelles à sable, de palmes en caoutchouc et de paquets de chips.

Ma famille va-t-elle aussi à la mer ? se demandait-elle. Après tout, on était en juin. Un an s'était écoulé depuis qu'elle les avait quittés, même s'il lui semblait qu'il y avait bien plus longtemps que cela. Elle avait tout fait au moins une fois — passé un anniversaire en solitaire, ainsi que Thanksgiving, Noël et le jour de l'an. En plus, elle avait payé ses impôts (sous le régime des conjoints remplissant une déclaration séparée), et elle s'était même inscrite au bureau de vote. Elle était une citoyenne modèle de Bay Borough.

C'est alors qu'elle reçut une lettre de Susie.

L'enveloppe était libellée à l'adresse exacte, ce qui signifiait qu'elle avait dû se renseigner auprès d'Eliza ou d'Eleanor. Son écriture était si ronde que *Borough* ressemblait à une file de ballons reliés par une unique cordelette. Delia ouvrit l'enveloppe presque furtivement, en la décollant au lieu de la déchirer, comme si cela devait adoucir le choc de ce qui l'attendait à l'intérieur.

Salut, maman !

Juste un petit mot, histoire de te donner des nouvelles ! Comment va ? Merci pour la carte que tu m'as envoyée pour mon diplôme ! La cérémonie était franchement barbante mais après, Tucky Pearson a donné une méga-fête dans le haras de ses parents.

Rien de spécial à te raconter, sinon que papa est carrément impossible en ce moment. Je sais que tu comprendras mon point de vue, alors peut-être que tu pourrais l'appeler pour discuter avec lui — dis-lui seulement que je t'ai écrit et que tu as pensé qu'il était temps de parler de mes projets d'avenir. Tu ne peux pas savoir comme il est dur ! Ou peut-être que si ! Franchement, maman, parfois je me dis qu'on ne peut pas t'en vouloir d'être partie ! À plus !

Bisous, Susie.

Delia éprouva un soudain sentiment d'épuisement. Elle plia la lettre et la remit dans l'enveloppe.

Bon.

Elle ne pouvait pas appeler de chez les Miller. Elle ne voulait pas que l'appel apparaisse sur les factures de Joel. Pas plus qu'elle ne voulait téléphoner en PCV, de crainte de donner l'impression d'être dans le besoin. Aussi dut-elle commencer par fouiller son sac de fond en comble et retourner toutes ses poches afin de dénicher des pièces de monnaie, puis elle alla à la cabine publique à l'angle de Bay Street et de Weber Street, à deux rues de là. Elle marcha aussi vite que le lui permettait sa cheville, car elle savait qu'en appelant entre onze heures et demie et midi, elle avait de grandes chances de tomber directement sur Sam. C'était l'heure à laquelle il s'arrêtait toujours pour déjeuner. À moins qu'en son absence, il y ait eu plus de changements encore qu'elle ne l'avait prévu.

Une fois dans la cabine — une de ces cabines à mi-taille, qui ne sont que partiellement closes et laissent filtrer le bruit de la circulation —, elle aligna toute sa monnaie sur la tablette et composa le numéro de la ligne réservée aux adultes. Elle n'avait jamais appelé d'un autre État auparavant et constata avec désarroi que, pour mettre les pièces, il fallait attendre que l'interlocuteur ait décroché. À l'autre bout du fil, la sonnerie résonna deux fois, puis Sam dit : « Dr Grinstead », et sur ce, un disque enregistré lui donna les instructions à suivre. Delia introduisit ses vingt-cinq *cents. Cling ! Cling !* C'était humiliant

— presque pire que d'appeler en PCV, d'autant que Sam ne comprenait pas ce qui se passait. « Allô ? répétait-il. Qui est à l'appareil ? »

Sa voix profonde et calme, cette habitude de descendre le ton, même lorsqu'il posait une question.

« Sam ?

— Où es-tu ? » demanda-t-il d'emblée.

Il pensait qu'elle le suppliait de lui venir en aide, se dit-elle. Elle avouait son échec et l'appelait pour lui demander d'aller la chercher. Il devait attendre cela depuis des mois. Elle redressa les épaules. « J'appelle au sujet de Susie. »

Silence absolu. Puis : « Oh, Susie.

— Je me demandais si tu savais ce qui la perturbe.

— Je crois que cela dépasse mon faible entendement, répliqua-t-il d'un ton sec. Mais sans doute vas-tu éclairer ma lanterne.

— Quoi ? » Elle pressa les doigts sur son front. « Non, attends... ma question est sincère ! Elle m'a écrit que quelque chose n'allait pas, mais elle ne m'a pas dit quoi.

— Oh », répéta Sam. Nouveau silence. « Cela doit être lié à son mariage, je suppose.

— Susie se marie ?

— Elle voudrait. Mais je m'y oppose.

— Mais... », balbutia Delia. *Mais elle ne m'en a pas parlé !* avait-elle envie de protester. *Elle ne m'a même pas consultée !* Ce n'était guère raisonnable, elle le savait bien, aussi se ravisa-t-elle pour déclarer : « Mais Driscoll est un très gentil garçon. C'est bien de Driscoll qu'il s'agit, non ?

— Qui veux-tu que ce soit d'autre ? rétorqua Sam. Mais là n'est pas la question. Elle a le droit d'épouser qui elle veut, bien évidemment, mais je lui ai dit qu'avant cela elle devait vivre toute seule pendant un an.

— Un an ! Mais pourquoi cela ?

— Je n'aime pas l'idée de la voir passer directement des études au mariage, de la maison de son père à celle de son mari. »

La maison de *son père* ? Il n'aimait pas l'idée ? Et sa mère, alors ? Bon, bon, très bien... mais la maison de *son mari* ?

Et, le plus vexant dans l'histoire, c'est qu'il voulait dire par là qu'il ne tenait pas à ce que Susie fasse comme Delia. Qui n'avait pas même passé une nuit toute seule avant son mariage. Et voyez un peu le résultat.

Sans doute avait-il ruminé cette idée toute l'année. Tout cela pour aboutir à sa théorie personnelle.

« Mais si elle vit seule, reprit Delia, elle sera si... vulnérable. Et puis, avec Driscoll, ils risquent de... enfin, imagine euh... qu'ils finissent par coucher ensemble ou je ne sais pas, moi ?

— Delia, tu ne crois pas qu'ils couchent déjà ensemble ? »

Elle en resta bouche bée.

Une voix métallique enregistrée annonça : « Pour poursuivre votre communication, veuillez insérer une... »

« Ne quitte pas, je vais essayer de faire passer l'appel en PCV », déclara Sam.

Elle ne protesta pas. Elle s'efforçait de rassembler ses esprits. Tout compte fait, il était évident qu'ils couchaient ensemble. Au fond d'elle-même, sans doute le savait-elle déjà. Mais elle n'en éprouvait pas moins un sentiment de deuil. Elle se voyait agiter la main en signe d'adieu tandis que Susie et Driscoll s'évanouissaient au loin, sans même un regard en arrière.

« Tu sais qu'elle n'a pas encore trouvé de travail, reprit Sam après avoir parlé à l'opérateur.

— Je me posais la question, justement. »

Il était stupéfiant de voir avec quelle aisance ils retombaient dans ce genre d'échange d'informations pragmatique, quasi badin. La banalité de la scène lui parut soudain surréaliste.

« Elle dort jusqu'à des heures impossibles, expliquait-il, et puis elle file à la piscine. Elle ne passe pas le moindre entretien, elle ne parle jamais de son avenir professionnel... »

Mais si elle se marie, songea Delia. Elle censura également cette pensée et demanda : « Et Driscoll ? Il travaille, lui ?

— Oui, il s'est fait embaucher par son père. »

Delia essaya de se rappeler ce que faisait le père de Driscoll. Mais elle fut incapable de s'en souvenir. Il était plus ou moins dans les affaires.

« Bien, en as-tu parlé avec Susie ? As-tu discuté avec elle de ce qu'elle aimerait faire ?

— Non, répondit Sam.

— Et où va-t-elle bien pouvoir habiter ? Si elle ne gagne pas encore d'argent.

— Nous n'en avons pas parlé.

— Mais bon sang, Sam, de quoi avez-vous parlé ?

— De rien. » Il toussota. « Il semblerait que nous ne nous parlions plus. »

Delia poussa un soupir. « Et Eliza ? Susie doit bien lui parler, à elle ?

— Pas nécessairement.

— Que veux-tu dire ?

— Je ne crois pas qu'elles se parlent, pour être franc.

— Elles se sont disputées ?

— Je ne sais pas trop. Enfin, si, sûrement, mais j'ignore si c'est encore d'actualité. En fait, Eliza n'est pas ici en ce moment.

— Comment cela ?

— Elle est en visite chez Linda pour quelque temps. »

Delia digéra la nouvelle avant de reprendre : « Vous n'allez pas à la mer, cette année ?

— Non, Delia », fit Sam d'une voix à nouveau glacée. Elle n'avait pas besoin qu'il formule sa pensée pour comprendre ce qu'il avait voulu dire : *Crois-tu réellement que nous serions retournés à la mer à présent que tu as gâché à jamais ce que cela représentait pour nous tous ?*

Elle s'empressa de poursuivre : « Si je comprends bien, personne n'a pris Susie entre quatre yeux pour discuter avec elle de ses projets d'avenir.

— Je vois mal par quel miracle je pourrais discuter avec quelqu'un qui sort de la pièce dès l'instant où j'y mets les pieds. »

Tu la suis, c'est tout, eut envie de lui répondre Delia. *Tu lui emboîtes le pas. C'est pourtant simple, non ?* Mais pour Sam, c'était inconcevable, elle le savait bien. Il n'était pas homme à se laisser marcher sur les pieds. Il n'aimait pas supplier, marchander, revenir sur ses positions. Il n'avait jamais commis d'erreur. (Était-ce pour cette raison que son entourage semblait en commettre autant ?)

Un camion de livraison passa en trombe et elle couvrit d'une main son oreille libre. « Très bien, dit-elle, voici ce que je propose. Je vais lui écrire que si elle veut que tu couvres les frais de son mariage, elle devra accepter tes conditions. Si ces conditions lui déplaisent, elle en assumera le coût. Dans un cas comme dans l'autre, tu lui donneras ton consentement.

— Ah oui ?

— Oui.

— Mais en ce cas, elle risque de l'épouser demain.
— Eh bien tant pis, cela la regarde. »

Sam resta silencieux. Delia commençait à avoir des élancements dans la cheville, mais elle ne le pressa pas. Il finit par dire : « Et quant au fait que l'on ne se parle plus ?

— Eh bien ?
— Peux-tu lui demander de parler de tout cela avec moi ?
— Je peux toujours le lui suggérer. »

Ce nouveau rôle qui lui était dévolu la mettait mal à l'aise. « Bon, à part ça, tout va bien ? demanda-t-elle.

— Oh oui.
— Et du côté des garçons ?
— Ils vont bien.
— Qui s'occupe du secrétariat en l'absence d'Eliza ?
— Moi.
— Tiens, voilà un travail que Susie pourrait faire.
— Jamais », trancha-t-il d'un ton péremptoire.

Nouveau coup de poignard en plein cœur. *Jamais*, voulait-il dire, *je ne laisserais ma fille suivre le piètre exemple de sa mère*. Et le fait est qu'elle n'avait rien à répondre à cela. Elle conclut : « Bon, eh bien, je crois que je vais y aller.

— Oh. Bien. Au revoir. »

Une fois qu'elle eut raccroché, elle songea qu'il avait peut-être seulement voulu dire que Susie serait un véritable désastre dans le cabinet. Il est vrai qu'elle était parfaitement incompétente lorsqu'il était question d'organisation. Contrairement à Delia, qui avait un certain talent pour cela.

Se pouvait-il qu'il n'eût rien voulu dire d'autre ?

Dans sa lettre à Susie, elle ajouta une requête dont elle n'avait pas parlé à Sam. *M'autoriseras-tu à venir à ton mariage*, écrivit-elle, *quelles qu'en soient les circonstances ? Je ne pourrais pas t'en vouloir si jamais tu refusais, mais...*

Elle la rédigea l'après-midi même au bureau de la salle de séjour, en choisissant un moment où elle se savait seule dans la maison. Elle ne l'avait pas encore terminée lorsque Joel fit son entrée. « Ah, vous êtes là. » Puis il s'attarda quelques instants dans les parages en faisant tinter des pièces de monnaie au fond de sa poche. Elle finit par s'arrêter d'écrire et leva les yeux vers lui.

« Vous désiriez quelque chose ?

— Non, non », répondit-il en disparaissant dans une autre pièce. Mais à peine avait-elle achevé sa lettre qu'il était de retour. Il avait dû l'entendre qui commençait les préparatifs du dîner. Il se tenait dans l'embrasure de la porte et jouait de nouveau avec sa monnaie. « Je vous ai aperçue dans Weber Street, aujourd'hui.

— Weber Street ?

— Vous téléphoniez.

— Ah oui.

— Vous pouvez téléphoner d'ici, vous savez. »

Delia eut une de ces visions fulgurantes où elle se surprenait à travers les yeux de quelqu'un d'autre : recroquevillée sur l'appareil, couvrant son oreille d'une main. Elle faillit en rire. Le Retour de la femme mystérieuse ! « Oh, c'est seulement que... j'ai eu subitement envie de passer un coup de fil, c'est tout. »

Il resta planté là comme s'il attendait la suite, mais elle n'ajouta rien.

Parfois, en observant certains détails chez Joel — ses muscles qui jouaient sur ses avant-bras ou sa veste négligemment jetée sur son épaule —, elle éprouvait un si violent attrait pour lui qu'elle se forçait à se rappeler qu'elle le connaissait à peine. En fait, ils se parlaient très peu. Depuis ce jour où il lui avait bandé la cheville, ils semblaient avoir sombré dans un mutisme effarouché. Et, quoi qu'il en soit, ils se devaient de penser à Noah.

Noah, tout de vigilance et de méfiance, qui depuis quelque temps rôdait en permanence dans les parages, scrutant leurs visages à la recherche de la moindre trace de culpabilité. Un soir, en rentrant d'un dîner de professeurs bénévoles (tout le monde ayant apporté son écot, chaque convive, ou presque, avait mangé d'un œil méditatif le plat préparé par ses soins), Joel et Delia l'avaient trouvé qui les attendait sur le seuil, les bras croisés sur la poitrine. « Pourquoi vous avez mis si longtemps ? leur lança-t-il. Le dîner était censé se finir à neuf heures. Il est neuf heures quarante-trois, bon sang, et les Brooke habitent à moins de cinq minutes d'ici. »

Quoique, à bien y réfléchir... en octobre, il aurait treize ans. Un âge difficile, Delia ne le savait que trop. Déjà apparaissaient les premiers signes. Par exemple, il avait rejeté les vêtements que Delia lui avait achetés au printemps précédent. Et il insistait à présent pour qu'elle dépose son linge propre dans le couloir à l'extérieur de sa chambre au lieu de le lui apporter. Et puis, au lendemain d'une nuit où ses copains avaient dormi sur place, il lui avait dit : « Tu es vraiment obligée de porter cette horreur qui fait vaguement plage ? Tu ne peux pas avoir un peignoir comme tout le monde ? »

Oui, elle voyait clairement le chemin qu'il prenait.

« Il a tellement grandi soudain. L'autre jour, je l'ai embrassé et il avait le visage à la hauteur du mien, soupira Ellie. (Désormais, il leur arrivait souvent de bavarder toutes les deux un moment au téléphone avant que Delia aille chercher Noah.) À chaque fois que je le vois, il y a du changement ! Il s'est mis à écouter cette espèce de musique abominable en voiture, des chanteurs qui pourraient tout aussi bien être là à papoter entre eux, sinon que de temps à autre on réussit à surprendre un mot ou deux au passage.

— Et il dit qu'il va monter un groupe de rock, lui apprit Delia. Avec Kenny Moss.

— Mais il ne joue d'aucun instrument !

— Ça, je l'ignore. Ils savent déjà comment ils vont l'appeler. "Ta mère a-t-elle des mômes ?"

— C'est un nom de groupe ?

— Il prétend que oui.

— Je ne comprends pas.

— Je ne pense pas que l'on soit censé comprendre. Et vous saviez qu'il refuse d'aller en colonie cet été ?

— Mais il adore ça !

— Il dit que c'est pour les bébés.

— Que va-t-il faire, alors ?

— Oh, il y va tout de même, lui répondit Delia. Joel a décrété qu'il devait y aller. » Delia éprouva un certain embarras à parler de lui en termes aussi familiers à Ellie. Elle s'empressa de poursuivre : « Il a déjà payé les arrhes et de toute manière je ne serai pas là pour m'occuper de lui. Je serai en vacances.

— Ah oui ? Où ça ?

— À Ocean City, la deuxième et la troisième semaine de juillet. Belle Flint m'a réservé une chambre dans un motel que dirige une de ses amies.

— Il faut absolument que nous nous retrouvions là-bas, déclara Ellie. On se fera un petit dîner dans mon restaurant préféré. Je passe mon temps à Ocean City ! »

À l'évidence, elle ne pensait plus que Delia était la petite amie de Joel. Delia se demanda pourquoi. Était-ce de l'avoir vue de près qui lui avait fait changer d'avis.

Pour être honnête, Delia se sentait quelque peu déçue.

Elle rêva qu'elle croisait Sam à Senior City. Il se tenait devant la porte d'entrée, vêtu de sa blouse blanche amidonnée, les mains dans les poches, et elle l'abordait d'emblée en lui annonçant du ton le plus assuré qui soit : « Chez les Miller, j'ai un vélo grandeur nature que je me suis fabriqué avec des trombones. »

Il la toisait d'un œil pensif.

« Un vélo qui roule ? demandait-il.

— Euh, non. »

Elle se réveilla, encore aveuglée par le rayon de soleil que renvoyait ses lunettes. Il portait un stéthoscope, se rappela-t-elle, enroulé autour de son cou comme une serviette à barbe. Il avait cessé une fois pour toutes de l'arborer ainsi la première semaine où il était venu travailler au cabinet de son père. Cela trahissait le médecin débutant et le fait est que, en dépit de son âge, Sam n'était jamais qu'un débutant, car ayant dû travailler pour se payer ses études, il avait mis des années à décrocher son diplôme. Mais jamais il ne l'aurait considérée d'un regard aussi sévère et critique lorsqu'ils s'étaient rencontrés.

À moins que... ?

Peut-être en avait-il été ainsi dès le tout début. Il était possible qu'Adrian ait raison : ce qui chez un être finit par vous irriter au plus haut point est cela même qui vous avait attiré au départ.

Pour ses vacances à la mer, elle s'acheta au bazar une valise bon marché, où rentrait son fourre-tout de paille. Belle devait l'y conduire de bonne heure le samedi matin. Noah était encore là lorsqu'elle klaxonna devant la porte (il partait en colonie aux alentours de midi) et Delia lui fit ses adieux en le pressant brièvement contre elle, ce qu'il accepta à contrecœur. Quant à Joel, elle lui lança : « N'oubliez pas de nourrir Vernon.

— Qui est Vernon ? »

L'espace d'un instant, sa question lui parut absurde. Puis

elle se reprit : « Oh ! George, je voulais dire. » C'était stupide de sa part : George et Vernon ne se ressemblaient pas le moins du monde. « George, le chat ! insista-t-elle, comme si la méprise venait de lui. À bientôt », ajouta-t-elle en franchissant le seuil avec précipitation, la valise battant contre ses mollets.

Belle portait de ces énormes lunettes de soleil à l'allure renversée, avec les branches soudées au bas des verres. « J'ai une gueule de bois épouvantable, annonça-t-elle d'emblée. Je ne veux plus boire une seule goutte de champagne de toute ma vie.

— Tu as bu du champagne ?

— Si j'en ai bu... Une bouteille entière, parce que, hier soir, Horace m'a demandée en mariage.

— Oh, Belle !

— Mais lui, il ne pouvait pas en boire parce qu'il y est allergique. Il s'est contenté de me regarder l'écluser jusqu'à la dernière goutte en suivant chaque gorgée de son regard d'épagneul. Eh oui, c'est comme cela que ça se passe entre lui et moi. Mais le geste était attentionné. Du champagne, une douzaine de roses et une bague en diamant : la totale. » Elle leva une main du volant pour lui montrer un minuscule éclat scintillant. Puis elle s'engagea dans la rue. « Si ma mémoire est bonne, j'ai dû accepter. Imagine un peu, Belle Lamb. On dirait une onomatopée de bande dessinée : *Blam !* » Elle affichait un visage inexpressif à l'abri de ses lunettes noires, mais ses lèvres charnues trahissaient une sorte d'autosatisfaction repue. « Maintenant, je n'ai plus qu'à aller jusqu'au bout.

— Et tu n'en as pas envie ?

— Oh si, bien sûr. » Elle bifurqua sur la 380. « Je l'aime bien. Ou je l'aime tout court, je suppose. En tout cas, si jamais il se cogne la tête en grimpant dans ma voiture, j'ai un petit pincement au ventre. À ton avis, on peut appeler ça de l'amour ? »

Delia en était encore à méditer la question lorsque Belle reprit : « Mais vois-tu, Dee, je ne peux pas m'empêcher de me dire que la plupart des gens se marient parce qu'ils estiment être parvenus à ce stade. Même s'ils n'ont pas encore jeté leur dévolu sur une personne en particulier. Et ce n'est qu'à ce moment-là qu'ils font leur choix. On n'est pas si loin que ça des mariages arrangés, comme dans certains pays étrangers

— sinon qu'ici, ce sont les mariés qui sont leurs propres entremetteurs. »

Delia se mit à rire. « Bon, voilà que je ne sais plus trop quoi te dire. Je suis censée te féliciter, ou non ?

— Mais bien sûr. Il faut sans doute me féliciter. » Et sa main gauche se cambra un instant sur le volant afin qu'elle puisse admirer son diamant.

Les Sirènes était un motel turquoise délabré situé du mauvais côté de l'autoroute, entre une boutique de tee-shirts et un débit de boissons. Mais Belle lui avait obtenu une remise très avantageuse et, quoi qu'il en soit, Delia n'avait pas l'intention de passer beaucoup de temps dans sa chambre.

Chaque matin, elle traversait l'autoroute chargée de son fourre-tout et d'un plaid du motel, plus un gobelet Thermos de café. Elle louait un parasol sur la plage et s'installait parmi une foule qui grossissait au fil de la journée — des enfants piailleurs, des adolescents d'une beauté à couper le souffle, des parents d'âge et de corpulence divers, des grands-parents décharnés au corps blême. Elle commençait par s'asseoir pour boire son café, puis, une fois qu'elle l'avait fini, sortait un livre de son fourre-tout et se mettait à lire.

À Ocean City, elle était revenue aux romans d'amour, au rythme d'un par jour, environ. Après les livres de la bibliothèque, ils lui semblaient empreints d'une grandiloquence de mauvais mélo et elle les lisait quasiment sans y penser, l'attention distraite par la chaleur dorée qui filtrait à travers son parasol, les cris des mouettes et ceux des enfants, et les pieds brûlés de coups de soleil qui passaient en crissant dans le sable. Un beau jour, elle entama un roman où il était question d'une jeune fille kidnappée par le frère de son fiancé, et s'aperçut en cours de lecture que c'était celui qu'elle lisait l'été précédent. Elle jeta un coup d'œil au titre : c'était bien cela, *La Captive du château de Clarion*. Son regard se perdit dans le lointain. Une mère tenait son bébé en couche-culotte au ras des vagues et sur toutes les radios alentour résonnait *Under the Boardwalk*. Delia s'imagina qu'elle apercevait sa propre silhouette s'éloigner vers le sud en suivant les festons d'écume de la mer.

Vers midi, elle se levait et rejoignait la promenade pour aller déjeuner. Elle mangeait dans un quelconque boui-boui

— snack-bar ou pizzeria — en clignant des paupières pour chasser les kyrielles de paillettes mauves qui fourmillaient devant ses yeux dans la soudaine pénombre. Puis elle regagnait son parasol et faisait une petite sieste, après quoi elle lisait encore quelques pages. Un peu plus tard, elle allait se balader sur la plage, le temps d'une courte promenade seulement, car sa cheville trahissait toujours une légère sensibilité lorsqu'elle s'appuyait dessus. Enfin, elle allait s'acquitter de l'unique baignade de la journée.

Elle mettait un temps fou à s'immerger, avec des précautions de blessé ôtant douloureusement un pansement petit à petit. La moue dégoûtée, elle levait les bras en suffoquant à force de creuser le ventre, avançant prudemment en crabe afin de présenter le moins de surface possible aux rouleaux. Cependant, bon an mal an, elle finissait par y rentrer et, si elle avait bien joué, elle n'avait pas un seul cheveu mouillé. Elle flottait alors au large, béate de satisfaction à l'idée de ce tour de force, en lorgnant dédaigneusement le rivage d'un œil narquois à chaque fois que la vague qui la portait venait s'écraser sur les foules glapissantes agglutinées là où elles avaient pied. Et elle attendait toujours que se présente la lame docile qui la ramènerait sur le sable — bien qu'il lui arrivât de se méprendre et de basculer à la renverse pour tournoyer sous l'eau comme une lessive dans un tambour.

Puis elle remontait sur la plage à pas chancelants, ruisselante de gouttelettes, en essorant la jupette de son maillot. Le temps de cette baignade, toute la crème solaire dont elle s'était tartinée avait disparu. Au fil des jours, sa figure prenait une couleur de plus en plus rose et s'ornait d'une myriade de taches de rousseur. Son premier souci, lorsqu'elle regagnait sa chambre en fin de journée, était de jeter un œil au miroir, où soir après soir l'attendait une femme à la mine de plus en plus éclatante qui lui renvoyait un regard contemplatif. Quand elle ôtait son maillot de bain, elle découvrait un second maillot d'une blancheur de poisson. Une fois sous la douche, elle voyait surgir sur le dessus de ses pieds une floraison de minuscules cloques écarlates.

Elle s'étendait sur le lit, enveloppée dans le peignoir de plage de Sam, et se séchait les cheveux à la serviette. Se limait les ongles. Regardait les informations. Peu après, lorsque l'atmosphère climatisée aux relents de moisi commençait à la glacer, elle s'habillait et sortait dîner, en changeant de restaurant tous les soirs.

Les dimanches passés au Bay Arms lui étaient d'un grand secours et elle dînait seule en toute sérénité, avalant consciencieusement entrée, plat et dessert, tout en observant les tablées alentour. Puis elle s'attardait un moment sur la promenade s'il y avait un banc de libre. Dans son dos, elle sentait le martèlement des jeux vidéo sur fond de musique rock tandis que sous ses yeux se déployait l'étendue noire et déserte de la mer, qui se frangeait d'écume blanche sous un disque de lune à demi effacé.

La plupart du temps, elle était de retour dans sa chambre vers neuf heures du soir et au lit, à dix. Elle coupait la climatisation et ne dormait qu'avec un drap en transpirant légèrement dans le souffle d'air tiède qui filtrait par la fenêtre.

Il y eut une journée maussade avec un ciel nuageux ponctué de crachin où Delia resta dans sa chambre à regarder la télévision. Des talk-shows, en majorité : un univers inconnu. Les gens sont capables de raconter n'importe quoi à la télévision, songea-t-elle. Des membres d'une même famille qui ne s'adressaient plus la parole depuis des années se mettaient à discourir à n'en plus finir devant les caméras. Des femmes fondaient en larmes en public. Lorsque Delia éteignit le téléviseur, elle avait des crampes au visage, comme si elle revenait d'une tournée de cocktails et de soirées mondaines. Elle alla se balader et s'acheta un autre livre, non pas un roman d'amour cette fois, mais un livre plus sérieux et plus crédible, où il était question d'une famille pauvre qui vivait dans le Maine. Pour cette promenade, elle avait revêtu son cardigan de Miss Grinstead qui lui emmaillotait délicatement les bras et lui donnait l'impression d'être une enfant couvée.

Elle envoya deux cartes postales à Noah qui était en colonie. *Il fait beau, la mer est belle*, écrivit-elle. Ce genre de banalités. Elle acheta également une carte pour Joel, mais elle ne savait pas quoi lui dire. Elle finit par se raviser et écrivit plutôt à Belle. *C'était vraiment une bonne idée. Merci d'avoir tout organisé.* Mineola, l'amie de Belle, une brune aux cheveux teints toujours en corsaire et talons aiguilles, la saluait avec amabilité mais l'abandonnait à son sort, ce dont Delia s'accommodait fort bien.

De temps à autre, un appel faisait tressaillir ses sens — une bouffée d'huile de noix de coco, le picotement du sable dans les coutures de son maillot de bain — et ramenait à sa mémoire les expéditions familiales au bord de la mer. Un après-midi, elle rapportait son parasol chez le loueur lorsqu'un enfant s'écria : « M'man, demande aussi à Jenny de porter quelque chose ! » Elle se trouva soudain replongée dans ce rituel du soir, vers le coucher du soleil, où, jour après jour, au moment de plier bagage, les enfants suppliaient de rester encore un peu et les adultes demandaient qui a les canots, où est le seau vert, est-ce que quelqu'un peut prendre la Thermos ? Elle se rappela les chamailleries, la brûlure du sable expédié par des pieds étourdis sur des coups de soleil, le poids de la fatigue, les membres las. Tout lui revenait, jusqu'au plus petit détail imparfait, et pourtant, elle aurait tout donné pour retrouver un de ces instants.

À qui sont ces tennis ? Quelqu'un a oublié ses tennis ! Inutile de venir pleurnicher demain sous prétexte que vous avez perdu vos tennis.

Elle acheta une carte postale représentant un dauphin et écrivit : *Cher Sam, chers enfants, je prends juste quelques vacances, je pense bien à vous.* Puis elle se dit qu'ils risquaient de penser que c'était là une allusion à l'année qui venait de s'écouler et non à ces deux semaines à Ocean City. Et comme elle ne savait guère comment clarifier ses propos, elle déchira la carte et la jeta.

Le dernier soir, elle était censée retrouver Ellie au Sailor's Dream. Elle regrettait d'avoir accepté. L'obligation de soutenir une conversation lui paraissait soudain exiger des efforts démesurés. Cependant, il eût été tout aussi éprouvant d'annuler, aussi se présenta-t-elle au restaurant à l'heure prévue. Ellie l'attendait déjà sous l'auvent. Elle portait une robe bain de soleil blanche tissée de fils d'argent, le genre de tenue que l'on s'attendait davantage à trouver sur un bateau de croisière, assorti d'un petit sac également blanc en forme de coquille Saint-Jacques. Les hommes se retournaient tous sur elle. « Mais Delia, regardez-moi ça ! Vous avez une mine superbe ! » Delia avait oublié à quel point il était agréable que quelqu'un vous appelle par votre nom et manifeste un certain plaisir à votre arrivée.

Le Sailor's Dream était imprégné de cette atmosphère de cuir matelassé typique des clubs de gentlemen anglais, mais il y avait quelques différences. La moquette, par exemple dégageait cette même odeur de champignon que celle de la chambre de Delia et tous les serveurs arboraient un magnifique bronzage.

« Alors, dites-moi, fit Ellie dès qu'elles se furent assises, avez-vous passé de bonnes vacances ?

— Excellentes.

— C'étaient vos premières vacances toute seule ?

— Oui. Quoique... »

Elle ne savait pas au juste si le voyage qu'elle avait effectué jusqu'à Bay Borough pouvait être considéré comme des vacances. (Et si oui, à quel moment les vacances s'étaient-elles finies et la vraie vie avait-elle commencé ?) Elle croisa le regard d'Ellie qui la fixait en attendant visiblement la suite.

« Ça ne fait pas un drôle d'effet d'aller nager toute seule ? s'enquit Ellie.

— Drôle ? Non.

— Et les repas ? Avez-vous pris tous vos repas dans votre chambre ?

— Oh non ! Je suis allée au restaurant.

— J'ai horreur de manger toute seule au restaurant. Vous ne savez pas combien je vous admire d'en être capable. »

Elles durent s'interrompre pour commander — cocktail de crabe pour Delia, grande salade verte sans assaisonnement pour Ellie —, mais, dès que le serveur se fut éloigné, Ellie reprit : « Vous vous étiez entraînée avant ? Avant de quitter votre... euh, votre ancien domicile ?

— Comment cela ?

— Est-ce que vous aviez l'habitude d'aller au restaurant toute seule ? »

Delia commençait à voir où Ellie voulait en venir : elle essayait d'obtenir des tuyaux sur l'art et la manière de vivre seule. Car bientôt elle ajouta : « Moi, je ne l'ai jamais fait. Il ne m'est même quasiment jamais arrivé de marcher toute seule dans la rue ! J'ai toujours eu une escorte quelconque. J'étais très entourée quand j'étais jeune. Aujourd'hui, je regrette de ne pas l'avoir été un tout petit peu moins. Vous savez quand est-ce que j'ai pensé pour la première fois à quitter Joel ? Trois mois après notre mariage.

— Trois mois !

— Seulement, je me répétais tout le temps : Mais qu'est-ce

que je ferais toute seule ? Tout le monde me dévisagerait, se demanderait ce qui cloche chez moi. »

Elle se rapprocha davantage encore de Delia et baissa la voix. « Dee ?

— Oui.

— Étiez-vous forcée de partir ? »

Delia se recula légèrement.

« C'est-à-dire, étiez-vous... dans une situation intenable ? Fallait-il absolument que vous en sortiez ? Vous était-il impossible de survivre une minute de plus ?

— Non.

— Je ne veux pas être indiscrète ! Je ne vous demande pas de confidences. Tout ce qui m'intéresse, c'est de savoir à quel point il faut être désespérée pour être certaine de devoir partir.

— Désespérée ? Oh, je ne dirais pas... à vrai dire, je ne suis pas encore sûre de moi.

— Ah non ?

— Eh bien, ce n'était pas vraiment une décision.

— Tenez, moi par exemple. Croyez-vous que j'ai fait une erreur ? Vous qui vivez sous le même toit que mon mari, croyez-vous que je suis allée trop loin en le quittant ?

— Je ne suis pas mariée avec lui. C'est différent.

— Mais vous devez bien le connaître, à présent. Vous savez combien il est pointilleux, comment... il a toujours raison et passe son temps à vous critiquer.

— Joel, vous critiquer ? protesta Delia. Belle Flint dit qu'il vous adule ! Il s'est efforcé de garder la maison exactement dans l'état où vous l'aviez laissée — on ne vous l'a pas dit ?

— Bien sûr, une fois que je l'ai quitté. Mais à l'époque, c'était en permanence : "Pourquoi ne peux-tu pas faire comme ceci, Ellie ?", et "Pourquoi ne peux-tu pas faire comme cela ?", et ces regards noirs et silencieux si jamais je ne m'exécutais pas.

— Vraiment ? » s'étonna Delia.

Et à cet instant précis surgit sous ses yeux Sam planté devant le réfrigérateur, qui lui donnait un de ces cours dont il avait le secret sur la manière idoine de traiter les volailles crues. Sam avait une telle phobie des intoxications alimentaires que c'était à croire qu'ils vivaient dans une quelconque République bananière. Non, décidément, Joel avait des préoccupations plus touchantes, se disait-elle, avec ses plans de l'aménagement et ses plannings de corvées. Cela provenait manifestement d'un besoin de stabilité. Il cherchait seulement à être rassuré.

Et s'il en allait de même pour Sam ?

Leurs plats arrivèrent et le serveur présenta un moulin à poivre de la taille d'un pilastre de rampe d'escalier en demandant : « Désirez-vous... ?

— Non, non, allez-vous-en », soupira Ellie en le congédiant de la main. Dès qu'elles furent de nouveau seules, elle reprit : « Trois mois après notre mariage, Joel s'est rendu à une conférence à Richmond. Je me suis dit : "Enfin libre !" J'avais envie de danser dans toute la maison. J'avais l'impression d'avoir des ailes. Je me suis inventé un jeu, j'ai fait le tour de ses tiroirs en entassant toutes ses affaires dans des cartons. Idem avec le contenu de ses placards. J'ai fait comme si je vivais seule, sans personne pour regarder par-dessus mon épaule en permanence. Il n'était pas censé rentrer avant le mercredi et j'avais l'intention de tout remettre en place le mardi soir pour qu'il ne devine jamais ce que j'avais fait. Mais il est revenu en avance. Le mardi après-midi. "Ellie ? m'a-t-il dit. Peux-tu m'expliquer ce qui s'est passé ? — Oh, je lui fais, c'est seulement que je voulais voir ce que ça donnerait si on avait davantage de place dans les tiroirs." C'est comme ça que les femmes se font une réputation de tête de linotte. Ce n'était pas que j'étais une tête de linotte, mais allez lui expliquer la vraie raison. »

Elle n'avait pas touché à sa salade. Delia ôta un bout de cartilage de crabe de sa bouche et le déposa sur le rebord de son assiette.

« En un sens, l'histoire de notre couple ressemble aux phases successives d'un deuil, poursuivit Ellie. Le refus, la colère... c'était bel et bien un deuil. J'allais à des soirées et je regardais autour de moi. Je me demandais si toutes les autres femmes connaissaient le même sort. Si non, comment réussissaient-elles à y échapper ? Et si oui, je n'étais peut-être qu'une pleurnicheuse. Peut-être était-ce une situation parfaitement banale dont tout le monde s'accommodait avec grâce. »

Elle finit par harponner une feuille de laitue. Elle la croqua au bout de sa fourchette de ses seules incisives à la manière d'un lapin, en fixant Delia de ses yeux bleus pleins d'espoir.

« Ça me rappelle Melinda Hawser, lui dit Delia. C'est une femme que j'ai rencontrée chez Belle à l'occasion de Thanksgiving. À l'entendre, je m'étais dit qu'elle serait divorcée à Noël ! Mais je la croise de temps à autre et elle est tout aussi mariée qu'auparavant. Elle a l'air parfaitement heureuse.

— Exactement. Du coup, on ne peut pas s'empêcher de se dire : *Est-ce que je n'aurais pas été heureuse, moi aussi ? Est-ce que je n'aurais pas dû m'accrocher ?* Et on se souvient des bons moments. Cette façon qu'il avait de me regarder me maquiller avant une soirée, il adorait tellement ça que j'avais à chaque fois l'impression de jouer les ensorceleuses. Et puis aussi après la naissance du bébé, pendant ces six semaines où on n'avait pas le droit de faire l'amour, on se contentait de s'embrasser, des baisers merveilleux... » À présent, les yeux bleus étaient noyés de larmes. « Oh, Delia, j'ai fait une erreur, n'est-ce pas ? »

Delia détourna pudiquement le regard vers une lampe de cuivre. « Il est encore temps de la réparer. Il vous suffit de sauter en voiture et de rentrer chez vous.

— Jamais, déclara Ellie en tamponnant le dessous de ses paupières avec sa serviette. Je refuse de lui donner cette satisfaction. »

Et que serait-il advenu d'elle si Ellie lui avait donné une autre réponse ?

Belle lui certifia qu'elle n'avait rien raté à Bay Borough. Rien de rien. « Mortel, un vrai tombeau, soupira-t-elle en conduisant d'une seule main languide. Sauf un petit chahut au conseil municipal — Zeke Pomfret veut supprimer le base-ball à compter de la prochaine fête de la ville et le remplacer par un lancer de fers à cheval ou quelque chose du même acabit, mais Bill Frick est contre. Rien de nouveau sous le soleil, hein ? Vanessa jure qu'elle avait deviné depuis le début ce qui se passait entre Horace et moi, mais je n'en crois pas un mot. Et puis on a fixé la date du mariage : le 18 décembre.

— Au moment de Noël ! s'étonna Delia.

— Je voulais un prétexte pour porter du velours rouge. »

Elles abandonnèrent derrière elles le scintillement des plages et traversèrent un paysage plus quelconque, plus sobre. Delia regarda défiler des villas décaties, suivies de vieilles fermes austères, puis ce fut un étal de maraîcher abandonné dont il ne restait plus qu'un tas de planches grises en putréfaction. Elle n'aurait jamais cru, la première fois qu'elle avait emprunté cette route, qu'un jour elle trouverait du charme à un tel décor.

Chez les Miller, la pelouse avait été tondue à ras et ses bords coupés au carré. Le moindre buisson se dressait au centre d'un cercle tout neuf d'écorces de bois. À l'évidence, Joel s'était retrouvé avec des loisirs à n'en savoir que faire. Dans la maison, le chat lui battit froid avant de s'accrocher à ses talons pour traîner d'un air culpabilisant, tandis que Delia faisait le tour des pièces désertes. En dépit de sa propreté, la maison avait une allure étrangement désolée. Ici et là, quelques signes subtiles trahissaient le célibataire : l'immense torchon suspendu au-dessus du robinet de la cuisine à la place de l'essuie-main habituel, la fine pellicule de graisse qui couvrait les boutons du four et les poignées de placard (ces petits coins que les hommes ne pensent jamais à nettoyer). Sur sa commode, un mot disait : *Delia, je suis allé chercher Noah. Ne préparez pas à dîner. Nous irons manger un morceau quelque part. J.* En outre, elle avait du courrier : une invitation rédigée à la main sur un bristol crème. *Driscoll Spence Avery et Susan Felson Grinstead vous invitent à venir célébrer leur mariage le lundi 27 septembre à 11 heures dans le salon des Grinstead. R.S.V.P.*

Que ne parvenait-on pas à décoder dans une petite vingtaine de lignes ! En premier lieu, l'écriture était celle de Susie (encre bleue, plongeant en pente abrupte) et les noms des parents ne figuraient nulle part — preuve indubitable qu'elle prenait tout en charge. Sam, toutefois, avait dû donner son consentement, puisque le mariage aurait lieu chez eux. La date choisie, en revanche, était plus énigmatique. Pourquoi septembre ? Pourquoi un lundi matin ? Susie avait-elle trouvé un travail ou non ?

Delia aurait aimé l'appeler pour le lui demander, mais elle ne s'en reconnaissait pas le droit. Il lui fallait répondre par courrier, comme tous les autres invités.

Il allait de soi qu'elle avait l'intention d'y assister.

Elle leva les yeux et croisa son visage dans le miroir de la commode — les yeux agrandis, le regard abattu, les taches de rousseur qui ressortaient avec éclat.

Lorsqu'elle avait appris que son premier enfant était une fille, elle avait été aux anges. Secrètement, elle souhaitait avoir une fille. Elle se voyait déjà l'habiller de petites robes à smocks. Mais Susie, en fait, avait tenu à porter des jeans dès qu'elle avait été en âge de parler. Elle s'imaginait partager avec elle des activités féminines (la couture, la pâtisserie, l'échange de produits de beauté), or Susie préférait le sport. Et loin du grand mariage en blanc où sa fille, enveloppée de dentelles anciennes, aurait été entourée de ses deux parents radieux qui se seraient joints (à la mode actuelle) pour la conduire à son futur mari, voilà que Delia se retrouvait dans une maison de la côte à se demander à quelle sorte de cérémonie sa fille pouvait bien la convier.

Noah semblait avoir grandi de cinq centimètres en colonie de vacances et les bracelets de macramé qu'il portait aux poignets mettaient en valeur l'allure carrée et le bronzage de ses mains. En outre, il avait pris l'habitude de ponctuer ses phrases d'un « tu connectes » qui avait le don d'exaspérer Joel. Ils étaient attablés chez Rick Rack, Joel et Noah d'un côté, Delia en face d'eux, si bien qu'elle voyait Joel tiquer alors même que Noah ne s'en apercevait pas.

« Crois-moi, finit par intervenir Joel. Je suis certes parvenu à saisir ce que tu voulais dire, mais personnellement je ne choisirais pas de formuler cela en jargon informatique.

— Hein ? Ouais bon, reprit Noah, à la colo, on nous faisait faire cinquante pompes tous les matins. Cinquante, tu connectes un peu ? Faut croire qu'ils voulaient avoir notre peau et se mettre les frais de séjour dans la poche. Du coup, moi et Ronald, on a été à l'infirmerie...

— Ronald et moi, l'interrompit Joel.

— Ouais bon, alors comme ça on a essayé de se faire dispenser. Mais cette patate d'infirmière a refusé. Elle nous a fait, genre...

— Elle nous a dit.

— Elle nous a dit, genre... »

Leurs plats arrivèrent — hamburgers pour Noah et Joel, sandwich au porc barbecue pour Delia. « Merci, Teensy, lança Noah.

— Il n'y a pas de quoi, répondit-elle d'un ton enjoué.

— Mrs. Rackley, si cela ne te dérange pas », objecta son père.

Noah jeta un coup d'œil à Delia. Elle se contenta de lui sourire.

« Papa se demandait où tu étais passée ces deux dernières semaines, dit Teensy à l'adresse de Delia.

— J'étais à Ocean City.

— C'est bien ce que je lui ai dit, mais il était incapable de s'en rappeler. Il a protesté. “Mais elle m'a même pas prévenu ! Elle est sortie d'ici et elle est partie comme ça !” Depuis quelque temps, il a la mémoire qui flanche de plus en plus.

— Oh, je suis désolée, compatit Delia.

— Il prétend que tout va tellement vite qu'il n'a pas le temps de comprendre. Alors Rick, il essaie d'être gentil, il lui répond : “Oh, je sais bien de quoi...”, mais papa, il lui fait : “Ne venez pas fourrer votre pif de Noir là-dedans ! — Papa !” moi je lui dis... »

Teensy s'interrompit en coulant un regard à Joel. « Enfin, soupira-t-elle. Il vaut sans doute mieux que je me remette au travail. »

Elle laissa tomber ses mains sur le devant de son tablier et s'éloigna précipitamment.

« Extraordinaire », observa Joel.

Il ne paraissait pas se douter une seule seconde que c'était son regard impassible qui l'avait fait fuir.

« Peut-être que Mr. Bragg devrait aller habiter à Senior City, suggéra Noah.

— Je ne pense pas qu'il en ait les moyens, répondit Delia.

— Il y a peut-être des aides. Ou des bourses, enfin genre, quoi. Tu connectes ? »

Joel roula des yeux exorbités.

« Enfin bon, reprit Noah en attrapant son hamburger. La fois d'après, moi et Ronald, on s'est dit qu'on allait faire semblant d'être blessés. Seulement, on pouvait pas le faire ensemble, ils auraient trouvé ça louche.

— Vous avez fait fausse route depuis le départ, trancha Joel. Rien ne sert jamais de recourir à un subterfuge.

— À un quoi ?

— À un subterfuge.

— C'est quoi, ça ? »

Joel dévisagea Delia de l'autre côté de la table. Il haussait tellement les sourcils que son front prenait des allures de velours mille-raies.

« Ton père veut dire quelque chose de caché, expliqua-t-elle. Quelque chose de sournois.

— Ah.
— Il veut dire que tu aurais dû t'opposer ouvertement à la règle établie. Ou du moins, c'est ce que je crois. » Elle attendait que Joel s'étende davantage sur le sujet, mais il demeurait bouche bée. « C'est bien ce que vous vouliez dire ? lui demanda-t-elle.
— Il ne sait pas ce qu'est un subterfuge ! » s'exclama Joel.
Elle dépiauta son sandwich et entama son coleslaw.
« Il n'a jamais entendu le mot subterfuge. Ne trouvez-vous pas cela incroyable ? »
Elle se refusa à répondre. Noah soupira : « Franchement, c'est pas grave.
— Pas grave ! répéta Joel. Mais qu'enseigne-t-on aux enfants de nos jours ? "Subterfuge" n'a rien d'un terme abscons, pour l'amour du ciel. »
Delia lut sur le visage de Noah la décision de s'abstenir de demander ce que signifiait « abscons ».
« Parfois, je me dis que le langage n'est plus qu'une petite boulette toute ratatinée, gémit Joel. Il est envahi par des mots de pacotille, alors que les vrais mots disparaissent. L'autre jour, j'ai découvert que l'intendant de la cafétéria ignorait ce qu'était la "coutellerie". Il m'a dit : "C'est quoi, ça ? "
— La coutellerie ? s'étonna-t-elle.
— Selon lui, c'est tombé en désuétude.
— Oh, sornettes ! protesta Delia. Tu sais, toi, ce qu'est la coutellerie », affirma-t-elle à Noah.
Il acquiesça d'un signe de tête, mais ne se risqua pas à faire étalage de ses connaissances.
« Vous voyez bien ! Ce n'est pas tombé en désuétude ! Teensy, peux-tu nous changer la coutellerie, je te prie ?
— Tout de suite. » Et derrière le comptoir, ils entendirent racler les couteaux.
Delia lança à Joel un regard triomphal.
« Bon, bon », dit-il.
Noah sourit jusqu'aux oreilles. « Bravo, Dee. » Même Joel se dérida.
Delia sourit également, reconstitua son sandwich et le tapota. Sa respiration vibrait d'un fredonnement souterrain — un fredonnement sans rime ni raison, tendre et ténu, qui n'était pas sans évoquer un ronronnement.

18

LE BÉBÉ DE BINKY naquit le premier lundi de septembre, le jour de la fête du travail — fort à propos, estima Nat. Il téléphona l'après-midi même pour annoncer la nouvelle. Sa voix enflait à mesure qu'il parlait et semblait sur le point de se briser. « Trois kilos neuf cent quarante, claironna-t-il. James Nathaniel Moffat.

— James ! s'exclama Delia. C'est un garçon ?

— C'est un garçon. Incroyable, non ? » Il poussa un de ces gloussements dans sa barbe dont il avait le secret. « Je ne suis pas sûr de savoir m'y prendre avec un garçon.

— Vous vous débrouillerez très bien, lui assura Delia. Noah est à un pique-nique pour le moment, mais il va être aux anges quand je le lui annoncerai. Comment va Binky ?

— À merveille. Elle a passé l'épreuve haut la main, tout comme James. Attendez un peu de l'avoir vu, Delia. Il a une petite bouille toute ronde, une bouille en forme de montre de gousset, et une masse de cheveux blonds, mais Binky dit que... »

À l'écouter, on n'aurait jamais cru qu'il avait vécu cette expérience quatre fois déjà.

Delia s'était beaucoup avancée en disant que Noah serait aux anges. Certes, il manifesta un vague intérêt — il voulut savoir à qui ressemblait le bébé et quelle avait été la réaction du comité de direction —, mais, lorsque vint le mercredi, il demanda s'il ne pouvait pas repousser la visite. Le collège avait rouvert ses portes et il tenait à aller aux sélections de l'équipe de lutte. Delia suggéra : « On jette un coup d'œil au bébé et puis je te dépose aux sélections, qu'est-ce que tu en penses ?

— On ne peut pas y aller demain, plutôt ?

— Demain, je donne des cours, Noah, et après-demain, il y a le thé des mères de bacheliers. Si tu tardes trop, ton grand-père va finir par croire que tu t'en fiches. Je leur passerai un coup de fil pour les prévenir que tu ne peux pas rester plus d'une minute.

— Bon, bon », fit-il à contrecœur.

Lorsqu'elle alla le chercher au collège, elle le vit qui essayait de pousser Jack Newell du trottoir à coups de coude et elle dut klaxonner pour attirer son attention. Il se dégagea, ouvrit la portière d'un geste brusque et se laissa tomber dans la voiture.

« Salut », dit-elle. Mais il se contenta de s'affaler sur son siège en vissant sa casquette de base-ball sur son crâne. Une fois sur l'autoroute, il lâcha : « C'est plus possible.

— Quoi donc ?

— Je ne peux quand même pas passer mon temps à aller voir des gens ! Maman, papi... Je suis en quatrième maintenant ! J'ai des activités importantes ! »

Cet « activités » avait des accents de coassement de grenouille. Delia le regarda. Sa voix était sur le point de muer, s'aperçut-elle. Oh, misère, voilà qu'elle se retrouvait une fois de plus avec un adolescent sur les bras.

Mais elle se contenta de lui suggérer : « Tu pourrais peut-être faire tes visites le week-end, maintenant.

— Le week-end, je sors avec mes copains ! Autrement, je rate le plus marrant.

— Écoute, Noah, moi, je ne sais pas. Parles-en à Nat et à ta mère.

— Et puis, tu pourrais pas descendre en dessous du cent cinquante ? J'aurai même pas le temps de leur en parler si je roule avec une foldingue au volant.

— Désolée. » Elle ralentit. « Regarde ce que j'ai trouvé pour le bébé. C'est sur la banquette arrière. »

Il se contenta de jeter un coup d'œil par-dessus son épaule sans prendre le paquet. « Tu ne peux pas tout simplement me dire ce que tu as acheté ?

— Une minuscule paire de tennis, de la taille d'un dé à coudre. »

Autrefois, rien n'aurait pu l'empêcher de regarder ce que c'était.

Le temps était froid et nuageux et des averses étaient prévues, mais pendant le trajet ils ne virent guère qu'une goutte ou deux de pluie sur le pare-brise. Noah écoutait une radio où des chanteurs hurlaient des insultes dans le micro, tandis que Delia chantait dans sa tête des chansons plus paisibles — une technique qu'elle avait mise au point avec ses propres enfants. Elle en était aux premières notes de *Let it Be* lorsqu'ils arrivèrent à Senior City.

« C'est une blague », soupira Noah.

À côté de la porte d'entrée se dressait une silhouette de cigogne d'un bon mètre vingt de haut. Découpée dans du bois, elle arborait un gilet bleu ciel et elle était chargée d'un paquet tout aussi bleu ciel. Des ballons, bleu ciel également, s'élevaient au-dessus du porche. Le panneau d'affichage du hall (qui d'ordinaire s'ornait de cartes de remerciements de convalescents et de feuilles d'inscription aux virées en car dans les boutiques de York) était recouvert d'instantanés couleurs d'un nourrisson tout juste né. Trois dames portant le foulard désinvolte de rigueur dans la résidence étaient plantées devant et étudiaient les photos en discutant de la signification de la taille des mains. L'une d'entre elles prétendait que lorsqu'un nourrisson avait de longues mains, cela signifiait qu'adulte il serait grand, une autre lui objectait que ce n'était vrai que pour les chiots.

Dans l'ascenseur, ils tombèrent sur Pooky qui effectuait un de ses trajets sans fin. Ce jour-là, cependant, elle semblait parfaitement consciente d'être parvenue au rez-de-chaussée et leur dit en enfonçant le bouton du deuxième : « Si vous vous dépêchez, vous arriverez à temps pour le rot.

— Ah, vous l'avez vu ? demanda Delia, tandis que l'ascenseur s'élevait.

— Deux fois, déjà. J'étais de celles qui se trouvaient dans le hall hier quand ils l'ont ramené de l'hôpital. J'espère que vous ne leur offrez pas des chaussures.

— Oh bien, plus ou moins, dit Delia.

— Jusqu'ici, il a eu des sabots suédois, des tongs de trois centimètres de long et des minuscules bottes de moto. Et cela, sans compter tout ce que nous avons tricoté. »

L'ascenseur s'arrêta avec un hoquet et la porte s'ouvrit. « Je vous aurais bien accompagnés, lança Pooky, mais il faut que je retourne chez moi mettre au point un système de sécurité pour enfant. »

Ce fut Nat qui leur ouvrit la porte. « Ah, vous voilà ! s'exclama-t-il. Entrez ! Entrez ! » Ce jour-là, il se servait de sa canne, mais ce fut d'un pas vif et élastique qu'il les conduisit dans la chambre. « James casse une petite croûte, leur annonça-t-il par-dessus son épaule.

— Voulez-vous que nous attendions ici ? demanda Delia.

— Non, non, tout le monde est en tenue décente. Bink, mon ange, c'est Noah et Delia. »

Binky était adossée à la tête de lit, habillée, mais sans chaussures. Le lange drapé sur son sein recouvrait le visage du bébé, ne laissant entrevoir qu'une petite oreille cramoisie et un crâne frisotté. « Oh, regardez-moi ça ! » chuchota Delia. Elle se sentait toujours le cœur en chute libre dès qu'elle apercevait un nouveau-né.

Noah, quant à lui, ne savait pas où poser les yeux. Il enfonça les mains dans ses poches arrière et se plongea dans la contemplation d'un recoin éloigné de la pièce, jusqu'à ce que Binky lui lance, en faisant un clin d'œil à Delia : « Tu veux le prendre dans tes bras, Noah ?

— Moi ? »

Elle souleva le bébé de sa poitrine en réarrangeant son lange. Les paupières closes, il esquissait de petits mouvements de succion nostalgiques de ses lèvres en cœur bien serrées. Le fait est qu'il avait de grandes mains avec de longs doigts diaphanes noués sous son menton. « Prends-le, dit Binky en le tendant à Noah. Maintiens bien l'arrière de sa tête, comme ça. »

Noah l'attrapa maladroitement comme un paquet mal ficelé.

« Il semble avoir un caractère très facile, déclara Binky en se reboutonnant. Il passe le plus clair de son temps à dormir, ce qui tient du miracle avec le défilé de visiteurs que nous avons eu. Ta mère a appelé, Noah. C'est gentil, non ? Très gentil. Aucune nouvelle des trois autres, mais j'espère...

— Oh, n'y pense plus, ma chérie, lui dit Nat. On se fiche bien d'elles. » Il secoua la tête avec colère, comme souvent lorsqu'il était question de ses filles. « Passons au salon. »

Ils lui emboîtèrent le pas — Noah, les bras chargés de James, avançant prudemment un pied après l'autre — et s'installèrent dans un fouillis inhabituel de chaussons, de châles en patchwork et de paquets-cadeaux. Déjà, l'appartement était imprégné de cette odeur moite et douce de talc pour bébé.

Binky extirpa les tennis de leur emballage, éclata de rire et les fit passer à Nat. Puis, à la demande de Delia, elle lui sortit les mini-bottes de moto. Un cadeau de ses fils, lui expliqua-t-elle. Ils feignaient d'être écœurés par leur mère, mais Peter avait séché les cours pour venir le lui apporter en personne. Ensuite, Nat leur raconta leur expédition à l'hôpital. (« Je lui ai dit : “Binky, je t'avais bien dit qu'on aurait dû aller dès le début au troisième.” » Et Binky réitéra le récit de l'accouchement qui s'était déroulé comme un charme, contrairement aux deux précédents. (« Je ne devrais pas raconter tout ceci devant des messieurs, s'excusa-t-elle, mais, même après la naissance de Peter, je n'ai jamais su à quel moment il fallait que je réagisse. Alors, la seule solution pour moi, c'est d'y aller toutes les deux heures, au cas où. »)

Noah avait franchement l'air nauséeux à présent, aussi Delia se leva-t-elle pour lui reprendre le bébé — prétexte pour sentir, ne fût-ce qu'un instant, la masse flasque et recroquevillée du petit corps — et le rendit à Binky. « Il faut que je dépose Noah à ses sélections, annonça-t-elle. Est-ce que je peux faire quelque chose pour vous ? Des provisions ? Des courses quelconques ?

— Non, Nat s'occupe merveilleusement bien de moi », répondit Binky.

Nat ne souffrait jamais autant que lorsqu'il était au volant, avait appris Delia, mais il semblait si fier de lui en cet instant qu'elle ne se sentait pas le cœur d'en parler.

La perspective du thé des mères de bacheliers plongeait manifestement Joel dans une grande inquiétude. Il devait regretter l'absence d'Ellie, se disait Delia — ses soirées à thèmes et autres réjouissances pleines d'inventivité. Mais, lorsqu'elle lui proposa d'appeler Ellie pour lui demander conseil, il protesta : « Et pourquoi cela ? Nous sommes tout de même capables d'organiser un simple thé, que diable.

— Oui, mais peut-être...

— Tout ce qu'il nous faut d'Ellie, c'est sa recette de sablés au citron.

— Des sablés au citron. Je lui demanderai.

— Ceux avec un glaçage dessus. Et puis aussi celle de ses sandwichs au concombre.

— Mais je sais faire des sandwichs au concombre, répliqua Delia.

— Oh. Oui, bien sûr. »

Ensuite, il abandonna le sujet — à contrecœur, sans doute.

Le vendredi après-midi, toutefois, il l'observa en dessinant des cercles autour d'elle tandis qu'elle installait le percolateur grand modèle sur le buffet de la salle à manger. « Il n'y aura que des femmes dans le groupe, annonça-t-il.

— C'est ce que j'avais cru comprendre. Des mères de bacheliers.

— Il y a bien un père, mais il est en voyage d'affaires. Ce sera donc cent pour cent femmes. »

Elle alla prendre de l'eau à la cuisine pour le thé. Il lui emboîta le pas. « Vous m'aiderez à leur faire la conversation, n'est-ce pas ? »

Elle n'en avait pas eu l'intention. Elle avait imaginé qu'elle passerait son temps à s'activer à la cuisine, comme ces discrètes gouvernantes des romans du XIXe siècle. Elle attendait cela avec une certaine impatience, à vrai dire. Elle hésita : « Euh...

— Je suis incapable d'affronter cela tout seul, Delia.

— Bien, je ferai mon possible. »

Mais il apparut qu'il aurait fort bien pu se passer de son aide.

Sur les quatorze femmes qui vinrent — deux par classe, moins le père en voyage et une mère retenue par ses obligations professionnelles —, toutes se connaissaient, pour la plupart depuis l'enfance, et les conversations eurent tôt fait de dériver sur des sujets si bien rodés qu'on aurait cru qu'elles utilisaient un langage codé. « Et Jessica, qu'est-ce qu'elle a décidé, finalement ?

— Exactement ce que nous pensions depuis le début.

— Zut alors !

— Oui, mais qui sait, ça finira peut-être comme l'histoire de la fille Sanderson.

— C'est bien possible, oui. »

Delia avait revêtu son tailleur bleu marine en supposant que les thés exigeaient que l'on soit habillé, mais les invitées étaient en pantalon, voire en jean, et l'une d'elles arborait un sweat-shirt proclamant « Vive le compost ». Elles manifestaient toutes une curiosité non dissimulée à son égard et ne cessaient de venir lui demander : « Vous vous plaisez ici ? Comment Noah réagit-il ? S'est-il bien adapté ? » Lorsqu'elle répondait, les voix à proximité faiblissaient, tandis que d'autres, plus lointaines, se rapprochaient. « Eh bien, déclara l'une d'elles, Mr. Miller doit être rudement content de vous avoir ! Et puis, vous donnez aussi des cours ! Vous vous occupez du jeune Brewster ! Le proviseur se plaint toujours de ne pas trouver suffisamment de professeurs de math. »

Désormais, elle savait ce que les nouvelles devaient éprouver le premier jour de classe. Mais elle répondit poliment, le sourire aux lèvres, en exhibant la théière comme un ticket d'entrée. Elle se plaisait beaucoup à Bay Borough, merci, Noah allait bien, elle avait davantage appris de ses élèves qu'ils n'avaient appris d'elle. Les remarques habituelles. Elle aurait pu les faire en dormant. Pendant ce temps, Joel bavardait avec deux dames à l'autre bout de la pièce, hochant la tête d'un air pensif et fronçant les sourcils de temps à autre. Son inquiétude semblait s'être envolée. Et lorsqu'elle s'approcha de lui en présentant une assiette de biscuits, il la félicita : « Vous vous en sortez très bien, Delia.

— Merci, répondit-elle en souriant.

— C'est peut-être le thé le plus réussi que nous ayons donné.

— Oh ! Les sablés au citron venaient d'Ellie, souvenez-vous. Elle a eu la gentillesse de... »

Sur ces entrefaites, une des dames demanda à Joel ce qu'il avait prévu pour la fête de la rentrée et Delia s'éclipsa dans la cuisine.

Elle remit de l'ordre, essuya les plans de travail, rangea des assiettes qui traînaient dans le lave-vaisselle. Puis elle attrapa le chat qui s'était réfugié sous la table pour lui faire un câlin et le gratter derrière les oreilles. Elle passa ainsi quelques instants à regarder la grande aiguille de la pendule murale se propulser littéralement en avant — de cinq heures dix-huit à cinq heures dix-neuf, puis à cinq heures vingt. Il était temps que les invitées se souviennent qu'elles devaient rentrer chez elles préparer le dîner. Et de fait, elle décelait un certain changement dans le brouhaha qui régnait — les accents aigus des adieux.

« Je croyais avoir pris mon sac ? »

« Est-ce que quelqu'un a vu mes clefs ? »

Et puis : « Mais où est Delia ? J'aimerais lui dire au revoir. »

Il lui fallut abandonner George pour une dernière apparition avant de les raccompagner à la porte. (« J'étais également ravie de faire votre connaissance. Mais je me ferai un plaisir de vous donner la recette. »)

Puis elle revint dans la salle à manger et Joel débrancha le percolateur tandis que la lambine de service (il y en a toujours une dans tous les cocktails) séparait méticuleusement les cuillères propres des cuillères sales. « Je vous en prie, protesta Delia. Laissez. Je préfère le faire à ma façon. » Comme ces formules d'autrefois lui revenaient vite : *J'ai ma façon de faire. N'y pensez pas. Ce ne sera rien.*

La dame, qui n'avait manifestement aucune envie de partir, resta plantée quelque temps à scruter les profondeurs de son sac comme si elle cherchait les instructions qui lui diraient où elle devait se rendre ensuite. Elle avait des triplés, Delia avait-elle entendu dire — trois garçons qui commençaient tout juste à conduire. Guère étonnant qu'elle ne se précipite pas chez elle. Elle finit par déclarer : « Merci à tous les deux. C'était délicieux. » Et elle décocha un sourire à Joel, en ajoutant à l'adresse de Delia : « Il est si serviable ! Si je demandais à mon mari de m'aider à faire de l'ordre, il me prendrait pour une folle. Il ferait mine d'être ébaudi et il s'en irait avec ses copains. »

Joel attendit qu'elle ait tourné les talons avant de grogner : « Ébaudi ! Décourageant, non ? »

Delia ne savait pas trop ce qui motivait son indignation. (Au moins, se dit-elle, il ne semblait pas avoir remarqué que la dame avait apparemment la conviction qu'ils formaient un couple.) Elle porta une pile de tasses à la cuisine et commença à les mettre dans le lave-vaisselle.

« Vous vous rendez compte de ce qui va arriver, soupira Joel en posant le percolateur sur un plan de travail. Petit à petit, de plus en plus de gens diront "ébaudi" à la place d'"ébahi", en se disant que ce n'est jamais qu'une version plus smart, de la même manière qu'ils croient que "simpliste" est la version smart de "simple". Et d'ici peu, cet emploi apparaîtra dans les dictionnaires sans même être assorti de la mention "contesté".

— Peut-être voulait-elle réellement dire "ébaudi", objecta Delia. Peut-être voulait-elle dire que son mari était amusé ; amusé qu'elle lui ait demandé de l'aider.

— Non, non. Jolie tentative, Delia, mais elle voulait bel et bien dire "ébahi". Tout change, dit-il. Nous sommes parvenus au point où nous sommes incapables de parler notre propre langue. »

Elle le dévisagea. Il enroulait le cordon autour du percolateur, avant qu'il ait été lavé ou même vidé. « Oui, j'ai remarqué que c'est là ce qui vous préoccupe le plus, lança-t-elle.

— Hmm ?

— La plupart du temps, ce ne sont pas des erreurs grammaticales — abstraction faite des plus évidentes, comme "moi et lui". Ce sont plutôt les nouveautés, les changements, comme "connecter", "tout chaud partout". »

Joel tressaillit. Delia se rappela trop tard qu'à sa connaissance il n'avait jamais fait allusion à ce « tout chaud partout » et que l'expression venait de l'interview d'Ellie. Elle s'empressa de poursuivre : « Mais, songez un peu, il est probable que la moitié de votre propre vocabulaire ne soit apparu qu'il y a peu de temps. Tenez, "smart", par exemple. Ces termes ont de bonnes raisons de surgir. "Bug", "groupie", "zoner", "zapper".

— Qu'est-ce que c'est que zapper ?

— Passer d'une chaîne à une autre. Mr. Pomfret l'employait tout le temps et je me disais : *Comme c'est... économique !* Cela ne vous arrive jamais, à vous, d'avoir envie de mots nouveaux ? Comme pour, pour...

— Les taches de rousseur, l'interrompit Joel.

— Les taches de rousseur ?

— Ces taches de rousseur qui sont plus petites que les autres, plus pâles. Comme de la poussière d'or.

— Et aussi, euh... les tomates, enchaîna-t-elle rapidement. Oui, les tomates. Vous avez les vraies et puis les autres, celles des supermarchés, qui sont de la même couleur que les gencives des dentiers. Elles mériteraient un tout autre nom.

— Et puis, il y a cet aspect nouveau que revêtent les gens lorsque vous commencez à les voir réellement. »

À cela, elle ne trouva rien à ajouter.

« Soudain, ils s'imposent avec une telle évidence à votre regard, poursuivit Joel. Subitement, vous avez l'impression de sentir battre chaque veine, chaque artère sous leur peau. Vous vous dites, elle est devenue... mais quel mot pourrait-on employer ? Quelque chose comme "texturé", mais une texture qui serait perceptible à la vision. »

Le brun de ses yeux s'était adouci et sa longue bouche s'était soudain ourlée d'une moue tendre.

« Seigneur ! s'exclama-t-elle en faisant volte-face en direction de la porte. Est-ce que c'est Noah ? »

Alors qu'en fait Noah se trouvait chez Ellie et n'était pas censé rentrer avant minuit. En plus, on le déposerait devant la maison et non à l'arrière.

Parfois, lorsque Delia songeait : *Plus que x jours avant le mariage de Susie*, elle était envahie d'une terreur moite. *Cela va être on ne peut plus embarrassant. Comment vais-je pouvoir les affronter ? On ne m'a pas appris à faire face à semblable situation*. Mais à d'autres moments, elle se disait : *Bah, ce n'est qu'un mariage, après tout. Il y aura tous ces gens pour nous servir de tampons. Je peux arriver comme une fleur et repartir aussi sec. Rien de plus.*

Pendant quelque temps, elle pensa que Susie lui demanderait peut-être de venir en avance, de plusieurs jours peut-être, pour l'aider aux préparatifs. Au moins ainsi n'aurait-elle pas le sentiment de n'être qu'une simple invitée. Chaque matin, elle se ruait pleine espoir sur le courrier, s'éclaircissait la gorge avant de répondre au téléphone, attendait pour prévenir Joel de savoir exactement combien de jours elle s'absenterait. Mais Susie ne lui demanda pas de venir.

Parfois, elle envisageait même de ne pas y aller. À quoi servirait-elle ? Elle ne leur manquerait même pas. Un jour ou deux après le mariage, l'un d'entre eux lancerait : « Hé ! Vous savez qui n'est pas venu ? Delia ! J'y pense à l'instant. »

À d'autres moments encore, elle s'imaginait qu'ils mouraient d'impatience de la voir. « Delia ! Maman ! » s'écrieraient-ils en se précipitant dans la véranda, laissant la porte claquer derrière eux pour se jeter dans ses bras.

Non, inutile d'y penser. Il était plus probable qu'ils lui demanderaient : « Qu'est-ce que tu fais ici, toi ? Tu t'imaginais que tu pouvais débarquer comme si de rien n'était ? »

Elle devait se rappeler d'apporter son invitation, au cas où sa présence poserait des problèmes.

Elle aborda le sujet devant Joel le dimanche, au petit déjeuner, après avoir attendu des nouvelles de Susie jusqu'à la dernière minute. Quoi qu'il en soit, le dimanche était un jour idéal, car Noah était là, engouffrant ses galettes de sarrasin. Il n'y avait guère de risque que la conversation prenne un tour trop pénible. « Joel, déclara-t-elle, je ne sais si je vous en ai parlé — elle savait pertinemment que non —, mais j'ai besoin de prendre ma journée demain.

— Ah ? » fit-il. Il baissa son journal.

« Je dois aller à Baltimore.

— Baltimore, répéta-t-il.

— Mais enfin, Delia ! protesta Noah. J'ai promis à mon entraîneur de lutte que tu nous amènerais, moi et des copains, au tournoi de demain.

— Eh bien, je ne peux pas.

— Oh, zut ! Comment on va faire ?

— Ton entraîneur trouvera bien une solution, intervint Joel. Si tu avais besoin des services de Delia, tu aurais dû commencer par la prévenir. » Cependant, il ne quittait pas Delia des yeux. « S'agit-il d'une... quelconque urgence ?

— Non, non, juste un mariage.

— Ah.

— Mais c'est un mariage auquel je tiens beaucoup à assister, un mariage de famille, voyez-vous, alors, je me suis dit que si vous n'y voyiez pas d'inconvénient...

— Non, non, pas le moindre, répondit Joel. Voulez-vous que je vous conduise à la gare routière ?

— C'est gentil, mais j'y vais en voiture. Il se trouve que Mr. Lamb passe par Baltimore en faisant sa tournée. »

Joel ignorait sans doute parfaitement qui était Mr. Lamb, mais il hocha lentement la tête en gardant les yeux rivés sur Delia.

« Bien ! s'exclama Delia. Je serai probablement de retour le soir même. Pour le dîner, peut-être, mais je ne peux pas en être sûre. Je rentrerai en car. J'ai donc laissé de la salade de poulet au réfrigérateur. Il y a une barquette de coleslaw de chez Rick Rack juste à côté, des biscuits dans le tiroir à pain... Mais je parie que je serai rentrée...

— Voulez-vous que j'aille vous chercher à votre car ?

— Non, Belle s'en chargera. Je l'appellerai une fois à Salisbury.

— Appelez-moi plutôt.

— Non, vraiment, je n'ai pas la moindre idée de l'heure à laquelle... ce sera peut-être tard dans la nuit, peut-être même le lendemain. Qui sait ?

— Le lendemain ! s'écria-t-il.

— Si jamais la réception se termine très tard.
— Mais vous revenez ? s'inquiéta-t-il.
— Bien sûr. »
À présent, Noah la dévisageait également. Il avait levé les yeux de sa galette et ouvrait la bouche. Mais aucun mot n'en sortit.

Vers midi, elle alla se promener avec l'intention de s'arrêter déjeuner au Bay Arms dès que sa cheville se fatiguerait. La matinée avait été pluvieuse, mais le soleil avait fait son apparition et la chaleur était si lourde qu'elle regrettait d'avoir pris un pull. Elle l'ôta et le balança à bout de bras avec désinvolture. Où qu'elle posât le regard, elle croisait apparemment une connaissance. Mrs. Lincoln lui fit signe des marches de l'église et T.J. Renfro lui lança dans le vrombissement de sa Harley : « Salut, prof ! » Sur ces entrefaites, elle tomba sur Vanessa et Greggie qui flânaient en cirés jaunes assortis. « Delia ! J'allais justement t'appeler, dit Vanessa. Ça te dirait de m'accompagner à Salisbury demain ?
— Oh, désolée, mais je ne peux pas. Je dois aller à Baltimore.
— Que se passe-t-il à Baltimore ?
— Eh bien, ma fille se marie. »
C'est également ce qu'elle avait annoncé à Belle, sans fournir d'autre précision, et voilà qu'elle éprouvait subitement le besoin de tout déverser. « Elle épouse son amoureux de toujours et j'ai le trac, je ne sais vraiment pas quelle attitude adopter au mariage, mais je tiens à être là. Son père pense qu'elle a tort de précipiter les choses car elle n'a que vingt-deux ans et moi, je crois...
— Vingt-deux ans ! Mais quel âge avais-tu quand tu l'as eue ? Douze ans ?
— Dix-neuf, répondit Delia. Je me suis mariée quasiment en sortant du lycée. »
Vanessa acquiesça d'un signe de tête, sans manifester la moindre surprise. La plupart des filles de Bay Borough devaient se marier au lendemain de leur bac. Être mère à dix-neuf ans ou peu s'en faut. Et égarer leur mari en chemin, à un moment ou à un autre. Vanessa se contenta de lui demander : « Qu'est-ce que tu lui offres comme cadeau de mariage ?

— Je me suis dit que j'allais attendre de voir ce dont ils ont besoin.

— C'est la meilleure solution, acquiesça Vanessa. Greggie, laisse cet insecte vivre sa vie ! C'est ce que j'ai fait pour cette amie qui s'est mariée. Je pensais lui acheter un batteur électrique, et puis je me suis dit, non, il vaut mieux attendre, et heureusement, parce qu'à la première visite que je lui ai faite, j'ai vu qu'elle n'avait pas une seule boîte Tupperware dans toute sa cuisine. »

Le visage de Vanessa, au-dessus du ciré, luisait d'une fine pellicule de sueur et ses yeux semblaient d'une pureté et d'une limpidité rares, le blanc quasiment bleuté. Delia fut prise d'une soudaine envie de la presser contre elle. « Oh, j'aurais adoré t'accompagner à Salisbury !

— Eh bien, ce sera pour une autre fois, répondit Vanessa. C'est là que nous achetons de l'orge pour la recette d'eau à l'aneth de mamie.

— L'eau d'aneth ? s'étonna Delia.

— C'est pour les bébés. Ça soulage les coliques, l'agitation de l'après-midi et les frayeurs nocturnes. »

Delia regretta qu'il n'existe pas d'eau d'aneth pour les adultes.

Elle rêva qu'elle se trouvait à Bethany et longeait la plage. Au lointain, elle apercevait une autoroute, une sorte de langue de sable qui allait en se rétrécissant, de plus en plus sombre, jusqu'au moment où elle se changeait en asphalte. Sa vieille Plymouth était là, chauffant au soleil. Sam lui tenait le bras pour la guider vers sa voiture. Il l'installait au volant, refermait doucement la portière derrière elle et se penchait par la vitre ouverte pour lui recommander d'être prudente. Elle s'éveilla et fixa la masse de particules d'obscurité qui fourmillaient au-dessus d'elle.

Elle entendit, provenant de la chambre de Noah, une toux sèche, répétée, plus violente au début de chaque quinte, comme s'il avait d'abord tenté de la refréner — une de ces exaspérantes toux nocturnes qui n'en finissent pas. Pendant près d'une demi-heure, elle hésita à se lever pour lui apporter les pastilles qui se trouvaient dans l'armoire à pharmacie. Peut-être allait-il cesser de tousser. Peut-être s'était-il endormi, auquel cas elle ne voulait pas le réveiller. Mais la toux se poursuivit, s'interrompant de temps à autre pour reprendre à l'instant même où elle se disait que c'était fini. Sur ces entrefaites, elle entendit une lame de parquet craquer et comprit qu'il ne dormait pas.

Elle se leva et alla ouvrir sa porte. « Noah », chuchota-t-elle.

Presque aussitôt, Joel se dressa devant elle. Elle le vit moins qu'elle ne sentit sa présence, à la manière des aveugles, dit-on — une forme haute, dense, compacte, dégageant de la chaleur, alors que son pyjama d'une pâleur lunaire émergeait peu à peu de l'ombre du couloir dépourvu de fenêtres.

« Oui, Delia ? » murmura-t-il.

Il s'était mépris, pensa-t-elle. À l'oreille, il était aisé de confondre « Noah » et « Joel ». Cela se produisait souvent lorsqu'elle les appelait l'un ou l'autre pour leur passer une communication. « J'ai cru entendre Noah, expliqua-t-elle.

— J'allais justement le voir.

— Oh.

— Je vais aller lui chercher les pastilles contre la toux.

— Très bien. »

Mais ni l'un ni l'autre ne fit un geste.

Puis il avança d'un pas et prit sa tête entre ses mains. Elle leva le visage en fermant les yeux et se sentit tirée à lui, enveloppée, encerclée, tandis qu'il pressait ses lèvres sur les siennes en couvrant ses oreilles de ses paumes, tant et si bien qu'elle n'entendait plus que l'afflux de sang dans ses veines.

Le sang et la subite quinte de toux de Noah.

Ils s'écartèrent. Delia recula dans sa chambre, tendit une main tremblante vers la porte et s'enferma à double tour à l'intérieur.

19

LA VOITURE DE MR. LAMB était une Maverick verdâtre avec un pare-chocs orange et un portemanteau en guise d'antenne. À l'intérieur, la banquette arrière était couverte de maquettes de fenêtres — pourvues de montants en bois, à guillotine, d'une petite trentaine de centimètres de haut tout au plus. Les petites filles du voisinage passaient leur temps à le supplier de les laisser jouer avec. Quant à son coffre, il était tapissé de panneaux de plastique transparent, si bien que lorsque Delia se pencha pour y déposer sa valise, elle eut l'impression de se retrouver au bord d'une pièce d'eau miroitante. Mr. Lamb lui annonça que le plastique était quasiment indestructible.

« Faites glisser votre valise dessus, dit-il. Ça ne laissera pas de trace. C'est sur ce point que nos produits battent tout ce qui se fait sur le marché. Quand je vais chez des gens qui ont des animaux, un de mes trucs favoris, c'est de poser un carré de Rue-Ray par terre et de laisser leur chat ou leur chien marcher au beau milieu en se faisant les griffes dessus. »

Le Rue-Ray, avait appris Delia, tirait son nom du couple qui dirigeait la société, Ruth Ann et Raymond Swann. Ils habitaient dans Union Street, juste au-dessus de leur atelier, et Mr. Lamb était leur unique représentant. Elle tenait ces détails de Belle, mais cependant, elle ne pouvait toujours pas s'empêcher d'avoir envie de rire au son de ces deux R laborieusement roulés.

Elle jugeait également comique que Mr. Lamb s'avérât si loquace. Avant même d'avoir atteint l'A50, il était passé des doubles fenêtres (leur capacité d'insonorisation) au cadeau de mariage qu'il projetait d'offrir à Belle (un ensemble intégral de

Rue-Ray, complètement installé), en passant par la philosophie du métier de représentant de commerce. « Ce qu'il ne faut surtout pas oublier, déclara-t-il en dépassant un tracteur, c'est que les gens aiment suivre une procédure dans l'ordre. À chaque métier, sa série d'étapes successives. Par exemple, la serveuse tient à vous donner votre addition avant que vous ne lui tendiez votre carte de crédit. Le garagiste insiste pour vous décrire en détail votre pompe à carburant avant que vous lui demandiez de faire la réparation. Alors, moi, à mes clients, je leur demande : "Vous avez remarqué des courants d'air ? Les pièces exposées au nord sont-elles plus froides que celles qui sont en plein sud ?" Moi, je sais bien qu'ils les ont remarqués, les courants d'air. J'entends leurs satanées fenêtres claquer tandis que je leur parle. Mais si je laisse les gens décrire les symptômes avant — s'ils me racontent comment, la nuit, il fait tellement froid dans la chambre du bébé qu'ils sont obligés de lui mettre un de ces nids d'ange avec des rabats pour les mains —, eh bien, ils ont l'impression que les choses ont été faites dans les règles, vous voyez ? Et du coup, j'ai plus de chances de décrocher une vente. »

Malheureusement, il était de ces conducteurs qui éprouvent le besoin de regarder la personne à laquelle ils s'adressent. Il fixait Delia de ses yeux éteints profondément enfoncés dans leur orbite en démanchant son cou décharné dans le col de sa chemise tandis qu'elle gardait le regard collé à la route, comme pour compenser. Elle vit approcher une colonne de cyprès, un motel depuis longtemps abandonné qui s'étirait au ras du sol comme un poulailler déserté, puis un ruban de forêt empli de brouillard où des nuages entiers semblaient piégés dans une toile d'araignée tissée de branchages. Seules quelques feuilles ici et là avaient pris une vague teinte orangée et elle imaginait sans peine que c'était encore l'été, l'été de l'année précédente, peut-être même, et qu'elle n'avait pas perdu l'année qui venait de s'écouler.

« Les trois quarts de la population ne se rendent pas compte que les représentants de commerce réfléchissent à ce genre de considérations, expliquait Mr. Lamb. Mais les représentants sont des gens qui réfléchissent beaucoup, vous verrez. Moi, je dis que c'est à force de passer leur temps sur les routes. Belle voulait qu'on prenne la voiture pour notre lune de miel, mais je lui ai dit que je n'étais pas sûr de pouvoir suffisamment me concentrer sur elle avec toutes les idées qui me passent dans la tête. »

Delia fit « hmm... », puis, estimant qu'elle ne participait pas assez à la conversation, elle ajouta : « Moi, j'ai passé ma lune de miel en voiture.

— Ah oui ? »

Elle s'était surprise elle-même. Elle faillit se retourner pour voir qui venait de divulguer cette information. « Autant que je me souvienne, je ne crois pas que notre concentration s'en soit trouvée entamée. »

Il la lorgna du coin de l'œil et elle émit un toussotement forcé. Sans doute y avait-il vu quelque réflexion osée. « Mais évidemment, mon mari n'avait pas votre expérience du volant, ajouta-t-elle.

— Ah, ça non. Bien peu de gens peuvent s'en vanter. »

À l'époque, Sam avait une voiture pourvue d'une banquette à l'avant et Delia avait fait le voyage collée contre lui. Il conduisait de la main gauche, la droite posée sur ses cuisses, et la chaleur constante de ses doigts mollement serrés sur ses genoux gainés de nylon l'irradiait tout entière. Elle toussota de nouveau et regarda par la vitre.

Les maisons qui défilaient étaient arbitrairement plantées dans le décor, comme autant de maisons de Monopoly. Plus elles étaient petites, semblait-il, plus les jardins foisonnaient de bassins pour oiseaux et de cerfs en plastique, plus les parterres de fleurs étaient soignés et plus grande l'antenne satellite. Un étang marron glissa sous ses yeux, étranglé de troncs d'arbres aux allures de grappins. Puis ce fut à nouveau les bois. Du temps où Delia était jeune fille, le seul mot de bois avait des accents peu convenables. « Untel est allé dans les bois avec Unetelle » était alors une formule des plus scandaleuses et la seule vision de chemins sinueux ombragés de feuillages faisait encore surgir des images de... Enfin.

Seigneur, mais que lui arrivait-il ?

Elle se força à ramener son esprit sur Mr. Lamb. Il parlait apparemment de chiens. Il disait qu'après leur mariage ils se décideraient peut-être à en prendre un, et il se mit à discourir sur les différentes races. Les golden retrievers avaient le caractère doux, mais ils étaient trop bêtes, décréta-t-il. Les labradors, eux, avaient tendance à balayer les bibelots à grands coups de queue ; quant aux bergers allemands...

Peu à peu, le paysage changea, et l'atmosphère qui s'en dégageait aussi. Aux environs d'Easton, elle commença à remarquer des librairies et des concessionnaires de voitures européennes, commerces inconnus à Bay Borough, et, lorsqu'ils atteignirent Grasonville, la route était passée à six voies express qui longeaient de gigantesques immeubles, des boutiques de cadeaux clinquantes et des marinas hérissées de mâts.

Mr. Lamb finit par jeter son dévolu sur un colley. S'il avait un de ces longs museaux fins, il l'appellerait peut-être Pinocchio. Ils traversèrent le pont de Kent Narrows suspendu à une hauteur vertigineuse au-dessus de terrains marécageux. Delia se rappela que la traversée du Kent Narrows prenait parfois près d'une heure — ce qui laissait largement le temps de descendre de voiture pour se dégourdir les jambes et, si l'envie vous en prenait, d'acheter une pastèque —, mais c'était à l'époque du vieux pont tout décrépi. Cette fois, ils le franchirent en un rien de temps, filant à toute allure à travers une jungle de dépôts d'usine, de centres commerciaux déserts et de nouveaux lotissements avec MAISONS TÉMOIN ! DÉCORATION INTÉRIEURE SOIGNÉE ! Puis surgirent les deux ravissantes et fragiles arches jumelles de Bay Bridge, luisant au lointain telle une vision de rêve, tandis que Mr. Lamb décrétait qu'il laisserait peut-être Pinocchio avoir une portée avant de la faire opérer.

Le paysage semblait si vert et si luxuriant après la pâleur astiquée de la côte ! Delia fut surprise lorsqu'ils bifurquèrent sur une A97 dont elle n'avait jamais entendu parler, mais elle se détendit à la vue de la surface lisse d'une chaussée flambant neuve que ne bordait encore aucun commerce de camelote.

À croire qu'elle était partie depuis des décennies.

Mr. Lamb dit que Belle avait une peur bleue des chiens, mais qu'à son avis cela se passait dans sa tête. Où voulait-il que cela se passe, s'interrogea Delia, non qu'il lui laissât le temps de lui poser la question. Il ajouta que les femmes se mettaient de ces idées dans le crâne, parfois. Delia sourit intérieurement. Elle trouvait drôle de constater à quelle vitesse il s'était fait à l'idée de son bonheur.

La voie express Baltimore-Washington était tellement encombrée que Delia se recroquevilla sur elle-même, comme s'ils avaient ainsi plus de chance de se faufiler entre les voitures. Puis sous ses yeux apparut la ligne d'horizon de Baltimore — ses cheminées, ses rampes et ses bretelles aux allures de spaghetti, ses gigantesques cuves à pétrole. Ils abordèrent les premières usines aux vitres grises et les entrepôts de métal rouillé. Tout avait un aspect si industriel — même le nouveau stade de football, avec ses traverses géométriques et ses squelettes illuminés.

« Mr. Lamb, enfin, euh... Horace, dit-elle. J'ignore quelle est votre direction, mais vous n'avez qu'à me déposer à la gare, je prendrai un taxi.

— Belle m'a bien spécifié de vous déposer pile devant votre porte.

— Mais il n'est que... » Elle jeta un coup d'œil à sa montre. « Il n'est pas même dix heures, et je ne dois y être qu'à onze heures.

— Non, non, vous ne bougez pas d'ici. Belle ne me le pardonnerait jamais. »

Elle aurait bien voulu discuter mais elle craignait que sa voix ne tremble. Soudain, elle se sentait gagnée par la panique. Elle regrettait de ne pas avoir mis une autre robe. Le temps était si maussade qu'elle ne s'attendait pas à trouver une telle chaleur et, avec sa robe vert forêt, elle était bien trop couverte. Et puis, elle faisait trop... Miss Grinstead. Heureusement, toutefois, elle avait emporté d'autres vêtements avec elle. (Elle s'était demandé ce qui était pire : avoir une tenue inappropriée ou arriver au mariage en traînant une valise, et, comme la plus timorée des collégiennes, elle avait opté pour la valise.) Peut-être une fois arrivée à demeure pourrait-elle foncer se changer dans une chambre inoccupée.

Mr. Lamb lui posait une question. Quelle rue prendre. « Charles Street », répondit-elle en économisant ses mots. Manifestement, ses poumons manquaient d'air.

La ville lui paraissait si familière ! Surannée, lovée sur elle-même. Après toutes ces autoroutes, Charles Street donnait l'impression de serpenter entre les hauts buildings comme un ruisseau au creux d'un ravin.

Elle ouvrit son sac pour vérifier qu'elle n'avait pas oublié l'invitation de Susie. Oui, elle était bien là, à l'abri.

À présent, Mr. Lamb admirait le campus de l'université John Hopkins. Un cousin à lui l'avait fréquentée pendant un semestre. « Ah oui, vraiment ? » murmura Delia. Lui n'avait pas eu la chance de pouvoir faire des études supérieures, bien qu'il eût certainement su en tirer profit.. Delia aurait aimé qu'il se taise. Il était d'une telle incongruité, d'une telle étrangeté. Elle ne cessait d'avaler sa salive, mais sa gorge restait obstruée.

Lorsqu'elle lui demanda de tourner à gauche, il la fit répéter. « Hein ? » On aurait dit un vieillard sourd. Un exaspérant vieillard sourd.

À un feu rouge de Roland Avenue, approcha une joggeuse aux longs cheveux bruns enroulés en chignon au sommet du crâne, qui courait en enserrant délicatement de la main droite deux doigts de la gauche. Un monsieur en jaquette d'équitation en tweed traversa la rue avec à ses talons un minuscule chihuahua. « Tenez, même si on me payait, j'aurais jamais un chien pareil, déclara Mr. Lamb. Autant avoir un moustique. » Il régnait une lumière verte, fluorescente, comme si un orage se préparait.

Elle lui indiqua la rue où il fallait tourner, la maison devant laquelle se garer. (Était-ce ainsi que leur maison apparaissait aux yeux des étrangers : aussi brunâtre, voûtée, sévère ?) Elle lança : « Je vais sortir mes affaires moi-même, si vous voulez bien déverrouiller le coffre. » Mais non, il fallut qu'il s'extraie de la voiture et en fasse le tour, le tout pour mettre un temps fou à extirper sa valise. « Merci ! Au revoir ! » dit-elle. Mais il la retenait encore. Il restait planté là à contempler la maison en se balançant légèrement dans ses longues chaussures éraflées.

« La ronde, on vous la ferait sans problème, dit-il.

— Pardon ?

— Le petit œil-de-bœuf, là-haut, c'est quoi, juste au-dessus d'un escalier ? Chez Rue-Ray, c'est leur spécialité, les œils-de-bœuf.

— C'est bien », répondit-elle en lui serrant la main pour l'engager à partir. Mais il se passa une chose curieuse. Tenant entre les siens ses doigts aux allures de brindilles, croisant du regard la mélancolie de son sourire chevalin, elle se surprit inexplicablement à le regretter. Elle fut saisie d'une envie subite de remonter en voiture à ses côtés pour poursuivre la route avec lui.

Quatre véhicules étaient garés dans l'allée : la Buick de Sam, une fourgonnette mauve cabossée, la Volvo d'Eliza et un petit coupé sport rouge. Le mûrier éparpillait déjà ses feuilles à l'aspect mâché et il lui fallut éviter les glands tombés dans l'allée principale. Manifestement, personne n'avait songé à balayer.

Les persiennes avaient été réparées. Les nouvelles lames étaient d'une couleur différente, cependant — d'un marron plus pâle, plus neutre, comme si elles avaient reçu une couche d'apprêt avant d'être oubliées. Un paillasson flambant neuf trônait en haut du perron de la véranda et la porte d'entrée était flanquée d'un pot de chrysanthèmes jaunes enveloppé de papier aluminium.

Frapper ou entrer ?

Elle frappa. (D'une certaine manière, il lui aurait paru excessif de sonner.) Pas de réponse. Elle frappa plus fort. Finalement, elle tourna la poignée de la porte et risqua la tête dans l'embrasure. « Il y a quelqu'un ? »

Pour une maison où devait se dérouler un mariage dans moins de quarante minutes, elle ne semblait guère accueillante. Le vestibule était désert ainsi que la salle à manger, bien que la table (comme Delia s'en aperçut en s'aventurant à l'intérieur) fût couverte d'une nappe blanche. Elle posa sa valise en projetant de diriger ses pas vers la cuisine mais, sur ces entrefaites, Eliza en sortit, chargée d'une quelconque boisson chaude. Elle était si concentrée sur sa tasse qu'elle mit une seconde avant de remarquer la présence de Delia. « Oh, fit-elle en s'arrêtant net.

— Je suis en avance, je sais.

— Oh, Delia ! Dieu merci, tu es là !

— Que se passe-t-il ? » demanda Delia. Elle était certes inquiète, mais aussi soulagée de constater que l'on avait besoin d'elle.

« Susie a changé d'avis », lança Eliza par-dessus son épaule. Elle s'acheminait vers l'escalier.

Delia attrapa sa valise et lui emboîta le pas. « Elle ne veut plus se marier ?

— C'est ce qu'elle prétend.

— Et depuis quand ?

— Ce matin », répliqua Eliza en commençant à grimper les marches.

Elle était vêtue de neuf d'une robe trapèze magenta — Delia n'aurait jamais pu imaginer que sa sœur puisse s'acheter une robe pareille — avec des escarpins de cuir dont les talons claquaient sur les marches. « Elle a passé la nuit dans son ancienne chambre, lui expliquait-elle, et ce matin, quand nous sommes arrivées, j'ai demandé à Sam : "Mais où est donc Susie ? Elle n'est pas encore levée ?", c'est alors qu'il m'a dit... »

Delia se sentait désorientée. L'ancienne chambre de Susie ? Mais où se trouvait la nouvelle ? Et qui était ce « nous » ? Et puis d'où venaient-ils ? »

Il n'y avait pas de trace de Sam. Pas la moindre.

Elles étaient parvenues à l'étage et Eliza, portant sa tasse à deux mains, se faufila par la porte entrouverte de la chambre de Susie.

« Regardez qui je vous amène ! » lança-t-elle. Delia posa sa valise et entra à sa suite.

D'abord, ce fut l'état de la chambre qui la frappa : la pièce envolantée, fleurie, submergée de chintz depuis l'époque où Linda l'occupait, n'était plus qu'un cube vide, sans rideaux ni tapis pour l'adoucir, dont le mobilier se réduisait à un lit pliant et une ignoble commode à coins arrondis provenant du grenier. Susie en pyjama rayé était assise en tailleur au beau milieu d'un amas de couvertures. Autour d'elle — également installées sur le lit, mais habillées, peut-être même un peu trop — se trouvaient Linda, les jumelles et une jeune femme boulotte dont Delia avait le nom sur le bout de la langue. À son entrée, elles levèrent une rangée de visages sur le qui-vive, mais Delia n'avait d'yeux que pour Susie. « Maman ?

— Bonjour, ma chérie. »

Elle se pencha vers sa fille pour l'étreindre et s'imprégner de ce parfum aux effluves d'aneth qui n'appartenait qu'à Susie. Sans la lâcher, elle prit place sur le lit à ses côtés.

« Maman, je ne veux pas me marier, déclara-t-elle.

— En ce cas, ne te marie pas, lui répondit Delia.

— Delia Grinstead ! glapit Linda. Si tu le permets, nous essayons de lui faire entendre raison ! »

Linda portait des lunettes à double foyer — une nouveauté. Les jumelles avaient encore grandi de plusieurs centimètres et, à en juger d'après leur tenue — des robes en dentelle empesée couleur menthe à l'eau qui flottaient autour de leurs corps efflanqués —, elles devaient être demoiselles d'honneur. Elle les voyait toutes de manière si détaillée, si étrangement distincte ! Elle ne s'expliquait pas pourquoi. Ses yeux revenaient sans cesse sur Susie, sans pouvoir se lasser de la vision de ses cheveux en bataille, de la tendre courbe de son menton rond, de sa lèvre inférieure pulpeuse.

L'autre jeune femme était également vêtue de dentelle menthe à l'eau. La sœur de Driscoll. Voilà. Spencer ? Spence. La sœur de Driscoll Spence Avery, Spence Driscoll Avery. « Il est arrivé la même chose à ma cousine Lydia, disait-elle. Elle a pleuré d'un bout à l'autre de l'allée de St David, et maintenant elle est heureuse comme tout et son mari est une huile à Washington.

— Ce qui me tue, soupira Susie (“ze qui be tue”, prononça-t-elle comme si elle avait pleuré auparavant), c'est qu'on vient tout juste de signer un bail de deux ans pour un appart chicos du côté du port. J'essaie de joindre l'agent immobilier depuis hier soir, mais à chaque fois je tombe sur son répondeur. Je préfère ne pas lui dire pourquoi j'appelle, parce qu'il risque de ne pas rappeler, je me dis que si seulement je pouvais discuter avec lui... J'ai déjà laissé trois messages différents. Je lui ai dit que c'était urgent. Je l'ai prié de me rappeler dès que possible. Mais il ne m'a pas rappelée ! Il est dix heures passées, il n'a toujours pas rappelé et je me retrouve coincée à jamais avec ce fichu appart sur les bras ! »

Elle gémissait à présent. « Allons, allons, la calma Eliza, prends donc un peu de thé. » Et Linda ajouta : « Mais bon sang, Susie, l'agent immobilier est bien le cadet de nos soucis. »

Delia intervint : « Je m'en occupe, Susie. Donne-moi son numéro et j'appellerai jusqu'à ce que je réussisse à l'avoir.

— Tu ferais ça ? » Susie se leva d'un bond et s'approcha de la commode avec une traîne de couvertures. « Une minute, je vais te trouver son... Tiens. Mr. Bright, il s'appelle. Dis-lui que je suis désolée, je sais bien que je lui ai assuré que nous le voulions, mais je le supplie de me laisser sortir de ce pétrin s'il a une once de bonté humaine.

— Tu risques de perdre ta caution, déclara Delia en examinant la carte de visite que lui tendait Susie.

— Delia ! Franchement ! s'écria Linda. Est-ce qu'on pourrait revenir à ce qui nous préoccupe ici ?

— Je ne me marie pas, tante Linda. Alors, pourquoi perdre du temps à en discuter ? Est-ce que quelqu'un a vu mon jean ? »

Elle arpentait la pièce, fourrageant sous le lit, soulevant un tee-shirt. Le parquet était incroyablement brillant, ne put s'empêcher de remarquer Delia. Elle se rappela alors les vitrificateurs venus l'année précédente pendant leur séjour à la mer et se sentit encore plus étrangère. L'allure guindée, elle posa son sac à main sur ses genoux en essayant de se faire aussi petite que possible. Mais elle n'échappa pas à l'attention de Linda. « Dis-lui, Delia, lança-t-elle.

— Quoi donc ?

— Que toutes les futures mariées en passent par là. »

Ah oui ? Delia n'avait pas connu cela. Avant de se marier, sa seule crainte était que Sam meure sans même qu'elle ait eu le temps de devenir sa femme. *Un fiancé assassiné à la veille de son mariage*, titreraient les journaux, ou encore : *Tragique accident sur le chemin de l'église*, et Delia raterait l'occasion de vivre le bonheur parfait.

Car elle n'avait jamais douté, fût-ce un instant, que ce serait le bonheur parfait.

À présent, Susie s'habillait en se tournant nonchalamment vers le mur pour ôter son haut de pyjama et agrafer un soutien-gorge aux coutures grises. (Habituée aux vestiaires, elle n'éprouvait manifestement aucune gêne à se déshabiller en public.) Son dos à la magnifique couleur caramel avait la robustesse d'un tronc d'arbre. Elle enfila un tee-shirt, libéra ses cheveux d'un mouvement de tête, s'approcha d'un pas désinvolte d'une valise posée à terre et se pencha pour en étudier le contenu.

Tous les yeux étaient tournés vers elle. Finalement, Eliza, qui n'avait pas lâché sa tasse, lança : « Susie a une très jolie robe de mariée, n'est-ce pas, Susie ? Montre ta robe à ta mère.

— Elle est tarte au possible », répondit la jeune fille. Elle traversa cependant la chambre pour aller ouvrir en grand le placard. Des flots de mousseline blanche en jaillirent. Les jumelles se levèrent d'un même bond, comme mues par des ficelles, et s'envolèrent vers la robe, les lèvres entrouvertes. Susie claqua la porte, laissant dépasser un triangle blanc vaporeux du côté des gonds.

« Et ton voile ? Montre-lui donc ton voile », la supplia Eliza.

Docile, Susie se dirigea lourdement vers la corbeille à papier et en extirpa des lambeaux de tulle et une couronne de roses tailladée en pièces.

Ses deux tantes en eurent le souffle coupé. Spence s'exclama : « Seigneur tout-puissant !

— Si vous le voulez bien, je vais l'essayer pour vous », déclara Susie. Elle ajusta la couronne autour de son cou, inclina la tête d'un côté et ferma les paupières à demi en tirant la langue.

« Susan Grinstead ! glapit Linda.

— Bien, fit posément Susie en ôtant la couronne. Hier soir, avec Driscoll, on était là en bas, à regarder un film. Toute la famille avait fait un foin de tous les diables pour que je passe ma dernière nuit de jeune fille sous le toit de mes aïeuls.

— Qu'aurait-on pensé autrement ? » protesta Linda.

Susie laissa tomber sa couronne dans la corbeille. « Alors, on était là tous les deux dans le bureau, comme autrefois, poursuivit-elle, quand le téléphone sonne. C'était une voix de lycéen. À l'entendre, on devinait tout de suite qu'il avait pris son courage à deux mains pour appeler. Il s'éclaircit la gorge et puis il dit : "Euh... Oui ! Bonsoir. S'il vous plaît, est-ce que je pourrais parler à Courtney, s'il vous plaît ?" Je lui réponds qu'il a dû se tromper de numéro. Moins de dix secondes plus tard : *dring !* Le même. "Euh... bonsoir. S'il vous plaît, est-ce que je pourrais... — Vous avez dû faire un faux numéro", je lui dis. On venait à peine de se réinstaller — Driscoll avait loué *Freddy* ; à son avis, c'est le plus grand film de tous les temps —, quand, ça ne rate pas : *dring ! dring !* Driscoll me dit : "Bouge pas, je m'en occupe." Il décroche. "Ouais ?" il fait. Il écoute une minute et il dit : "Pas de bol, mon vieux. Courtney ne veut rien avoir à faire avec toi." Et sur ce, il lui raccroche au nez.

— Oh ! Quelle méchanceté ! » s'écria involontairement Delia. « Tss-tss », fit Eliza. Puis tous les yeux se tournèrent vers la sœur de Driscoll. « Désolée, Spence, ajouta Delia, mais franchement ! Le pauvre !

— Oui, ce n'était pas très gentil », admit Spence d'un ton suffisant. Elle étala sa jupe autour d'elle. « Mais que veux-tu, Susie, les hommes sont comme ça.

— Les hommes ne sont pas comme ça, rétorqua Susie. Ou alors, raison de plus pour ne pas se marier du tout. En tout cas, moi, je n'épouse pas Driscoll. Et je t'interdis de le défendre, Spence Avery ! Quoi que tu dises, rien ne pourra le faire remonter dans mon estime après ça. »

Thérèse intervint : « Et il ne peut pas faire des excuses ?

— Des excuses à qui ? Pas à moi. Ce n'est pas moi qui suis blessée dans l'histoire. Non, tout est clair maintenant », déclara

Susie en errant dans la chambre comme une âme en peine, en tee-shirt et bas de pyjama. Elle s'arrêta devant le miroir pour tirer sur une poignée de cheveux. Puis elle continua à déambuler. « Tous ces détails sur lesquels je me suis efforcée de fermer les yeux depuis tout ce temps. Tenez, quand on se prépare à sortir, par exemple, et qu'il me dit : "Comment tu me trouves ?" je lui réponds : "Très bien", et lui, il se contente de dire "Merci", sans jamais penser à me dire comment il me trouve, moi. Ou encore, quand je lui parle d'un truc qui s'est passé, il ne me laisse jamais le raconter à ma façon. Il faut toujours qu'il m'interrompe pour, comme qui dirait... tout rediriger. Si je dis : "Il y a une patiente de papa qui est venue à la boutique aujourd'hui...", tout de suite, lui il fait : "Attends, minute, tu sais qui sont les patients de ton père ? Ce n'est pas une violation du secret médical, ça ?", et puis : "Au fait, elle a demandé une marque précise ou non ?", ou encore : "Tu aurais dû lui répondre que...", jusqu'à ce que moi, j'aie envie de lui crier : "Taistoi, tais-toi, laisse-moi donc finir cette histoire que je n'aurais jamais dû commencer à te raconter !" Et d'ailleurs, en parlant de ma boutique...

Quelle boutique ? aurait demandé Delia si elle n'avait craint de faire comme Driscoll.

« Il ne m'a jamais soutenue dans ce projet. Oh, sauf au tout début, bien sûr, parce qu'il pensait que ce n'était qu'un caprice. Il se disait que ça me passerait. Mais quand j'ai emprunté de l'argent à mamie... »

Eleanor avait prêté de l'argent à Susie ? (Eleanor ne croyait pas aux prêts financiers.) Susie avait dû remarquer la stupéfaction de Delia, car elle ajouta : « Oh, j'ai monté une petite affaire. J'ai appelé ça La Maison en Boîte.

— Une adorable petite boutique ! intervint Linda.

— Il y a même eu un article dans le *Baltimore Magazine*, renchérit Eliza. D'une bonne dizaine de lignes, au moins.

— Après cette dispute avec papa, j'ai déménagé. Avec Driscoll, on s'était trouvé un appartement dans St Paul Street. Toute seule, je n'avais pas les moyens de me débrouiller. Je cherchais un travail, mais d'abord je voulais m'installer, tu comprends ? Équiper la cuisine, tout ça. On avait des meubles de la maison, mais aucun ustensile, pas de poêle, rien. Pas même une spatule. J'étais là, à courir d'un magasin à l'autre en dépensant des fortunes alors que je n'avais pas un rond, dénichant un truc par-ci, un autre par-là... et je me suis dit : "Ça serait génial s'ils vendaient une cuisine en boîte ! Histoire de pouvoir tout acheter en une seule fois." C'est ça qui m'a donné l'idée. Alors, maintenant, j'ai une espèce de petit show-room derrière le champ de foire. Évidemment, y a à peine la place de se retourner...

— C'est adorable ! lança Linda.

— Et je vends des boîtes : cuisine en boîte, salle de bains en boîte... J'achète tout en gros, je compose des kits et je livre, tu vois ? J'ai mis une annonce sur tous les panneaux d'affichage des campus à des kilomètres à la ronde. J'ouvre sept jours sur sept et je bosse comme une dingue. C'est pour ça que j'ai choisi un lundi pour le mariage. Je ne voulais pas rater la clientèle du week-end. Là, c'est fermé jusqu'à vendredi prochain. Ça me rend malade. Mais pour Driscoll, c'est juste une sorte de violon d'Ingres. Quand il a appris que mamie m'avait prêté de l'argent, tout ce qu'il a trouvé à dire c'est : "Méfie-toi de ne pas te laisser dépasser", et puis : "Il ne faut pas avoir les yeux plus gros que le ventre." C'était tellement décourageant, une vraie douche froide. Il est persuadé que je ne suis pas à la hauteur. Il ne me croit même pas assez maligne pour acheter un simple rideau de douche à des étudiants et une poignée d'anneaux pour aller avec.

— Là, Susie, je te trouve injuste, intervint Spence d'un ton péremptoire. Il essaie seulement de te protéger.

— Et puis il laisse traîner les noyaux de fruits qu'il a recrachés partout dans l'appartement », protesta Susie.

Eliza posa soudain la tasse sur la commode, comme si elle estimait que, cette fois, Susie dépassait les bornes.

« Du coup, j'ai arrêté *Freddy,* reprit Susie, je lui ai rendu sa bague de fiançailles et je lui ai demandé de plier bagage. Puis j'ai appelé l'agent immobilier, mais il devait être trop tard dans la soirée. Je suis désolée que vous soyez venues pour rien, mais je lui ai bien dit à papa, je lui ai dit : "Qu'est-ce qu'il vaut mieux : annuler le mariage ou entamer une procédure de divorce ?"

— Tiens, d'ailleurs, où est Sam ? » demanda Eliza.

Delia fut soulagée de ne pas avoir eu à poser la question.

« Il est allé s'habiller pour le mariage, répondit Susie.

— Mais tu lui as bien dit...

— Je lui ai dit que j'avais changé d'avis, mais il s'est

contenté de fermer les yeux une minute et puis il m'a annoncé qu'il fallait qu'il aille se préparer pour le mariage. »

Certes, elle reconnaissait bien là Sam.

Delia se leva. « Il est temps que je m'y mette, fit-elle.

— À quoi ? lança Linda.

— Il faut que j'appelle l'agent immobilier. »

Elle se dirigea vers la porte (le téléphone le plus proche se trouvait dans la chambre d'Eliza), et Linda s'écria : « Delia, mais je rêve ! Tu vas accepter sans rien faire ?

— Et que veux-tu que je fasse ? que je la traîne à l'autel par les cheveux ?

— Mais nom d'un chien, tu pourrais lui faire entendre raison !

— Ce n'est pas maintenant ou jamais », lui répondit-elle. (En réalité, elle s'adressait à sa fille qui s'appuyait sur la commode en l'observant avec intérêt.) « Si Susie n'est pas sûre de vouloir épouser Driscoll aujourd'hui, elle peut toujours l'épouser demain ou la semaine prochaine, ou encore l'an prochain. Rien ne presse.

— Elle a beau jeu de dire ça, soupira Linda à la cantonade. Elle n'a pas eu à se saigner aux quatre veines pour payer trois billets d'avion. »

Delia referma tranquillement la porte derrière elle.

À cet instant précis, la porte de Sam, qui était diamétralement opposée, à l'autre bout du couloir, s'ouvrit en grand et il sortit de sa chambre en tirant sur les manchettes de sa chemise. Il l'aperçut et s'arrêta net. Ils étaient séparés par la cage d'escalier bordée de sa balustrade de bois verni, aussi resta-t-elle sur place. « Tiens, Delia.

— Bonjour, Sam. »

Il avait revêtu ce costume noir à l'élégance déliée qu'ils avaient acheté en solde plusieurs années auparavant. Son visage semblait amaigri. Il était tout en lignes droites — deux traits pour les yeux gris, une flèche pour le nez et une bouche qui paraissait trop droite jusqu'à ce que l'on remarque (Delia le savait) ses coins retroussés. Ses lunettes étaient en train de glisser, comme à leur habitude, et, lorsqu'il leva une main pour les rajuster, il lui donna l'impression de craindre d'avoir la vue qui baissait. « Tu ne savais pas que je venais ? demanda-t-elle.

— Si, je le savais.

— Eh bien... tu as appris que Susie renonçait à se marier, je suppose.

— Elle se mariera. » Il fit le tour de la balustrade — non pour se rapprocher d'elle (bien que déjà elle se fût avancée pour aller à sa rencontre), mais pour rejoindre l'escalier. « Nous ferons comme prévu, lança-t-il en descendant. Elle cédera. »

Delia le suivit du regard du haut de la balustrade. Elle distinguait son cuir chevelu à travers les cheveux clairsemés sur le sommet de son crâne. *Si je l'apercevais dans une foule, je me dirais que c'est encore un de ces hommes vieillissants qui sont au bout du rouleau*, songea-t-elle. Mais au fond d'elle-même, elle n'en pensait pas un mot.

Elle se força à se détourner pour aller dans la chambre d'Eliza.

Là encore, la chambre lui parut différente. Certes, le mobilier était toujours le même, mais il n'y avait pas le moindre objet sur la commode et la table de chevet n'arborait que le vieux téléphone guindé. Eliza aurait-elle donc changé de chambre ? Elle occupait celle-ci depuis sa naissance.

Je le savais, avait-il dit. *Nous ferons comme prévu.*

Enfin, inutile de s'attarder là-dessus. Delia posa la carte de visite sur la table de chevet, décrocha et composa le numéro.

« Vous êtes bien chez Joe Bright, annonça platement une voix d'homme. Je ne peux pas vous répondre pour l'instant, mais vous pouvez laissez votre message après le bip.

— Mr. Bright, c'est Delia Grinstead, la mère de Susan Grinstead. Pouvez-vous me rappeler dès que possible ? C'est très important. Vous pouvez me joindre au... »

Elle raccrochait, lorsqu'elle entendit la sonnette de la porte d'entrée retentir en bas. « Bonjour, dit Sam, puis elle entendit la voix traînante à l'accent de rocaille d'une des matrones de Roland Park. Aussitôt, elle perdit toute confiance en elle. Elle n'était pas suffisamment maquillée, sa robe n'était pas assez habillée et, quand elle se regarda dans le miroir d'Eliza, elle trouva son visage aussi informe qu'enfantin.

Mais peut-être n'était-ce là que le fruit de son imagination, car, lorsqu'elle descendit les premières marches (le pied campé avec élégance et le port de tête altier), tous les yeux se levèrent vers elle avec une attention des plus respectueuses. Le pasteur — un monsieur à la mèche en bataille qui cultivait le style gentleman-farmer — s'exclama : « Mrs. Grinstead ! Quel plaisir de vous voir ! », et les parents de Driscoll interrompirent leur bavardage avec Sam.

« Mais tout le plaisir est pour moi, mon révérend, répondit-elle. (Étant donné qu'elle n'assistait à l'office que dans les grandes occasions, elle n'en revenait pas de se souvenir de son nom.) Bonjour, Louise. Bonjour, Malcolm.

— Bonjour, Delia », dit Louise Avery, comme si elles s'étaient vues la veille. Elle était vêtue de cuir de pied en cap, avec une crinière d'or léonine qui se dressait en arrière sur son front. Son mari — plus vieux, plus petit, les yeux plissés — ajouta : « Vous ne nous avez pas apporté le soleil, à ce que je vois.

— Oh, fit Delia en jetant un coup d'œil par la porte. Il pleut ?

— Non, non, nous sommes sûrs que cela attendra encore un peu, déclara Louise. Je disais justement à Malcolm ce matin : "C'est l'avantage des mariages à domicile." Vous imaginez un peu s'ils avaient prévu une grande cérémonie à l'église. Ou une réception sur la pelouse ?

— Non... en effet. »

Elle tourna les yeux vers Sam, mais il était occupé à ranger le parapluie roulé du révérend dans le porte-parapluie et ne croisa pas son regard.

Peut-être procéderaient-ils au mariage sans la mariée, se dit-elle. Serait-ce là leur intention ?

Dans le salon, toutes les chaises disponibles avaient été alignées en face de la cheminée. Sans doute était-ce là que devait se tenir le révérend Soames. Linda et Eliza s'affairaient dans la cuisine à préparer des assiettes de pâtisseries. Et dans la cuisine, les jumelles contemplaient Driscoll, fascinées. Il parlait de la lune de miel. « J'ai dit à Sooze qu'on devrait juste aller chez Obrycky se payer un plateau de crabes, expliquait-il. Ça serait notre lune de miel, histoire de rester dans le ton du mariage. Et elle m'a dit : "Pourquoi pas se prendre des plats à emporter, plutôt ?" Mais finalement, on s'est décidés pour trois jours à... Oh, Mrs. Grinstead ! Salut !

— Bonjour, Driscoll. » Delia s'étonna de le voir si joyeux. Il était vêtu d'un costume bleu marine orné d'une rose blanche à la boutonnière et son visage bien briqué au teint frais et rose respirait l'inconscience. Euh, as-tu... parlé à Susie ce matin ?

— Ah ça, je peux pas voir la mariée avant la cérémonie ! s'exclama-t-il en agitant le doigt.

— Oh, mais tu aurais pu lui parler juste... au téléphone, peut-être.

— Dites ! Où sont mes placeurs ? Vous les avez aperçus ?

— Quels placeurs ?

— Ramsay et Carroll !

— Euh, non, c'est-à-dire que... Seigneur, j'espère que quelqu'un a pensé à les réveiller », dit-elle. Ni l'un ni l'autre n'avaient encore perdu cette manie de dormir jusqu'à midi.

« Vaut peut-être mieux prendre votre bigo », lui suggéra Driscoll.

Elle était si obsédée par la question du mariage que, l'espace d'un instant, elle crut qu'il faisait allusion au révérend Soames. Elle le dévisagea d'un air déconcerté. Sur ces entrefaites, Eliza, qui passait majestueusement les mains chargées d'un présentoir à gâteaux à trois étages, lança : « De toute manière, je vois mal pourquoi on aurait besoin de placeurs, étant donné qu'il n'y a que la famille et de quoi asseoir une petite douzaine de personnes seulement...

— Afin que ces ravissantes demoiselles d'honneur aient un bras auquel se suspendre », répliqua Driscoll en adressant un clin d'œil aux jumelles. Marie-Claire gloussa et Thérèse jeta à Driscoll un regard solennel d'adoration en se redressant au creux de son tipee couleur menthe à l'eau.

Delia déclara forfait et sortit de la cuisine. Elle voulait aller voir si Susie avait finalement décidé de se marier. Qui sait, c'était bien possible. (Car il était aisé de croire, en une telle compagnie, qu'en cet instant même elle ajustait son voile miraculeusement reconstitué.) Auquel cas, elle s'en irait jeter un coup d'œil aux garçons pour s'assurer qu'ils étaient bien réveillés et habillés.

Toutefois, les garçons étaient déjà en bas, tous deux en costume devant la porte d'entrée. Ils avaient l'air étonnamment adultes — Ramsay, la mâchoire carrée et la silhouette presque corpulente ; Carroll, aussi filiforme que jamais, mais grandi et les traits plus sculptés. Ils étaient accompagnés de la petite amie de Ramsay, Velma, qui portait en guise de robe une sorte de rose trémière renversée qui lui arrivait au ras des fesses, et de sa petite fille (comment s'appelait-elle, déjà ? Ah oui, Rosalie) vêtue de vert d'eau des pieds à la tête. Ramsay dit : « Salut, maman » et l'embrassa sur la joue, Carroll s'autorisa une brève accolade et Velma lui lança : « Tiens, bonjour ! Vous avez fait bon voyage ?

— Excellent », répondit Delia.

Il en serait donc ainsi. Dans l'esprit des gens, elle avait été casée au cœur d'une niche bien commode : ce n'était jamais qu'une autre de ces femmes excentriques que l'on voyait vivre à l'année dans une résidence d'Ocean City ou élever des chevaux dans un ranch de Virginie pendant que leur mari suivait la routine de leur travail quotidien à Baltimore. Les gens n'en avaient rien à faire.

Elle circula parmi les invités qui se rassemblaient en souriant et en murmurant des salutations. Robert, l'oncle de Sam, lui donna une poignée de main énergique sans perdre pour autant le fil du récit de Malcolm qui racontait pour la énième fois une de ses dernières parties de golf. Sam, quant à lui, aidait sa tante Florence à ôter un imperméable de caoutchouc noir qui donnait l'impression de pouvoir tenir debout tout seul.

« Comment saurons-nous que la cérémonie commence ? » s'enquit une voix aux côtés de Delia.

C'était Eleanor, en robe chemisier de soie grise. « Oh, Eleanor ! s'écria Delia en jetant les bras autour de la silhouette étique de sa belle-mère.

— Bonjour, mon petit, répondit-elle en lui tapotant l'épaule. C'est si gentil d'être venue.

— Mais comment aurais-je pu ne pas venir ?

— Je me demandais pour la procession, reprit Eleanor, ont-ils prévu une musique quelconque ? Susie s'est admirablement débrouillée pour tout organiser, mais comment saurons-nous que la mariée va faire son entrée ?

— Je ne suis pas même sûre que nous aurons une mariée, soupira Delia. Elle prétend avoir changé d'avis.

— Ah. Bien. Dans ce cas, il faut que vous alliez vous occuper d'elle, rétorqua Eleanor, imperturbable. Courez-y vite, je peux me débrouiller toute seule, mon petit.

— Il vaut peut-être mieux que j'y aille », lança Delia en se ruant dans l'escalier.

Susie était à présent seule et lisait *People Magazine,* allongée sur le lit en jean et tennis. Elle jeta un coup d'œil désinvolte lorsque Delia frappa au chambranle de la porte. « Salut, dit-elle. Alors, ils piquent leur crise, en bas ?

— Eh bien... ils n'ont pas encore compris la situation, expliqua Delia. Veux-tu que je dise à Driscoll de monter ?

— Driscoll est là ?

— Il est là, en costume de marié, à attendre que tu viennes l'épouser.

— Génial, soupira Susie en abaissant son magazine. Il ne peut pas me reprocher de ne pas avoir été claire, pourtant.

— Ses parents sont là, aussi, et puis le révérend Soames...

— Tu as eu l'agent immobilier ?

— Je lui ai laissé un message.

— Maman, c'est vraiment, vraiment important. Si je ne réussis pas à faire annuler le bail, c'est à moi qu'ils viendront demander des comptes, tu comprends ça ? Le bail est signé de mon nom. Et je ne voulais pas en parler devant la sœur de Driscoll, mais le fait est que je suis complètement à sec. Je me suis même endettée pour le mariage — quatre cent vingt-huit dollars. Merci, papa.

— C'est quoi, ces quatre cent vingt-huit dollars ? s'enquit Delia par pure curiosité.

— La robe, le voile et le bouquet qui est au frigo. Pour les rafraîchissements, c'est tante Eliza qui paie. Je t'en prie, appelle Mr. Bright. S'il n'est toujours pas là, dis-lui sur son répondeur que c'est une question de vie ou de mort.

— Bon, bon, très bien, consentit Delia. Et je demande à Driscoll de monter ?

— Il sait où me trouver. »

Susie retourna à son magazine. Delia s'apprêta à partir, mais sur le seuil, elle se ravisa et se retourna. « Comment se fait-il que la maison ait l'air si changée ?

— Changée ?

— Il n'y a plus un seul meuble dans ta chambre ; quant à celle d'Eliza, elle semble... inhabitée.

— Elle est inhabitée, lâcha Susie en tournant une page. Personne n'habite plus ici, sauf papa.

— Quoi !

— Tu ne savais pas ?

— Non. Que s'est-il passé ?

— Voyons voir. D'abord, Ramsay et papa se sont disputés au sujet de... Non, attends. D'abord, c'est Eliza et papa qui se sont disputés. D'après elle, c'est parce qu'il ne la prévenait pas quand il était en retard pour le dîner, mais la vérité, c'est qu'elle le draguait, maman, fallait le voir pour le croire. C'était pitoyable. Nous autres, les enfants, on est tous allés la voir. Mais elle faisait juste : "Hmm ? Je ne vois pas de quoi vous parlez", et pendant ce temps-là, comme d'habitude, papa était complètement à côté de la plaque, il faisait comme si de rien n'était et ne lui prêtait pas attention. Alors, un jour, elle a piqué une crise à propos d'une broutille quelconque, elle a décampé chez tante Linda et quand elle est revenue, elle a annoncé qu'elle partait pour de bon. Maintenant, elle habite Calvert Street. Linda et les jumelles sont descendues chez elle pour le mariage. Bon. Sur ce, Ramsay et papa se sont disputés sous prétexte que papa, par inadvertance, avait appelé Velma "Veronica" et Velma a juré qu'il l'avait fait exprès. Du coup, Ramsay était si furieux qu'il a déménagé. Et puis, Carroll est allé habiter chez lui parce que, un soir, il avait raté le couvre-feu et papa lui a dit qu'il avait passé la soirée à faire les cent pas en imaginant qu'il était mort dans un accident de voiture... Et moi, tu connais l'histoire. J'ai déménagé en juillet, juste avant Ramsay.

— Oui, en effet, je suppose..., marmonna Delia d'un air distrait.

— Dis, maman, tu vas appeler l'agent immobilier ?

— Bon, bon », soupira Delia. Elle s'attarda un instant sur le seuil et sortit.

Dans l'ancienne chambre d'Eliza, elle s'assit sur le rebord du lit, décrocha le téléphone et son regard se perdit dans le vide.

Sam qui faisait les cent pas ! Jusque-là, cela avait toujours été elle qui arpentait la pièce tandis qu'il se moquait d'elle et lui disait de se calmer. « Mais comment peux-tu rester de marbre ? protestait-elle. Qu'as-tu dans les veines ? Des glaçons ? » Et elle semblait se souvenir qu'à ces paroles il esquissait un petit sourire, un petit sourire content, gêné, comme si elle venait de le complimenter.

Elle composa de nouveau le numéro de l'agent immobilier. « Vous êtes chez Joe Bright, dit la machine. Je ne peux pas vous...

— Mr. Bright, c'est de nouveau Delia Grinstead. J'aimerais que vous me rappeliez dès que possible », déclara-t-elle. Et, pour faire plaisir à Susie, elle ajouta : « C'est une question de vie ou de mort. Au revoir. »

Au rez-de-chaussée, les voix ne formaient plus qu'une trame serrée, comme si les invités avaient renoncé à l'idée du mariage, se résignant à l'idée d'un simple cocktail. Mais, lorsqu'elle descendit les rejoindre, leurs conversations s'interrompirent un instant et tous les yeux se tournèrent vers elle, pleins d'espoir. Elle se félicitait à présent d'avoir mis sa robe vert forêt dont la jupe se balançait avec tant d'allure juste au-dessus de ses chevilles.

Elle traversa le vestibule pour gagner le salon et tous les autres lui emboîtèrent le pas. Sans doute pensaient-ils que c'était là un signal quelconque. En fait, Carroll, séduisant à se damner dans son costume de placeur, la rattrapa pour lui offrir son bras et la conduire au premier rang, où quelques minutes plus tard elle fut rejointe par Eleanor, escortée par Ramsay. « Place tante Florence sur une chaise droite, marmonna Ramsay à Carroll. Elle dit que son dos fait des siennes. » Delia perçut le brouhaha ordinaire d'une assemblée — toussotements et froissements de jupes. Les parents de Driscoll s'installèrent sur le canapé. Le révérend Soames prit place devant l'âtre en parcourant la salle avec un sourire affable et extirpa une feuille de papier pliée de sa poche de poitrine.

« Le trac de la fiancée est passé ? chuchota Eleanor à Delia.

— Euh, non, pas exactement. »

La blême enfant de Velma choisit une bergère munie d'oreillettes si grande pour elle que ses babies ne touchaient pas le sol. Un jeune homme que Delia ne connaissait pas — un proche de Driscoll, sans doute — déposa Eliza sur la causeuse, et Linda, sans escorte, se laissa tomber à côté d'elle et ôta ses escarpins. « Elle arrive ? » articula-t-elle du bout des lèvres lorsqu'elle croisa le regard de sa sœur. Delia se contenta de hausser les épaules et de regarder droit devant elle.

À présent, Driscoll s'était campé à côté du révérend Soames et jouait avec sa boutonnière. Les demoiselles d'honneur s'étaient attroupées au pied de l'escalier où les garçons les rejoignirent dès que le tout dernier invité eut été assis.

Sam se pencha au-dessus de Delia. Elle ne l'avait pas vu arriver et eut un léger mouvement de recul. « Faut-il mettre le disque ? lui demanda-t-il.

— Quel disque ?

— Est-elle prête ?

— Oh ! Eh bien non, je ne crois pas qu'elle soit prête. »

Il se redressa et baissa les yeux vers elle. « En ce cas, ne penses-tu pas que tu devrais faire quelque chose ?

— Quoi, par exemple ? »

Il ne répondit pas. Il avait les lèvres d'une sécheresse et d'une pâleur extrêmes. Delia lissa sa jupe et s'adossa pour observer la suite.

Elle ne s'était jamais rendu compte auparavant qu'il était aisé de se débarrasser d'un souci en le refilant à autrui comme un vulgaire paquet. Il y avait des années qu'elle aurait dû faire cela. Pourquoi était-ce toujours Sam qui s'en sortait ?

Voilà qu'il allumait la chaîne, qui se trouvait abritée dans un petit placard de noyer près de Delia. Il appuya sur un bouton et, dans les secondes qui suivirent, explosèrent des trompettes éclatantes. Delia reconnut le générique de *Chef-d'œuvres du petit écran*. En son for intérieur, le choix lui parut avoir des accents un tantinet triomphants et elle devina au soupir qu'elle entendit sur sa droite qu'Eleanor partageait son sentiment. L'assemblée, cependant, attendit dans un silence respectueux, tandis que Sam sortait de la pièce à grandes enjambées. Delia entendit ses chaussures crisser dans le vestibule et grimper les marches en craquant. Mais ce mariage, dans sa conception même, était calqué sur le sien ! Le père de la fiancée escortant la mariée dans l'escalier avant de franchir la porte à double battant pour rejoindre, au centre du salon, cet endroit placé juste en dessous du lustre de cuivre dégingandé.

Et si la fiancée n'attendait pas sur le palier de l'étage ?

L'écho de ses pas avait dû se prolonger, mais il était couvert par la musique. À moins que Sam ne se fût arrêté en haut des marches, afin d'être caché des invités, au lieu d'aller parler à Susie. Cela lui ressemblait davantage. Quoi qu'il en soit, les trompettes continuèrent à sonner tandis que les gens commençaient à échanger des sourires (*C'est si bon enfant, si familial*, se disaient-ils sans doute), puis les pas redescendirent les marches. Mais n'importe qui aurait deviné qu'aucune fiancée ne descendait l'escalier au rythme de cette bruyante cavalcade.

Sam alla se placer pile devant le révérend Soames. L'espace d'un instant, Delia se demanda s'il avait l'intention de procéder à la suite des réjouissances en dépit de tout — de prêter serment à la place de Susie. Mais il s'humecta les lèvres et lança : « Mesdames, messieurs... »

Ce fut Delia qui tendit le bras pour soulever l'aiguille de la platine. C'était le moins qu'elle puisse faire, estimait-elle, car ce fut Sam qui se chargea d'annoncer qu'il était navré mais que le mariage était légèrement repoussé.

Delia jugea que ce « repoussé » était quelque peu optimiste. Mais les invités parurent estimer que c'était là un changement parfaitement mineur dans les projets du couple. Linda, furieuse, déclara qu'avec les jumelles elles avaient une réservation pour le vol de retour du surlendemain, aux alentours de midi, qu'il lui était impossible de se faire rembourser et qu'elle espérait franchement que Miss Susie voudrait bien s'en souvenir. Le révérend Soames feuilleta son agenda de poche en marmonnant des histoires de réunions, de visites, de collecte de fonds pour la rénovation... mais plus tard dans la semaine, cela semblait possible, conclut-il, tout à fait faisable, même.

Même la mère de Driscoll qui paraissait plus navrée que quiconque s'avéra être davantage préoccupée par la réception qu'elle comptait donner au retour de leur lune de miel. « Pensez-vous qu'ils seront mariés samedi soir ? demanda-t-elle à Delia. Pouvez-vous tâter le terrain auprès de Susie ? Nous recevons cinquante-trois de nos amis les plus proches, vous êtes également la bienvenue, si vous êtes encore en ville.

— Peut-être Driscoll en saura-t-il davantage lorsqu'ils auront fini de discuter, répondit Delia. Je lui dirai de venir vous voir dès qu'il redescendra. »

Car Driscoll avait fini par monter parler à Susie. Delia pensait d'ailleurs qu'il aurait dû commencer par cela.

La pluie qui menaçait depuis le matin tombait à présent à verse et, sitôt franchi le seuil, les invités rejoignaient leur voiture en courant. Le révérend Soames fut le premier à partir, suivi de l'oncle et de la tante de Sam avec Eleanor, puis de la sœur de Driscoll accompagnée du placeur anonyme, et enfin les parents de Driscoll. Sur ces entrefaites, Eliza déclara : « Bon ! Je commençais à craindre d'être coincée à vie dans le petit coupé de Spence » et sortit d'un pas majestueux avec, sur ses talons, Linda et les jumelles. Mais Carroll et Ramsay s'attardèrent, s'accrochant aux basques de Delia tandis qu'elle rapportait des plats à la cuisine, ce qui signifiait que Velma et Rosalie étaient également forcées de rester. Elles se firent discrètes, cependant, et regardèrent la télévision dans le bureau.

Pendant ce temps, Sam remettait en place les meubles du salon et Carroll racontait à Delia de A à Z un film qu'il avait vu avec Ramsay. C'est un type, expliquait-il, qui se retrouve pris dans une boucle temporelle, et forcé de vivre et de revivre sans cesse la même journée. Delia se disait que, parmi les innombrables sujets de discussion qui s'offraient à eux, Carroll pouvait difficilement faire un choix plus curieux, mais elle se contenta d'acquiescer d'un « mmhm, mmhm » tout en s'affairant dans la cuisine à envelopper divers plats dans du film plastique. Carroll la suivait de si près qu'elle ne pouvait changer de direction sans le prévenir à l'avance, quant à Ramsay, il n'était jamais loin derrière.

Sur ce, Sam rapporta la nappe en un paquet mal ficelé de forme vaguement cylindrique et l'atmosphère changea du tout au tout. Carroll se mit à s'emmêler dans son récit. Ramsay commença soudain à refermer les portes de placard. Tous deux semblaient observer Delia, alors même qu'ils détournaient les yeux.

« La nappe », fit Sam. Il la lui tendit.

Delia répondit : « Oh ! Parfait ! Merci ! » Puis elle ajouta : « Je la descends au... », tourna les talons, traversa l'office et descendit l'escalier du sous-sol.

Non que la nappe eût le moins du monde besoin d'être lavée.

Au bas des marches, le chat attendait en levant vers elle un regard intense. « Vernon ! Est-ce que je t'ai manqué ? » lança-t-elle en se penchant pour enrouler ses mains autour de sa douce tête ronde. « Toi aussi, tu m'as manqué, petit », chuchota-t-elle. Il ronronnait avec cette exagération typique des chats lorsqu'ils veulent mettre les humains à leur aise. Des pas retentirent dans l'office et commencèrent à descendre les marches. Delia se leva et se dirigea vers la machine à laver. Vernon se volatilisa. La machine était pleine de lessive trempée, mais elle y fourra tout de même la nappe et versa du détergent par-dessus d'une main insouciante.

Dans son dos, Sam s'éclaircit la gorge. Elle se retourna. « Tiens, hello, Sam.

— Hello. »

Elle s'occupa de la machine à laver, sélectionnant le cycle et tournant le bouton dans un bruit de fermeture Éclair. L'eau se mit à couler ; les tuyaux cliquetèrent au-dessus de sa tête. Derrière la fenêtre couverte d'un film de poussière, des feuilles de lierre rebondissaient sous les gouttes de pluie.

« Dès que Driscoll redescendra, lança-t-elle en se retournant vers Sam, j'appellerai un taxi, mais je me suis dit que j'attendrai jusque-là, histoire de pouvoir dire au revoir à Susie.

— Un taxi pour aller où ?

— À la gare routière.

— Oh », fit Sam. Puis il ajouta : « Ce serait idiot d'appeler un taxi avec toutes les voitures que nous avons sous la main. Enfin, idiot, peut-être pas, mais... je pourrais t'accompagner. Ou Ramsay, si tu préfères. Ramsay se sert de la Plymouth, tu sais.

— Ah oui ? dit Delia. Et comment marche-t-elle ?

— Bien.

— Plus de problèmes électriques ? »

Il se contenta de la regarder.

« En tout cas, merci, reprit-elle. Je demanderai sans doute à quelqu'un de me raccompagner, si ce n'est pas trop déranger. »

Elle laissa sans réponse la question de celui qui l'accompagnerait.

Ils remontèrent l'escalier. Delia ouvrait la marche en se mouvant avec une grâce voulue. La cuisine était déserte. La table de la salle à manger semblait dénudée. Sam n'avait pas pensé à replacer le chandelier après avoir ôté la nappe. Le vestibule était également vide, mais ils s'arrêtèrent un instant et levèrent les yeux vers le silence qui régnait au-dessus de leur tête.

« Cela m'étonnerait qu'il réussisse à lui faire changer d'avis, déclara Delia.

— Ce n'est que le trac du mariage.

— Je pense qu'elle ne plaisante pas. Qu'elle parle sérieusement.

— Tu te rappelles comment elle était quand elle était petite ? dit Sam. Elle faisait des fixations, tu te souviens ? Comme ce jour où elle voulait à tout prix porter son pyjama de cow-boy pour aller au jardin d'enfants. Tu as refusé et elle est descendue prendre son petit déjeuner en sous-vêtements, mais tu as fait comme si de rien n'était et, à l'heure de partir à l'école, elle avait enfilé une jupe.

— Une jupe avec son haut de pyjama que j'avais en partie recouvert d'un bandana pour cacher les pressions, rectifia

Delia. Nous avions fait un compromis. Ce n'est pas la même chose. »

Elle était touchée, cependant. Elle ne savait pas trop pourquoi. Peut-être était-ce parce qu'elle jouait un rôle si essentiel dans cette histoire, à croire qu'il avait pris des notes sur la manière dont elle s'y était prise et avait tenté, des années plus tard, d'en faire de même.

Elle s'attarda encore quelques instants dans l'entrée, au cas où il aurait eu envie d'ajouter quelque chose, mais manifestement pas. Il pivota sur ses talons et se dirigea vers le salon. Delia lissa les plis de sa robe et rajusta sa ceinture (ne voulant pas donner l'impression de le pourchasser), puis elle lui emboîta le pas.

Dans le bureau, les lampes étaient éteintes et ils étaient tous assis à regarder la télévision dans une pénombre couleur d'étain — Velma et les garçons sur le canapé, Rosalie par terre, entre les genoux de sa mère. Ils se retournèrent à l'entrée de Sam et de Delia. « Qu'est-ce qu'il y a pour le déjeuner ? » demanda Carroll.

Delia s'étonna : « Le déjeuner !

— On crève de faim. »

Elle jeta un coup d'œil à sa montre. Il était une heure passée. Elle lança un regard à Sam dans l'espoir qu'il lui donnerait la réplique (la cuisine n'était plus son domaine, ce n'était plus à elle de nourrir la maisonnée), mais il l'abandonna à son sort. Sur ces entrefaites, des bruits de pas résonnèrent au-dessus de leur tête.

« Driscoll », dit Sam.

Rosalie demeura les yeux écarquillés devant un feuilleton mélo, mais le reste de la bande gagna le vestibule — Velma et les garçons se levèrent pour s'étirer avec un ennui étudié, tous se déplaçant avec une lenteur calculée afin de ne pas trahir leur curiosité. Ils se rassemblèrent au pied des marches et regardèrent Driscoll descendre l'escalier.

Il avait l'air désespéré. Ses cheveux retombaient en mèches graisseuses et sa cravate était de travers. Arrivé à la dernière marche, il secoua la tête tristement.

« Pas de mariage ? s'enquit Delia.

— Je ne dirais pas ça.

— Alors, quoi ?

— Elle dit qu'elle me déteste, que je n'ai pas de cœur et que maintenant elle se rend compte qu'elle ne m'a jamais aimé.

— Alors, pas de mariage, fit-elle d'un air songeur.

— Mais si je veux la faire changer d'avis, je sais ce que j'ai à faire.

— Quoi donc ?

— Je ne sais pas », répondit Driscoll.

Sam grogna et s'en alla vers le salon.

« Envoyer des fleurs ? suggéra Velma. Un télégramme chanté ?

— Puisque je vous dis que je ne sais pas. Je lui ai demandé : "Tu ne pourrais pas au moins me donner un indice ?" Mais elle m'a répondu : "Tu trouveras tout seul. Autrement, ça veut dire que nous ne devons pas nous marier."

— Expédier un ballon à l'hélium avec un message imprimé dessus ? reprit Velma.

— Disant quoi ?

— Driscoll, intervint Delia, je crois que ta mère veut te parler.

— Bon, bon », acquiesça-t-il d'un ton morne.

Il demeura pensif un instant. Puis il s'ébroua et franchit le seuil de l'entrée — sans imperméable ni parapluie, rien. La pluie était si violente que les gouttes rebondissaient sur la balustrade de la véranda.

« Loue un avion pour écrire dans le ciel ! lança Velma, une fois qu'il fut parti.

— Maman, dit Carroll, est-ce qu'on ne pourrait pas manger ?

— Je prépare quelque chose tout de suite », répondit-elle.

Autant qu'elle le fasse. Personne ne s'en chargerait pour elle.

Delia prépara un plateau pour Susie et le monta dans sa chambre. Elle la trouva endormie sur les couvertures — rien d'étonnant à cela. Susie était du genre à fuir dans le sommeil comme dans une drogue, ainsi capable de perdre des journées entières lorsqu'elle traversait une crise émotionnelle. Oh, Delia ne cessait jamais de s'émerveiller de l'*altérité* de ses propres enfants. Elle y voyait une sorte de prime — le moyen d'observer de près un mode de vie entièrement différent.

« Susie, ma chérie », dit-elle. Susie ouvrit les yeux. « Je me suis dit que tu aurais peut-être envie de manger quelque chose.

— Merci », répondit Susie, à bout de forces, en se redressant péniblement.

Delia plaça le plateau sur les genoux de sa fille. « Tout ce que tu aimes. Cheesecake au gingembre, cookies yiddish...

— Super, dit Susie en secouant sa serviette.

— Tartelettes au citron, mousse au chocolat... »

Susie baissa les yeux sur le plateau.

« J'ai dû prendre le repas du mariage, expliqua Delia. Il n'y avait quasiment plus rien à manger dans la cuisine.

— Oh, alors... c'est ce que tout le monde mange ?

— Oui.

— Ils sont en train de liquider mon repas de mariage ?

— C'est-à-dire que... aurais-tu préféré qu'ils n'y touchent pas ?

— Non, non », s'empressa-t-elle de répondre d'un ton exagérément désinvolte, et elle saisit une tartelette.

Delia ne savait plus que penser. « Tu aurais voulu tout garder ? Si tu avais l'intention de, euh... programmer une nouvelle date dans un avenir proche, alors je suppose...

— Puisque je te dis que non ! C'est très bien comme ça.

— D'ailleurs, quels sont tes projets ? Je ne veux pas faire pression sur toi ou quoi que ce soit, mais Driscoll a parlé... si je te le demande, c'est uniquement pour pouvoir prendre mes dispositions pour le retour. »

Susie, qui s'apprêtait à mordre dans sa tartelette, s'interrompit pour la dévisager.

« À cause de mon travail et puis tout ça, poursuivit Delia.

— Oh, va-t'en, puisque tu y tiens tant que ça ! explosa-t-elle.

— Ce n'est pas ce que je...

— Je n'en reviens pas que tu aies même pris la peine de venir ! Toi, avec ton boulot à la manque, ton compagnon et ta nouvelle famille.

— Mais, Susie...

— Aller jouer les filles de l'air sur la plage en laissant papa errer dans la maison comme un fantôme, tes enfants... orphelins et moi forcée d'organiser un mariage toute seule sans même ma mère pour m'aider ! »

Delia écarquilla les yeux.

« Mais qu'est-ce qu'il a fait, maman ? poursuivit Susie. C'était à cause de lui ? À cause de nous ? Qu'y avait-il de si invivable ? Qu'est-ce qui t'a poussée à nous lâcher comme ça ?

— Personne n'a rien fait, ma chérie. Rien n'était aussi tranché. Je ne voulais pas vous faire de mal. Je ne voulais même pas vous quitter ! J'ai seulement été... involontairement séparée de vous et c'est un peu comme si je n'avais jamais pu trouver moyen de rentrer. »

Piètre explication, elle le savait. Susie avait écouté en silence, fixant le vide au-dessus de sa tartelette, et soudain, au souvenir de la lettre qu'elle lui avait envoyée, de la gaieté forcée de tous ses points d'exclamation, de l'insouciance soigneusement calculée de son *À plus ! Bisous !*, Delia eut envie de pleurer. « Mais, mon ange, si j'avais su que tu voulais que je t'aide pour ton mariage, j'aurais fait n'importe quoi ! N'importe quoi. »

Mais Susie se contenta de déclarer : « Peux-tu rappeler l'agence, s'il te plaît ?

— Oui, bien sûr », soupira Delia en se penchant pour déposer un baiser sur son front avant de sortir.

Par un phénomène d'inertie, d'atermoiements (fort semblable au processus qui l'avait à l'origine exilée si loin de chez elle), Delia resta l'après-midi à attendre que Susie redescende. Mais les heures passèrent et, lorsqu'elle monta la voir, elle la trouva rendormie, le plateau quasiment intact au pied du lit.

Sam devait être dans son cabinet — à faire quoi, elle n'en avait pas la moindre idée, puisqu'elle n'avait vu aucun patient arriver. Les autres étaient assis dans le bureau à regarder la télévision. Elle s'installa à côté de Velma sur le canapé et fit mine de la regarder également. L'avantage de la télévision, c'est que tout le monde se laisse aller à parler librement, sans réfléchir. Ils oubliaient qu'elle écoutait. Elle apprit ainsi que Carroll était sorti à trois reprises avec une jeune Hollandaise, que le professeur d'histoire de Ramsay avait une dent contre lui et que Velma avait promis à Rosalie une manucure en institut de beauté si elle arrêtait de se ronger les ongles. Delia repensa à l'époque où, à tour de rôle avec d'autres mères, elle allait chercher les enfants à l'école, ce qui lui permettait de se tenir au courant des derniers potins, car ils ne semblaient pas s'apercevoir que les conducteurs avaient des oreilles.

Personne ne parla de Susie.

Sam apparut dans l'embrasure de la porte et, lorsqu'elle tourna les yeux vers lui, il lui demanda si elle désirait qu'il aille faire des courses pour le dîner. Elle en éprouva une joie absurde.

« Oui, pourquoi pas », dit-elle, et sur ces entrefaites, chacun lui réclama un plat particulier — son poulet à l'estragon, sa salade ziti. Elle alla dans la cuisine dresser la liste des courses et attendit que Sam lui propose de l'accompagner, mais il n'en fit rien.

Eliza téléphona — pour la seconde fois en deux heures. « Et Driscoll, dans tout ça, qu'en dit-il ? demanda-t-elle. Ne me raconte pas qu'il l'abandonne à son sort.

— Il semblerait que si », répondit-elle. Elle avait décroché dans la cuisine, si bien qu'elle n'avait pas à baisser la voix. « Je ne sais trop que penser, ajouta-t-elle. Susie dort comme une souche, Driscoll a disparu et nous sommes tous là à attendre la suite des événements.

— Crois-moi, fit Eliza, ils seront mariés avant demain soir. C'est ce que j'ai déclaré à Linda. Je lui ai dit : “Tu n'auras même pas à changer tes réservations d'avion.” Et toi, tu ne pars pas encore, n'est-ce pas ?

— Je n'ai pas encore décidé.

— Tu ne peux pas partir. Tu aurais à peine tourné les talons que tu reviendrais déjà.

— Peut-être bien. »

Mais la véritable raison qui la retenait de partir, c'était Susie, sa petite figure triste au-dessus de la tartelette. Elle n'en dit rien à Eliza.

Dès qu'elle eut raccroché, elle appela Joel. Mais la sonnerie résonna dans le vide. Ils étaient probablement sortis dîner, délaissant ce qu'elle leur avait préparé. Ils devaient être chez Rick Rack. Elle savait même ce qu'ils commanderaient et jusqu'au ton de leur conversation — les flots de paroles exubérants de Noah, les réponses neutres de Joel. Ses mains enserrant sa tête. Sa bouche ferme sans être insistante. Son corps tendu comme s'il était à l'écoute du moindre mouvement afin de jauger sa réaction.

Après la naissance du bébé, avait dit Ellie, *on se contentait de s'embrasser, des baisers merveilleux...*

Delia raccrocha.

Lorsque Sam rentra de l'épicerie, elle lui demanda (lançant sa question par-dessus son épaule, la tête dans le réfrigérateur) si cela ne le dérangeait pas qu'elle reste jusqu'au lendemain.

« Pourquoi veux-tu que cela me dérange ? » répliqua-t-il.

Ce n'était guère une réponse satisfaisante. Mais avant qu'elle n'ait eu le temps d'y réfléchir, Ramsay et Carroll traversèrent la cuisine au pas de charge — cap sur le magasin de vidéo pour relouer ce film sur cette histoire de boucle temporelle — et Sam sortit de la pièce. Delia prépara le dîner seule. Le moindre détail lui revint : ces curieuses petites bosses sur les poignets du placard, le grincement de la hotte aspirante placée au-dessus de la cuisinière. Mais voilà, elle était dans sa robe vert forêt de Miss Grinstead avec ses souliers de vieille fille à lanière sur le cou-de-pied.

Susie réapparut à l'heure du dîner. Elle s'attabla, emmaillotée dans une couverture avec des allures de petite fille émergeant de sa sieste. Mais elle ne fit pas la moindre allusion au mariage et personne n'aborda le sujet. Puis ils regardèrent tous le film — même Sam, dont les lunettes jetaient des éclats dans le noir. Quoique, en réalité, ils eussent tous les yeux rivés sur Susie. Dès qu'elle lâchait un commentaire vaguement humoristique, ses frères hurlaient de rire, Velma gloussait d'un petit rire sifflant et Rosalie la fixait d'un regard pénétrant, de marbre.

À la fin du film, Ramsay et Velma prirent Rosalie et leur dirent bonsoir, mais Carroll annonça que, tant qu'à faire, il dormirait là. Delia monta lui préparer son lit. Elle tapotait son oreiller lorsqu'elle entendit Susie qui allait également se coucher et comprit qu'il ne restait plus que Sam dans le bureau. Aussi s'abstint-elle d'y retourner. Elle alla chercher une autre paire de draps dans l'armoire à linge et fit son lit dans la chambre d'Eliza.

Bien plus tard, allongée sur le dos dans le noir, elle perçut le crissement des chaussures de Sam qui grimpait l'escalier. Il traversa le couloir pour rejoindre sa chambre sans même marquer un arrêt et elle entendit le clic de la porte qui se refermait sur lui.

C'était absurde de sa part de se sentir aussi blessée.

20

« Ce sucrier, expliquait Linda aux jumelles, c'est un cadeau de votre arrière-grand-tante, Mercy Ramsay, à sa sœur, à l'occasion de son mariage avec Isaiah Felson en 1899. »

Delia ignorait comment Linda savait cela. Les jumelles, toutefois, ne semblaient guère impressionnées. Elles étaient béates d'admiration devant Carroll qui agitait le sucrier au-dessus de son bol de corn flakes. Il était onze heures et demie du matin et il en était encore au petit déjeuner. Linda et ses filles avaient déjà pris le leur, après qu'Eliza les eut déposées en se rendant à son travail. Sam avait dû se préparer quelque chose avant d'aller dans son cabinet et Susie n'était pas encore réveillée. Cela promettait d'être un de ces jours où les uns finiraient les dernières miettes de leur repas quand d'autres en seraient au premier coup de fourchette, et ce, du matin au soir. Delia, quant à elle, picorait à droite et à gauche à chaque nouvelle fournée.

« Mercy Ramsay donnait beaucoup de souci à ses parents, parce qu'elle ne s'était jamais mariée, poursuivait Linda. Elle était “dactylographe”, comme on disait à l'époque, dans un cabinet d'avocat près du port. »

Delia lui lança un regard.

Carroll enfournait ses corn flakes à grandes cuillerées et Marie-Claire semblait se réchauffer les mains sur le sucrier — qui n'avait rien de bien imposant, à vrai dire : une simple urne en forme de pièce de jeu d'échecs en métal terni cabossé. Thérèse posait son index çà et là sur la table pour écraser des cristaux de sucre répandus qu'elle transférait sur sa langue.

Linda ajouta : « Dans notre famille, à chaque génération, il y a une fille qui ne s'est jamais mariée.

— Dans notre génération, ça sera Thérèse, dit Marie-Claire.

— Ça sera pas moi.

— Si, ça sera toi. »

Le téléphone sonna.

« Si c'est le lycée, je suis malade, annonça Carroll à Delia.

— Carroll Grinstead, je me refuse à raconter des bobards pour toi », protesta Delia. Elle fit descendre le chat de ses genoux et alla répondre : « Allô ?

— Delia ? » dit Noah.

Elle se détourna des autres. « Que se passe-t-il ? lui demanda-t-elle à voix aussi basse que possible.

— Je suis enrhumé.

— Es-tu au lit ?

— Je suis sur le canapé. Où c'est que t'es partie ? Pourquoi t'es toujours pas rentrée ?

— J'ai essayé d'appeler hier soir, mais vous étiez sortis. Comment as-tu fait pour savoir où me joindre ?

— Tiens, là aussi je te retiens ! T'as même pas laissé de numéro ! J'ai dû appeler Belle Flint et elle m'a dit que tu étais partie dans ta famille, alors j'ai demandé aux renseignements de chercher à Grinstead et le premier de la liste, c'était une dame qui a dit : "Mais c'est à ma belle-fille que vous voulez parler", et elle m'a fait écrire le... T'avais dit que tu rentrerais hier !

— Ou aujourd'hui, lui rappela Delia. Je prendrai sans doute un car, oh, cet après-midi peut-être ; j'en saurai plus dès que...

— Est-ce que c'est l'agent immobilier ! » hurla Susie du premier.

Delia couvrit le combiné de la main. « Non, ce n'est pas lui ! » Puis elle déclara à Noah : « Reste sur le canapé. Je serai bientôt à la maison. »

Après avoir raccroché, elle s'aperçut en se retournant que tous les regards étaient braqués sur elle. « Bon ! dit-elle avec entrain. Alors ? »

À voir leur expression, on aurait cru qu'elle venait d'être prise en flagrant délit d'un crime quelconque.

Sur ces entrefaites, Sam apparut en blouse blanche. Il s'arrêtait pour déjeuner et voilà qu'il les trouvait tous attablés devant leur petit déjeuner. Qui plus est, Linda occupait sa chaise et n'avait manifestement pas l'intention de la lui rendre. « Mais c'est notre bon docteur en personne, fit-elle d'un ton acide.

— Sam, que veux-tu... ? » commença Delia, puis elle se ravisa. Après tout, ce n'était guère son rôle de lui préparer à manger. Mais il ne parut pas s'en apercevoir, il s'installa à la place de Susie et répondit : « Ce que tu voudras. Du potage. »

Il devait se nourrir exclusivement de potage, car c'était à peu près la seule chose que l'on trouvât dans le placard — sa marque habituelle, sans sel, sans matières grasses, sans adjuvant de goût, avec sur l'étiquette un cœur dansant la gigue. Elle ouvrit une boîte de potage de champignon au lait de soja et versa le contenu dans une casserole.

À présent, il demandait à Carroll pourquoi il n'était pas au lycée. Il s'y prenait très mal, le taraudant avec une agressivité qui ne pouvait que le hérisser, et ledit Carroll de se replier, la mine belliqueuse, à l'abri de son bol de céréales. Delia se rendit compte qu'elle ne les percevait plus avec l'acuité de la veille, comme d'ailleurs tous ceux qui se trouvaient rassemblés dans la pièce. Déjà, ils avaient perdu ce vernis de l'inhabituel.

Sam décréta que la faible probabilité du mariage de sa sœur ne constituait pas une raison suffisante pour sécher les cours. « Qu'est-ce que t'en sais ? riposta Carroll. J'ai bien des copains qui se cassent sous prétexte qu'il y a un match avec les Orioles, bordel !

— Tu ferais bien de surveiller ton langage, jeune homme », répliqua Sam. Delia se contentait de remuer le potage. Elle se figurait Sam flottant dans le ciel tel un cerf-volant ou une banderole, tel une manche à air changeant de forme à mesure que tournait le vent. D'un côté, il se montrait doux, réservé et plein de bonnes intentions. De l'autre, il était pinailleur et totalement dépourvu d'humour. Elle se rappela subitement comment le matin de leur rencontre, en cet instant où elle le contemplait de derrière son bureau, il y avait eu une fraction de seconde où la fine ossature de son visage lui avait paru *trop* fine, trop collet monté. Elle avait eu un moment d'hésitation. Puis elle avait balayé cette première impression pour l'oublier à jamais — jusqu'à cette minute, tout du moins.

« S'il te plaît, oncle Sam », l'imploraient les jumelles. Marie-Claire déclara : « Il ne pourrait pas rester à la maison juste pour cette fois. Rien que pour nous ? »

La sonnette retentit avant qu'il n'ait eu le temps de répondre. Ils échangèrent tous des regards et le chat fila se réfugier au sous-sol. « Je suis pas là », annonça Carroll, la bouche pleine. Delia finit par réduire le feu sous le potage pour aller voir qui avait sonné.

Dans la vitre irisée de soleil de la porte d'entrée, s'encadrait la silhouette de Driscoll qui regardait de côté en sifflotant. Il sifflotait ! Seigneur. Delia lui ouvrit et le salua : « Bonjour, Driscoll.

— Salut ! lança-t-il en franchissant le seuil. Il fait superbeau. »

En effet. En l'espace d'une nuit, l'automne s'était installé, vif et mordant, et Driscoll avait les joues rose écrevisse. Il était en tenue d'automne, une tenue de week-end, bien que ce fût un mardi. Delia referma la porte pour éviter que le froid pénètre à l'intérieur. « Viens prendre un petit déjeuner. Ou un déjeuner, si tu préfères, ou autre chose, je ne sais pas où tu en es.

— Non, merci. Il faut juste que je parle à Susie une minute.

— Je crois qu'elle doit être réveillée, mais elle n'est pas encore descendue.

— Je peux monter ?

— Oh, je ne sais pas si...

— Allez. Je crois bien que j'ai compris. Je sais comment faire pour qu'elle m'épouse. »

Delia lui lança un regard dubitatif, mais il insista : « D'accord ? » Et, sans attendre sa permission, il fit volte-face et s'élança dans l'escalier.

Il fallut à Delia une grande force d'âme pour ne pas écouter ce qui allait se dire.

De retour dans la cuisine, tout le monde attendait. « Alors ? demanda Linda d'un ton impérieux.

— C'était Driscoll.

— Driscoll ! braillèrent en chœur les jumelles.

— Il est monté parler à Susie. »

Les jumelles reculèrent leur chaise de la table. Linda leur ordonna : « Vous, vous ne bougez pas d'ici.

— Mais on voudrait seulement...

— Ils ne réussiront jamais à régler leur affaire si vous allez jouer les pestes dans leurs jambes. »

Delia retourna à ses fourneaux. Elle remua le potage jusqu'à ce qu'il commence à bouillotter, puis le versa dans un bol — pâle liquide gris à l'aspect d'eau de vaisselle. « Potage de taupe », annonça-t-elle en posant le bol devant Sam. La formule la titilla et elle laissa échapper un petit rire moqueur. Sam la fusilla du regard.

« Merci, Delia », dit-il avec cette componction dont il avait le secret.

Les jumelles harcelaient Linda au sujet de leurs robes de demoiselle d'honneur. Est-ce qu'elles pouvaient les remettre tout de suite ? Est-ce que leur mère pouvait repasser le ruban de leur ceinture là où il s'était froissé ? Delia posa une cuillère à côté du bol de Sam qui réitéra ses remerciements avant de s'en saisir. « Toi, tu vas chercher tes livres, ordonna-t-il à Carroll. Mieux vaut une demi-journée de cours que rien.

— J'attends juste de voir ce que Driscoll va dire, protesta Carroll.

— Driscoll n'a rien à voir là-dedans.

— S'il est de nouveau question de mariage, si. Et puis, de toute façon, j'ai pas mes bouquins. Ils sont chez Velma. Alors, tu vois... »

Sam attaqua son potage avec un flegme ostensible.

« J'ai dû me propulser au lycée tout seul comme un grand depuis la rentrée, reprit Carroll. Comment ça se fait que dès que je suis sous ton toit, je me retrouve traité comme un môme de deux ans ?

— Parce que tu te comportes comme un môme de deux ans », répliqua Sam.

Carroll se recula en poussant la table. Sa chaise racla le sol et faillit heurter de plein fouet Driscoll qui venait de surgir dans l'embrasure de la porte de la salle à manger. « Salut à tous ! lança-t-il à la cantonade.

— Driscoll ! glapirent les jumelles. Qu'est-ce qu'elle a dit ? Elle a dit oui ? »

Elles auraient dû se douter que non. Driscoll était redescendu bien trop tôt et, s'il leur en fallait davantage, elles auraient pu lire la mauvaise nouvelle sur sa figure assombrie dont les joues avaient perdu leur bel éclat vermeil. Même ses mâchoires paraissaient s'être alourdies. Il poussa un profond soupir puis tourna les talons et — sembla-t-il l'espace d'un instant — prit congé. Mais non, il attrapait une chaise dans la salle à manger. Il la traîna dans la cuisine, la plaça à côté de Carroll et s'y laissa tomber lourdement. « Elle dit qu'il faut que je le fasse moi-même, soupira-t-il.

— Quoi donc ?

— Vous voyez, j'ai ruminé ça dans ma tête toute la nuit. » Il semblait s'adresser à Delia qui avait exigé sa place habituelle à l'extrémité de la table. » J'ai pas arrêté de me demander : *Qu'est-ce qu'elle veut, Susie ?* Et puis ça m'est venu d'un coup : il fallait que j'arrange les choses avec le gamin qui a téléphoné. Mais la seule personne qui peut connaître son nom, c'est la fille qu'il essayait de joindre : Courtney. Alors ce matin, j'ai commencé à faire toutes les variantes possibles et imaginables à partir de votre numéro en demandant à parler à Courtney.

— Miséricorde ! soupira Linda.

— Eh bien, c'est plus simple qu'il n'y paraît. En fait, il suffisait d'inverser deux chiffres, c'est tout. Au bout de la dixième tentative, je suis tombé sur la mère de Courtney, enfin je crois que ça devait être sa mère, et elle m'a dit que Courtney était au lycée.

— Ah, firent les jumelles en chœur.

— Du coup, moi je lui ai dit : “Voilà, j'étais censé lui déposer ses notes d'histoire, alors si ça vous dérange pas, je vais les apporter chez elle après les cours, c'est possible ? Est-ce que vous pourriez me redonner l'adresse exacte ?

— Cool ! », lâcha Carroll.

Même Sam manifestait un semblant d'intérêt. Il avait arrêté de manger son potage et observait Driscoll en haussant les sourcils.

« Heureusement pour moi, la mère a marché. Elle m'a tout de suite filé leur adresse — c'est par ici, dans le quartier. » Il s'interrompit, comme frappé par une pensée subite. « Dis-moi, Carroll, tu connaîtrais pas de Courtney, par hasard ?

— J'en connais bien six ou sept.

— Y en aurait pas une qui habiterait Deepdene Street ?

— Pas à ma connaissance.

— Enfin, quoi qu'il en soit, tout ce qu'il me reste à faire, c'est de lui demander qui a appelé.

— Mais si elle n'a pas la moindre idée de qui cela pouvait être ? intervint Delia.

— Elle aura bien une petite idée. S'il lui a pas mal tourné autour, s'il lui a fait des petits signes ou je sais pas, moi. »

Sam avait replongé sa cuillère dans son potage et secouait la tête.

« Du coup, je vais parler à Susie. Pour lui demander de m'accompagner chez Courtney après les cours. Je peux quand même pas y aller tout seul ! Un drôle de type qui se pointe en lui posant plein de questions. Le seul hic, c'est que Susie a dit non.

— Non ? répéta Linda.

— Non, elle m'a réexpédié direct en bas. Elle dit qu'il faut que je me débrouille tout seul. Que je lui ramène le gamin en personne, ce sont ses mots, si je veux qu'elle me pardonne. »

Si tu veux obtenir la main de la princesse, songea Delia, qui trouvait décidément que cette quête prenait des accents de conte de fées. Elle commença à se sentir peinée pour Driscoll, alors même qu'il semblait retrouver sa bonne humeur. « Donc, maintenant, tout dépend de vous, Mrs. Grinstead, lança-t-il avec désinvolture.

— Moi !

— Est-ce que vous pouvez m'accompagner chez Courtney après les cours ?

— Mais, Driscoll, je...

— Moi, j'irai ! déclara Thérèse.

— On y va toutes les deux avec Thérèse », renchérit Marie-Claire.

Driscoll ne parut pas les entendre. Il insista : « Mais, Mrs. Grinstead, vous imaginez ce que je sens. Je sens que j'ai... comme un nuage dans la poitrine ! D'abord, vous vous dites qu'elle pique une petite crise et que ça va pas durer, et ça vous rend fou furieux, mais vous pensez que si vous faites comme si de rien n'était... du coup, ça commence à vous travailler. Vous vous sentez presque, comment dire... triste, mettons, mais encore fou furieux, et vous finissez quasiment par en avoir marre, je veux dire que vous êtes tellement dégoûté de tout ça, dégoûté de ressasser cette histoire encore et encore, au point d'en être dégoûté de vous-même. Alors, vous vous dites : "Bon, voyons les choses autrement : tu devrais être content d'être débarrassé d'elle. Elle a toujours été un peu enquiquinante." Et puis vous vous dites : "Si elle me donnait encore une dernière chance, pourtant ! C'est vrai, quoi, quand est-ce qu'on a perdu le contrôle ? Quand est-ce que ça a viré au vinaigre sans que je m'en aperçoive ?" »

Sam reposa sa cuillère. Linda poussa brusquement un soupir. Delia balbutia : « Eh bien, je... Oh, pourquoi ne pas t'accompagner, après tout ? Je doute d'être d'une grande utilité, mais je peux toujours essayer.

— Oh, merci, exulta Driscoll.
— Mais je ne sais pas si ça marchera, ajouta-t-elle.
— Ça marchera, lui assura-t-il en se levant. Mettons que les cours finissent à trois heures moins le quart, trois heures, je viens vous chercher à... »
Ce n'est pas ce que Delia avait à l'esprit. Elle voulait dire qu'à son avis Susie était parfaitement susceptible de refuser de l'épouser après qu'il se fut excusé. Mais elle s'abstint de le prévenir. Elle ne lui dit pas même au revoir car, à l'instant où il partait, le téléphone sonna.
Cette fois, c'était Joel. « Delia ?
— Oui », répondit-elle d'une voix calme. Elle lança un coup d'œil vers sa famille. Ils avaient tous les yeux rivés sur elle — tous, à l'exception de Sam, qui semblait plongé dans l'examen de la table.
« Où êtes-vous ? » demanda-t-il.
La question lui parut si absurde qu'elle ne sut quelle réponse y apporter. « Euh... », fit-elle.
Où es-tu ? lui avait demandé Sam lors d'un autre coup de téléphone, des mois auparavant. Avait-il eu les mêmes arrière-pensées que Joel en lui posant cette question ? s'interrogeait-elle à présent.
Puis Joel parut rassembler ses souvenirs et poursuivit : « Je suis rentré déjeuner avec Noah et il m'a appris que vous n'aviez pas encore quitté Baltimore. Je voulais m'assurer que tout allait bien.
— Oui, oui, très bien. »
Elle aurait aimé que les autres reprennent leur conversation mais ils n'en firent rien.
« Vous avez bien l'intention de revenir, n'est-ce pas ? insista Joel. Enfin, un jour ou l'autre ? Parce que je vois à votre placard... je ne voulais pas être indiscret, mais j'ai jeté un coup d'œil, pour ainsi dire, dans votre placard, et je me suis aperçu que tous vos vêtements avaient disparu.
— Ah oui ?
— J'ai pensé que vous étiez peut-être partie pour de bon.
— Oh non, c'est juste que... tout cela est plus long à régler que prévu. »
Sam se leva et quitta la pièce.
D'en haut, Susie hurla : « Maman ? Maman ?
— Non, ce n'est pas l'agent immobilier ! lança Delia.

— Pardon ? s'étonna Joel.
— Désolée, Joel, mais je ferais mieux d'y aller. À bientôt. » Elle raccrocha.
« Mais quelle popularité ! » ironisa Linda.
Delia eut un rire qui se voulait désinvolte et entreprit de débarrasser.

Elle avait bel et bien emporté tous ses vêtements, constata-t-elle en montant. Enfin, pas tous. Joel aurait trouvé amplement de quoi se rassurer dans sa commode s'il y avait jeté un œil. Mais avec ceci et cela — l'incertitude du temps en cette saison, la panique d'avoir à choisir une tenue pour le mariage —, elle avait fait ses bagages comme si elle partait pour plusieurs jours. Elle imagina Joel campé devant le placard, son large front plissé en signe de perplexité à mesure qu'il parcourait du regard les cintres vides. D'un geste brusque, elle referma sa valise et claqua les serrures.

Sur ce, elle traversa le couloir pour gagner la chambre de Sam. Là, en revanche, elle avait laissé quantité d'affaires derrière elle. C'était étrange, tout de même, qu'à aucun moment, lorsqu'elle se demandait ce qu'elle allait mettre pour la cérémonie, elle n'ait songé à son ancienne garde-robe ! Ou peut-être n'était-ce pas si étrange, après tout — tous ces frous-frous, tous ces pastels layette ! Elle se détourna. Elle s'approcha de sa commode et trouva dans le tiroir du haut un ruban à cheveux bleu ciel abandonné, des épingles à nourrice, des talons de billets, le tout embrumé d'un nuage de talc. Une paire de lunettes de soleil à laquelle il manquait un verre. Un bon de réduction de cinquante-cinq *cents* sur une crème pour les mains. Une photo arrachée à un magazine d'un mannequin moulé dans un austère tube noir dépouillé. Elle ne s'imaginait pas dans une robe pareille et scruta la photo un long moment avant de se remémorer que c'était le mannequin, et non le vêtement, qui à l'époque lui avait attiré l'œil. Le mannequin à la silhouette de faucille arborait la même coupe de cheveux arrogante que Rosemary Bly-Brice.

Des bruits de pas retentirent dans l'escalier et elle referma furtivement le tiroir comme une voleuse. Lorsqu'elle pivota sur ses talons, elle trouva Sam planté sur le seuil. « Oh ! » fit-elle. Et il lâcha : « Je venais juste... »

Tous deux s'interrompirent.

« Je te croyais en consultation.

— Non, c'est fini pour aujourd'hui. »

Il enfouit les mains dans les poches de son pantalon. Fallait-il qu'elle sorte ? Mais il occupait toute l'embrasure de la porte ; c'eût été embarrassant.

« Désormais, les trois quarts du temps, je ne travaille plus que le matin, expliqua-t-il. Je n'ai plus beaucoup de patients. Apparemment, la moitié sont morts de vieillesse. Mrs. Allingham...

— Mrs. Allingham est morte ?

— Infarctus.

— Oh, mon Dieu, elle va me manquer. »

Dans sa grande indulgence, Sam s'abstint de lui faire remarquer qu'elle avait perdu Mrs. Allingham de vue depuis maintenant seize mois.

Son lit était fait, mais, à l'instar de la plupart des hommes, il semblait incapable de saisir le concept du pli du couvre-pied que l'on glisse sous les oreillers, et le pan d'étoffe rectiligne remontait tristement vers la tête de lit. Histoire de s'occuper, Delia entreprit de l'arranger. Elle ôta le couvre-pied et claqua les oreillers pour leur redonner une forme.

« Tu dois penser que j'ai anéanti le cabinet de ton père.

— Pardon ?

— À cause de moi, ce n'est plus que l'ombre de sa splendeur passée, c'est bien ce que tu penses, non ?

— Ce n'est tout de même pas de ta faute si les gens meurent de vieillesse.

— Mais c'est de ma faute si je ne recrute pas de nouvelles têtes, répliqua-t-il. Évidemment, je n'ai pas le tact de ton père au chevet des malades. J'annonce aux gens qu'ils ont tout simplement une bonne vieille indigestion ; je n'appelle pas ça de la dyspepsie. Je n'ai jamais été du genre à flatter ou à dorloter mes patients. »

Delia ressentit une pointe d'agacement qui lui était familière. *Je ne vois guère en quoi « dyspepsie » serait un terme flatteur*, aurait-elle pu lui rétorquer. *Et pourquoi faut-il qu'à chaque fois que tu parles de mon père, tu te croies obligé d'employer ce ton amer et sarcastique ?* Elle contourna le lit d'un pas digne.

Mais soudain Sam lui lança : « Comment se fait-il que tu boites ?

— Comment ça ?
— J'ai l'impression que tu ménages un pied.
— Oh, ça date d'il y a quelques mois. C'est presque guéri, maintenant.
— Assieds-toi une minute. »

Elle s'assit sur le rebord du lit et il vint s'agenouiller devant elle pour lui ôter sa chaussure. Le bout de ses doigts parcourait le dessus de son pied avec une savante et subtile précision qui l'atteignit directement à l'aine.

De sa voix la plus douce, elle lui déclara : « Autant que je sache, cela n'a jamais dérangé tes patients. Ils disaient que tu étais un saint.

— C'est fini, ce temps-là », soupira-t-il. Les yeux rivés sur la fenêtre, il suivait un tendon comme s'il n'espérait pas tant voir sa blessure que l'entendre.

« L'autre nuit, Mrs. Maxwell a appelé pour un de ses problèmes d'estomac habituels et je lui ai répondu : "Si je me laissais aller à y songer, Mrs. Maxwell, je pourrais moi aussi vous dresser la liste de mes misères. J'ai les yeux qui me brûlent et j'ai mal à la tête, sans compter que mon genou refait des siennes." Ce qui, bien évidemment, l'a vexée. Apparemment, j'ai perdu ma tolérance. Ou peut-être que je n'ai jamais été si tolérant que cela. Je ne suis pas très large d'esprit. Je manque un peu, disons, de jovialité. »

Qu'un tel mot puisse être associé à Sam la fit sourire, mais il était trop occupé à palper sa cheville pour remarquer quoi que ce soit. « Est-ce que ça te fait mal, là ? Et là ?

— Un peu. »

Elle repensa à ce jour où Joel lui avait tenu le pied exactement de la même manière. Mais le contact de ses doigts lui avait alors semblé si étranger à elle, si éloigné — quasi irréel, même.

« C'est sans doute pour ça que je t'ai épousée », poursuivait Sam. Avait-elle raté une quelconque transition ? « Tu étais si gaie quand je t'ai rencontrée. Ou plutôt... insouciante. À présent, je comprends que si je t'ai choisie, ce n'était que pour de mauvaises raisons. »

Elle eut un léger mouvement de recul.

« Tu étais là, sur le canapé, à côté de tes deux sœurs terrifiantes. Eliza qui vantait les mérites du varech et prônait des doses toxiques de vitamines. Linda qui balançait à tout bout de champ des mots français, comme *louche* ou *distingué*. Mais toi, tu étais si timide, toute mignonne, toute gauche, et tu souriais en baissant les yeux sur ton petit dé à coudre de sherry. Tu avais un côté si irrésolu. Toi, j'étais sûr de pouvoir te manœuvrer et je n'ai jamais cessé de me demander pourquoi j'avais eu besoin de cette certitude. »

Il reposa son pied et s'accroupit. « Lève-toi, s'il te plaît. » Elle obéit. Il plissa les yeux. « Ça m'a tout l'air un peu enflé, déclara-t-il. À mon avis, tu as dû te déchirer un ligament. Les ligaments peuvent mettre un temps fou à guérir. Comment t'es-tu fait ça ? »

Par gaucherie, par irrésolution. Mais elle ne voulait pas le lui avouer. Quoi qu'il en soit, il suivait à nouveau le fil de ses pensées.

« Quand tu es partie, la police s'est d'abord montrée compatissante. Et puis, ils se sont aperçus que tu étais partie de ton plein gré et j'ai bien vu qu'ils commençaient à s'interroger. Enfin, on ne peut pas leur en vouloir. Moi aussi, je m'interrogeais. Je lui ai demandé, à Eliza, quand elle est rentrée après t'avoir vue : "Est-ce que c'est à cause de moi ? Est-ce que j'ai quoi que ce soit à voir là-dedans ?" Peut-être aurais-je dû formuler les choses autrement en parlant de ton ami. Ou je t'avais trop tannée pour l'écran solaire. Ou, je ne sais pas, moi, tu ne supportais peut-être pas que mes poils se soient mis à grisonner sur le torse. Ou encore l'angine de poitrine. Je sais que toute cette histoire d'angine de poitrine devait être empoisonnante.

— Quoi ! protesta-t-elle. Ah non ! Ça, c'est injuste !

— Non, non, il y a eu un moment où j'ai dépassé les bornes. Je prenais mon pouls toutes les deux minutes. Je devais me dire que j'allais m'effondrer raide mort comme mon père. » Il se leva, s'épousseta soigneusement les genoux qui ne portaient pas la moindre trace de poussière. « Mais Eliza m'a dit que ce n'était rien de tout cela. Je n'ai jamais trop su ce qu'elle avait voulu dire. »

En outre, avait-il écrit, *je ne suis pas certain de bien comprendre les « stress » auxquels tu fais allusion*. Delia regrettait à présent d'avoir jeté sa lettre. Le ton en aurait-il été moins glacial qu'elle se l'était imaginé ? Elle repensa aux ratures ; elle revit comment elles s'étaient multipliées vers la fin à mesure que disparaissaient les virgules, comme s'il s'était rué sur sa dernière phrase. Phrase qu'il avait si soigneusement barrée qu'elle avait été incapable de la déchiffrer.

Le téléphone de la table de chevet se mit à sonner, mais ils ne décrochèrent ni l'un ni l'autre et la sonnerie s'arrêta au bout de quelques instants.

« Le fait est que tu te poses tellement de questions — est-ce là que j'ai fait une erreur ? ou là ? — que tu finis par croire que tu n'as fait qu'accumuler les erreurs. D'un bout à l'autre de ta chienne de vie. Mais à présent que la fin approche, j'ai l'impression d'aller trop vite pour y changer quoi que ce soit. Je... je dérape droit sur la fin, c'est tout. »

Susie cria : « Maman ? »

« C'est comme cette vieille émission de Jackie Gleason, à la télévision, reprit Sam. Celle qui commençait par un zoom au-dessus d'un port sur une ville dont on ne voyait que les toits. Était-ce Miami, Manhattan ? Ce long vol plané au-dessus d'une eau lisse comme un miroir : c'est exactement comme ça que je vois la mort. Plus de freins ! Plus de liens ! Plus le temps de faire demi-tour ! »

« Maman, téléphone ! »

Delia ne quitta pas des yeux le visage de Sam, mais il lui dit : « Tu ferais mieux de répondre. »

Elle ne fit pas un geste.

« Le téléphone, Delia. »

Au bout d'un moment, elle décrocha. « Allô ?

— Delia ?

— Oh, Noah. »

Les épaules de Sam s'affaissèrent. Il se tourna vers la fenêtre.

« Tu ne t'es pas encore mise en route ? demanda Noah.

— Non », répondit-elle, les yeux rivés sur Sam. Le front posé sur la vitre, il avait le regard perdu sur le jardin. « Je ne saurai pas avant cet après-midi quelles seront mes dispositions.

— Mais c'est déjà l'après-midi et je me sens tout seul ! » gémit-il. Visiblement, il avait suffi qu'il soit malade pour retrouver la spontanéité première qu'elle lui avait connue. « J'ai personne pour s'occuper de moi. Papi est venu mais il a pas voulu rester et j'ai même plus de pastilles contre la toux.

— Il y en a une autre boîte dans... Ton grand-père ? Il est venu à Bay Borough ?

— Un millième de seconde.

— Que venait-il faire ?

— Il a dit qu'il passait juste dans le coin et puis il est parti. Je lui ai dit que j'étais malade, mais il en avait rien à faire. Et puis papa prétend que j'ai même pas de fièvre et maman ne peut venir qu'après son travail et puis la télé marche pas.

— Lis donc un livre. Je serai bientôt à la maison. Ce soir ou peut-être demain. Dis-le à ton père, d'accord ? »

Elle lui fit ses adieux en le coupant au beau milieu d'un gémissement théâtral.

« Désolée, dit-elle à Sam. C'était juste... »

Mais il répliqua : « Manifestement, tu as à faire. » Et sur ces paroles, il se dirigea vers la porte.

« Sam ? »

Il s'arrêta et pivota sur les talons.

« C'était juste le petit garçon dont je m'occupe.

— C'est bien ce que j'avais compris, répondit-il, apparemment sans même remuer les lèvres.

— Il est malade, il a un rhume.

— Et il faut que tu rentres “à la maison” le retrouver. »

Sa voix avait ces accents pincés, bridés, ce timbre d'acier qui la faisaient toujours se recroqueviller à l'intérieur d'elle-même, mais elle se força à répondre posément : « Il se trouve que c'est là que j'habite.

— Il se peut que je ne sois pas parfait, Delia, mais au moins je ne me fais pas d'illusions.

— Que veux-tu dire, au juste ?

— Je ne suis pas là à essayer à tout prix d'inverser le sens des aiguilles. À me débarrasser de mes gosses dès qu'ils deviennent difficiles pour me mettre en chasse d'un tout nouveau plus facile, un petit gamin. »

Delia le dévisagea fixement. « Je n'ai jamais entendu une théorie aussi vaseuse ! Qu'en sais-tu ? Peut-être n'est-il pas facile du tout ? Peut-être est-il tout aussi difficile !

— Si c'est le cas, tu peux également te débarrasser de lui.

— Je ne me suis pas débarrassée de lui ! cria-t-elle. Je suis seulement venue pour le mariage de Susie et puis je rentre — et j'ajouterais, le plus tôt sera le mieux. Je n'ai aucunement l'intention de me débarrasser de lui ! »

Sam la scruta d'un regard impassible. « Ai-je dit que c'était là ton intention ? »

Et, tandis qu'elle cherchait désespérément ses mots, il sortit de la chambre.

Entre autres faiblesses, lorsque Delia se mettait en colère, elle avait la larme facile, ce qui la rendait d'autant plus furieuse. Ainsi, se trouvait-elle dans la cuisine à faire un boucan de tous les diables en ravalant ses larmes, les mains dans l'eau de vaisselle, tandis que, derrière elle, Linda s'efforçait de la consoler : « Allons, allons. Nous t'aimons tous, Dee. Les tiens t'aiment. Attention, c'est la dernière assiette à soupe de mamie. Nous, nous te soutiendrons.

— Je vais très bien », répondit Delia en se tamponnant les yeux du creux du poignet. Elle fit couler de l'eau sur une éponge qui dégagea une épouvantable odeur de pourri, comme si elle avait moisi au fond du placard.

« Tu ne devrais pas tolérer sa présence, poursuivit Linda. Fiche-le dehors ! Envoie-le balader. C'est notre maison, pas la sienne. C'est nous qui devrions vivre ici. »

Delia ne put s'empêcher de rire. « Ah oui ? Et avec quel argent ? riposta-t-elle. S'il n'avait pas été là, nous aurions perdu la maison depuis belle lurette. Qui paie les impôts fonciers, à ton avis ? Et l'entretien, et les factures des travaux de rénovation ?

— Si tu appelles rénovation le fait de déraciner le moindre buisson, rétorqua Linda, moi, j'appelle ça de la tyrannie ! Et tu savais qu'il avait l'intention de peindre tous les volets en rouge ?

— En rouge ?

— Rouge pompier, c'est ce qu'il a annoncé à Eliza. Quoique, d'après elle, il aurait plus ou moins renoncé à ce projet dernièrement. Mais tu imagines ! Un vieillard, un vieux fossile aux cheveux teints, voilà à quoi ils ressembleraient, ces volets. Tu as remarqué comment ça l'a pris juste après sa crise cardiaque ?

— Angine de poitrine », rectifia automatiquement Delia.

Susie apparut dans la pièce, l'air vague, vêtu de son jean et d'un pull marin de Carroll. « Quand est-ce qu'on déjeune ? demanda-t-elle à sa mère.

— Déjeuner ? C'est-à-dire que...

— Un chercheur d'or, voilà ce qu'il est, trancha Linda. Il te guignait dès l'instant où papa l'a embauché.

— Qui ça ? s'enquit Susie.

— Sam Grinstead. De qui veux-tu qu'on parle ? Il a intrigué afin d'épouser ta mère avant même d'avoir posé les yeux sur elle.

— Ah oui ?

— Oh, Linda, soupira Delia. Si tu veux la vérité, moi aussi j'ai intrigué pour l'épouser. J'étais là, assise à ce bureau, à rêver que quelqu'un vienne me délivrer.

— Te délivrer de quoi ? » s'étonna Susie.

Delia fit mine de l'ignorer. « Regarde notre propre grand-mère, lança-t-elle à Linda. Qui s'en est allée épouser Isaiah, histoire d'échapper à cette satanée phtisie. Regarde le fils du bûcheron qui épouse la princesse pour son royaume.

— C'est qui, Phtisie ? intervint Susie. Quel bûcheron ? Mais de quoi vous parlez, toutes les deux ? »

Linda s'approcha de Susie et passa un bras autour de ses épaules, comme si elles étaient si amies, si proches, que Delia se sentit exclue. « Si ta mère avait seulement une once de ton bon sens, déclara-t-elle à Susie, elle ficherait ton père à la porte, puis elle se trouverait un travail et se réinstallerait à Baltimore.

— J'ai déjà un travail, rétorqua Delia. J'ai toute une vie qui m'attend ailleurs. »

Et Bay Borough, à cet instant précis, parut flotter devant ses yeux, minuscule bulle bleue, éclatante et pleine à craquer, suspendue dans les brumes vagues d'un lointain si voilé qu'elle se demanda si elle ne l'avait pas rêvé.

« Voilà ce que j'espère, annonça Driscoll à Delia. Dès que Courtney apprendra que quelqu'un l'a appelée, elle saura tout de suite que c'est ce type à qui elle a donné son numéro. Je veux dire, il a appelé chez vous trois fois. Du coup, une chose est sûre, c'est qu'il n'a pas été chercher son numéro dans l'annuaire. Il a dû se tromper en le notant. Vous ne croyez pas ?

— C'est possible, oui », fit Delia. En réalité, c'était plus que probable, mais elle ne trouvait pas l'énergie de le lui dire. Ils venaient de passer les dernières quarante-cinq minutes debout dans le froid. De temps à autre, elle lançait par-dessus son épaule un regard languissant à la maison de bois blanche de Courtney, mais ils avaient déjà sonné à la porte et n'avaient obtenu aucune réponse.

« Driscoll, as-tu pensé que Courtney faisait peut-être du

sport après les cours ? Tu sais, Susie rentrait parfois à la nuit tombée.

— Alors, on attendra que la nuit soit tombée. »

D'autres lycéens passaient — des garçons de Gilman en chemise et cravate, et des adolescentes en uniforme, vert d'eau pour Bryn Mawr, bleu pour Roland Park Country School. « On devrait peut-être brandir une pancarte, suggéra Delia. Comme dans les aéroports. »

Driscoll la regarda de travers.

« Tu n'aurais pas pu emmener Pearce, plutôt ? demanda-t-elle.

— C'est qui, Pearce ?

— Mais ta sœur, voyons !

— Spence, vous voulez dire ?

— Ah oui, Spence. Désolée. »

Elle eut un petit rire. Il se renfrogna encore.

« Spence est à son bureau, dit-il. Mais de toute manière ça m'aurait étonné qu'elle vienne. Elle ne pense pas que je doive me marier.

— Ah bon !

— Pourquoi cette surprise ? Vous n'êtes pas la seule à y être opposée.

— Je n'ai jamais dit que j'y étais opposée.

— À vous voir, c'est pourtant l'impression que ça donne. Vous êtes là à traîner la patte depuis tout à l'heure, à regretter que je n'aie pas emmené quelqu'un d'autre.

— Je commence à avoir froid, c'est tout.

— À titre d'information, toute ma famille estime que je ferais mieux de rester célibataire. »

Delia se sentit piquée au vif. « Je te remercie !

— Oh, ils aiment bien Susie. Mais vous savez... Ma mère passe son temps à me demander : "Pourquoi aller frayer avec ces Grinstead."

— Ce n'est pas une tare d'être un Grinstead !

— Non, mais, c'est-à-dire que... » Il suivit des yeux un essaim d'écolières qui passaient. « Admettez que vous êtes tous si... vous ne faites jamais rien comme les autres. Vous êtes là à refuser de vous mêler aux autres, de participer, vous vivez repliés sur vous-mêmes et puis, vous faites comme si c'était normal. Vous faites comme si tout était normal. Vous êtes si cachottiers, si mielleux. Vous déguisez les faits. Vous n'expliquez rien. »

Delia respira. Il aurait pu citer des travers bien plus graves, songea-t-elle. Lesquels, au juste, elle n'en savait trop rien. « Eh bien, répondit-elle, ce me semble être des qualités et non des défauts.

— Tenez, vous voyez ? l'accusa Driscoll. C'est l'illustration exacte de ce que je viens de dire !

— Mais, dis-moi, tu peux parler ! Toi qui apprends que ton mariage est annulé et qui débarques tout de même comme si de rien n'était ! Pour déguiser les faits, tu te poses là !

— Moi, au moins, je n'ai pas fait mine d'être un simple invité, lui rétorqua Driscoll. Je ne me suis pas pointé à la toute dernière minute comme si la mariée n'était qu'une vague connaissance.

— Je ne demandais pas mieux que de venir plus tôt ! Mais personne ne me l'a demandé !

— Vous voyez ce que je veux dire ?

— Qu'est-ce que tu veux dire ? »

Une voiture s'approcha du trottoir, un break grouillant de visages. Une adolescente en descendit, les bras chargés de livres. « Merci ! » lança-t-elle. La voiture klaxonna et repartit.

L'adolescente s'arrêta sur le trottoir. Sans trop savoir pourquoi, Delia avait deviné que Courtney était blonde. Elle était grande et mince, le teint hâlé et vêtue d'une tenue au négligé savamment étudié — blazer d'une coupe irréprochable et chaussettes retombant sur les chevilles. « Oui ? fit-elle.

— Je m'appelle Driscoll Avery et, avant-hier soir, j'ai répondu à un appel qui devait t'être destiné. »

Courtney inclina la tête. Son carré se balança gracieusement d'un côté.

« Un type a fait un faux numéro, reprit Driscoll, et ma fiancée est furieuse, sous prétexte que je me suis peut-être montré euh... un peu grossier. Alors, voilà, maintenant, il faudrait que je sache si tu as une idée de celui qui a bien pu t'appeler. »

Courtney posa les yeux sur Delia.

« Je suis la mère de sa fiancée », expliqua-t-elle. Ce mot de « fiancée » évoquait pour elle l'image d'une jeune femme chapeautée d'un bibi aux antipodes de Susie. Elle sentit s'afficher sur son visage l'expression lisse aux grands yeux écarquillés de la parfaite menteuse.

Elle lui assura : « C'est la vérité. Je te le jure. Un garçon a appelé en demandant à parler à une certaine Courtney et Driscoll lui a dit que tu ne voulais pas lui parler.

— Tu as fait ça ? » demanda Courtney à Driscoll. Le sourire s'était envolé. « Et si c'était quelqu'un dont je mourais d'envie d'avoir des nouvelles ?

— Qui, par exemple ? fit Driscoll. Je veux dire, penses-tu à quelqu'un en particulier ?

— Il y a bien Michael Garter.

— Est-ce que tu as donné ton numéro à Michael Garter ?

— Non, mais il est dans l'annuaire.

— Tu crois que c'est lui qui t'a appelée ?

— Peut-être. On ne sait jamais. Mais, bien sûr ! » Elle semblait s'enthousiasmer à cette idée. « Dans deux semaines, il y a cette fête, dit-elle à Delia.

— Mais tu ne lui as pas donné ton numéro, objecta-t-elle.

— Euh, non.

— Nous pensions plutôt à quelqu'un à qui tu l'aurais donné.

— Non, mais il y a cette super-fête. Et Michael Garter, le mec que je connais, c'est le mec le plus fort de son lycée, enfin le numéro deux.

— Mais... », hasarda Delia, à l'instant précis où Driscoll lançait : « Génial ! On y va !

— Mais y a-t-il quelqu'un à qui tu l'aies donné ? insista Delia.

— Oh, là, là, il y a sans arrêt des mecs qui me demandent mon numéro. Vous voyez le genre, quoi ? Et je leur donne, mais c'est juste histoire d'être sympa. Je ne pourrais jamais sortir avec eux.

— Et cela t'arrive de leur donner un faux numéro ? insista Delia.

— Évidemment, s'ils n'ont vraiment, comme qui dirait, aucun intérêt.

— Tu inverses deux chiffres, par exemple.

— Parfois.

— Et cela t'est-il arrivé, récemment ?

— Oh, à ce mec de mon cercle chrétien, peut-être.

— Et comment s'appelle-t-il ?

— Mais je pense que ça doit plutôt être Michael Garter.

— Comment s'appelle ce garçon de ton cercle chrétien...

— Paul Cates. Mais c'est genre, une espèce de débile. Si vous le voyiez, vous comprendriez ce que je veux dire.

— Je parie tout ce que tu veux que c'est Michael Garter », dit Driscoll d'un ton apaisant.

Courtney lui lança un regard admiratif.

« Écoute, intervint Delia, n'oublie pas de mentionner la moindre possibilité à Driscoll et il se chargera de retrouver qui c'était.

— Et puis, je pourrais peut-être venir aussi, répondit Courtney. Je pourrais te montrer où Michael Garter s'entraîne au foot. »

N'importe quel demeuré serait d'abord allé voir du côté de Paul Cates. Espérant le lui faire comprendre, Delia braqua les yeux sur Driscoll. « Hein ? fit-il avant de réagir. Ah oui, et est-ce que Paul Cates joue aussi au foot ?

— Tu veux rire ? Paul Cates ? Jouer au foot ? »

Delia s'apprêta à partir et remit la lanière de son sac à l'épaule. « Bonne chasse, lança-t-elle à Driscoll.

— Quoi, vous venez pas avec nous ?

— Tu te débrouilleras mieux sans moi. »

Il ouvrit la bouche pour protester, mais Courtney lui dit : « Ravie d'avoir fait votre connaissance ! »

Delia leur fit un signe de la main et s'éloigna.

Elle était soulagée de se retrouver un peu seule. Sa vie de famille avait-elle été toujours à ce point bourrée à craquer ? s'interrogea-t-elle. Comment avait-elle fait pour garder toute sa tête ? Puis elle se rappela que tel n'avait pas été le cas, à en croire Sam, tout du moins.

Remontant en hâte Roland Avenue, elle passa devant l'agence de voyages, la banque Mercantile et le supermarché Eddie's. Elle prit soin de ne pas regarder les autres piétons, de crainte de les connaître. Imaginez qu'ils lui demandent où elle avait disparu ces derniers mois et quels étaient ses projets dans l'immédiat. Ou imaginez encore — tenez, voilà qui serait original — qu'elle tombe sur Adrian Bly-Brice.

Le plus drôle, c'est qu'en dépit de ses efforts, elle était incapable de se remémorer le visage d'Adrian.

« Delia, chuchota Linda à la porte d'entrée, il y a quelqu'un qui t'attend.

— Ah ? »

Delia sentit ses joues s'empourprer, mais Linda précisa : « Un monsieur plutôt âgé. Un certain Nat.

— Oh. »

Elle traversa la salle à manger à la suite de Linda et pénétra dans la cuisine. Nat était attablé avec Susie et les jumelles, mais, à son arrivée, il se leva. « La voilà ! » s'écria-t-il.

Loin de Senior City, il semblait plus vieux. Il avait les cheveux si blancs qu'ils jetaient des reflets et il s'appuyait lourdement sur sa canne. Il devait avoir un de ses flash-back. Elle lança : « Nat ? Est-ce que tout va bien ?

— Mais oui. Tout va pour le mieux. Bonjour, mon petit. » Il déposa sur sa joue un baiser galant en la picotant avec sa barbe. « Il se trouve que je faisais une petite virée. Alors, je me suis dit que je pouvais vous offrir de vous raccompagner.

— Une petite virée... à Baltimore ?

— Oui, enfin, ici et là. »

Voilà qui était pour le moins surprenant, toutefois elle n'insista pas. « C'est gentil de votre part, mais je ne sais pas exactement quand je vais partir. » Elle jeta un œil à Susie qui la lorgnait par-dessus sa tasse de café. « Driscoll s'occupe encore de cette histoire de téléphone », lui annonça-t-elle.

Les jumelles se donnèrent des coups de coude. Nat s'exclama : « Oh, mais je suis au courant de tout ! Votre sœur m'a mis au parfum. Alors, ça avance ? Sommes-nous parvenus à localiser l'infortuné jeune homme ?

— Eh bien, nous avons quelque peu limité le champ des possibilités, répondit Delia. Nat, y a-t-il un problème à la maison ?

— Un problème ? Mais pourquoi ne cessez-vous de poser cette question ? N'a-t-on plus le droit de faire une petite balade en solitaire de nos jours ? »

Linda plaça une tasse de café devant lui et il se laissa pesamment retomber sur sa chaise. « Merci, mon petit. » Il posa sa canne de côté. Elle se dressait sur ses quatre petits pieds, l'allure crâne et indépendante.

« Du lait ? demanda Linda. Du sucre ?

— Non, merci, rien. » Il reprit à l'adresse de Delia : « Vous ne m'aviez jamais dit que vous aviez une sœur. Et une fille aussi charmante ! Et deux ravissantes nièces ! »

Son enthousiasme était fébrile, mais le reste de la tablée ne semblait pas s'en apercevoir. « Elle n'a pas qu'une fille, intervint Marie-Claire. Elle a aussi deux fils.

— Deux fils ! s'émerveilla Nat. Et où les cache-t-elle ?

— Eh bien, Carrol se cache là-haut parce qu'il s'est disputé avec son papa et Ramsay vit avec sa petite copine un rien vulgaire dans un appartement dont on n'a même pas l'adresse. »

Nat jeta à Delia un regard interrogateur. « Oui, fit-elle avec un petit rire. Il faudra que vous nous excusiez, je le crains. Ici, personne ne se parle plus.

— Il m'a pourtant semblé qu'on parlait, objecta-t-il avec bon sens.

— Oh, pour ce qui est de parler, oui, mais... »

Elle déclara forfait et alla se servir une tasse de café. Nat recommença à interroger les jumelles. « Et vous habitez tous dans cette grande maison ? Enfin, sauf Ramsay, bien sûr, qui vit avec sa petite amie un rien vulgaire.

— Oh non ! Il n'y a plus personne qui habite ici. Il ne reste plus que l'oncle Sam.

— L'Oncle Sam ! Serions-nous donc sur une propriété d'État ? »

Les jumelles gloussèrent. Thérèse soupira : « Mais non, l'oncle Sam, c'est le mari de tante Delia ! »

Delia sentit peser sur elle le regard de Nat, mais elle ne se retourna pas et les jumelles se mirent à parler d'Eliza. « Elle brûle des herbes dans des petits bols, expliqua Marie-Claire. Elle a une bouteille qui s'appelle Patience et elle la renifle quand elle commence à en avoir marre.

— Je me demande bien où cela peut s'acheter », fit Nat d'un ton pensif.

Delia alla prendre une cuillère dans le tiroir à couverts et tomba sur Susie qui l'attendait en se prélassant devant, un pied chaussé d'une tennis posé en travers de l'autre. Delia ne se laissa pas berner une seconde par l'expression nonchalante qu'elle affichait. « Alors, dit-elle, Driscoll a mis la main sur Courtney, à ce qu'il paraît.

— Oui.

— Et il a retrouvé qui était le garçon, tu as dit.

— Enfin, Courtney lui a donné quelques pistes.

— Alors maintenant, il a dû aller leur parler.

— Il s'en occupe. »

Elle tendit la main vers le tiroir et Susie fit un mouvement infinitésimal de côté. « J'ai le vague sentiment que tu y serais bien allée, déclara Susie.

— Comme tu le vois, je suis ici », riposta sèchement Delia.

Sans doute Susie tenait-elle à Driscoll. Auquel cas, parfait, ils feraient probablement aussi bien de se marier. Comme elle avait été naïve de prendre cette rupture au sérieux ! Et par contraste, quelle éclatante démonstration de sagesse, de maturité et de bon sens pragmatique venait de lui donner Susie. Delia lui lança un sourire radieux. Susie la lorgna d'un œil soupçonneux.

On parle toujours de cette étrange faculté qu'ont les mères de lire dans les pensées de leurs enfants, mais ce n'est rien comparé à l'aisance avec laquelle les enfants déchiffrent celles de leur mère.

Les jumelles décrivaient leur robe de demoiselles d'honneur. « De grands rubans qui retombent...

— Des manches bouffantes...

— De la même couleur que le dentifrice Crest au fluor.

— Elles doivent être extraordinaires, dit Nat. Et quand est-ce que vous pensez les porter ?

— Peut-être ce soir », répondit Marie-Claire, mais Susie, intervenant dans le débat, trancha : « Demain. »

Tous les yeux se tournèrent vers elle. Elle soutint le regard de Delia d'un air de défi. « Enfin, si Driscoll m'amène ce garçon, bien sûr.

— Mais il peut arriver dans les cinq prochaines minutes ! s'écria Linda. Tu pourrais te marier ce soir, s'il se dépêche.

— Oui, mais le révérend Soames ne peut pas nous prendre avant dix heures, demain matin.

— Il t'a dit ça ? s'étonna Delia. Tu lui as parlé ? Quand ça ?

— Oh, euh, tout à l'heure.

— Mais si notre vol est à midi, demain, reprit Linda, et que, pour aller jusqu'à l'aéroport, il nous faut, voyons voir.... »

Nat dit à Delia : « J'ai comme l'impression que vous ne rentrerez pas avec moi ce soir. »

Il parlait d'un ton enjoué, toutefois Delia ne pouvait se défaire du soupçon qu'il était préoccupé. Elle jeta un coup d'œil au reste de la tablée qui discutait encore des divers horaires et demanda : « Nat, qu'est-ce qui vous a amené ici, franchement ?

— Rien, je vous assure !

— Vous avez roulé deux heures, comme ça, sans raison !

— Deux heures et demie, en fait. Un petit ralentissement sur le pont. »

Elle scruta son visage. « Comment va le bébé ?

— Il prospère.

— Et Binky ?

— Robuste comme une poulinière.

— Sait-elle que vous êtes à Baltimore ?

— Je l'ai appelée il y a quelques minutes. Votre sœur m'a autorisé à me servir du téléphone.

— Et Noah a un rhume, j'ai cru comprendre, dit-elle, sans lâcher prise.

— Une simple petite goutte au nez. Je suis passé le voir ce matin en chemin. Je l'ai trouvé en train de jouer à Tétris. Il est loin d'être mourant, si vous voulez mon avis.

— Je dois dire qu'il n'avait pas l'air bien malade, admit Delia. Peut-être avait-il seulement besoin d'un jour de congé.

— Oui. Cela ne nous ferait pas de mal à tous, un jour de congé de temps à autre. »

Quelque chose heurta la porte du jardin et Sam entra avec deux sacs de courses. Un long bout de baguette dépassait de l'un d'entre eux. « J'ai trouvé le gingembre, annonça-t-il à Linda. Mais il n'y avait plus d'échalotes.

— Oh, peu importe. Des oignons nouveaux feront l'affaire, dit Linda en lui prenant les sacs. Ça ira, Delia ?

— Quoi donc ?

— Est-ce tu peux préparer ton plat chinois avec des oignons nouveaux ?

— De toute manière, je mets toujours des oignons nouveaux, répondit Delia. Mais...

— Oh, parfait. Parce qu'on va être beaucoup à table, tu comprends, et je me suis dit que tu pouvais nous faire ton... Oh, Sam, je ne crois pas que tu connaisses Nat. Nat Moffatt, je vous présente Sam Grinstead. J'espère que vous restez à dîner, Nat. Avec le plat chinois de Delia, nous avons de quoi nourrir un bataillon entier, croyez-moi.

— J'en serai ravi », dit Nat, à la grande surprise de Delia. Il s'était levé pour les présentations et se retenait à présent au dossier de sa chaise. Sam, qui ne devait pas avoir la moindre idée d'où Nat avait bien pu surgir, lui serra la main en affichant une mine plaisante vaguement déconcertée. « Enchanté de faire votre connaissance, dit-il.

— Mais tout le plaisir est pour moi », répondit Nat. Puis il ajouta, en décochant un coup d'œil espiègle à Delia : « J'ai tellement entendu parler de vous. »

Évidemment, Sam ne pouvait pas comprendre. Il se contenta de sourire poliment et demanda à Linda : « Est-ce que j'ai le temps d'aller faire une visite avant le dîner ?

— Demande à Delia, c'est elle la cuisinière. »

Sam se tourna vers elle. « J'ai promis à Mr. Knowles de faire un saut chez lui.

— Tu as largement le temps », lui assura-t-elle.

Ils se parlaient sans que leurs regards se croisent, tels des acteurs d'une pièce de théâtre dont les paroles ne s'adressent qu'au public.

Delia n'eut pas besoin qu'on lui dise qui était l'inconnu de Courtney. Elle sut qu'il s'agissait de Paul Cates sitôt qu'elle eut posé les yeux sur lui — sur ce visage doux, naïf, couronné d'une masse de boucles couleur de caramel. Son jean était un peu trop court, ses tennis à semelles trop fines étaient trop enfantines et sa veste de laine à carreaux étaient de celles que l'on voit sur les petits garçons de l'école élémentaire. Driscoll le conduisit à Susie qui hachait des châtaignes d'eau, juchée sur un tabouret, pour le plat chinois de Delia. À la suite de Paul, venait Courtney en personne. Elle prit place derrière Driscoll et Paul, les mains fourrées dans les poches de son blazer, et examina Susie avec une curiosité non dissimulée. Susie, qui s'était détournée du plan de travail à leur approche, ne détachait pas les yeux de Driscoll.

« Susie, dit Driscoll, voici Paul Cates. » Puis il fit face à Paul Cates et poursuivit : « Paul, je tiens à m'excuser. Lorsque tu as téléphoné par erreur l'autre soir, je t'ai laissé croire que tu étais bien chez Courtney, mais j'ai très mal agi. »

Paul rayonnait. « Ça ne fait rien », répondit-il.

Cérémonieusement, Driscoll se retourna vers Susie. « Bon, maintenant, veux-tu m'épouser ? demanda-t-il.

— Faut croire, oui. »

Une des jumelles s'écria : « Chouette ! », tandis que l'autre ajoutait : « Embrasse-le ! Embrasse-le, Susie ! »

Susie planta un baiser au coin de la bouche de Driscoll. Et

dit à Paul : « C'est très gentil à toi de t'être montré si compréhensif.

— Oh, ça ne me dérange pas du tout », répondit-il en coulant à Courtney un regard brillant sous ses longs cils. Courtney se contenta de le dévisager froidement et se retourna vers Susie.

« Et toi, Courtney, c'est gentil d'être venue, ajouta Susie.

— Pas de problème. Avec ton frère Carroll, on s'est déjà vu à une soirée au printemps dernier.

— Ah oui ?

— Ma copine l'avait invité pour son anniversaire. J'ai pigé quand ton fiancé m'a dit comment tu t'appelais. »

Paul avait perdu sa gaieté. Delia intervint donc et leur suggéra : « Pouvez-vous rester à dîner tous les deux ? Il y a au menu un plat chinois qui est extensible à l'infini.

— Oh, ça devrait pouvoir se faire », répondit Courtney.

Paul déclara : « Il faut juste que j'appelle ma mère.

— Par ici », dit Delia en lui prenant le coude d'une main protectrice pour le conduire vers le téléphone. Que les filles devaient paraître cruelles et déconcertantes — barbares, presque — aux garçons ! Curieusement, de son temps, elle ne s'en était pas aperçue.

« Je porte un toast aux futurs jeunes mariés », déclara Nat en levant sa tasse de café.

Driscoll répondit : « Merci à vous... » sans avoir la moindre idée, bien évidemment, de l'identité de ce vieux monsieur, mais avec sa bonne humeur coutumière, il s'adaptait. « Allô, m'man ? » dit Paul au téléphone. Sur ces entrefaites, Carroll apparut sur le seuil de la salle à manger à l'instant précis où Eliza franchissait le seuil de la porte du jardin. Aussi tous deux durent-ils être mis au courant des derniers développements. Eliza n'avait pas même encore appris quelle était la nature de la tâche magique de Driscoll. Elle ne cessait de répéter : « Qui ça ? Il a amené qui ? » en arquant ses sourcils en signe de perplexité, son sac serré contre sa poitrine, tandis que Courtney se faufilait vers Carroll pour lui demander : « Carroll Grinstead ? Je ne sais pas si tu te souviens de moi ? » et que les jumelles insistaient pour pouvoir cette fois mettre du rouge à lèvres au mariage.

Delia emporta sa planche à découper vers un secteur moins peuplé et commença à hacher le gingembre. Son plat chinois exigeait onze bols d'ingrédients, pour la plupart taillés en allumettes, avant d'être revenus rapidement à la poêle. Jusque-là, elle n'en était qu'au quatrième bol. Elle était soulagée d'avoir de quoi s'occuper, cependant. Elle hachait en cadence, sans réfléchir, dans les tourbillons d'un océan de bavardages. *Tic-tic*, faisait le couteau sur la planche à découper. *Tic-tic*, et elle glissait toutes ses pensées d'un côté à mesure que glissaient les monticules de gingembre dans leur bol.

Une fois toutes les rallonges installées, la table emplissait toute la salle à manger. (« Cette nappe vient du trousseau de votre grand-mère, disait Linda aux jumelles. Cette tache remonte à la fois où votre tante Delia a posé dessus un bol de curry. Elle s'en fiche bien, elle ; pourtant c'était la préférée de votre grand-père ; mais elle traite ces choses-là comme si elles venaient de chez Woolworth. ») Douze couverts étaient alignés en ordre serré sur toute sa longueur — cinq de chaque côté, plus un à chaque extrémité. On avait parlé d'inviter Eleanor, mais Susie ne voulait pas risquer de porter la guigne à son mariage en étant treize à table et personne n'avait répondu lorsqu'ils avaient appelé Ramsay.

« Courtney, je t'ai mise ici, au milieu, lança Delia. Paul, tu es à côté de Courtney... »

Courtney, toutefois, avait manifestement décidé de s'installer à côté de Carroll, ce qui laissait Paul coincé entre les jumelles — au ravissement de ces dernières. Les autres restèrent debout en poursuivant une discussion commencée au salon — où il était question des fourmillements que Mr. Knowles ressentait dans le bras. « Papa passait son temps à répéter la même chose ! s'exclamait Eliza. Il disait toujours qu'il regrettait de ne pas avoir de dictionnaire des douleurs. Avec ces symptômes que les gens étaient capables de lui décrire — un “ventre plein de bulles de Pepsi”, “un dos geignard et ergoteur !” »

« Driscoll, tu es à côté de Linda », poursuivit Delia. Mais Driscoll, feignant d'être captivé par la conversation, garda le visage tourné vers Eliza et tira furtivement la chaise qui était à côté de Susie.

Delia déclara forfait. « Oh, et puis asseyez-vous, c'est tout », dit-elle à Nat, qui s'installa sur la première chaise qui se présentait, très précisément à l'endroit qu'elle lui avait destiné, juste à sa droite. « Servez-vous donc de riz », suggéra-t-elle en lui passant le plat. Puis elle lança aux autres : « Tout va refroidir ! »

Eliza prit place à la gauche de Sam en secouant la tête avec scepticisme à ce qu'il était en train de dire. « Mais qui sait ? Peut-être que ça revient au même : naevus pour l'un, cancer pour l'autre. Tout est au même niveau, ce n'est guère qu'une question de résistance.

— Sam Grinstead, ne me dis pas que tu crois ça une seconde ! glapit Linda. Quelle idée bizarre ! »

Delia déclara : « Paul, peux-tu te servir de riz et faire passer, s'il te plaît ? Vous tous, installez-vous ! »

Subitement, tout le monde s'assit. Ils semblaient tous à court d'énergie et la tablée fut gagnée par un silence que vint rompre le fracas d'une cuillère de service que venait de faire tomber Paul. Il découvrit toutes ses dents tant il était embarrassé et la ramassa.

Soudain, Nat demanda : « Quelqu'un parmi vous a-t-il déjà vu les photos de C.R. Savage ? »

Les adultes tournèrent vers lui des visages réceptifs et courtois.

« C'était un homme du XIXe siècle, expliqua-t-il, qui devait utiliser l'ancien procédé du collodion humide. Il y a une photo de lui à laquelle je pense ce soir, qu'il a prise vers la fin de sa vie. Elle représente la table de la salle à manger dressée pour le repas de Noël. Savage lui-même est assis parmi les chaises vides, il attend sa famille. Les chaises sont alignées en enfilade, le couvert mis bien comme il faut, il y a même une chaise de bébé, tout est prêt. Et quand je regarde cette photo, je ne peux pas m'empêcher de penser : *Je suis sûr que c'était le meilleur moment de la soirée. Après, ça n'a plus été qu'une dégringolade, je parie.* Les fils et les filles sont arrivés, ils se sont disputés pour avoir le pilon, ils ont sermonné les enfants sur leur manière de se tenir à table, ils ont remis sur le tapis des incidents vieux de quinze ans ; et puis le bébé s'est mis à pleurnicher et à force tout le monde a fini par avoir mal à la tête. Mais en cet instant, poursuivit Nat d'une voix qui se mettait à trembler, en cette fraction de seconde où se refermait le volet, rien de tout cela n'était encore arrivé, voyez-vous, et la table était si belle, une table de rêve, et le vieux Savage était en proie à un tel bonheur, une telle... je cherche le mot, une telle... »

Mais la voix, cette fois, lui manquait, et il se couvrit les yeux d'une main tremblante en courbant la tête. « Un telle attente ! » chuchota-t-il dans son assiette, tandis que Delia, ne sachant que faire, lui tapotait la main. « Je suis désolé ! désolé ! » s'excusa-t-il. Tous les convives étaient frappés de stupeur. Puis il soupira : « Enfin ! » et se redressa en carrant les épaules. « Dépression post-partum, sans doute », ajouta-t-il. Il s'essuya les yeux avec sa serviette.

« Nat a un bébé de trois semaines, expliqua Delia. Nat, voulez-vous...

— Un bébé ? » répéta Linda d'un ton incrédule.

Sam intervint : « Je croyais que Nat était un de tes amis, Linda.

— Non, c'est un ami à moi, répondit Delia. Il habite sur la côte et il vient d'avoir un adorable petit garçon, vous devriez voir comment...

— L'acte le plus irresponsable que j'aie commis de toute ma vie, oui, souffla Nat d'une voix rauque. Qu'est-ce que je croyais ? Oh, ce n'est pas que c'était prévu au programme, mais... pourquoi suis-je allé jusqu'au bout ? J'ai dû me dire que c'était l'occasion ou jamais d'être un bon père, enfin. Ça devait être ça, ou alors, pourquoi étais-je persuadé que c'était une fille ? Je n'ai eu que des filles, voyez-vous. J'ai dû penser que je pouvais tout recommencer à zéro, en faisant tout comme il faut, cette fois. Mais je m'emporte autant avec James qu'avec les filles. Je suis tout aussi rigide, tout aussi exigeant. Pourquoi ne peut-il pas avoir un rythme régulier, pourquoi faut-il qu'il pleure à des heures aussi imprévisibles... Oh, le meilleur service que je pourrais rendre à cet enfant, c'est de m'en aller me balader au Quatrième.

— Au quatrième ? Oh mais Nat, vous n'y pensez pas ! » s'écria Delia en lui pressant plus fort le bras.

Elle aurait dû comprendre à son mariage qu'un homme aussi exalté ne pouvait que finir en pleurs, comme ces enfants surexcités que l'on a autorisés à veiller plus tard qu'à l'accoutumée.

« Oui. Eh bien, fit Sam en s'éclaircissant la gorge, c'est un phénomène tout à fait courant à notre époque, ces parents plus âgés. L'autre jour, précisément, je lisais, mais où est-ce que j'ai bien pu lire ça...

— Ce qu'il faut à tout prix garder en tête, c'est votre mission », claironna Eliza. Elle était à l'autre bout de la table, juste à côté de Sam, et elle dut se pencher, en ignorant une rangée de profils à l'inexpressivité pleine de tact, pour trouver le visage de Nat. « Je suis convaincue que nous nous sommes vu assigné, chacun d'entre nous, un certain nombre d'expériences, poursuivit-elle. Et à la fin de nos vies...

— Le *New England Journal of Medecine* », annonça triomphalement Sam.

Nat demanda à Delia : « Pourrais-je m'allonger quelque part ?

— Mais bien sûr, répondit-elle en reculant sa chaise pour lui tendre sa canne. Vous nous excuserez », dit-elle aux autres.

Tous les convives acquiescèrent de la tête, interloqués. Alors qu'elle traversait la pièce en compagnie de Nat, elle avait l'impression de sentir les furtifs échanges de regards derrière leur dos.

« Il y a un étage à monter, prévint-elle. Ça ira ?

— Oui, si vous me prenez l'autre bras. Je suis désolé, Delia. Je ne sais pas ce qui m'a pris.

— Vous êtes épuisé, c'est tout. J'espère que vous ne comptez pas rentrer ce soir.

— Non, ce ne serait sans doute pas raisonnable. » À chaque marche, sa canne produisait un cliquetis qui évoquait une poignée de dés que l'on agite. Au creux de sa manche de tweed, son coude n'était guère qu'un nœud au bout d'une corde.

« Je vais vous préparer un lit, dit Delia lorsqu'ils furent sur le palier d'en haut, puis vous appellerez Binky pour la prévenir que vous passez la nuit ici.

— Très bien », acquiesça-t-il d'une voix faible. Il franchit en claudiquant la porte que Delia lui tenait ouverte et se laissa tomber dans un fauteuil couvert d'une housse.

« C'était la chambre de mon père », expliqua-t-elle. Elle alla à l'armoire à linge dans le couloir et revint les bras chargés de draps. « Il y a un téléphone au chevet du lit. Cela remonte à l'époque où il exerçait encore. Mais même après avoir arrêté ses consultations, il lui arrivait de décrocher quand Sam avait un appel. Il donnait son opinion. Il détestait se sentir exclu, voyez-vous. »

Elle bavardait de choses et d'autres tout en s'affairant autour du lit à tendre les draps et border les couvertures. Nat l'observait, sans faire le moindre commentaire. Peut-être ne l'écoutait-il même pas, car, lorsqu'elle alla dans la chambre de Sam lui emprunter un pyjama, elle le retrouva, à son retour, les yeux rivés sur les vitres bleu-noir.

« En fait, dit-elle en posant le pyjama sur la commode, j'ignore combien de fois j'ai fait ce lit tout comme ce soir, alors que papa était assis exactement là où vous êtes. Il aimait que ses draps soient à peine dépendus de la corde à linge, oh, bien longtemps encore après que nous étions passés au sèche-linge automatique. Il restait dans ce fauteuil et...

— C'est un voyage dans le temps, déclara soudain Nat.

— Sans doute, oui, en un sens. »

Mais, de toute évidence, il se parlait à lui-même. « Tout juste une ruse démente, parfaitement débile, pour remonter le temps, poursuivit-il, comme si elle n'était pas intervenue. Malheureusement, c'est Binky qui va payer les pots cassés. Pauvre Binky !

— Binky s'en sortira très bien, dit-elle d'un ton ferme. Bien. Cette porte-ci donne sur la salle de bains. Il y a des brosses à dents neuves sur la tablette au-dessus de la baignoire. Est-ce que vous avez besoin d'autre chose ?

— Non, merci.

— Un plateau-repas, peut-être ? Vous n'avez pas touché à votre dîner.

— Non.

— Bien, et surtout, appelez-moi si vous avez besoin de quoi que ce soit. »

Puis elle se pencha pour déposer un baiser sur son front, comme par le passé elle embrassait son père soir après soir.

Delia fut la suivante à aller se coucher. Elle monta à neuf heures et demie, après avoir lutté pour garder les yeux ouverts pendant presque tout le dîner. « Je suis claquée », annonça-t-elle à la cantonade. Ils étaient encore tous attablés — même Courtney, bien que Paul eût été récupéré par sa mère à un moment ou à un autre. « J'ai l'impression que le début de la journée remonte aux temps préhistoriques », leur dit-elle, puis elle grimpa l'escalier pour regagner la chambre d'Eliza, en proie à un tel épuisement qu'il lui fallait hisser ses pieds derrière elle comme des seaux de ciment.

Une fois au lit, cependant, elle fut incapable de trouver le sommeil. Elle resta allongée, les yeux rivés au plafond, caressant d'une main distraite la chaude boucle de chat lovée contre sa hanche. Au rez-de-chaussée, Linda et Sam se chamaillaient comme à leur habitude aux accents d'un concerto pour cuivres de Mozart. Eliza lança : « Et pourquoi n'en aurait-il pas le droit, je te le demande ? » Qui donc ? s'interrogea Delia. De faire quoi ?

Sur ces entrefaites, elle dut s'endormir, mais d'un sommeil si haché, si superficiel, qu'elle eut le sentiment de demeurer partiellement consciente d'un bout à l'autre, et, lorsqu'elle réémergea, elle ne s'étonna pas de constater que la maison était plongée dans le noir et que toutes les voix s'étaient tues. Elle s'assit dans son lit et tourna sa montre pour l'exposer à la lumière de la fenêtre. D'après le peu qu'elle distinguait dans la pénombre, il était soit onze heures, soit minuit moins cinq. Plus probablement minuit moins cinq, se dit-elle, vu le silence.

Elle redressa son oreiller et s'y adossa en bâillant. Des larmes d'ennui avaient déjà perlé au coin de ses yeux. Ce serait une de ces nuits qui durent des semaines.

Voyons voir : si le mariage avait lieu à dix heures le lendemain matin, il serait sans doute fini à onze heures. Disons midi, pour être plus sûre. Elle arriverait à la gare routière à la demie, si Ramsay pouvait la conduire. Ou Sam. Sam s'était proposé de l'accompagner, après tout.

Elle s'imagina côté passager avec Sam au volant. Comme deux de ces personnages aux allures de bobine plantés dans des petites voitures. Papa bobine, maman bobine, côte à côte. Face à la route, sans se regarder. Pourquoi se regarderaient-ils, en effet, puisqu'ils avaient depuis longtemps déjà franchi les limites de la surface visible ? Plus le moindre espoir de regard admiratif, plus la moindre chance de perpétuelle adoration. Plus rien à dévoiler que la simplicité, la vérité, la banalité de leur être profond, dont la richesse, quoi qu'il en soit, était incomparable.

Où en était-elle ? La gare routière. Attraper un car aux alentours d'une heure, arriver à Salisbury vers...

Tout compte fait, ses larmes ne semblaient pas être des larmes d'ennui. Elle les sécha avec la manche de sa chemise de nuit, mais il en vint d'autres.

Elle rejeta ses couvertures en faisant attention au chat, se glissa hors du lit et se dirigea pieds nus vers la porte. Le couloir n'était éclairé que par l'unique œil-de-bœuf, tout en hauteur.

Ce fut plus ou moins à tâtons qu'elle chercha la chambre de Sam.

Heureusement, sa porte était entrebâillée. Aucun bruit ne la trahit lorsqu'elle s'y faufila. Mais d'instinct, elle savait qu'il était réveillé. Après toutes ces années, elle le savait, évidemment, ne fût-ce qu'à l'atmosphère raréfiée qui régnait dans la chambre. Elle s'avança à pas délicats sur du parquet froid, puis sur un tapis qui grattait, puis ce fut de nouveau la fraîcheur du bois — terrain qu'elle parcourait depuis qu'elle était en âge de marcher. Elle s'assit, légère comme une plume, sur le côté du lit qui était autrefois le sien. Il était couché sur le dos, s'aperçut-elle. Son visage blême émergea peu à peu de la pénombre amassée. Elle chuchota : « Sam ?

— Oui.

— Tu sais, cette lettre que tu m'avais écrite à Bay Borough.

— Oui.

— Qu'est-ce qu'elle disait, cette ligne que tu as barrée ? »

Il s'agita sous les couvertures. « Oh, j'en ai barré tellement. Cette lettre était un vrai désastre.

— Je veux parler de la toute dernière ligne. Celle que tu avais tellement raturée qu'elle était impossible à lire. »

Dans un premier temps, il ne répondit pas. Puis il dit : « J'ai oublié. »

Son premier élan fut de se lever pour s'en aller, mais elle se força à rester. Elle demeura immobile, attendant patiemment.

« Je crois, finit-il par dire, que ce n'était pas loin de ce que Driscoll se demandait tout à l'heure. Y avait-il quoi que ce soit au monde qui, tu sais bien... qui puisse te persuader de revenir.

— Oh, Sam, soupira-t-elle. Il suffisait de le demander. »

Puis il se tourna vers elle, Delia se glissa sous les couvertures et il l'attira contre lui. Quoique, à vrai dire, il ne le lui eût toujours pas demandé. Explicitement.

Ils s'étaient endormis depuis longtemps lorsque le téléphone sonna. Delia émergea peu à peu. À une heure aussi tardive, ce ne pouvait guère être qu'un patient. Mais Sam ne changea pas même de rythme de respiration, aussi se dégagea-t-elle de sous son bras pour décrocher.

« Allô ? fit-elle.

— Mrs. Grinstead ?

— Oui.
— C'est Joe Bright. »
Il avait la voix éclatante, allègre et parfaitement réveillée à l'heure impossible de... elle scruta le cadran du réveil. Une heure vingt-trois.
« Euh, fit-elle.
— L'agent immobilier, lui souffla-t-il.
— Oh !
— Vous m'avez appelé. Vous-même et votre fille. Vous avez laissé toute une série de messages.
— Oh ! Oui ! » acquiesça-t-elle. Mais elle continuait à patauger lamentablement. « Euh...
— Je ne me serais jamais permis d'appeler à une heure pareille si vous n'aviez pas parlé d'une question de vie ou de mort, Mrs. Grinstead. Or, je viens seulement de rentrer. La mère de ma femme est morte comme ça, sans crier gare.
— Oh, je suis désolée », dit-elle. Elle se redressa. « La raison pour laquelle je vous appelais... » Elle changea le combiné d'oreille. « Ma fille voulait savoir... Oui... aura-t-elle le droit de planter des clous dans les murs ? »
Il y eut un silence.
« Si jamais ils veulent accrocher des tableaux, mettons, ou un miroir..., expliqua-t-elle d'une voix qui faiblissait.
— Des clous, répéta Mr. Bright.
— En effet.
— Elle voulait savoir si elle pouvait planter des clous.
— En effet.
— Eh bien, fit Mr. Bright. Je pense, oui. Du moment qu'ils rebouchent les trous en partant.
— Oh, ils n'y manqueront pas ! Vous avez ma parole. Merci, Mr. Bright. Bonsoir. »
Il y eut de nouveau un silence. « Bonsoir », dit-il.
Delia raccrocha et se rallongea. Elle pensait que Sam était encore endormi, mais elle l'entendit pousser un petit soupir amusé. Elle esquissa un sourire. Dehors, dans le centre-ville, au lointain, un train passa en coup de vent. Dans la maison, une lame de parquet craqua et, quelques minutes plus tard, une toux embrumée retentit dans la chambre où dormait Nat.
« C'est un voyage dans le temps », avait dit Nat.
Elle repensa aux efforts tentés l'après-midi même pour se remémorer les traits du visage d'Adrian. Elle avait commencé

par sa ressemblance avec son petit ami du lycée mais, en cet instant, en cet instant seulement, elle s'apercevait que l'image qui avait surgi sous ses yeux se trouvait être celle de Sam et non celle du petit ami en question. Un Sam plus jeune, plein de sérieux et d'espoir, en ce premier jour où il avait franchi la porte.

Tout cela n'avait été qu'un voyage dans le temps — l'année et demie qui venait de s'écouler. Contrairement à Nat, cependant, son voyage dans le temps avait été réussi. Que dire d'autre alors qu'elle aboutissait à la case départ, chez elle, de retour avec Sam et pour de bon ? Quand tous ceux qu'elle avait laissés en chemin avaient progressé de bien des manières ?

À présent, la scène de juin sur la plage lui apparaissait sous un nouveau jour. Ses trois enfants y fixaient l'horizon avec la vigilance, la tension immobiles d'explorateurs s'apprêtant à se lancer dans leur expédition. Et Delia au loin, s'abritant les yeux de la main, avait tenté de comprendre pourquoi ils partaient.

Où ils s'en allaient ainsi sans elle.

Comment dire adieu.

imprimerie gagné ltée